氷　姫

エリカ&パトリック事件簿

カミラ・レックバリ
原　邦史朗　訳

JN283162

集英社文庫

目次

主な登場人物

エリカ・ファルク……………………伝記作家
パトリック・ヘードストルム…………ターヌムスヘーデ警察署刑事
アレクサンドラ(アレクス)・ヴィークネル……ギャラリー経営、エリカの子供時代の親友
ヘンリック・ヴィークネル……………アレクサンドラの夫、会社経営の資産家
カルエーリック・カールグレーン………アレクサンドラの父親
ビルギット・カールグレーン…………アレクサンドラの母親
ユーリア・カールグレーン……………アレクサンドラの妹
アンデシュ・ニルソン…………………画家
ヴェーラ・ニルソン……………………アンデシュの母親
ネッリー・ローレンツ…………………缶詰工場創立者の妻

ニルス・ローレンツ……………………ネッリーの息子、一九七七年一月失踪
ヤーン・ローレンツ……………………ネッリーの養子、缶詰工場社長
アンナ・マックスウェル………………エリカの妹、二児の母
ルーカス・マックスウェル……………アンナの夫、トレーダー
バッティル・メルバリ…………………ターヌムスヘーデ警察署署長
アンニカ・ヤンソン……………………ターヌムスヘーデ警察署事務官
ダーン・カールソン……………………漁師、エリカの昔のボーイフレンド
パニッラ・カールソン…………………ダーンの妻
トード・ペーデシェン…………………イェーテボリ警察管区法医学室監察医
エイラート・バリ………………………元漁師
スヴェーア・バリ………………………エイラートの妻

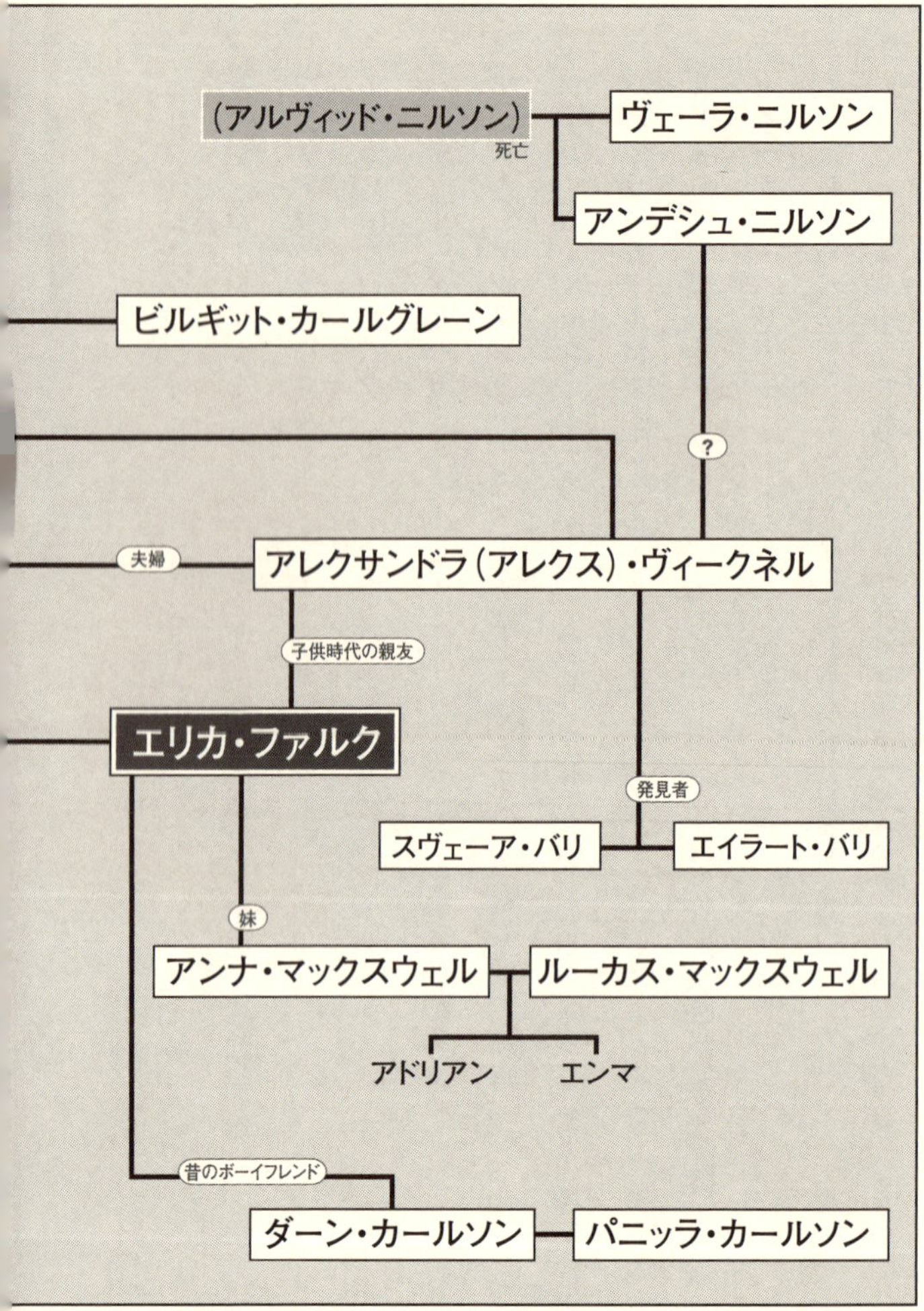
（アルヴィッド・ニルソン）
死亡
ヴェーラ・ニルソン
アンデシュ・ニルソン
ビルギット・カールグレーン
?
夫婦
アレクサンドラ（アレクス）・ヴィークネル
子供時代の親友
エリカ・ファルク
発見者
スヴェーア・バリ
エイラート・バリ
妹
アンナ・マックスウェル
ルーカス・マックスウェル
アドリアン
エンマ
昔のボーイフレンド
ダーン・カールソン
パニッラ・カールソン

人物関係図

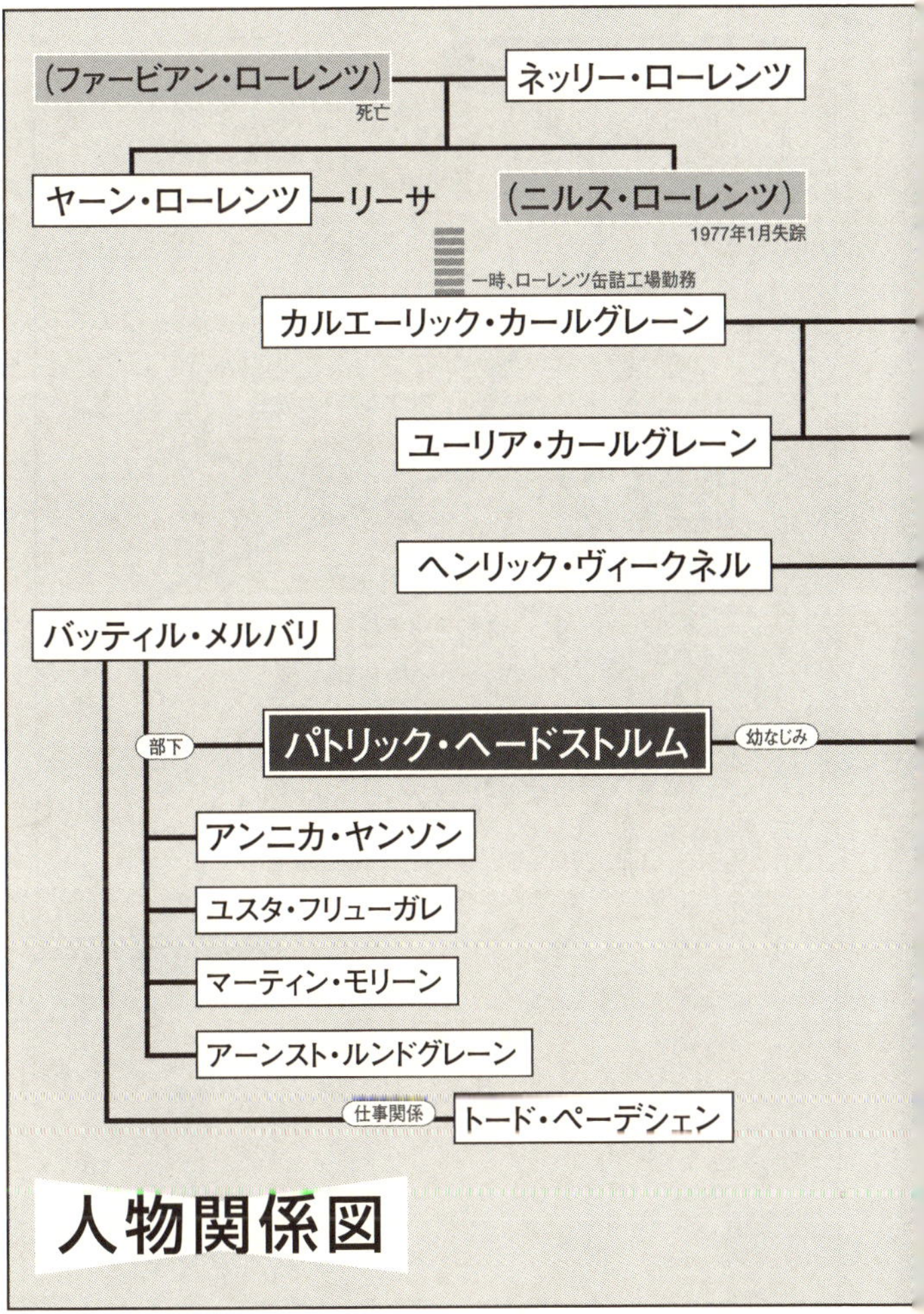

（ファービアン・ローレンツ）
死亡
ネッリー・ローレンツ
ヤーン・ローレンツ
リーサ
（ニルス・ローレンツ）
1977年1月失踪
一時、ローレンツ缶詰工場勤務
カルエーリック・カールグレーン
ユーリア・カールグレーン
ヘンリック・ヴィークネル
バッティル・メルバリ
部下
パトリック・ヘードストルム
幼なじみ
アンニカ・ヤンソン
ユスタ・フリューガレ
マーティン・モリーン
アーンスト・ルンドグレーン
仕事関係
トード・ペーデシェン

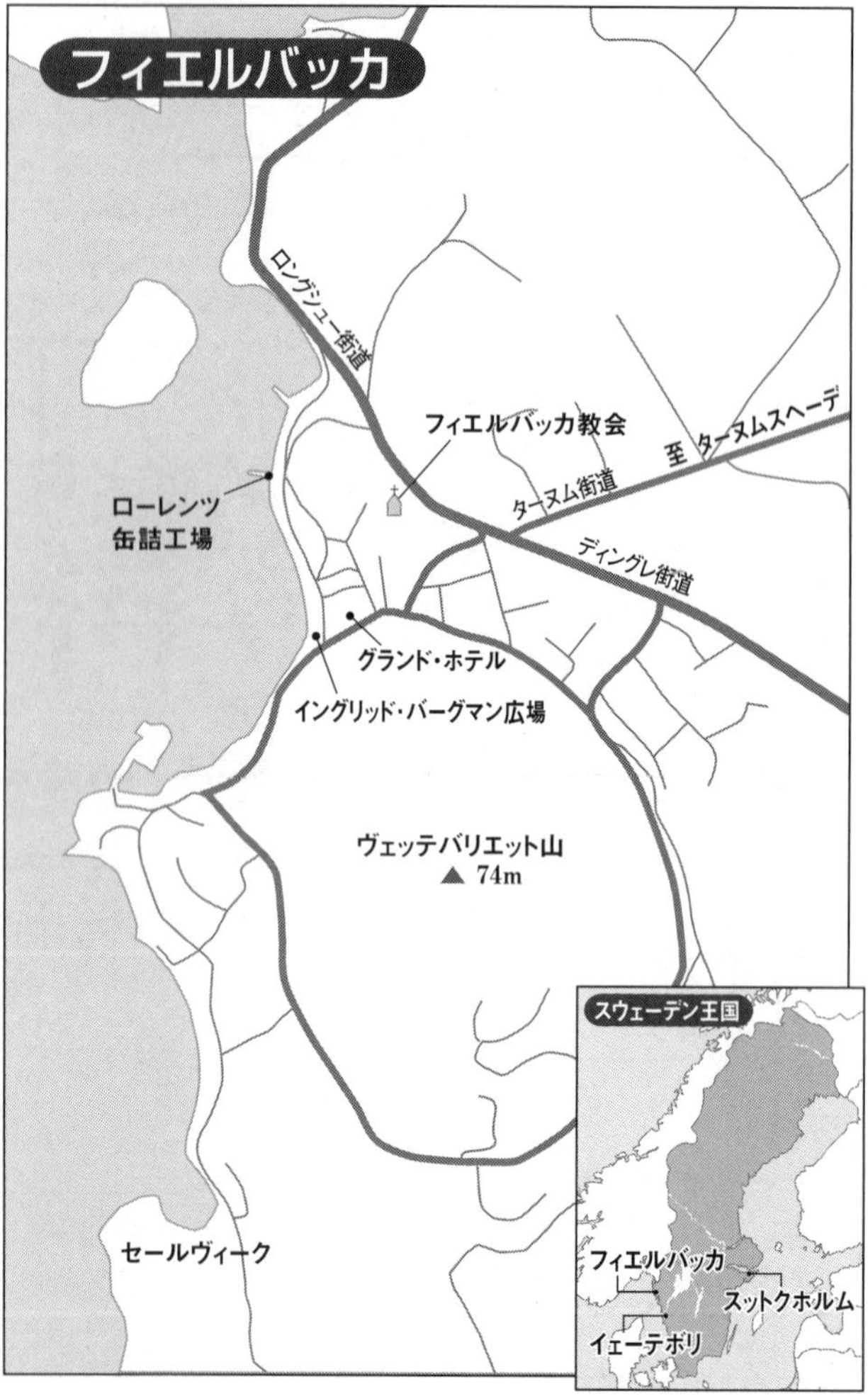

フィエルバッカ
ロングシュー街道
フィエルバッカ教会
至 ターヌムスヘーデ
ターヌム街道
ローレンツ
缶詰工場
ディングレ街道
グランド・ホテル
イングリッド・バーグマン広場
ヴェッテバリエット山
▲ 74m
スウェーデン王国
フィエルバッカ
スットクホルム
イェーテボリ
セールヴィーク

氷　姫

エリカ&パトリック事件簿

ヴィッレへ

I

その家は人の気配もなく、寂しかった。冷気が家の隅々まで沁《し》み込んでいた。浴槽の中には薄い氷の膜ができている。彼女は薄い青みがかった色あいを帯び始めていた。横たわる彼女はまるでお姫さまみたいだ、と彼は思った。

彼が座り込んでいる床は氷のように冷たかったが、気にならなかった。手を伸ばして彼女に触れてみた。

彼女の両手首についている血は、とうに固まっていた。

彼女への愛情は、今ほど強いことはなかった。彼女の腕を撫でていたが、まるで肉体から脱け出してしまった魂を愛撫《あいぶ》しているようだった。

彼はその場を立ち去るとき、振り返らなかった。これが永遠の別れではなく、また会えると知っていたから。

エイラート・バリは不幸な人間だった。息遣いも苦しげで、いつも呼気の白い小さな煙を口許に漂わせていた。それでも自分の健康が、いちばんの心配事でもなかった。

スヴェーアは若いころはなかなかの美人で、エイラートは初夜までとても待てそうもなかった。スヴェーアは結婚するまでは優しくて親切で、そして少し内気そうにも見えた。ところが本性は、新婚生活の若々しい喜びがほんのわずかばかり続いた後すぐに現れた。それからは五十年近くずっと、亭主をどっしり尻に敷いてきた。それでも、今、エイフートには秘密が一つあった。人生の秋になって初めて、わずかながら自由を手に入れる可能性が見つかり、それを必死で守っていたのだった。

エイラートは生涯ずっと漁師をしてあくせく働いた。しかし稼ぎは、スヴェーアと子供たちを養うにはかつかつだった。引退後、夫婦の暮らしはささやかな年金に頼っていた。どこか別の場所で自分の人生を、それもたった一人で、やり直す可能性などなかった。この可能性は、まるで天からの恵みのように降ってきたのだ。それも、笑えるほど簡単に。しかし、週に一時間あまりの仕事に桁はずれの金額を払おうという人間がいたとしても、それはその人の問題であって、自分の知ったことではないとエイラートは考えた。そして、園芸用の堆肥の後ろの木箱に隠して貯めていた紙幣はたった一年で、目を見張るばかりの束になった。もうすぐ、温かい土地に移るのに十分な額になる。

息をつくために最後の急な上り坂の途中で立ち止まり、リューマチで不自由になった両手をもむ。スペインなら、あるいは恐らくギリシアなら、まるで体の奥底から出てくるような寒さを解かしてくれるに違いない。エイラートは自分がぽっくりいってしまうまで最低十年はあると見込んでいて、その年月をめいっぱい楽しむつもりだった。その十年をあのババアといっしょにあの家で過ごすなんて、真っ平ごめんだ！

毎日早朝にしている散歩は、エイラートにとって唯一の静かで穏やかなひと時でもあり、欠かせない運動にもなっていた。いつも同じ道を通っていたので、その習慣を知っている人たちはよく家の外を覗《のぞ》いては言葉をかけてくれる。彼がとりわけ楽しいと思っていたのは、丘の頂上、ホーケバッケン学校のそばにある家の美人とのお喋りだった。その娘は週末だけここに滞在しており、いつも一人だったが、時間を惜しまずにお天気について話し相手になってくれた。このミス・アレクサンドラは、昔のフィエルバッカにも関心があった。そして、この話題は、エイラートも大歓迎だった。彼女は、実際美しかった。これは、たとえ老いぼれになっても変わらず分かることだ。確かに彼女をめぐってはいろいろ噂《うわさ》があったけれども、婆さんたちのお喋りにいったん耳を傾けたが最後、他のことに当てる時間なんてなくなってしまう。

一年あまり前エイラートはアレクサンドラから、いつも自分の家の前を通りかかるのだったら、毎週金曜の朝に家を覗いてもらえないだろうか、と頼まれた。家は古いし、水道管もボイラーも心配だし、週末に寒い家に来たくもないので、と。鍵《かぎ》を渡すから、問題ないかどうか確かめてくれるだけでいい、この一帯では押し込み強盗が何件も起きているので、窓やドアが破られていないかどうかも注意して見てほしいというのだった。

その仕事はことさら面倒そうでもなかった。そして月に一度、アレクサンドラの家の郵便受けには、エイラートの名前が書いてある封筒が入っていた。その中身は、彼からすれば桁はずれの金額だった。そのうえ、エイラートにとっては少し人の役に立っていると思えるのも、気持ちがよいものだった。生涯働きづめだったから、何もしないでブラブラしているのはかえって楽でなかったのだ。

庭の木戸は傾いていたので、中の通路のほうに押しやると、ギーと音を立てた。雪が通路を覆っていた。それで、自分の二人の息子のどちらかに、雪かきを手伝ってもらおうと考えた。こんなのは、女がやる仕事ではない。

エイラートは鍵を手探りしながら、深い雪の中に落とさないように注意した。思わず膝をついてしまったら、きっと立ち上がれなくなる。玄関ポーチの階段も氷が張っていて滑りやすかったので手すりを握りしめた。エイラートがドアの鍵穴に鍵を差し込もうとしたそのとき、ドアが少し開いていることに気づいた。驚きながらも玄関の中に足を踏み入れる。

「おーい、誰かいないかぁー」

アレクサンドラは今日少し早く到着したのかな？　返事はなかった。自分の吐く息が口からのぼるのが見え、そして突然、この家がすっかり冷えきっているのに気づいた。急に、どうしたらいいか分からなくなった。なにか恐ろしく大変なことが起きているようだ、ボイラーの故障なんて問題じゃないだろう。

部屋をみんな回ってみる。何一つ人が触れたような様子はなかった。家の中は、いつものようにきちんと片付いていた。ビデオとテレビはいつもの場所にあった。一階を全部見てから、エイラートは階段を上がっていく。階段は急で、手すりをしっかり摑まなければならなかった。二階に上がると、まず寝室に入った。ここはいかにも女性的に、趣味よく飾りつけられており、他の場所と同じようにきちんと片付いていた。ベッドは整っていて、その足側にスーツケースが一つあった。その中から取り出されたようなものはなかった。エイラートは急に、ちょっとばかばかしくなった。おそらく彼女はいつもより早めに到着し、ボイラーが故障しているのを見つけて、修理ができる人を探しに外出したのだろう――それでも彼自身、その説明では納得できなかった。何かが変だ。体の節ぶしに、ときどき悪天候が近づくのを予感するときと同じような感じがした。さらに家の中を注意深く歩きまわってみる。次の部屋は大きな屋根裏部屋で、傾斜天井と木の梁《はり》があった。暖炉の左右それぞれの側にはソファが置かれていて、向かい合っていた。ローテーブルの上には雑誌が数冊散らばっていたが、他のものはどれもいつもの場所にあった。また一階に下りていった。そこも見たところ、何もかも本来あるはずのままになっていた。台所も居間も変わりない。あと残っているのは浴室だけだ。なぜか彼はドアを開けるのをためらった。あいかわらず家の中は静まり返っている。彼は少しの間ためらっていたが、自分の振る舞いを滑稽《こっけい》に感じ、意を決してドアを押し開けた。

その数秒後に彼は、年齢の割には信じられないスピードで玄関ドアに向かってダッシュしていた。ぎりぎりのところで、玄関ポーチの階段が滑りやすいのを思い出して手すりをしっかり摑んだおかげで、階段を逆さまに転げ落ちずにすんだ。庭の通路にあった雪に足を奪《と》られながらも何とか進んだが、木戸に手こずり、思わず悪態をついた。道路に出て、途方に暮れたまま歩道に立ち止まった。道を少し下ったあたりからきびきびした足取りで近づいてくる人の姿が目に入り、間もなくトーレの娘エリカだと分かった。大声で、止まってくれー、と呼ぶ。

彼女は疲れていた。死ぬほど。エリカ・ファルクはパソコンをシャットダウンし、台所に行ってカップにコーヒーを入れる。ありとあらゆる方面からプレッシャーをかけられている感じがした。出版社は本の概要を八月にも欲しがっているのに、ほとんど手つかずのままだ。セルマ・ラーゲルルーヴ（一八五八―一九四〇。小説家。一九〇九年女性として初めてノーベル文学賞を受賞。『ニルスのすばらしいスウェーデン旅行』などで知られる）の本、このスウェーデンの女性作家たちを扱った伝記シリーズの五作目はエリカの最高傑作になるはずだったが、本人はすっかり執筆意欲を失くしていた。両親が亡くなってからもう一カ月以上にもなるのに、今でも悲しみはあの知らせを受けたときとまったく変わらなかった。両親の家を片付けることも、思いどおり手早くは進まないことが判った。何もかもが、さまざまな思い出を呼び覚ますのだ。整理箱一つの片付けに何時間もかかった。それというのも、手にするもの一つひとつと関わって、時にはひどく近く感じられ、また時にはひどく、ほんとうにひどく遠く感じられる人生のさまざまな場面が、心に押し寄せてきたからだ。しかしその整理には、実際にかかっただけの時間が必要だったのだ。ストックホルムのマンションは当分の間他人に貸し、自分自身はフィエルバッカに両親が残した家に腰を落ち着けて執筆することも考えている。この家は少し町をはずれてセールヴィークにあるが、環境は静かで平和そのものだ。

エリカはバルコニーに座って、目の前に広がる多島海を見渡していた。その眺めには毎度、息を呑まずにはいられなかった。巡りくる季節はいずれも新たな、目を見張らんばかりの風景をもたらす。この日は目がくらむばかりの太陽が昇って、海面を厚く覆っていた氷の上にキラキラ輝く光が、滝のように降りそそいでいた。父ならば、まさにこのような一日を愛していたに違いない。

喉が締めつけられるように苦しくなった。家の中の空気を吸うとムッとしたので、散歩に出かけることにした。寒暖計は零下十五度を差していたので、何枚も重ね着する。それでも、外に一歩踏み出すと体が震えた。しかし、そんなに歩かないうちに、早足のおかげで温まってきた。

外はほっとするほど静かだった。動きまわっている人間は一人もいない。聞こえるのは自分の息する音だけ。夏の数カ月とのコントラストははっきりしていた。夏季ならば、町は活気にあふれ返っている。エリカは、夏はフィエルバッカから遠ざかりたかった。この町の生き残りは観光にかかっていると分かっていても、やはり夏ごとにイナゴの大群に侵略されているという思いを拭《ぬぐ》い去れない。多頭モンスターのような開発会社がじわじわと、年一年と海沿いにある建物を買い上げて、一年のうち九カ月間は閑散とするゴーストタウンを造り出しながら、この古い漁村を呑み込んでいるのだ。

フィエルバッカは漁業によって、何世紀もの間生計を立てていた。荒涼とした環境と絶えざる生存競争は、あらゆるものがニシンの豊漁不漁に左右されていた時代には、荒々しくも強靭《きょうじん》な人々を生み出していた。収入源として漁業が重要性を失くしていったのと並行して、フィエルバッカが風光明媚《めいび》な地となって、分厚い財布を持った観光客を引きつけ始めてからこの方、町の住民たちは年ごとに、ますますうなだれるようになってしまったのを見ているとエリカは思う。若者は町を出てゆき、高齢者たちは過ぎ去った時代の夢を見ている。エリカ自身も、町を出ていくことを選んだ一人だ。

さらに足取りを速めて丘に向かい左に曲がって、ホーケバッケン学校へ上がっていこうとした。エリカが丘の頂上に近づくと、エイラート・バリが何か叫んでいるのが聞こえた。でも何を言っているのかちゃんと理解できなかった。エイラートは両手を振りながら、やって来た。

「あの女《ひと》が、死んでいる」

エイラートはこきざみに、しかし激しく喘いでいて、ぜいぜい鳴る不快な音が胸から聞こえた。

「落ち着いて、エイラートさん。何があったの?」

「あの家で、女が死んでいるんだ」

エイラートは丘の頂上にある大きな淡い青色の木造家屋を指差し、すがるような目で彼女を見た。

相手の話の要領をつかむまでちょっと時間がかかったが、その言葉を呑み込むやいなや、エリカは固い木戸を押し開けて、そろそろと玄関ドアまで進んだ。老人はドアを開けっぱなしにしていた。エリカは何を見ることになるのか見当もつかないまま、敷居をまたいだ。どうしてか分からなかったが、老人に訊くつもりはなかった。

エイラートは注意深い足取りでエリカの後に続き、無言のまま一階の浴室を指差した。エリカは急がなかった。振り向いて、問いただすような顔つきでエイラートを見る。彼は真っ青になって、かぼそい声で言った。

「あの中だ」

エリカがこの家に入ったのは実に久しぶりだったが、かつてはよく知っていたので、浴室の場所も分かっていた。暖かい服装をしていても冷気に体が震えた。浴室のドアがゆっくりと内側へ開いたので、足を踏み入れる。

エイラートの言葉数の少ない説明だけでは、何が待ちかまえているのかよく分からなかった。しかも、そこで血を見る心の準備はまったくできていなかった。浴室は全体が真っ白なタイル張りだったので、浴槽の中と周囲にあった血痕は、それだけいっそう衝撃的だった。エリカはこの色のコントラストは美しいと思ったが、それも、浴槽に横たわっているのが正真正銘の人間だと分かるまでのほんの一瞬のことだった。

体を染めている不自然な白と青の色合いにもかかわらず、誰なのか、エリカはすぐに分かった。アレクサンドラ・ヴィークネル、旧姓カールグレーン、今エリカが足を踏み入れた家の所有者の娘だ。二人は子供時代には大の仲良しだったが、それが大昔のことのようにも思える。浴槽の中の女は、まるで見知らぬ人だった。

死体の両目は幸いなことに閉じられていたが、唇は鮮やかな紫色に染まっていた。薄い氷が一枚、胴のまわりにできていて、下半身をすっかり覆っている。血の筋《すじ》が模様のようについている右腕は、浴槽の縁に沿ってだらりと垂れており、指は、床に凝固した血の海に浸かっていた。カミソリの刃が一枚、浴槽の縁《ふち》にのっていた。左腕は肘から上だけ見えて、あとは氷のへりの下に隠れていた。両膝も、凍りついた水面から突き出ていた。そして、アレクスのブロンドの長い髪は浴槽の頭部に扇子のように広がったまま凍りついており、今にも粉々に砕けそうだった。

エリカは長い間、彼女を見つめたまま立っていた。冷気に、そして目の前の背筋の凍る光景が描き出している寂しさに身震いした。それから、ゆっくり後ずさりしながら浴室を出る。

その後、出来事はすべてまるで霧の中で起きたかのようだった。彼女は携帯電話で当直の地区医師に連絡し、医師と救急車が到着するまでエイラートといっしょに待っていた。両親の交通事故について連絡を受けたときのショック状態がまた甦ったので、自宅に戻るとすぐにブランデーをグラスになみなみと注いで飲んだ。こんな薬は医師が処方するはずもないが、それでも、おかげで両手の震えが止まった。

アレクスを目にしたことで、エリカは子供時代へと一気に戻ってしまった。二人が大の仲良しだったのは二十年以上も昔のことだ。それからの人生で多くの人と出会い、多くの人が去っていったのに、アレクスだけはずっと心から遠ざからずにいた。あのころ二人は小さな子供だった。成人してからは、お互いに見知らぬ人間になっていたが、それでもエリカには、アレクスが自分で命を絶ったとはどうしても思えなかった。自殺というのは、エリカの目撃した光景から導き出される自然な解釈には違いなかったのだが。エリカが知っていたアレクサンドラは、活き活きとして自信に満ちている人たちの一人だった。美しくて誇り高く、すれちがった人たちを振り返らせる魅力のある人だった。噂でも、エリカがいつも思っていたとおり、アレクスの人生はかなり順調だった。イェーテボリで画廊を経営し、ハンサムで成功した男性と結婚して、セールー島にある荘園風の屋敷に住んでいた。でも、明らかに、なにもかもうまくいっていたわけではなかったのだ。

彼女はそんな思いを振り払わねばと感じて、妹の電話番号を押した。

「眠ってた?」

「冗談でしょ？　アドリアンに今朝三時に起こされたわ。やっと六時ごろに寝てくれたと思ったら、今度はエンマが目を覚まして遊びたがるし」

「ルーカスは、起きてくれないの？　いっぺんも？」

　電話の向こうに凍るような沈黙が広がったので、エリカは言いたいのをこらえる。

「あの人は今日は重要な会議があるから、よく休んでおかなきゃならなかったの。めちゃくちゃ忙しいんだって。会社が戦略的に難しい時期にあるみたい」

　アンナの声は高くなったが、その中にエリカはヒステリーの響きを感じ取った。ルーカスは言い訳に窮することはないし、おそらくアンナは彼の言葉を文字どおり繰り返しているだけだ。重要な会議でなかったならば、彼は自分で下さざるを得ないあらゆる困難な決定のためにストレスを受けるか、彼自身の表現を借りて言えば、彼のような成功したビジネスマンであることからくるプレッシャーが大きいために、神経がずたずたになってしまうのだ。その結果、子供たちに対する責任はすべてアンナが負わされた。両親の葬儀で会ったとき、元気な三歳児と四カ月の赤ん坊を連れてきたアンナは、実年齢の三十よりも十歳も老けて見えた。

「ねえ、《ハニー、》さわっちゃダメ《ドント・タッチ・ザット》」

「真面目な話、そろそろエンマとはスウェーデン語で話し始めたらいいんじゃないの？」

「ルーカスは、自宅では英語を話すべきだと考えてるの。それに、エンマが学校に上がる前に一家でロンドンに引っ越しているだろうって言ってるわ」

エリカは、「ルーカスは考えてる、ルーカスは言ってる、ルーカスは思ってる」という言い方には、まったくウンザリしていた。エリカはこの義弟のことを、見事なくそったれ野郎だと思っている。

アンナはロンドンでオペア・ガール（英語学習のため英国の家庭に住み込み家事手伝いをする外国人女子）だったときにルーカスと知り合い、すぐにこの十歳年上で成功したトレーダー、ルーカス・マックスウェルから受けた嵐のようなアタックに夢中になってしまった。大学で勉強を始める計画はすっかり投げ出して、その代わり、人のお手本になる完璧な主婦になることに人生を捧げてきたのだった。問題はただ、ルーカスが満足を知る人間でなかったことだ。アンナはと言えば、子供時代からずっと、いつも自分がいいと思ったことだけしかしてこなかったのに、その個性はルーカスといっしょに過ごしてきた年月の間に、すっかり消え失せてしまった。エリカは子供たちが生まれるまではずっと、妹が理性を取り戻してルーカスのもとを去って自分自身の人生を歩み出すことに望みをかけていたのだが、まずエンマが、それからアドリアンが生まれると、残念ながら義弟はこの国に居すわって去りはしないだろうと、悟らざるを得なかった。

「ルーカスと彼の育児論の話はもうやめましょう。おばちゃまの可愛い子ちゃんたちはこのごろ何をしでかしてるのかしら」

「うーん、あいかわらずよ……エンマは昨日癇癪《かんしゃく》を起こして、わたしが気がつかないうちに、ひと財産分の子供服をずたずたに切ったし、アドリアンは休みなく三日も吐いたり泣きわめいたりしてるわ」

「環境を変える必要があるみたいね。子供たちを連れて一週間こっちに来られない？　わたしもいろいろ調べるのに手伝ってもらえると助かるわ。それに、いずれ両親の書類とかを全部探し出さないといけないし」

「ええ、わたしたち、そのことであなたと話をしなければと思ってたところ」

どうしても厄介なことに関わらなければならないときはいつもそうなのだが、アンナの声がはっきりと震え出した。エリカは警戒した。その「わたしたち」は、不吉の前触れみたいに響いた。ルーカスが何かに手出しをするやいなや、彼には有利に、他の関係者全員には不利になるというのが常だった。

エリカは、アンナがさらに続けるのを待った。

「ルーカスとわたしは、彼がスウェーデン支社をちゃんとかためたらすぐにロンドンに戻ることを考えてきたの。だから、わざわざこっちの家を維持する心配なんか予定してなかった。あなただって田舎の大きな家のことで悩まなきゃならないなんて、嬉しくないでしょ、つまり、家族もない人が……」

重くのしかかる沈黙。

「いったい何が言いたいわけ？」

エリカは自分の巻き毛を人差し指に巻きつける。それは、子供のころから神経質になるといつもしていた癖だった。

「うーん……ルーカスは、わたしたちはそっちの家を売ったほうがいいと思ってるの。そっちを維持してゆくなんて不可能よ。それに、わたしたち、英国に戻ったらケンジントンに家を買おうと思ってるわ。今ルーカスがたくさん稼いでるとしても、そっちの家を売って入るお金があると、ないとでは大違いなの。つまり、西海岸にある家は数百万クローナになるでしょう。ドイツ人はオーシャンビューとか海の空気とか、めちゃくちゃ欲しがってるし……」

アンナはさらに言い続けるが、エリカのほうはもうたくさんと、妹の話の途中で受話器をそっと置いた。エリカは確かにいつものように、さまざまな思いを振り払うことができた。

彼女はいつもアンナに対して、姉というよりもむしろ母親だった。子供のころからずっと妹を保護し見守ってきた。アンナはまったくの自然児、結末を考えることもなく自分の衝動に従う渦まく吹雪だった。エリカは数え切れないほど何度も妹を、彼女がはまってしまった苦境から救い出してやった。ルーカスがこの自発性と生きる喜びを、彼女の中から叩《たた》き出してしまったのだ。このことが何にもまして、エリカには許せなかった。

あくる朝、昨日のことはすべて夢の中の出来事のように感じられた。エリカは深く、夢も見ずに熟睡したのだが、うたた寝をしたぐらいにしか感じなかった。とても疲れていて体中が痛かった。腹の虫はグーグー鳴ったが、冷蔵庫の中に目を走らせると、何かを腹の中に入れるより先にまずエヴァス・フーズショップへ往復しなければならないことが分かった。

町にはひとけがなかった。イングリッド・バーグマン広場では、夏の数カ月のような、人でごった返している商売のかけらも見られなかった。霧も靄《もや》もなく視界がよかったので、沖合いに浮かぶヴァールー島のいちばん先の岬まで遠望できた。岬は水平線を背景にくっきり見え、クロークホルメン島といっしょになって、多島海の先端のほうに向かう狭い出口となっている。

ガレールバッケンの坂を途中まで上ったところでエリカは人に出会ってしまう。できることなら願い下げにしたかったので、本能的に逃げ道を探した。

「おはようございます」

エルナ・パーションが臆することもなく元気な声で言った。「これは、これは、わたしたちのお若い作家さんが朝日を浴びて散歩していらっしゃる」

エリカは心の中でぼやいた。

「ええ。エヴァス・フーズまで買い物に行こうと思いまして」

「お気の毒に、あなた。あんな大変な目に遭って、すっかりまいってるでしょ」

エルナの二重あごは感情の高ぶりで震えていた。エリカは、小さいぷっくり太った雀みたいだなと思った。緑色っぽいウールのコートにすっぽり肩から足まで覆われていて、シルエットのはっきりしない大きな塊という印象を与えた。手には、ハンドバッグをしっかり握っている。頭の上では、不釣合いなほど小さな帽子がバランスを保っていた。生地はフェルトのようで、これもぼやけたモスグリーンっぽい色をしていた。たっぷりした脂肪に深くもぐっている小さな目が、返事を催促するようにエリカに向けられていた。

「はい、ええ、あまり楽しいことじゃなかったです」

エルナは思いやるようにうなずいた。「わたしはたまたまローセングレーンの奥さんと会ったのよ。あの方は車で通りかかって、あなたと救急車をカールグレーンさんのお宅の前で見かけたんですって。なんか大変なことが起きたに違いないって、わたしたちすぐ分かったわ。その後たまたま、午後ヤコブソン先生に電話をかけましたら、あの痛ましい出来事のことを聞かされたんですよ。ええ、もちろん、まったくここだけの話ですけど、お医者さまには守秘義務というものがあって、そういうのは尊重しないといけませんから」

エルナはわけ知り顔に、自分がどれだけヤコブソン医師の守秘義務を尊重しているかを示すようにうなずく。

「あの若い人やなんかのことですけど。いったい何があったのかしら。個人的にはわたし、あの娘《こ》はちょっと神経過敏なところがあるなと、いつも思ってたわ。母親のビルギットさんを昔から知ってますけど、神経質になりやすい人でしたし。母子《おやこ》って似るものかしらね。旦那さんのカルエーリックがイェーテボリ市内で社長の職を得てからは、ビルギットさんはつんつんするようになって。もう、フィエルバッカでは物足りなくなったわけよ、大都市でなくてはね。でも思うんだけれど、人間を幸せにするのはお金じゃないわ。根っこを引き抜かれて大都市なんかに引っ越すかわりに、あの娘がここで成長することができてたら、きっと、こんなふうにはならなかったわ。それに、あの気の毒な娘はスイスの学校に入れられたんでしょう。あんな所に入れられるとどんなふうになってしまうか、みんな知っているでしょ。

ほんとにそう、一生残るような心の傷を受けてしまうの。一家がここから引っ越す前は、あの子以上に明るくって元気いっぱいの娘に出会うことなんて、ありませんでしたよ。子供のころあなたたち、よくいっしょに遊んでいたんじゃない？　わたしがほんとうに思うのは……」

エルナの独り言はとどまる気配もなく、このひどい迷惑が終わりそうにもないと見たエリカは、ますます不快な形を取りだした会話からなんとか逃れるきっかけを必死に探し求めた。エルナが息をつこうとして話がちょっと途切れたとき、エリカは、今だとみた。

「お話しできてとても嬉しかったです。でも、残念ですけど、失礼しなくては。お分かりでしょうが、片付けることが沢山ありまして」

エルナとの会話を横道にそらすことができたらいいのにと思いながら、エリカはこのうえなく仰々しい表情を浮かべた。

「ええ、もちろんだわ。考えが足りませんでした。あなたの家族に降りかかった悲劇のすぐ後でこれですもの、とても辛いはずね。年寄りのくせに考えが足りなくって、ごめんなさいね」

このときには、エルナは感きわまって涙を流しそうになっていた。そこでエリカはただ優しくうなずき、大急ぎで別れを告げた。ほっと一息ついてエヴァス・フーズへ向かう。好奇心が強い女性たちなど、これ以上は願い下げだと思いながら。

しかし彼女はついていなかった。何人ものひどく興奮したフィエルバッカの住民から情け容赦なく詰問され、我が家が視界に入るまで、息をする気にもなれなかった。しかしそのとき聞いた噂が一つ、耳の中に残って消えなかった。アレクスの両親が昨日の夕方遅くにフィエルバッカにやって来て、ビルギットの妹の家に泊まっているというのだった。

エリカはレジ袋を台所のテーブルの上にのせて、袋の中の食料品をそれぞれの所に片付け始めた。あれこれと作るつもりだったのに、袋の中には、店に入る前に予定していたほど沢山、体に良いものは入っていなかった。しかし、この日のように全然ついていない日でなければ、甘いお菓子を少し食べても許されるのは、いつなのか？　ちょうどそのとき腹の虫が鳴いた。彼女は、ダイエット用のウェイト・ウォッチャーズのレッド・ポイント12点に相当するシナモンロール二個を皿にのせ、一杯のコーヒーといっしょに食べる。

ここに座って窓外の見慣れた風景を目にするのは素敵に思えたが、今でもこの家の中がしーんと静まり返っているのには慣れなかった。家にたった一人でいることはこれまでもあったけれど、それでもこの静寂とは別のものだった。そのころは、人の存在、いつでも誰かがドアから入ってくるのを意識していた。しかし今は、まるでこの家の魂が消えてしまったようだった。

窓辺には父親のパイプが置かれていて、タバコを詰められるのを待っていた。その匂いは今なお消えずに台所に漂っているが、エリカには、それが日ごとに弱くなっていくように思われた。

ずっとパイプの匂いが大好きだった。小さかったころ、よく父の膝に乗って、その胸にもたれかかって目をつむっていた。パイプの煙は父の衣服のどれにも染み込んでいて、その匂いは彼女の子供時代の世界にあっては、安全と同じものだった。

エリカと母親との関係は、はるかに複雑なものだった。成長する間に母親から抱きしめられたり、撫でてもらったり、慰めの言葉をかけられたりするなど、愛情の徴《しるし》を与えられたことは、思い出す限り、ただの一度もなかった。母のエルシ・ファルクは厳格で容赦のない女性で、我が家を非の打ちどころがないまでにきちんと整えていたが、人生にあって何かを自ら楽しむということは一度もなかった。非常に信心深く、ブーフスレーンの海岸村落に住む多くの人たちと同様に、まだシャータウ牧師（一七五七―一八二五。独自の厳格な敬虔主義を実践。一八四〇年代以降イェーテボリなどの西部および南部スウェーデンに広まる）の教えの影響を強くとどめた社会で育った。子供のころから、生きることは長い苦しみ、むくいは来世にあって得られるべきものと教え込まれていた。エリカはよく、善良でユーモアの気性に富む父が、いったい何をエルシの中に見出したのか知りたいと思っていた。そして十代のころ何かの折、怒りにまかせてその疑問を父にぶつけたことがあった。父は怒らなかった。ただ腰を下ろして、片方の腕を彼女の肩にのせた。それから、自分の母親をそんなに厳しく決めつけるものではないよ、と語った。他の人よりも自分の感情をなかなか表に出せない人たちもいるものだと説明し、まだ怒りで紅潮していた娘の両頬を撫でた。そのとき、エリカは耳を貸さなかった。あんなにはっきりしていたことに父は蓋《ふた》をしようとしていただけだと、エリカは今でも信じている。母はちっともエリカを愛してくれなかった。それは、彼女が胸に畳んであの世まで持っていくべきことだった。

エリカは衝動に従って、アレクサンドラの両親を訪ねることに決めた。親を亡くすことは辛いが、それでも自然の順序に従うことではある。子供を失くすことは恐ろしいに違いない。そのうえ自分とアレクサンドラはかつて、大親友だったのだから。確かにそれは二十年以上も昔のことだが、子供時代の明るい思い出のずいぶんと多くが、アレクスやその一家と分かちがたく結びついていた。


その家は、まるで見捨てられてしまったように見えた。アレクサンドラの叔母と叔父は、フィエルバッカの中心部とセールヴィーク・キャンプ場の中ほど、タッル通りに住んでいた。この通りの住宅は斜面の上手に建っていて、急な斜面に生えた芝生が、海に面した道に向かって広がっていた。玄関のドアは家の裏側にあった。エリカはためらったのち、チャイムを鳴らす。その音は反響し、それから徐々に小さくなり消えていった。家の中からは物音ひとつ聞こえず、彼女が向きを変えて戻ろうとしたとき、ドアがゆっくりと開いた。

「はい?」

「こんにちは、エリカ・ファルクです。実はわたくし……」

あとの言葉は言わずに濁した。改まった自己紹介をするなんて、馬鹿げていると感じて。アレクスの叔母のウッラ・パーションは、エリカのことをよく知っていた。エリカの母とウッラは何年もの間いっしょに教会の信徒会で活発に活動していた。そして日曜日にときどき、彼女の家にウッラはやって来て、コーヒーを共にしていたのだ。

ウッラは脇にのいてエリカを入らせた。家の中には、電灯は一つも点いていなかった。確かに夕方になるまでまだ数時間あったが、午後の薄暗闇がしのびより始め、影は長く伸びていた。玄関ホール真向かいの部屋から、むせび泣きが洩《も》れていた。エリカは靴とコートを脱ぐ。とても静かに、注意して。それ以外のことを許さない雰囲気がこの家に漂っていたのだ。ウッラは台所に入り、エリカのほうはそのまま進んだ。居間に入っていくと、泣き声は止んだ。巨大なパノラマ・ウィンドーの前に置かれた応接セットでは、ビルギットとカルエーリック・カールグレーン夫婦がしっかり体を寄せ合っていた。二人の顔には涙の筋がついていた。エリカは、極めて私的な領域に立ち入ってしまった感じがした。そこは、たぶん闖入《ちんにゅう》してはいけなかった場だった。しかし、今ごろ後悔しても手遅れだ。

エリカはそっと夫婦の真向かいのソファに腰かけ、両手を膝の上に組んだ。彼女がこの部屋に入ってからしばらく、誰も一言も発しなかった。

「あの子は、どんな様子をしていましたか」

エリカは初め、ビルギットが言ったことがほとんど理解できなかった。その声は子供の声のように小さかった。エリカは、何を答えたらいいのか分からなかった。

「寂しそうでした」これがようやく出てきた返答だったが、すぐに後悔する。

「いえ、わたしが言いたかったのは……」言葉はだんだんすぼんでいき、最後は沈黙の中に吸い込まれてしまった。

「あの子が自分で命を絶つなんて、ありません！」

ビルギットの声はにわかに大きく、はっきりと響いた。カルエーリックは妻の手を握りしめ、彼女の言うとおりだとうなずく。おそらく二人は、エリカが浮かべた疑うような表情を見てとったのだ。その証拠に、ビルギットがもう一度繰り返した。

「あの子が自分で命を絶つなんて、ありません！　わたしは誰よりもよく、あの子のことを知っています。あの子が自分で命を絶てるなんて、絶対にない。そんなことをする勇気なんかなかったはず！　それはあなただって分かっているはず。あなたもあの子のこと、よく知っているでしょ！」

一言ごとに、ビルギットは次第に背筋を伸ばし、その目に炎が燃え上がるのをエリカは見た。ビルギットは震える両手を握ったり開いたりしながら、エリカの目をじっと見つめていたが、結局どちらかが視線をそらさざるを得なかった。最初にたじろいだのはエリカのほうだった。彼女は、部屋の中を見まわした。アレクサンドラの母親の悲しみをまっすぐに見ないですむように。

この部屋は心地よかったが、エリカの好みからすると少し飾りすぎだった。しっかりと縁どられたカーテンがエレガントな形にして垂れ下げられ、それは花模様の同じ生地で縫われたソファクッションとマッチしていた。空いている所は、どこもかしこも装飾の小間物が置かれていた。ハンドクラフト風の彫刻を施したいくつかの木製ボウルにクロスステッチの飾りリボンが付けられていて、それが、いつまでも変わることなく潤んだ目をした陶器の犬たちと部屋を分け合っていた。この部屋の救いはパノラマ・ウィンドーで、これを通して見る眺めは実にみごとだった。エリカは、この瞬間をそのまま止めて、この人たちの悲しみに引き込まれる代わりに、窓越しに外を見続けていられたらいいのにと思った。しかし、そうはできずに、またカールグレーン夫婦のほうに視線を向ける。

「ビルギットさん、ほんとうのところ、わたしには分かりません。わたしとアレクサンドラが友だちだったのはもう二十三年も前のことです。彼女がどんな人だったかは、実際何一つ分からないんです。ときどきわたしたちは、人のことを自分で思っているほどには知らないことも……」

その言葉はエリカ自身にも実に虚しく響き、壁にはね返っているのが分かった。今度は、カルエーリックが話し出す。ひきつりながら自分にしがみついているビルギットから身をほどき、前かがみになって。それはまるでエリカに、自分が語るつもりでいる言葉のたった一つも聞き逃させまいとするかのようだった。

「わたしは、実際に起きたことを自分たちが認めようとしていないだけだと思われることは承知している。たぶん今は、筋の通らないことを言っているような印象を与えるだろう。しかし、たとえアレクスが理由があって自分で命を絶ったとしても、あの娘は絶対、もう一度言うけれども、絶対、こんなやり方は選ばなかったはずだ！　アレクスがどんなにヒステリックなまでに血を怖がっていたか、あんた自身も覚えているだろう。あれは、刃物で自分をほんのわずかでも傷つけようものなら、絆創膏を貼ってもらうまでずっと大騒ぎしていた。血を見ただけで気絶したことも何度かある。だから、わたしには確信があるんだよ、死ぬとしたら、あの娘はむしろ、たとえば睡眠薬を選んだはずだ。アレクスがカミソリの刃をとって自分自身を切りつける、最初に片方の腕を、それから別の腕を切るなんて可能性は、万に一つもない。それから、妻も言っていることだが、アレクスはもろかった。あれは勇気のある人間なんかじゃない。一歩踏み出して自分で命を絶つには、内面の強さが要求されるものだ。その力を、あの子は持っていなかったよ」

カルエーリックの声は執拗だった。自分が聞いているのは絶望しきっている二人の人間の一縷《いちる》の望みなのだと今も確信しているのに、やはりエリカはある疑いを拭い切れなかった。よく考えてみると、昨日の朝浴室の中に入ったとき、しっくりこない感じがあった。死体を見つけたことがしっくりこないと感じたのではなく、どうしてもその場に合わないものが浴室の空気の中にあったからだ。人の存在、影というようなもの。これが、彼女に考えられる表現にいちばん近かった。今なお、何かがアレクサンドラ・ヴィークネルを自殺に追いやったと信じてはいたものの、エリカはカールグレーン夫婦の頑とした主張が心に沁み込むのも否定できなかった。

突然彼女は、大人になったアレクスの外見が母親そっくりになっていたことに気づいた。ビルギット・カールグレーンは小柄で華奢《きやしや》で、娘と同じ明るい金髪だ。もっとも、アレクスがロングヘアなのに対して、母親はシックなページボーイにしていたが。今全身を黒服に包んでいる。そしてその悲しみにもかかわらず、自分が明暗のコントラストのおかげで実に人目を惹く女性だと、意識しているようだった。ちょっとした仕草をすると、隠れていた虚飾が外面に浮かび出た。髪をそっと撫でる手、完璧なまでにきちんと整っている上着の襟。そういえば、その昔、ビルギットのクローゼットはお洒落《しやれ》に興味のある年ごろだった八歳のエリカにとっては、ほんとうに憧《あこが》れの場所だった。ビルギットの宝石箱は、そのころ少女たちが行けるいちばん近い天国だったのだ。

妻のそばにいると、夫のほうはごく普通に見えた。決して魅力がないというのではないが、風采《ふうさい》が上がらない。顔は細長くて、細かな皺が刻み込まれていた。髪の生え際は頭のてっぺんまで後退していた。カルエーリックも完全に黒ずくめだったが、妻と違って、そのためにいっそう陰気に見えた。エリカは、そろそろ辞去する頃合いだと感じた。自分でも、何をしようとして訪ねてきたのか分からなかった。

エリカが立ち上がると、カールグレーン夫婦も立った。ビルギットは催促するような目で夫を見やり、目配せで何かを言うように求めた。明らかに、エリカが訪ねてくる前にすでに話し合ったことがあったようだ。

「アレクスの追悼記事を書いてはいただけないだろうか。『ブーフスレーン県民新聞』に掲載するために。あの子の生涯、あの子の夢――それからあの子の死について。あの子の人生と人柄の確認――ビルギットとわたしにとっては非常に重要なことなんだ」

「でも、県民新聞よりも『イェーテボリス・ポステン』のほうに載せるおつもりではなかったのですか。アレクスが住んでいたのはイェーテボリですよね？　そして、その点では、お二人も」

「フィエルバッカはこれまでずっと我が家の故郷だったし、これからもずっとそうだよ。そして、アレクスにとってもそうだった。あんたはまず、あの子の夫のヘンリックと話したらいい。彼とはもう話したんだが、いつでもあんたとお会いする用意がある。もちろん必要な経費はぜんぶ払わせてもらうよ」

それで話し合いは終わった、と夫婦が考えたのは明らかだった。その依頼をはっきりとは承諾しないまま背後で玄関のドアが閉まったとき、エリカは手にヘンリック・ヴィークネルの電話番号と住所を持って外の階段に立っている自分に気がついた。この依頼を引き受けるつもりなど毛頭なかったのだが、実はすでにある考えが、エリカの中に棲んでいる作家の頭の中で、形を取り始めていた。その考えをエリカは振り払おうとし、ほんの少しでもそんな考えをするなんて、自分は何とも悪い人間だと恥じた。それでも、その考えは執拗で、消えようとはしなかった。長い間探し求めていた自分自身の本を書くアイデアが、まさに目の前に転がっているのだ。一人の人間のその運命に至る人生行路をめぐる物語。若くて美しい、明らかに特権を与えられた女性を、自ら選んだ死へと駆りたてたものの解明。もちろん、アレクスの名を出すつもりはないが、アレクスの死に至る人生行路について、エリカが明らかにできたことをもとにした物語だ。エリカはこれまで本を四冊出しているが、それはどれも偉大な女性作家を扱った伝記だった。自分自身の物語を創《つく》ろうという勇気はずっと形を成さずにいたが、それでも、紙に書き下ろされるのを待っている本が何冊か、自分の中にあるのは分かっていた。たぶんこれがエリカの待っていた後押し、インスピレーションだ。かつてアレクスと知り合いだったことは利益にこそなれ、害にはならない。

このように考えるのは、人間としては不快この上ないが、作家としては歓呼する。


絵筆はカンバスに、赤の幅広い筋を描いた。彼は夜明けからずっと描き続けていて、今数時間たってようやく一歩さがり、自分が創ったものを見る。素人の目が見れば赤、オレンジそして黄色の大きな長方形がいくつか、大きなカンバスに不規則に散らかされているにすぎなかった。しかし彼にとっては、熱情の色で再現された堕落と諦《あきら》めなのだ。

いつも同じ色を使って描いていた。過去がカンバスから叫びながら彼を嘲《あざけ》り笑い、ますます激しくなる狂乱状態の中で彼は絵具を塗り続けた。

さらに一時間してから、自分は朝いちばんのビールに値するだけの仕事けしたと考えた。昨日の晩にタバコの灰を落とし入れていたことなど気にもせず、いちばん近くにあった缶を取った。小さな煤《すす》のかけらが上下の唇にくっついたが、彼は気の抜けたビールを一気に飲み、最後の一滴をなめ切ってしまうと、缶を床に投げつける。

パンツ一枚の姿だったが、前の部分がビールのためか、乾いてしまった尿のためか黄色くなっていた。どちらとも決められなかった。たぶん両方が混じっていたのだろう。脂ぎった髪の毛は肩の少し下まで垂れており、胸は生白く痩《や》せこけていた。アンデシュ・ニルソンの全体像は人間の残骸にすぎなかったが、イーゼルに架けられている画は、画家自身の堕落とは鋭い対照をなす才能をみせていた。

床に体を沈め、画の真向かいの壁にもたれかかった。その傍らには、まだ開けていないビール缶が転がっていた。プルタブを引っ張ってポンと鳴る音を聞いて満足する。画の色たちはアンデシュに向かって高く叫び、人生のあらかたをかけて忘れようとしてきたものを思い出させた。よりによって彼女はどうして今ごろ、なにもかも滅茶苦茶にしようというのか。どうしてそっとしておけなかったのか。自分のことしか考えない、手前勝手なクソ売女《ばいた》は。忌々しいお姫さまみたいに、冷たくて無邪気だ。しかしアンデシュは、その表面の下に隠れているものを知っている。同じ型で鋳《い》られた二人だ。分かち合った苦しみの歳月は二人をいっしょに成形し、一つのものに溶接していた。そして突然、彼女は一人で物事を勝手に並べ替えようとしたのだ。

「ちくしょう!」

アンデシュは咆《ほ》え、まだビールが半分残っていた缶をまっすぐカンバスに投げつける。カンバスは破れなかった。そのため一層いらだちがつのった。カンバスはへこんだだけで、ビール缶は滑って床に落ちた。缶の中身は画一面にはね散って、赤、オレンジそして黄色の絵具は流れて混じり合い、新しいニュアンスを出し始める。アンデシュは満足げにその効果を見つめていた。

昼夜に及ぶ呑んだくれ仲間とのどんちゃん騒ぎの後、まだ酔いから醒めずにいた。今朝のビールも、長年にわたるハードトレーニングで得た高《へど》いアルコール許容能力にもかかわらず、すぐに効き出した。そして、左右の鼻穴から古い反吐の臭いをさせながら、ゆっくりと意識を失い、おなじみの霧の中へと滑り込んでいく。

彼女はアパートの自分用の鍵を持っていた。玄関で丁寧に靴から汚れを落とした。それがまったく意味のないことだとは知っていたが。むしろ部屋の外のほうが清潔だった。食料品の入ったレジ袋を床に置き、コートを脱いできちんとハンガーに掛けた。大声で呼んでみても無駄だ。このころまでには、彼はすでに意識を失くしているだろう。

台所は上がり口から見て左側にあり、いつものように見るも無惨な有り様だ。数週間分の洗い物が積み重ねられている。それは流しの中はもちろん、椅子やテーブルの上、さらには床の上にもあった。吸い殻、ビール缶、空き瓶がそこら一面に散らかっていた。

食料品を入れようとして冷蔵庫のドアを開けたが、ちょうどいい頃合いだったことが分かった。すっかり空っぽだ。わずかの時間で詰め終わると冷蔵庫は一杯になった。それから、しばらく静かに立ったまま体力を蓄える。

アパートは小さなワンルームで、そのため居間と寝室は同じ部屋だ。そこにあるわずかばかりの家具は彼女が用意してやったものだが、買ってやれたものは少なく、いちばん目立っていたのは、窓の前にある大きなイーゼルだった。一方の隅には、擦り切れたマットが投げ出されている。彼女にはこれまで一度も、まともなベッドを買ってやる余裕がなかった。

初めのうちは、彼が自分自身と自宅をきちんとしておけるよう、助けてやろうとした。拭き掃除をし、ごみを拾い集め、彼の衣類と、少なくともそれと同じくらいしばしば彼の体を洗ってやった。そのころはまだ、何もかも変わるように、何もかも独りでに消えてしまうようにと願っていたのだ。何年も前のことだった。それがある時、もうできなくなってしまった。今は、少なくとも口に入れる食べ物があるようにしてやることで満足していた。

彼女はたびたび、自分がこれからも何とかやっていけるようにと願っていた。あの負い目は、肩と胸に重くのしかかっていた。膝をついて彼の嘔吐物を拭き取っているときには、しばしの間その罪のほんの一部を返済しているような感じがすることもあった。今は希望もないまま、その罪を背負っていた。

彼が壁に体を預けてへたり込んでいるのが目に入る。悪臭を放つ人間の残骸。しかしそのうす汚れた外見の下に、途方もない才能が隠れている。あの日自分が別の選択をしていたならば、どんなふうになっていただろうか、と彼女は一再ならず思った。二十三年間来る日も来る日も、自分が別のやり方で処理していたならば人生はどのような形を取っていたのか、と思わぬことはなかった。二十三年は、思案するには実に長い時間だ。

たまには、彼を床に寝ころんだままにして帰ることもあった。冷気が外から忍びこんでいた。床は、薄いパンストを通して氷のように冷たく感じられる。彼女は、彼の脇腹にだらりと、死んだように垂れ下がっている片方の腕を引っ張った。彼は反応しない。手首を両手で摑んでマットのほうに引っ張っていく。彼を転がしてマットに上げようとして、両手を彼の腰のたるんだ肉に押しつけたとき、彼女は少し身振るいした。ちょっとずらしてから、彼の体をおおかたマットの上にのせることができた。体に掛けてやるものがなかったので、上がり口から彼の上着を取ってきて掛けてやった。この骨折りのせいで、彼女は荒い息をつきながら、腰を下ろす。長年やってきた清掃作業のおかげで付いた腕の力がなかったなら、その年齢でこんなことをやりおおせることは絶対なかった。自分が体力的にもはや無理が利かなくなった日には一体どうなるのかと、不安に駆られる。

ぎとぎとした髪が一房、彼の顔の上にかかっていて、それを彼女はいとおしそうに人差し指で払いのけてやった。人生は二人のどちらにとっても、彼女が望んでいたようにはならなかったが、残りの人生は、二人がまだ失わずにいるわずかのものを守るために使うつもりだ。

世間の人たちは道で彼女に出会うと視線をそらしたが、それが少し遅れると、彼女はその目に同情を見てとった。アンデシュは町中に悪名を立てており、またいつも地域の落ちこぼれたちの仲間だ。ときたま泥酔状態で足元をふらつかせながら町の中をうろついては、大声を上げて、通りがかりの人たち誰かれなしに悪態を浴びせていた。彼は嫌悪され、彼女は同情された。ほんとうは反対であるべきだった。嫌悪されるにふさわしいのは彼女であり、同情に値するのはアンデシュだ。今のアンデシュの人生を形づくったのは、彼女の弱さだったのだ。しかし、もう二度とふたたび弱くはならないと彼女は決めていた。

彼女は数時間、座ってアンデシュの額を撫でていた。時おりアンデシュが意識のないまま体を動かすが、彼女が触ると落ち着いた。窓の外では、人生の営みがいつものように続いていたが、部屋の中では、時間が止まったままだった。

月曜日になると気温が零度を上まわり、空はどんよりとした雨雲に覆われた。エリカはいつも慎重なドライバーだが、今は、横滑りしても車間距離が十分取れるように普段にもましてスピードを落としていた。車の運転は苦手だった。それでも、E6号線高速バスや電車の混雑よりも、車の中の孤独のほうが好きだ。

ハンドルを右に切って高速に出たとき、道路状況はそれまでよりも良くなって、スピードを少し上げられた。ヘンリック・ヴィークネルに十二時に会うことになっていたが、フィエルバッカから朝早めに出ており、イェーテボリまで車を走らす時間はたっぷりあった。

寒い浴室でアレクスを見て以来初めて、アンナとの電話のことを考える。アンナが両親の残した家の売却をほんとうに強行する気だなんて、今でもなかなか想像できなかった。あの家は、なんといっても自分たちの子供時代の我が家だし、もしも売却のことを知ったら、両親は絶望してしまったに違いない。それでも、ルーカスが首をつっこんできたら、何でもありなのだ。そんな可能性を彼女に考えさせてしまうルーカスはほんとうに破廉恥な人間だということは、とうに分かっていた。ルーカスに対する評価レベルはますます下がり続けていたが、今度のことは、これまでやってきた大概のことよりも悪質だ。

それはさておき、家のことを本格的に心配する前に、エリカは自分の立場が法律的にどうなっているのか、はっきり知る必要があった。知らないうちからルーカスの最新の思いつきに打ち負かされるなんて、真っ平ごめんんだ。それに今は、これからアレクスの夫とする話に集中したかった。

ヘンリック・ヴィークネルは電話では好感の持てる話しぶりだったし、またエリカが電話をかけたときにはもう、何の用件なのかも承知していた。もちろんその追悼記事がアレクサンドラの両親にとって大切なものならば、質問に来てもらって結構とのことだった。

アレクスの家庭がどんな様子なのか、興味津々だ。さらにもう一人の人間の悲しみに直面させられることは、あまり気が進まないにしても。アレクスの両親とのひと時には、心が引き裂かれる思いをさせられた。作家としては、むしろ距離を置いて現実を観察したかった。離れたところから安全に、客観的に研究したかった。そうすれば、同時に、成人になったアレクスがどんなふうであったか、最初のイメージを得ることができる。

エリカとアレクスは、学校に上がった最初の日からずっと無二の親友だった。エリカは、アレクスの友だちとして選ばれたことが、ことのほか自慢だった。アレクスは、近寄ってくる人みんなにとっていわば磁石で、誰もかれもアレクスといっしょにいたがった。本人だけは、自分の人気にまったく気づいていなかった。大人になって初めてエリカには理解できたのだが、アレクスはきっと子供には珍しい強い自尊心を持っていたために、他人とは打ち解けなかったのだ。それでも、率直で鷹揚だった。そして打ち解けないのに、内気という印象は全然なかった。エリカを友だちに選んだのはアレクスのほうで、エリカはとても自分のほうから近づくことなどできなかった。二人は、アレクスが引っ越してエリカの人生から永遠に消えてしまう前の年まで、無二の親友だった。そのころアレクスはますます自分の中にこもり始め、エリカのほうは何時間もひとり自分の部屋に引きこもっては、二人の友情が消えてしまったことを悲しんでいた。そうしてある日、アレクスの家の呼び鈴を押すと、誰も出なかった。二十三年後の今でもエリカは、アレクスが引っ越しのことを話してもくれず、また、さようならも言わずに引っ越していってしまったと知ったときに感じた悲しみを、ことに細かに思い出せる。今でも、何が起きたのか分からないが、子供がよくやるように、全部自分のせいにして、アレクスはもう自分にうんざりしてしまったんだとばかり考えていった。

エリカは少し苦労しながら、イェーテボリの市街を通り抜けてセールーの方向を目指していった。イェーテボリの街は、ここで四年間学生生活を送ったのでよく知っていた。それでも当時は車を持っていなかったため、その点ではイェーテボリは今でも地図の上では空白地帯だった。昔なじみの自転車専用道路を走れたら、ずっと楽に目的地を見つけられたはずだが。イェーテボリは、腕に自信がないドライバーにとっては無数の一方通行路、交通量の多いロータリー、四方八方から近づいてくる路面電車のチリンチリンと緊張させる音に満ちあふれた悪夢の場所だ。その上彼女には、すべての道は北西部郊外のヒシンゲンに通じているように思われた。出口ランプを間違えてしまうと、間違いなくそっちにたどり着いてしまう。ヘンリックからもらった道案内の略図ははっきりしていて、今度は道を間違えず、ヒシンゲンには近寄らずにすんだ。

彼らの自宅は、彼女の予想をはるかに超えていた。十九―二十世紀の変わり目に建てられた白い一戸建てで、海の素晴らしい展望と温かい夏の夕べを約束してくれる小さな東屋があった。庭園は今は一面、白い雪に厚く覆われていたが、よく考えて設計されていた。その広さのために、優秀な庭師の愛情ある手入れが欠かせない。

柳の小道を通って進み、高い錬鉄の門を通り抜け、建物の前の砕石を敷いた中庭に入る。石の階段を上がると、硬いオーク材の扉があった。今ふうのドアチャイムけなくて、代わりに、どっしりとしたドアノッカーを握って強く打った。扉はすぐに開いた。固く糊づけされたエプロンとキャップをつけたメードに出迎えられるものとばかり予想していたが、代わりに男性に迎えられた。ヘンリック・ヴィークネルに違いない。すごくハンサムだったので、エリカは家を出る前にいつもより時間をかけて、入念に化粧してきたことを喜んだ。

玄関ホールはとても大きかった。さっと見たところ、エリカのストックホルムのアンションン全体よりも大きい。

「エリカ・ファルクです」

「ヘンリック・ヴィークネルです。この夏にお会いしたように記憶していますが。イングリッド・バーグマン広場のそばのあのレストランで」

「〈カフェ桟橋《ブリッガン》〉で。ええ、そうでしたね。この前の夏といっても、はるか昔みたいですわ。とくに、こんな天気を考えますと」

ヘンリックは丁寧な返事を呟《つぶや》くように言った。エリカに手を貸してコートを脱がせ、それから手を差し出して、玄関ホールに続くサロンのほうへどうぞ、と勧めた。エリカはそっとソファに腰を下ろす。ソファは、エリカのアンティーク家具の非常に限られた知識では、ただ古く、そして、きっと大いに値打ちがあるものだと決めるぐらいしかできなかった。それから、ヘンリックがコーヒーを勧めてくれたことに礼を言う。ヘンリックがコーヒーの用意をし、二人で続けて悪天候を話題にしている間、エリカは彼のほうを盗み見て、ことさら悲しんでいる様子ではないことに目をとめた。それでも、そんな様子に必ずしも意味があるものではないとも知っていた。悲しみの表し方なんて、十人十色だから。

ヘンリックは、丁寧にアイロンをかけたチノパンと明るいブルーのラルフ・ローレンのポロシャツというくつろいだ服装をしていた。頭髪は黒に近いダークで、ヘアスタイルはエレガントだが、それでも、いかにもカットしたばかりというようなものでは全然なかった。目は暗褐色で、そのためわずかに南欧的な容貌《ようぼう》になっていた。エリカ自身はずっと野性的な容貌をした男のほうが好きだが、それでも、ファッション誌から抜け出たようなこの男性の魅力に惹きつけられずにはいられなかった。ヘンリックとアレクスは二人で並んだら、人目を奪うほど美しいカップルだったに違いない。

「ほんとうに美しいお宅ですわね」

「それはどうも。わたしはこの家に住むヴィークネルの四代目になります。父方の曾祖父が二十世紀の初めに建てて、それ以来ずっと一家が所有してきました。もしこの壁に口が利けたら……」

ヘンリックは手で部屋の隅々まで撫でるようにしながら、エリカに向かって微笑んだ。

「一族の歴史を、身のまわりにこんなにいっぱい持っていることって、素晴らしいですわね」

「そうだとも、そうでないとも言えます。重い責任を負うということにもなります、祖先の足跡とかそのほか諸々《もろもろ》に」

そう言って小さく笑ったが、エリカには、ヘンリックがとくに重責に苦しんでいるようにも見えなかった。エリカは自分こそ、この優雅な部屋の中ではどうしようもないほど場違いな存在だと感じながら、何とかして、美しいけれどもシンプルで堅いソファに心地よい座り方はないものかと考えてみた。だが、無駄だった。結局、ソファのいちばん端に落ち着き、小さなモカカップで出されたコーヒーを静かにすする。小指がピクッと動いたが、それを伸ばしたい衝動を抑えた。カップは小指を外側に広げるようなデザインになっているようだったが、それは洗練されているというよりも、むしろパロディーとして造られたようでもあった。エリカはテーブルに出されたケーキ皿を前にしてしばし自分自身と闘ったが、大きなスポンジケーキ相手の決闘にはとうとう負けてしまった。ざっとみて、ウェイト・ウォッチャーズのレッド・ポイント10点分。

「アレクスは、この家が大好きでした」

エリカは、自分がここにいるほんとうの理由をどのように切り出そうかと思案していたので、アレクスを話題にのせてくれたのがヘンリックであることが、有難かった。

「ここにいっしょに住まわれてから、どのくらいになりますか」

「結婚していたのと同じ期間、十二年です。二人ともパリで勉強していた時に知り合ったのです。アレクスは美術史を勉強していました。わたしは、同族企業をうまく経営できるように、経済の世界について十分な知識を何とか身につけようとしておりました」

エリカには、ヘンリックがこれまでなんとか物事をこなしてきたとは、とても信じられなかった。

「結婚してすぐにスウェーデンに、そしてこの家に戻ってきました。わたしの両親は二人とも亡くなっておりまして、この家はわたしが外国にいた二年の間に荒れはてておりましたが、アレクスがすぐ改修を始めたのです。アレクスは何もかも、すべて完璧なものにしようとしました。家の中の細かいもの一つひとつ、どの壁紙も、家具そして絨毯《じゅうたん》もみんな、この家が建てられた当初からここにあり、修復により外見を回復したものか、アレクスが買い求めた品かです。曾祖父がここに住んでいた当時とまったく同じものを見つけるために、どれだけ多くのアンティーク・ショップを訪ねたのか、わたしには想像もつきません。古い写真もたくさん参考にしまして、その成果はみごとなものでした。同じ時期に、自分の画廊をオープンするためにも懸命に働いていました。どうして何もかもやれたのか、わたしは今でも分かりません」

「アレクスは、どんな人でしたか」

ヘンリックは時間をかけて、その質問をよく考えていた。

「美しくて、落ち着いていて、百パーセント完全主義者。アレクスをよく知らない人からは高慢だと見られたこともあったでしょうが、それはむしろ、他人を自分の生活に容易に立ち入らせなかったからです。アレクスは、こちらが懸命に努力してやっと理解できる人間でした」

　エリカは、ヘンリックの言わんとすることがよく理解できた。アレクスは彼女自身の持つ打ち解けない雰囲気のために、すでに子供のころから、お高くとまっていると言われるようになっていた。そう言ったのはおおかた、後になってからアレクスの隣の席に座ろうと争った女の子たちだった。

「つまり、どういうことですか」

　ヘンリックがどう説明するのか、聞きたかった。

　ヘンリックは窓越しに外を見ていた。ヴィークネル家に一歩足を踏み入れてから初めて、チャーミングな外見の裏に潜んでいる感情を見た思いがした。

「いつも自分の思いどおりにやっていました。他の人間に気を遣うことはしませんでした。悪意からではなくて。悪意というようなものは、アレクスにはありませんでした。そうではなくて、必要に迫られて、でした。妻にとっていちばん重要だったのは、傷つけられないということでした。そのことが他のものすべて、他の感情すべてに優先していました。しかし問題は、敵だと恐れるあまり人を自分の壁の内側に入れないとすると、味方までも締め出してしまうということです」

　ヘンリックは黙り込んだ。それからエリカを見た。「アレクスは、あなたのことを沢山話していました」

　エリカは驚きを隠せなかった。二人の友情の終わり方を考えると、アレクスは背を向けてから、エリカのことを考えるなんて二度となかったはずだとエリカは信じていた。

「妻が言った一つのことを、わたしはよく覚えています。あなたが最後のほんとうの友だちだったと、言っていました。『最後の真の友情』、まさしくこう言ったのです。少し妙な言い方だなとわたしは思ったのですが、妻はそれ以上のことは口にしませんでした。そのころまでにわたしも、根掘り葉掘り訊かない癖がついていましたし。ですからあなたには、他の誰にも一度も言っていないアレクスのことをいろいろお話ししているのです。何年もの時間が過ぎ去っていたのに、あなたは妻の心の中に特別な位置を占め続けてきた人なのだという気がします」

「あなたはアレクスを愛していたのですね」

「他の何よりも。アレクサンドラはわたしの人生のすべてでした。わたしがしたことすべて、わたしが語ったことすべて、すべてがアレクスを中心にしておりました。皮肉なのは、アレクスがそれにちっとも気づいていなかったことです。わたしを壁の内側に入れてくれていさえしたら、死んではいなかった。正解はアレクスの日と鼻の先にあったのに、それを探し出す度胸がなかった。妻の中では、臆病と勇敢が妙な混じり合い方をしていたのです」

「ビルギットとカルエーリックは、娘が自分で命を絶ったとは考えていませんよ」

「ええ、承知しています。二人は、わたしも当然そう考えていないと思っています。しかし率直に言って、自分がどう考えているのか、自分でも分かりません。わたしは妻と十二年以上いっしょに暮らしていましたが、妻のことはまったく分からないのです」

その声にはあいかわらず感情がなく、ビジネスライクだった。口調から決めつけるならば、天気の解説をしているといってもいいくらいだった。しかしエリカは、自分のヘンリックに対する第一印象は、それほど見当違いなものではないと分かった。非常に深く悲しんでいるのだ。ただ、ビルギットとカルエーリック夫婦のようには、表に出していないだけだ。自分の経験からエリカは直感的に、それはただ妻の死に対する悲しみばかりでなく、自分が妻を愛したように、妻からも愛の酬いを受ける可能性を永久に失ってしまったという現実に対するものでもあると知った。それは、エリカには分かりすぎるほどよく分かる感情だった。

「アレクスは、いったい何を恐れていたのでしょう？」

「それは、わたし自身も何千回となく自問したことなのですが、ほんとうのところ分かりません。妻と話をしようとするとすぐに、ドアを閉めてしまって、わたしは一度も中に入れてもらえませんでした。まるで、誰とも分かち合えない秘密を抱えこんでいるみたいでした。こんなことって、妙でしょうか。しかし、何を抱えこんでいたのか、わたしには分かりませんので、妻が自分で命を絶つことができたかどうかということにも答えられません」

「両親や妹さんとの関係は、どうだったんでしょうか」

「うーん、どのように言ったらいいでしょうね？」

また、長いこと考えてから答える。

「ピーンとしていました。まるでみんなが忍び足でお互いのまわりを動いているみたいに。自分の思うことを口にしていたのは、妹のユーリアだけでした。ユーリアは、体に変わっています。いつも口に出して言われていたこととの裏で、まったく違うことが語り合われているみたいでした。どのように説明したらいいのか分かりませんが。まるで暗号で話していて、その暗号をわたしに教えることを誰かが忘れているみたいでした」

「ユーリアが変わっているって、どういうことでしょう?」

「あなたもご存知のはずですが、ビルギットは歳をとってからユーリアを産みました。もう四十をいくつか過ぎていましたし、その出産は想定外でした。それでユーリアは、ずっと迷惑な侵入者だったわけです。アレクスのような姉を持つというのも、決して楽なことではなかったでしょう。ユーリアは、少しも可愛い子供ではなかったですし、大人になって必ずしももっと魅力的になったわけでもありません。アレクスの容貌がどうだったかは、あなたもご存知ですね。ビルギットとカルエーリックは、いつも自分たちの関心をアレクスばかりに集中させて、ユーリアはすっかり忘れ去られていました。それに対してユーリアがしたことは、自分の内にこもるということでした。でも、わたしはユーリアが嫌いではないですよ。外面は不機嫌ですが、内面には何か魅力があります。将来誰かが時間をかけて、ユーリアの内に入ってくれたらと願っています」

「アレクスが死んだと知ってどんな反応を見せてましたか。姉妹同士の関係は、どんなふうだったのでしょう?」

「それはビルギットかカルエーリックにお尋ねくださいませんか。わたしは半年以上もユーリアに会っていないのです。ユーリアは北部のユーメオーで教員になる勉強をしていて、あそこから離れようとしませんし。この前のクリスマスも、帰省しなかったですよ。アレクスとの関係ですが、ユーリアはいつも姉を慕っていました。ユーリアが生まれたとき、アレクスは寄宿学校に入っていて、あまり家にはいませんでしたが、わたしたちが実家に行ったときは、ユーリアはまるで仔犬のように、妻のすぐ後について回っていました。アレクスのほうは気にかけないで、好きなようにさせていました。それでも、時にはユーリアにいらだって叱ることもありましたが、たいていは無視していました」

エリカは、二人の話が終わりかけていると感じた。話が途切れると、静寂がすっぽりとこの大きな家を包む。何もかも豪華でありながら、その真ん中で、ここはヘンリック・ヴィークネルにとって孤独な邸となっていた。

エリカは立ち上がって手を差し出した。それをヘンリックは両手で挟み、数秒握ってから離して、玄関ドアに案内する。

「画廊に寄って、ちょっと見せてもらおうかと思っております」

「いい考えですね。妻は非常に誇りにしておりました。あのビジネスを土台から築いたのです、パリ留学時代の友人のフランシーヌ・ビジュといっしょに。今はサンドバリというスウェーデン人の姓に変わりましたが。わたしたちはプライベートでもある程度お付き合いがありました。あちらのご夫婦にお子さんができてからは少し減りましたが。フランシーヌはきっと画廊にいます。電話をして、あなたのことを説明しておきます。喜んでお手伝いして、アレクスのことを少しは話してくれますよ」

ヘンリックはドアを開けてエリカを通した。エリカは最後のお礼を言ってアレクスの夫に背を向け、車に向かう。

彼女が車から降りたその瞬間、空が二つに割れた。画廊は、イェーテボリ都心のアヴェニューに並行しているシャルメシュ通りにあったが、半時間ほどぐるぐる回ったあげく、諦めてヘーデン地区に駐車した。実際のところそんなに遠くはなかったのだが、土砂降りの中では十キロはあるように感じられた。そのうえ駐車料金が一時間あたり十二クローナもする。エリカは自分の機嫌がどんどん悪くなるのを感じた。傘なんかも当然持ってきていなかったし、カールした髪の毛がじきに、まるで自宅でやり損ねたパーマみたいに見えるのも分かっていた。

急いでアヴェニューを横断し、四番の路面電車をなんとか避けた。電車は轟音を上げて南のムルンダール方面へ向かっていった。学生時代によく荒れた夜を過ごしたナイトクラブ〈ヴァーランド〉の前を通って左に曲がり、シャルメシュ通りに入っていった。

ギャラリー〈アブストラクト〉は左手にあった。大きなショーウィンドーが通りに面している。店の中に一歩踏み込むとドアチャイムが鳴った。店内は、外から受ける印象よりもはるかに大きかった。壁、床、天井は白く塗られていて、壁に掛かっている絵画に集中できるようになっていた。

店内のいちばん奥に、まぎれもないフランス女性がいるのをエリカは見た。優雅さをふんだんに振りまき、しきりに手を動かしながら、顧客と一枚の画について話し合っていた。

「すぐ参りまーす。しばらーく、ご覧になっていてくださいませー」

彼女のフランス語訛《なま》りはチャーミングに聞こえた。

エリカは言われたように両手を背中に組んでゆっくりと店内を歩き、絵画を観た。画廊の名前どおり、絵画はどれも抽象画だった。立方体、正方形、円、変な人物。エリカは頭を斜めにかしげ目を細めて、美術愛好家たちが観るものを見ようとしてみたが、まったく見えなかった。いや、あいかわらず、エリカにとっては、五歳児でも描ける立方体と正方形にすぎなかった。これは自分の理解の範囲を超えるものだ、と認めざるを得なかった。

黄色い長方形が不規則に散らされて描かれている赤い巨大な画の前に立っていると、碁盤模様の床にヒールをコツコツ鳴らしながら、フランシーヌが背後に近づいてくるのが分かった。

「この画は、素晴らしいでしょ」

「ええ、ほんとうに。いいですね。でも正直言いまして、わたし絵画のことはよくわかりません。ゴッホの『ひまわり』はいいと思いますが、わたしの知識は大体その程度ですわ」

フランシーヌは微笑んだ。

「あなたは、きっとエリカさんですね。アンリがちょうど電話をかけてきて、あなたがこちらに向かっていると言っていました」

そして細い手を差し出す。エリカは大急ぎで、まだ雨に濡れていた手を拭いてから、フランシーヌの手を握った。

エリカの目の前の女性は小柄で華奢で、フランス女性特有の優雅さを漂わせていた。靴を脱いでも身長が一七五センチもあるエリカは、まるで自分が女巨人のような感じがした。

フランシーヌはカラスの濡れ羽色の黒い髪を額から後ろに引きつめて、うなじでシニョンに束ねていた。そして、体にぴったり合った黒い服を着ていた。この色はきっと、友人かつ共同経営者の死去に配慮して選ばれたものだろう。ほんとうはもっとドラマチックな赤、あるいはおそらく黄色のような原色が似合う女性のように思えた。メーキャップは薄く、そして完璧。それでも、感情を隠しおおせずに赤くなっているまなじりだけはどうしようもなかった。エリカは、自分のマスカラが滲んでいなければいいなと思った。徒《あだ》な望みだろうが。

「あなたとコーヒーをごいっしょしながらお話ししたいって思ってました。今日はとても静かです。裏に行きましょう」

フランシーヌはエリカの先に立って画廊の裏にある小さな部屋に向かった。そこには、冷蔵庫、電子レンジ、コーヒーメーカーが全部備え付けてあった。テーブルは小さくて、椅子二脚分のスペースしかなかった。エリカが片方の椅子に腰かけると、すぐにフランシーヌから、湯気を上げている熱いコーヒーを勧められた。ヘンリックのところで数杯ご馳走になったあとで胃はもはやコーヒーを受けつけなかったが、自分が書いてきた本の背景となる資料を掘り出すために行った無数のインタビューの経験から、何かしらの理由で人はコーヒーカップを手に持つと、内容のある話ができることを承知していた。

「アンリから聞いて理解できたことによりますと、アレクスの両親から追悼記事を書いてほしいと頼まれたそうですね」

「そうです。でもわたしは、この二十数年間アレクスとはすれ違う程度にしか会っていませんでした。それで、記事を書く前にアレクスがどんな人間だったのか、もっと調べようと思いまして」

「あなた、記者さんですか」

「いいえ、作家です。伝記を書いています。これは、ビルギットとカルエーリックに頼まれて書くだけです。それに、アレクスが死んでいるのを最初に見つけたのは、わたしでした。いいえ、厳密に言うと二番目ですけれど。何か変に聞こえるかも知れませんが、アレクスの別のイメージ、生きたイメージをわたし自身のためにも摑む必要があって、こんなふうにいろいろ聞いてまわっているような感じがしています。おかしいでしょ?」

「ううん、ちっとも。あなたがアレクスのご両親のために、それからアレクスのために、面倒なことをお引き受けになったなんて、素晴らしいことですわ」

フランシーヌはテーブルの上に身を乗り出して、きれいにマニキュアした手をエリカの手の上に重ねた。

エリカは頰が熱く紅潮するのを感じながら、きのうほぼ一日かけて書いた本の概略のことを考えないようにした。

フランシーヌが続ける。「アンリも、つつみ隠さずあなたの質問に答えてほしいって言っていました」

フランシーヌは流暢《りゅうちょう》なスウェーデン語を話した。それでも、Rはスウェーデン語の巻き舌音ではなくてフランス語みたいに柔らかく震えていたが。そしてエリカは、フランシーヌが〈ヘンリック〉のフランス語バージョン〈アンリ〉を使うのに気づいた。

「あなたとアレクスは、パリで会ったのですね?」

「ええ、いっしょに美術史を勉強していました。もう最初の日から、お互いにビビーンときました。アレクスはどうしたらいいのか分からない様子でしたし、わたしのほうもどうしていいのか分かっていませんでした。あとは、よく言われるように、昔のことですが」

「知り合ってから、何年になりますか」

「そうですね、アンリとアレクスは去年の秋に結婚十二周年のお祝いをしましたから……十四年になります。そのうちの十二年、わたしたちはいっしょにこの画廊を経営してきました」

フランシーヌは話を中断して、エリカにはまったく思いがけなく、シガレットに火を点けた。なぜか、タバコを吸うフランシーヌは想像していなかった。タバコに火を点けたとき手が少し震えていたが、目はエリカから離さずに、深々と吸った。

「アレクスはどこにいったのだろうか、とは思いませんでしたか。わたしたちが見つけたとき、彼女は恐らく一週間、あそこに横になっていました」

エリカはこのとき、同じ質問をヘンリックにするのを思いつかなかったことに気づいた。

「おかしく聞こえるのは分かっていますけど、そんなふうには思いませんでした。アレクスは……」フランシーヌはためらう。「アレクスはいつも、少しだけ自分のしたいようにしていました。それでひどくイライラさせられることもありましたけど、わたしはそのうちに慣れました。アレクスがしばらくいなくなったのは、今度が初めてではありません。その後にまるで何もなかったようにまた姿を見せてました。それに、わたしが産休の間一人で画廊をやってくれたことで、十二分に埋め合わせをしてくれましたし。わたしは今でもなんだか、今度もそうなる気がするんです。今にもアレクスがあのドアから入ってくるような。でも、今度はそうなりませんね」

涙がひと粒ふくらんで、まなじりから今にもこぼれ出そうになる。

「そうですね」エリカはコーヒーカップの中を覗き込んで、フランシーヌが目元を拭くのを待った。「アレクスがいなくなったとき、ヘンリックの反応はどんなふうでしたか」

「彼に会ったでしょ。アンリから見ると、アレクスは間違いをするなんてあり得ませんでした。アンリはこの十二年を、ひたすら彼女を心から愛することだけに費やしてきたのです。可哀そうなアンリ」

「どうして、可哀そうなのでしょう？」

「アレクスは、彼を愛していなかったから。これを彼は、遅かれ早かれ認めざるを得なかったでしょう」

最初のタバコの火を消して、二本目を点ける。

「そんなに長年のお知り合いなら、あなたたちはきっと、お互いのことを知り尽くしているのでしょうね」

「アレクスのことを本当に知っていた人はいなかったでしょう。わたしのほうが、アンリよりはよく知っていたでしょうけど。アンリはいつも、色眼鏡をかけていてアレクスを直視しようとしませんでしたから」

「わたしと話している間ヘンリックは、二人の結婚生活中ずっとアレクスが彼に何かを隠していたようだと、ほのめかしていました。これはほんとうだと思いますか。そうだったら、何だったのでしょうか」

「そんなこと言うなんて、彼にしては恐ろしく鋭いわ。ひょっとしてわたしは、アンリのことを過小評価していたかもしれません」と言って、形のよい眉を上げた。「最初の質問への答えは、イエスです。わたしもずっと、アレクスには何かしまい込んで外に出さないものがあると感じていました。二つ目の質問については、残念ながら、ノーです。それが何なのか、ほんのかけらも分かりません。アレクスは長年の友情にもかかわらず、『そこまで、その先はだめ』というシグナルを送ってくることがありました。それをわたしは受け入れました。でも、アンリは受け入れなかった。そのことで彼は、遅かれ早かれ破滅したはずです。その機会は思ったよりも早く来るとわたしには分かっていました」

「どうして?」

フランシーヌはためらった。

「アレクスは解剖されます、ね?」

その質問に、エリカは驚く。

「ええ、自殺の場合はいつもされます。なぜそんなことを？」

「そうでしたら、あなたに話そうとしていることがいずれ明るみに出るって、わたしも分かるからです。そうならば、少なくともわたしの良心はずっと軽くなりますから」

フランシーヌは丁寧にタバコの火を消す。エリカは期待に緊張して息を凝らしていたが、フランシーヌはゆっくりと三本目のタバコに火を点けた。その指には喫煙者の印の黄色い変色はないので、ふだんはこんなふうにチェーンスモーカーではないのだろうと、エリカは疑った。

「アレクスがこの半年あまりの間、かなり頻繁にフィエルバッカに行っていたことは、きっとご存知でしょう？」

「ええ、小さな町では口コミがすごくよく機能していますので。地元の噂では、だいたい毎週末フィエルバッカにいたそうです。独りで」

「独りで、っていうのは完全な真実とは言えませんけれど」

フランシーヌはふたたびためらった。そのためエリカはテーブルの上に身を乗り出して、フランシーヌの体を揺すって抱え込んでいる秘密を残らず言わせたい、という強い気持ちを必死で抑えた。エリカはすっかり興味をかき立てられていた。

「そこで逢っていたのです、男性と。アレクスが恋愛問題を抱えたのは初めてではなかったけど、どうしてか、今度のはいつもと違うって気がしていました。わたしたちが知り合いだった長い時期を通じて初めて、彼女は満足していたと言えます。アレクスが自分で命を絶つはずはないわ。きっと誰かが殺したに違いありません。このことについて、何の疑いもありません」

「どうしてそんなに確信があるのですか。ヘンリックだって、アレクスが自分で命を絶ったかどうか、実際のところは分からないって言っていましたよ」

「妊娠していましたから」

この答えにエリカは仰天した。

「ヘンリックは知っているの？」

「分かりません。どちらにしても、アンリの子供ではなかったんです。あの二人は何年もの間、そんなふうになるような生活はしていなかったんです。それに、二人にそういう生活があったころにも、アレクスはずっと、アンリとの間に子供を作ることを拒んでいたのです。何度も何度も繰り返し頼まれても。きっと、子供の父親はアレクスの人生に登場した新しい男性に違いないんです――それが誰にしても」

「誰なのか言わなかったのですね？」

「そう。あなたも、もうお分かりでしょうけど、アレクスはなかなか他人に心を開いてくれませんでした。あの人が子供の話をしてくれたとき、正直言ってわたし、びっくりしました。でもこのことが、アレクスが自分で命を絶ったのではないとわたしが信じて疑わない理由の一つなのです。アレクスは文字どおり幸せいっぱいで、とても黙っていられなかったのです。

その子供を愛していて、害になることは絶対するはずもなかったですし、ましてやその子の命を奪うなんて。初めて、生きる喜びで輝くアレクサンドラを見ました。わたし、きっとアレクスのことをすごく好きになれたはず」そう言って、フランシーヌの声は悲しみに沈んだ。「それからよ、何とかして自分の過去を清算しようとしていたみたいでした。何をどのようにしてかは分かりませんが。ところどころで洩らすちょっとした言葉からそんな印象を受けました」

画廊のドアが開いて、誰かがドアマットの上で靴底をこすりながら、みぞれ雪を落としているのが聞こえた。

「きっとお客さまです。お相手をしなくては。何かお役に立てたならよかったですけど」

「ええ、あなたもヘンリックも、とても率直にお話し下さってほんとうに感謝しています。たいへん役に立ちました」

二人はいっしょに入り口のドアまで行った。その前にフランシーヌは客にはっきりした口調で、すぐにお相手いたします、と伝えた。エリカたちは、ブルーの地に白い長方形が描かれている巨大なカンバスの前で足を止めて、握手をした。

「まったくの好奇心からうかがいますけど、このような画はいくらぐらいするのですか。五千、一万？」

フランシーヌは微笑む。

「五万くらい」

エリカは、低くヒューと口笛を吹いた。

「なるほど。絵画とワイン、この二つはわたしにはまったく分かりません」

「わたしは、ショッピングのリストをまとめることができないんです。誰しもそれぞれ、専門分野がありますね」

二人は笑い、エリカはまだ濡れていたコートにぴったり体を包んで、雨の中へ出ていった。

雨のため雪は半解けになっていた。彼女は法定速度よりも少し遅いスピードで走り、安全のための余裕をとった。間違ってヒシンゲン地区にたどり着いてしまい、そこから抜け出そうとして半時間ほど無駄にしてから、ウッデヴァッラ市に近づいた。腹の虫が低く鳴いて、日中食べるのをすっかり忘れていたことを思い出させてくれた。ウッデヴァッラの北にあるトルプ・ショッピングセンターのそばでE6号線を降りて、マクドナルドのドライブスルーに入っていった。駐車場で車に乗ったまま、大急ぎでチーズバーガーを詰め込み、すぐにまた高速に乗った。この間ずっと、ヘンリックやフランシーヌと交わした会話が頭から離れなかった。二人の話のおかげで、自分のまわりに高い防御壁を築いていた一人の人間のイメージを持つことができた。

いちばん知りたかったのは、いったい誰がアレクスの子供の父親なのかということだった。ヘンリックではないとフランシーヌは信じていたが、他人の寝室で起こっていることは、誰にも知りようがない。フランシーヌの話は可能性の一つにすぎない。でももしそうならば、お腹の子の父親は、アレクスが毎週末フィエルバッカに来て逢っていたとフランシーヌがほのめかした男性なのか、それともイェーテボリに愛人がいたのか。

エリカの印象では、アレクスは生存中、他の人たちとはいわば距離を置きながら相交わることなく生きてきたようだ。自分の望みどおりに行動し、それが自分の身近の人たち、とりわけヘンリックにどんな影響を及ぼしているか考えもしないで。ヘンリックがそのような前提のもとで結婚を受け入れたということを理解するのは、フランシーヌには難しいだろうとエリカは考えた。さらに、そのことでフランシーヌはヘンリックを軽蔑《けいべつ》しているとも思った。エリカ自身は、そのようなことがどうして起こるのか十二分に分かっていた。アンノとルーカスの結婚生活を長年にわたって観察してきたからだ。

アンナに自分の生き方を変える能力がないことと関連して、エリカをいちばん暗くさせるものは、アンナが自尊心を持てないでいる原因の一部がエリカ自身の存在ではないだろうかと思わずにはいられないことだ。アンナはエリカが五歳のとき生まれた。妹を見た最初の瞬間から、エリカは自分が目に見えない傷として負ってきた現実から妹を護ってきた。母親が娘たちに対して愛情を持っていないためにアンナが寂しく、また、のけものにされていると感じないでいられるように、心をくだいていた。アンナが母親からもらえなかった抱擁と愛情に満ちた言葉は、エリカが溢《あふ》れんばかりに与えた。母親のように妹を見守ってきたのだ。

アンナは、愛すべき子供だった。人生の暗い側面についてまったく心を煩わせずに、ただ現実の瞬間、瞬間を生きていた。エリカのほうは早熟で心配性だったが、人生の一瞬、一瞬を精一杯愛するアンナの様子に心を奪われていた。アンナは、エリカのいろいろな世話はうるさがらずに受けたが、我慢して膝に乗っているとか、長めに抱かれてじっと可愛がられるとかいうことはなかった。そして思いついたことは何でもやる、手に負えないティーンエージャー、思い煩うこともない自己中心的な子供になった。エリカは冷静になって、アンナをひどく甘やかしすぎたし過保護だったと自分で認めることもあった。ただ、自分がまったく得られなかったものをアンナには手に入れられるようにしてやりたかっただけなのだが。

ルーカスと出会って、アンナはやすやすと餌食《えじき》になってしまった。すっかり外見に惑わされ、その下にあった胡散《うさん》臭さを見抜けなかった。ゆっくり、とてもゆっくり、ルーカスはアンナの虚栄心につけ入って、生きる歓《ジョワ・ド・ヴィーヴル》びと自信を奪いとっていった。今アンナは、綺麗なかごの鳥にされて、ストックホルムの高級住宅街に住み、自分の犯した過ちを自ら認める力もない。エリカは毎日、アンナが自分の意思で手を差し出して姉に助けを求めてくれたら、と願っている。その日までエリカは待ち続け、妹の助けになるように備えているしかなかった。それは何も、エリカ自身がもっと恵まれた愛情関係を経験してきたからではない。それまで数々の破局があり、約束が反故《ほご》にされた。駄目にしたのは普通はエリカのほうだったが。男女関係にあって特定の段階まで来ると、何かがぽきんと折れるのだ。ほとんど息ができないくらい強いパニックに襲われ、その結果、取る物も取りあえず、一目散に逃げ出して、後ろを振り返ることもなく終わりにしてしまうのだった。そのくせ、思い出せる限りはるか以前から、エリカは家族や子供は欲しいと願ってきた。しかし、今やもう三十五歳、月日は矢のごとく飛んでいく。

もう！　今日は一日中ルーカスについて考えずにこられたのに、今また彼にいらだち始めてしまった。自分が置かれた立場が実際いかにたやすく傷つけられるか、エリカは気づかざるを得なかった。しかし、今は疲れ切っているのでこの件には関わっていられない。明日までは考えない。今日はもう残りの時間、リラックスして過ごさなければいけないと強く感じた。ルーカスのことも、アレクサンドラ・ヴィークネルのことも忘れて。

携帯電話の短縮番号を押した。

「こんばんは、エリカでーす。あなたたち、今晩うちにいる？　ちょっと覗きにいこうかなーって思って」

ダーンは温かい笑い声を上げた。「うちにいるかだって！　今晩、何があるのか知らないのか？」

受話器の向こう側の沈黙は、ぎょっとするほど完璧だった。エリカはあれこれ考えてみたが、今晩何か特別なことがあるか思い出せなかった。週末でもないし、誰かの誕生日でもない。ダーンとパニッラの結婚は夏だったから、結婚記念日であるはずもなかった。

「だめだわ、ほんとに思いつかない。教えて」

受話器の向こう側から、大きなため息が聞こえた。このため息でエリカは、そのイベントはきっとスポーツに関係があるものだと思った。ダーンは熱狂的なスポーツファンで、それがときには妻のパニッラとの間に摩擦を惹き起こしていることをエリカは知っていた。エリカ自身ダーンといっしょだったころ、下らないスポーツ中継を見て過ごさなければならなかった晩には、いつも仕返しする自分なりの方法を思いついていた。ダーンは熱狂的なアイスホッケーのユールゴーデン・サポーターだったので、エリカは名門クラブＡＩＫの熱心なファンのふりをしていた。もともとエリカは、スポーツ一般にまるで興味がなかった、特にアイスホッケーには。でも、まさにそのために、ダーンを一層イライラさせていたようだ。何よりも真っ赤になって怒ったのは、ＡＩＫが負けてもエリカがあんまり気にしないときだった。

「スウェーデンがベラルーシと試合するんだぞ」

答えが返ってこないので、ダーンはさらに深いため息を一つついた。「オリンピックだよ、エリカ、オリンピック。そんなイベントが開かれていることも知らなかったのか……」

「ああそう、その試合なの。もちろん、わたしだってチェックしてるわ。試合以外にも、何か特別なものがあるって、あなたが言っているのかと思ったの」

エリカは大げさな口調で、今晩試合があるのを知らなかったことを強調した。そして、ダーンが今文字どおり、これはひどい冒瀆《ぼうとく》だと、髪の毛をかきむしっているに違いないと考えてにやりとした。スポーツは、ダーンによれば、冗談を言っていいものではなかった。

「でも、じゃわたし、これから行ってあなたといっしょに試合をチェックして、サルミング（一九五一年キルナ生まれ。プロ・アイスホッケー選手。七〇—九三年に国内と北米で活躍した）がベラルーシの反撃をやっつけるのを見せてもらうわ……」

「サルミング！　引退してから何年になるか知らないのか！　冗談だろ？　冗談だよな」

「そう、ダーン、冗談よ。わたし、そんなにバカじゃないわよ。そっちに行ってスンディーン（一九七一年ブロンマ生まれ。プロ・アイスホッケー選手。主としてカナダで活躍中）をチェックする。そのほうが、あなたにとっていいならね。すっごいイケメンだし」

　ダーンは、三度目の大きなため息をついた。今度は、このようなホッケー界の超大物を純粋にスポーツ関係以外の用語を使って、判断を下すという冒瀆に対して。

「うん、来いよ。でも、おれはこの前の繰り返しはごめんだからな！　試合中にぺちゃくちゃ喋らないこと、選手がすね当てを着けててセクシーだとかコメントしないこと、そして何よりも、サポーターを着けてるだけなのか、その上にパンツは穿いているのかどうかなんて訊かないこと。了解？」

　エリカは笑いをこらえて、真剣な声で言った。

「ガールスカウトの名誉にかけて」

　ダーンは文句を言った。「おまえ、ガールスカウトなんて入ってたことないじゃないか」

「うん、ないわ」

　それからエリカは、携帯電話の赤い受話器の絵を押して切った。

　ダーンとパニッラは、ファルケリーデンにごく最近建てられた連続住宅の一つに住んでいた。家々はまっすぐに連なってラーベクッレンの丘の麓にあった。同じような外見なので、なかなか区別がつかない。子供がいる家族に人気のある地域だが、この人気の理由は何よりも、海をまったく展望できないおかげで、海寄りの住宅に起きている販売価格の暴騰とは無縁だったためだ。

歩いて行くにはまったく寒すぎる晩だったが、砂混じりの急な坂を無理やり上がろうとしても車はなかなか先に進んでくれなかった。やっとダーンとパニッラが住んでいる通りにカーブを切って車を入れたとき、エリカはほっと深呼吸をした。

エリカはドアチャイムを鳴らす。するとすぐに、中で小さな足が立てるパタパタと賑やかな音がして、数秒する間もなく玄関ドアが押し開けられた。それは、足首まで届くナイトガウンを着た小さな女の子で、ダーンとパニッラのいちばん下の子、リーセンだった。真ん中の娘マーリンは、妹が不当にもエリカにドアを開けてやったことに、はらわたが煮えくり返っていた。二人の言い争いを黙らせたのは、キッチンから聞こえてきた母親パニッラのきっぱりした声だった。いちばん上の娘ベリンダは十三歳で、エリカは以前広場を車で通りかかったとき、この子がアッケのソーセージ・キオスクのところで原付に乗った、上唇にうぶ毛がはえた男の子たち数人に囲まれているのを見たことがあった。この子にはこれからダーンとパニッラはきっといろいろ手を焼くはずだ。

娘たちは代わる代わるハグしてもらうと、出てきたときと同じくらいにさっと消えたので、エリカはゆっくりとコートを脱ぐことができた。

パニッラはキッチンで頬を赤くしながら、「コックさんにキッス！《キッス・ザ・クック》」と大きな字がプリントされたエプロンをつけて、食事を作っていた。ちょうど料理の出来、不出来がかかってい る瞬間だったのか、ちょっと心ここにあらずという様子でエリカのほうに手を振ってすぐに、湯気を上げているシチュー鍋とジュージューいっているフライパンに集中した。エリカはそのまま、リビングに入ってゆく。そこには、ダーンがいると分かっていた——投げ出した両脚をガラス板のローテーブルに載せ、リモコンを右手にしっかり握ったまま、ソファに身を沈めて。

「こんばんは！　女房が台所で額に汗して働いてるっていうのに、亭主関白殿けごろごろしてるんだ」

「おーおっ、誰が主人なのかをしっかりたたき込んで教えさえすれば、たいていの女は一人前の女房に仕上がるってもんだ」

ダーンの温かい微笑は、現実は言っていることと正反対なのを物語っていた。エリカも、カールソン家の中を治めているのは誰であれ、とにかくダーンでないことは知っていた。

エリカは、さっと彼をハグして、それから黒いレザーソファに腰かけ、くつろいで、ガラスのテーブルの上に両脚を突き出した。二人で快い沈黙のうちに4チャンネルのニュースを見ながら、エリカは、ダーンといっしょに暮らしていたらこんな具合にしていたのだろうかと思うのだった。

ダーンは、エリカが初めて真剣に愛した男友だちだった。二人は高校時代ずっと恋人同士で、高校時代ずっといっしょだった。しかし、人生でやりたいことが違っていた。ダーンはフィエルバッカに残って、父や祖父に続いて漁師の仕事をしたかった。エリカのほうは、この小さな町から出ていきたくてたまらなかった。いつも息が詰まりそうで、自分の将来はどこか別のところにあると思っていた。

ダーンはフィエルバッカに残り、エリカはイェーテボリにいて、しばらく関係を以前どおりに続けようと試みてみた。しかし、二人の人生はまったく別々の方向に進んでゆき、つらい別れをした後、またゆっくりと友情関係を築くことに成功したのだ。その友情はほぼ十五年たって、固く誠実なものになっていた。

パニッラは、ダーンがまだ、エリカと自分には分かち合う将来はないのだという考えになんとか慣れようとしていたころ、温かく、また慰めの抱擁をしてくれる女性としてダーンの人生に入ってきた。ダーンがいちばん必要としていたときパニッラはそこにいて、エリカが残していった隙間の一部を埋めるようにしてダーンを慕った。エリカにとって、ダーンが誰か別の人といっしょにいるのを見ることは辛かったが、遅かれ早かれそうなるのだと、徐々に理解していった。人生は止まることなく、進んでいった。

現在ダーンとパニッラには、三人の娘がいる。エリカは、夫婦はこれまでの歳月を通して温かい日常的な愛情を築き上げたと思っている。ただ時おり、ダーンには少しふらふらしたところがあるような気はしたが。

エリカとダーンがひき続き友人でいようとした最初のころも、まったく摩擦がなかったわけではない。パニッラが嫉妬しながら夫を監視し、深い疑いを抱きながらエリカを見張っていた。ゆっくり、しかし確実にエリカはパニッラに、自分はパニッラの夫を追いかけているのではないと確信させることに成功した。そして、たとえ女二人が親友にはなれないにしても、互いに気の置けない、率直な関係を保ってきている。それは、娘たちがはっきりエリカを慕っていたためでもある。エリカはさらに、リーセンの名付け親にもなっていた。

「食事ができましたよ」

二人は半分寝転んでいた格好から起き上がって、キッチンに向かった。パニッラはテーブルの上に、湯気を上げている鍋を出していた。皿は二枚しか出ておらず、ダーンが問いかけるように眉を上げる。

「わたしは子供たちと食べたわ。二人で食べて。その間に子供たちを寝かしつけるから」

エリカは、パニッラが自分のためにそんな面倒をしてくれたことを申し訳なく思ったが、ダーンのほうは肩をすぼめただけで、栄養たっぷりのフィッシュシチューを無頓着に、たっぷり一人分以上かき込み始めた。

「ずっとどうしてた？　数週間、顔を見てなかったけど」

その口調は、責めるというよりも心配そうだった。それでもエリカのほうは、そんなに連絡していなかったことに少し良心が咎《とが》めた。考えなければならないことが多かっただけなのだが。

「うん、ましになってきてるわ。でも、今度は家の件が厄介になりそう」

「何だって？」ダーンは食べていた皿から、驚いて顔を上げる。「おまえもアンナもあの家が大好きなんだし、いつも話し合って決めてるじゃないか」

「そう、わたしたちだけならね。あなたは、ルーカスも関わっていることを忘れてるわ。あいつは金の匂いに鼻が利いて、チャンスを逃すはずないんだから。アンナの意見なんか、これまであいつにはどうでもよかった。今度だけはその反対になるなんて、あり得ないでしょ」

「くそっ！　おれがあいつを闇夜にまぎれてどうにかできたら、二度とのさばれないようにしてやるのに！」

ダーンは力を込めて、拳固でテーブルを叩いた。もしもダーンがその気になったら、ルーカスに強烈な一発を見舞うことは朝飯前の仕事だということをエリカは一瞬たりと疑わなかった。十代からすでにがっしりした体格で、さらに漁船での厳しい労働が今の彼の体を形づくっていた。それでも、瞳に浮かぶ優しさが逞《たくま》しさとは反対の印象を与える。エリカが知る限り、一度も命あるものに手を上げたことはなかった。

「どんな状況なのかはっきり分からないので、あまり詳しくは喋れないけど。明日マリアンっていう知り合いの弁護士に電話して、家の売却を防ぐためにわたしにどんな可能性があるのか調べてみる。でも今晩は、もうそのことは考えたくないわ。それにこの数日、わたしのまわりにいろんなことが起きていて、自分の所有物がどうのこうのと考えることなんて、大したことじゃないって感じよ」

「うん、聞いた」ダーンは沈黙した。「誰かがそんなふうになっているのを見るって、どんなだった？」

　エリカは、どう答えたらいいのか考え込む。

「いっぺんに悲しくって、恐ろしかった。あんな経験はもう二度としたくない」

　エリカは、今書こうとしている記事のことと、アレクサンドラの夫や共同経営者とした話を語ってきかせた。ダーンは黙ったまま、耳を傾けていた。

「わたしに理解できないのは、どうして彼女が自分の人生でいちばん大切な人たちを自分の中から閉め出していたのかってこと。あなたもあのダンナに会ってたら。アレクスを心から愛していた。でも別の見方をすれば、大部分の人はそうなんでしょうね。みんな笑って嬉しそうにしてるけど、実際は、この世のありとあらゆる心配と問題を抱えている」

　ダーンがにわかに話の腰を折った。

「なあ、あと三秒で試合が始まるんだ。おまえの哲学もどきの講釈よりも、アイスホッケーの試合のほうに集中したいな」

「いいわよ。試合がつまらなくなったときのために本も持ってきてるし」

　ダーンは彼女を殺しかねないような目で睨んだが、すぐに、エリカの目にちらりとからかいが浮かんでいるのに気づいた。

　二人はリビングに戻って、試合開始《フェースオフ》になんとか間に合った。

　マリアンは、最初の呼び出し音に答えた。

「マリアン・スヴァーンです」

「おはよう、エリカです」

「おはよう、久しぶりね。電話をしてくれて、とっても嬉しいわ。どんな具合なの？　わたし、あなたのこと、いろいろと考えてたのよ」

エリカはふたたび、最近自分が友人たちのことをあまり気にかけていなかったことを思い知らされた。みんながエリカの心配をしてくれていることは気づいていたが、この一カ月はアンナに連絡することもできずにきた。みんなが理解してくれていることは分かっていたが。

マリアンは、ずっと大学時代からのいい友だちだ。二人はいっしょに文学を勉強したが、ほぼ四年間勉強したあとマリアンは、司書になることは自分の天職ではないと思うようになって、代わりに弁護士に方向転換をはかった。やがて弁護士として成功し、今やイェーテボリで最大かつ評価が最高の弁護士事務所の一つで、史上最年少の共同所有者になっていた。

「うん、ありがとう。この状況としては、かなりいいと思う。そろそろ生活も立て直し始めてる。でも、まだやらなきゃいけないことが、いっぱいあるのも確かだけど」

マリアンは無駄なお喋りをするタイプではなかった。そしてあやまたない直観によってエリカの話から、彼女が求めているものはお喋りなんかじゃないと理解した。

「それならエリカ、わたし、何をしてあげられるかしら。何かあるみたいね。遠慮なんかしないでよ」

「うん、こんなに長い間連絡しなかったこと、ほんとうに恥ずかしいわ。それなのにあなたの助けが必要になったから電話をする、なんて」

「ばかなこと言わないで！　どうしたら助けてあげられるの？　遺産の土地のことで、何か問題が起こったの？」

「そう、そういうことなの」

エリカは台所のテーブルに座って、朝の配達で届いた手紙を指でいじっていた。

「アンナ、いえ、正確に言えばルーカスが、フィエルバッカの家を売りたがってるの」

「なんですって！」マリアンのいつもの穏やかさは吹っ飛んでしまった。「いったい彼は何様のつもりかしら！　あなたたちはそこの家を愛しているんでしょ！」

エリカは、突然自分の中で何かが壊れるのを感じて、わっと泣き出す。マリアンはすぐ落ち着いて、受話器の向こうからエリカに溢れんばかりの同情を寄せた。

「あなた、ほんとうはどんな具合なの？　わたしに来てほしい？　今晩なら行けるわよ」

涙はたくさん流れたが、少ししゃくり上げると落ち着きを取り戻し、エリカは涙を拭い始める。

「どうもありがとう。でも、大丈夫よ。ほんとに。最近ちょっといろんなことがありすぎただけ。両親の遺品を整理し分けることに追われていたし。それで本の仕事も遅れてしまって、出版社からせき立てられ、またこの家の問題が起きて、そしておまけに、先週の金曜日に子供時代の仲良しが死んでるのを発見したの」

心の中でふいに大笑いしたい気持ちが膨らんではじけ、目にまだ涙を残したまま、エリカはヒステリックにくっくっと笑い出した。しばらく笑ってようやく落ち着いた。

「死んだって、言った？　それとも、わたしの聞き違い？」

「残念だけど、あなたの聞いたとおり。ごめん、わたし笑うなんて、ほんとにひどいわね。ただ、いろんなことがちょっとありすぎたの。子供時代のいちばんの友だち、アレクサンドラ・ヴィークネルだったの、フィエルバッカの家の浴槽で自分の命を絶ったの。あっ、あなたも、彼女のこと知っているかも。アレクサンドラと夫のヘンリック・ヴィークネルは間違いなくイェーテボリの上流社会に出入りしていたはずよ。そういう人たちと、今は仲良くしてるんでしょ？」

エリカは微笑んだ。そして、電話の向こう側でマリアンも微笑んでいることが分かっていた。二人が若い学生だったころ、マリアンはマイオーナ地区に住んで、労働者階級の権利のために闘っていた。そして二人とも、彼女が名門の弁護士事務所でする仕事に自動的に付随するさまざまな環境の中にとけ込むために、年が経つにつれて以前とはまったく違った考え方に従わざるを得なかったことを理解している。今や重要なのは、シャップラウスをはじめシックな服装とウールグリューテで開かれるカクテルパーティーだ。それでもエリカは、それらがマリアンの中では、体制に対して抵抗する心情にかぶせたワニスの薄膜の役目をしているにすぎないことを承知していた。

「ヘンリック・ヴィークネルね。ええ、誰のことか分かってるわ。共通の知人もいるけど、直接会ったことはないわ。噂では、情け容赦のないビジネスマンらしい。食欲を失くしもしないで朝飯前に、百人の従業員をクビにできるタイプだって。奥さんは、確かブティックをやっていたかな？」

「画廊。抽象画」

マリアンがヘンリックについて語った言葉は、エリカにショックを与えた。エリカはいつも、自分は人間の価値判断が立派にできると自認してきた。そしてヘンリックには実際に、情け容赦のないビジネスマンのイメージを抱かなかった。

エリカは、アレクスのことは終わりにして、電話をかけたほんとうの理由を話し始めた。

「きょう一通の手紙が来たの。ルーカスの弁護士から。両親の家の売却に関して、今度の金曜日、ストックホルムでする話し合いにわたしを呼び出してる。わたし、法律の方面はまったくちんぷんかんぷんよ。わたしの権利ってどんなものだろ？　だいたい権利なんてあるの？　ルーカスはほんとうにこんなふうにやれるの？」

下唇がまた震え出すのを感じ、落ち着こうとして深呼吸をする。台所の窓の外では、ここ数日みぞれが降って夜間に零度以下になったので、氷が湾の上でキラキラ輝いている。窓枠に一羽のイエスズメが止まるのを見て、外に置いて鳥たちにやる獣脂の塊を買い忘れたことを思い出した。イエスズメは、尋ねるように首を振り、嘴《くちばし》で窓を軽く突つく。食べられるものを何も分けてもらえないことを確かめると、飛び去っていった。

「知っているでしょうけど、わたしは税金専門の弁護士で、家族法は専門じゃないの。だから、即答はできない。でも、こうしましょ。事務所にいる専門の人に確かめてみて、今日中に電話をするわ。あなたは独りぼっちじゃないからね、エリカ。必ず何とかするわ。わたし、約束する」

マリアンの信頼できる確約の言葉を聞いてエリカは安心した。受話器を置いたとき、人生がこれまでよりも明るくなったように感じられた。電話をかける前よりも多く知ったわけではないにしても。

にわかにせわしない日々が始まった。無理やり伝記を書く仕事を再開したものの、なかなかはかどらなかった。本はまだ半分も書けていなかった。また出版社も、まだ大まかな最初の概要を受け取っていないことにいら立ち始めた。A4判で二ページほど書き足してから、書いたものを読み通してみたが、それは紙屑でしかないと判断して、数時間分の仕事をさっさと削除してしまった。この伝記にはひどい嫌悪感を覚えるだけで、仕事をする喜びはとうに消え失せてしまっていた。その代わり、アレクサンドラの記事は書き上げて、表に『ブーフスレーン県民新聞』という宛名が書かれた封筒に入れた。その後は、ダーンに電話をかけた。昨晩のスウェーデンの惨敗で受けたに違いない、精神的な致命傷をちょっと突ついてやるのにいいタイミングだと思って。

メルバリ警視はいかにも満足げに大きな腹を撫で、ちょっと一休みするかと考えていた。いずれにしても、やるべきことはほとんど何もないし、あっても些細《ささい》なもので、それには大した意義も認めなかった。

警視は、たっぷりとった昼食がゆっくりとこなれるようにしばらく目を閉じたら、きっと気持ちがいいだろうなと判断した。しかし、彼が目を閉じたと思ったとたん、力強いノックがして、署の事務官アンニカ・ヤンソンが警視に用事があることを知らせた。

「いったい何だ？　おれが忙しくしてるのが見えないのか」

忙しくしているふりをしようと、デスクの上に山積みになっていた書類をやみくもにかき回したが、結局はコーヒーをひっくり返しただけに終わった。コーヒーは書類全部にこぼれ広がったので、警視はすぐ手元にあったものを取って拭こうとした。しかし、あるものというのは、普段からズボンの外に出しっぱなしのシャツだけだった。

「くっそ！　これがこの土地で署長になるってことか！　おまえは上司にちょっと敬意を表して、入ってくる前にノックするってこと、教わってないのか！」

彼女は、ノックは実際にしたことを指摘する気など、さらさらなかった。年齢と経験のおかげで賢くなって、警視のひどい発作がおさまるのを静かに待っていた。

「おまえ、用事があるんだろうが」メルバリはぼやいた。

アンニカの声は抑制されていた。「イェーテボリの法医学室が署長を探しています。もっと正確には、法医学病理学のトード・ペーデシェン先生が、ですが。この番号で電話が繋《つな》がります」

彼女は、番号がきれいに書かれている紙片を差し出した。

「何のことか、言ってたか」

みぞおちがくすぐられるように、好奇心がうずき出した。法医学室なんぞは、こんな辺鄙《へんぴ》な土地には滅多に連絡してこない。ひょっとして、優秀な警察業務を見せる好機の到来か。

警視はうわの空で手を振ってアンニカを追い払い、受話器をしっかり顎《あご》と肩の間に押しつけてから、書き留められていた番号を熱心にダイヤルし始めた。

アンニカはさっさとバックして部屋を出てゆき、聞こえよがしに大きな音をたててドアを閉める。そして自分のデスクに座って、これまで何度もしたように、メルバリをターヌムスヘーデの小さな警察署に送り込んだ人事を、また呪《のろ》った。署内で広まっている噂によれば、メルバリは、逮捕して自分の責任の下に置いた難民を徹底的に痛めつけたことでイェーテボリでは総スカンをくらってしまったということだった。この暴行事件は明らかに、メルバリの犯した唯一の過ちではなく、最悪のものだった。上司たちはうんざりしていた。内部調査では何も証明できなかったが、メルバリがさらに何を惹き起こすか分かりかねると懸念して、ターヌムスヘーデの署長ポストへの異動が直ちに発令された。同市の一万二千の住民は大多数が法を守っているので、誰もかれもがメルバリに絶えず左遷のことを思い起こさせた。イェーテボリの以前の上司たちも、ここならばメルバリも大して害にならないだろうと見越していたのだ。その判断はこれまでのところ間違っていなかった。その一方で、彼はあまり役に立ってもいなかった。

以前、アンニカは職場で居心地よくやっていたが、今はメルバリの指揮の下で、それも終わりになった。このおやじは恥というものを知らないばかりか、己を神様が女性たちにお与えになった贈り物だと勘違いしているようだ。その結果、いちばん割りを食ったのはアンニカだ。曖昧《あいまい》なほのめかし、臀部をつねること、どうとでも取れるコメントは、最近職場で耐えねばならないことのほんの一部にすぎなかった。それでも、アンニカがメルバリのいちばんぞっとする特徴だと考えているものは、禿げを隠すためにやっている恐ろしいヘアスタイルだった。残っている髪の毛を長く伸ばして頭の上で渦を巻くようにしているのだ。実際の髪の長さは、部下たちにはただ想像するだけで、知りようがなかったが、それは何よりも、使われなくなったカラスの巣に似た代物になっていた。

アンニカは、髪がそのように整えられていなかったらどんなふうに見えるだろうかと思っただけでも、ぞっとした。それを確かめる必要など全然ないと確信したときは有難いと思った。

法医学室はいったい何をしようとしているのだろうと、彼女はいぶかった。まあ、いずれ分かるだろう。この署はさほど大きくないので、重要な情報はすべて一時間以内に知れ渡る。

バッティル・メルバリは、アンニカが部屋から引き上げるのを眺めながら、電話の呼び出し音が鳴るのを聞いていた。

あいつは、すごい別嬪《べっぴん》だ。がっちりして堂々としている、それでも肝心なところは丸い。長い金髪、突き出たバスト、そして見事な尻。いつもあの長いスカートとゆったりしたブラウスを着ているのは、実に残念だ。もうちょっとタイトな衣服が似合うと指摘するべきかもしれない。上司として、スタッフの服装について意見を言う権利があるはずだ。三十七歳、これは職員人事資料でチェックしてから知っている。自分よりも二十歳ちょっと若い。これは、自分の好みにぴったりだ。熟女のおばさんたちは他のやつらが面倒を見ればいい。自分は、もっと若い有能な女たちに適した男のはずだ。成熟した、経験豊富な、適度の肉づき。そして彼が年々、髪の毛が少々薄くなっているなんてことは、お釈迦様でも気づくまい。手でそっと頭の真ん中を触ってみた。うん、髪はあるべきところにちゃんとある。

「トード・ペーデシェンです」

「やあ、こんにちは。ターヌムスヘーデ警察署のバッティル・メルバリ警視です。お電話いただいたそうで」

「え、しました。そちらから回されてきた死亡事件のことです。アレクサンドラ・ヴィークネルという名前の女性。自殺と見えたやつ」

「はあ?」

答えが来るまで、すこし間《ま》があった。メルバリの関心は、間違いなく呼び覚まされた。

「彼女の解剖を昨日行ったんですが、自殺の可能性など問題外です。誰かが殺《や》りましたね」

「えーっ、まさか!」

興奮して、また同じコーヒーカップをひっくり返し、中に残っていたわずかばかりの液体をデスクの上にこぼしてしまった。シャツがまたたくし上げられて、新しい染みがいくつも付く。

「どうして分かったんです？　つまり、あれを殺しだとするどんな証拠があるんですか」

「そちらに、すぐ解剖報告書をファックスします。ですが、それを見てみなさんが今よりどれだけよけいに分かるかは、疑わしいですよ。しかし、こちらで見つけたいちばん重要なポイントをいくつか簡潔にお話しできます。ちょっと待ってください。メガネをかけますので」とペーデションは言った。

メルバリは、電話の相手が鼻歌を歌いながら書類をざっと読んでいる様子を耳にしながら、その説明を熱心に待っていた。

「えーと、こういうことです。女性、三十五歳、身体状況は全般的に良好。しかし、これはすでにご承知ですね。死後約一週間、しかし、それにもかかわらず死体の状態は極めて良好。第一の原因は、死体が放置されていた部屋の温度が低かったこと。死体の下半身のまわりにあった氷も保存に寄与。

両手首の動脈に認められる深く鋭い切り傷は、カミソリの刃によるものです。この刃も現場で発見された、と。ここです、わたしが疑問を抱き始めたのは。切り傷は両方とも寸分たがわず同じ深さで、まっすぐです。これは極めて異例です。さらに、これは自殺ではできるものでないと敢えて申し上げたい。お分かりでしょうが、人間は右利きあるいは左利き、いずれであれ、たとえば左腕につけられる切り傷は、右利きの人間にとって、右腕につけられる傷よりもずっとまっすぐで、ずっと力が加わったものになります。というのはですね、右腕に傷をつけるには、左という、右利きの人にとってはいわば間違った手を使わざるを得ないからです。それで、わたしは両手の指を調べて、自分の疑いをさらに強くしました。安全カミソリの刃というものはものすごく鋭利で、使用に際して大部分の場合、極めて微細な切り傷をあとに残すものです。そのようなものは、アレクサンドラ・ヴィークネルにはありませんでした。つまり、この点も、彼女の両手首を切ったのは別人だということを指しています。おそらく、自殺と見せかける目的で」

ペーデシェンは一息ついて、また話を続ける。「それからわたしが抱いた疑問点は、問題の被害者から必死の抵抗を受けないまま、どうしたらある人物が首尾よくそうできるのかということです。その答えは毒物学検案報告書に出ていました。被害者の血液中には強い睡眠剤の残存がありました」

「それは何を裏付けるんだろう？　自分で睡眠薬を飲んだ可能性は？」

「たしかに、それもあり得ます。しかし有難いことに、現代科学のおかげで法医学はいろいろな道具と方法を利用できるようになっております。薬物、さらには毒物の分解時間を精確に計算することができます。そのテストを被害者の血液で数回やってみて、毎回、同じ結論に達しました。つまり、アレクサンドラ・ヴィークネルは自分で両手首を切ることは不可能だった。なぜならば、心臓が失血のため停止したときよりかなり前に、すっかり意識を失くしていたに違いないからです。残念ながら、時刻に関する精確な情報はお知らせできません。そこまでは、科学もまだ進んでおりません。それでも、これが殺人であることにはいかなる疑いもありません。みなさんがこの事件を処理できることをほんとうに願ってます。殺人など、みなさんの地方ではあまり多くないですよね」

ペーデシェンの声は少々、疑いを表していた。これをメルバリは即座に、自分自身に向けられた批判と取った。

「このターヌムスヘーデでは、殺人に関して経験を積んでいる者が少ないというのは言われるとおりだが、幸いわたしは、ここには一時的に配属されただけなんだ。元々の職場はイェーテボリで、あっちで何年にもわたって経験しているから、こっちでも殺人事件捜査を処理できることに疑いはない。田舎の警官たちに本物の警察っていうのはどういうものか、見せてやるチャンスにもなるだろうし。だから、事件が解決するまでそんなにかからないと思っていてくれ。まあ、見てろって」

そして、この尊大な断言をもってメルバリは監察医ペーデシェンに向かって、やつの話相手が青二才などでないことをはっきりさせてやったと考えた。医者どもはいつも偉そうにしたがる。ペーデシェンが扱う部分の仕事はいずれにしても終了して、今度はプロが始めるタイミングだ。

「ああ、忘れるところでした」監察医は、電話相手の警察官が吐いた自惚《うぬぼ》れに言葉を失って、重要だと判断したさらに二つの新情報について伝えるのを忘れかけていた。

「アレクサンドラ・ヴィークネルは妊娠三カ月目でした。それから、以前にも子供を産んでいます。そちらの捜査に関連があるかどうか分かりませんが、情報は少ないよりも多いほうがいいですよね？」とペーデシェンは言った。

メルバリは返事代わりに鼻を鳴らした。そして二人は、最小限の別れの言葉を交わして通話を終わった――ペーデシェンは地方の警察がほんとうに殺人犯を追及できる能力があるのかどうか疑念を抱き、メルバリのほうは元気を取り戻し、意欲を新たにした。浴室の最初の検証はアレクス・ヴィークネルが発見された直後に行われていたが、今やメルバリは、被害者の自宅を一ミリ、一ミリ限なく調べられるように準備する。

II

彼は彼女の髪を一房、自分の両手の間にはさんで暖める。小さな氷の結晶が溶けて彼の手のひらを濡らしていた。水をそっと舐《な》めて取った。

彼は頬を浴槽の縁に寄せて、冷気が皮膚にチクチク刺すのを感じていた。彼女はこんなに美しい。体に氷の殻をまとって浮かびながら。

二人を結びつけていた絆《きずな》は、今でもここにある。何一つ変わっていなかった。何一つ違っていなかった。同じ型で鋳られた二人。

彼女の手は、少し力を加えると上向きになり、そのあと手のひらと手のひらを合わせられた。彼は自分の指を彼女の指にからませる。血は乾いて固くなっており、その細かいかけらが彼の皮膚に付着した。

彼女といっしょにいると、時間はまったく何の意味も持っていなかった。年々、日々あるいは週はあいまいに混ざり合って、泥だらけの半解けの雪となり、そこで意味を持つものは、これだけだった。つまり、彼の手に合わせた彼女の手。それであればこそ、裏切りはそれほどまでに苦しかった。彼女は時間をふたたび意味あるものにしたのだ。だから血は、二度とふたたび彼女の血管の中を温かく流れることはない。

立ち去る前に、彼女の手を引き離して、元の状態に戻した。

彼は振り返らなかった。

夢も見なかったほど深い眠りから起こされてエリカは初め、それが何の音なのか分からなかった。自分を起こしたのが電話のけたたましい呼び出し音だと分かった時には、もう何度も鳴ったあとだった。電話を取り損ねないようにベッドからさっと手を伸ばす。

「エリカ・ファルクです」その声は完全にかすれていたので、受話器を手でふさいで咳払いをし、ひどいかすれ声を直そうとした。

「ああ、すみません！　まだお休みでしたか。ほんとうに申し訳ありません」

「かまいません。もう目を覚ましていましたから」自動的に出てきたその答えにエリカは自分でも、どんなに見えすいて聞こえたか分かった。控えめに言っても寝ぼけ声なのは明らかだった。

「ともかく申し訳ありませんでした。ヘンリック・ヴィークネルです。さきほどビルギットから電話がありまして、あなたにも連絡してほしいと言いますので。義母《はは》は今朝、ターヌムスヘーデ警察署のひどく無作法な警視から電話を受けたようです。警視は思いやりのない言葉遣いで署に出頭するよう、いわば命令したのです。もちろんわたしの同席も望ましいと言ったそうです。何が問題になっているのかは話してもらえませんでしたが、わたしたちも自分たちなりに、あれこれ推測してはいます。ビルギットはとても興奮していて、ちょうど今、カルエーリックもユーリアも別の用でフィエルバッカにおりませんので、あなたには大変申し訳ないのですが、義母の様子を見にいっていただけないでしょうか。義母の妹と義弟は仕事にいって留守ですので、一人で家におります。わたしがフィエルバッカに着くまで、二時間はかかります。そんなに長い間、一人にしておきたくありません。厚かましいお願いなのは承知しております。また、実際、あなたとはお互いよく知っているわけでもありません。ですが、他にお願いできる方もいないものですから」

「もちろん行きますよ、ビルギットのところへ。おやすいご用です。上にちょっとはおるだけですから、十五分もしたら、あちらに着いています」

「ありがとうございます。ご親切は忘れません、ほんとうに。ビルギットの精神状態はかなり不安定でして、わたしがフィエルバッカに着くまで、誰かに世話してもらいたいのです。義母に電話して、あなたが向かっておられると知らせておきます。十二時過ぎには、わたしも着けるはずです。そしたら、その時あなたとお話しできます。もう一度お礼を――ありがとう」

寝ぼけ眼でエリカは浴室に飛び込んで、さっと顔を洗う。それから、きのう着ていた服を着て、髪をさっと梳《と》かし、マスカラを少し塗り、十分も経たないうちに運転席に座っていた。セールヴィークからタッル通りまでは、車で五分もかからない。それで、ヘンリックの電話のあとジャスト十五分で、玄関のチャイムを鳴らしていた。

ビルギットは、エリカがこの前会ってから数日のうちに、体重が二キロぐらい落ちてしまったように見えた。服装もしまりがなく、だらりと体に沿って垂れていた。今度は、二人は居間に入らないで、ビルギットが先に立って台所に入っていく。

「ありがとう、来てくれて。とても不安だったの。ヘンリックが到着するまで一人ここで、あれやこれやと考えているなんて、とてもできそうになくて」

「ターヌムスヘーデの警察から電話があったそうですね」

「そう、今朝八時にメルバリとかいう警視が電話をよこして、わたしとカルエーリック、そしてヘンリックにすぐに彼のオフィスに出頭するよう求めてきました。わたしは説明したんだけど――カルエーリックはやむを得ない急ぎの仕事で出かけていて、明日には帰宅しますから、そちらにうかがうのは夫の帰宅後でいいですかって。あちらの表現どおりに言うと、それは受け入れられない、ということでした。さしあたりはわたしとヘンリック二人で来たらよろしい、ですって。とても無作法だったわ。わたしはもちろん、すぐにヘンリックに電話しました。できるだけ早く来ると言ってくれました。でも、わたしの気が少し動転しているように思われたかもしれないわね。ヘンリックは、あなたに電話をして二時間ほどここにいてもらえるかどうか訊いてみるから、と提案してくれました。厚かましいことをなんて、ほんとうに思わないでくださいね。うちの不幸にさらに巻き込まれるなんて、あなたの本意ではないでしょう。でも、誰に助けを求めたらいいのか分からなかったの。あなたは、かつては娘同然にわたしたちの家に出入りしてくれていたでしょ。それで思ったの、多分あなたなら……」

「そんなこと、心配しないでください。喜んでお手伝いしますわ。警察は何が問題なのか、何か言ってましたか」

「いいえ、そのことについては、一言も話そうとしませんでした。でも、わたしなりにいろいろ推測しています。娘が自分で命を絶ったはずはないと、わたしは言いませんでした？　言ったわよね！」

エリカは即座に、自分の手をビルギットの手の上に置いた。

「ビルギットさん、結論を急がないで。あなたの言うとおりということは十分考えられますけど、確実に分かるまではいろいろ憶測しないほうがいいですよ」

それから台所のテーブルに座ったまま、長い二時間となった。二人の会話はごく短い時間続いた後は止まってしまい、沈黙の中で聞こえるものは、ただ時計が時を刻む音だけになった。エリカは人差し指で、テーブルの上に掛けられていた油布カバーのツルツルした表面の模様のまわりを何度も何度もなぞった。ビルギットは、この前エリカが会った時と同じように入念な服装と化粧をしていた。それでも、縁がぼんやりと色あせてしまった写真のように、何とも言いようのない疲労と消耗を漂わせていた。減量というのは彼女には当てはまらない。それ以前にすでに痩身というべきだったのだから。それから目と口のまわりには新しい皺も目立っていた。彼女がコーヒーカップをぎゅっと握ったので、指の関節が白くなった。今、長いこと待つのは、エリカにとっては退屈きわまりないが、ビルギットには耐えがたいに違いない。

「誰がアレクスを殺したいと思っていたのか、全然分からないわ。あの子には、仲たがいした友だちや敵などいなかったはずよ。ヘンリックといっしょにごくごく普通の暮らしをしていただけ」

その言葉は長い沈黙のあとでは、ピストルの発砲音のように響いた。

「まだ、何が起きたのか分かりません。警察が何を望んでいるのかはっきりするまで、憶測するのはやめましょう」と、エリカがまた繰り返した。返事がなかったことは、暗黙の了解とエリカは理解した。

十二時になってすぐ、ヘンリックがカーブを曲がって、家の真向かいにある小さな駐車場に入った。二人は台所の窓越しにヘンリックの姿を見て、やれやれと立ち上がり、台所から出てコートを着る。彼がチャイムを鳴らしたとき、二人は出かける支度もできていて、ドアの内側で待っていた。ビルギットとヘンリックは、頬にキスをして挨拶《あいさつ》し、そのあとエリカが同じ挨拶を受ける番だった。彼女はそのような礼儀作法には慣れていなかったので、間違った側の頬から始めてきまりの悪いことになるのではと、少し不安だった。それでも、何の問題もなくその瞬間を切り抜け、ほんの一瞬ヘンリックのシェービング・ローションの男っぽい香りも楽しんだ。

「あなたも、来てくれますね?」

エリカはすでに自分の車のほうに半分ほど歩いていた。

「うーん、分かりません、はたして……」

「来ていただけると、ほんとうに有難いのですが」

エリカは、ビルギットの頭越しにヘンリックと目が合ったので、静かにため息をつきながら、ヘンリックのBMWの後部座席に乗った。今日は長い一日になるに違いない。ターヌムスヘーデまでのドライブは、二十分もかからなかった。天気や農村部の過疎化など、あたり障りのない話をして過ごした。目前に迫っている警察出頭の理由以外であれば、どんな話でもよかった。

エリカは後部座席に座って、いったい自分はここで何をしているのだろうと考えていた。自分が抱えている問題でもう手一杯、殺人事件――もしも事実そうならば――に巻き込まれている余裕などないのではないだろうか。これに巻き込まれることは、目下考えている本のコンセプトが、トランプで作った家のように簡単に崩れることも意味した。その場合、すでに書いた最初の概略の数ページを、必要ならば屑かごに投げ入れることもできよう。それはそうとして、少なくとも伝記部分だけに焦点を絞ることになるだろう。多少の修正を加えれば、十分使えるはずだ。もっと良くなるかもしれない。殺人事件とすれば、ほんとうに成功するかもしれない。

エリカは突然、自分が何をしているのかに気づいた。アレクスは、エリカが自分の好き勝手にできる、本に出てくる架空の人物などでは決してない。現に生きている人間たちから愛された、現に生きていた人間なのだ。自分もアレクスを愛していた。バックミラーの中のヘンリックを観察する。これまでと変わらず冷静に見えた。間もなく妻は殺害されたと知らされるかもしれないのに。殺人のほとんどは、被害者の家族内の人間によって犯されているのではなかったか。また、エリカは自分の考えを恥じた。そのような思考の流れを強い意志をもって取り除いた。そして、やっと到着したことを知って有難いと思った。このことはもう、ただただ終わりにしたい。そうすれば、自分の、比べれば取るに足りない心配事に戻れる。

いくつかある書類の山はデスクの上で、堂々としたみごとな高さに達していた。ターヌムのようなちっぽけな自治体がどうしてこれほど膨大な犯罪報告書を産み出せるのか、驚くべきことだ。確かに大部分は些細なものだろうが、それでも報告はいちいち確認しなければならない。そのために彼は今、東欧の国家官僚主義にふさわしい管理の仕事と取り組んでいるのだ。メルバリがでっぷりした尻を上げもしないで一日中座りっぱなしでいないで手伝ってくれたら、そんなに悪くはないだろう。ところが今、自分は署長の代役もしなければならなかった。パトリック・ヘードストルムはため息をついた。ブラックユーモアのひとつも言わなければ、こんなに長くここではやってこられなかっただろうが、最近は、これがほんとうに生きるということだろうかと疑い始めていた。

この日の大事件は、日常のルーティンを中断するものとして歓迎された。メルバリが彼に、フィエルバッカで他殺死体として発見された女性の母親と夫を事情聴取する間同席してくれと頼んでいたのだ。思わず歓迎したのは、この事件に悲劇性を認めないとか、遺族に同情しないとかではなくて、もっぱら、この職場では刺激的なことがほんとうに稀にしか起きないからだった。そんなことがあると、興奮で体がむずむずするのを感じずにはいられなかった。

警察学校では取り調べ場面の訓練を受けた。しかし、これまでのところパトリックがその方面における自分の才能を試す機会は、自転車窃盗事件と暴行事件に関連して与えられただけだった。時計に目をやる。そろそろメルバリのオフィスに出向く時刻だ。そこで、今日の話し合いが行われるのだ。専門的に言うと事情聴取にはほど遠いかもしれないが、だからと言って今日の話し合いが重要でないわけでもない。噂によれば母親はずっと、娘は自分で命を絶つことはできない、と主張していたという。その主張の裏に何が潜んでいるのか、大いに知りたかった。その主張は、あとで正しいと判明したのだし。

自分のメモ帳、ボールペン、そしてコーヒーカップをまとめて持って廊下を進んだ。両手がふさがっていたので、やむを得ず肘と足を使ってドアを開ける。そのため、自分の持ち物を下におろして体を部屋の中に向けるまで、彼女は見えなかった。心臓がほんの一瞬、ピタッと止まった。パトリックは一瞬のうちに十歳に戻って、彼女のおさげを引っ張ろうとした。その一秒後には十五歳で「原付に飛び乗ってひとっ走りしないか」と彼女を説き伏せようとした。パトリックが二十歳だった時、彼女がイェーテボリに引っ越したあの時、希望は捨ててしまった。さっと暗算すると、彼女に最後に会ったのは少なくとも六年前だろうという結論に達した。彼女は変わっていない。背が高く、豊満。カールした髪は肩まで届き、金髪の濃淡のグラデーションが混じり合い温かい色調を帯びている。パトリックには、子供のころから自意識の強かったエリカが、今でも外見の細かいところにまで手をかけているのが見て分かった。パトリックを見て、エリカの顔は驚きで輝いた。それでもメルバリが座れと催促したので、彼は声には出さずに身振りで挨拶した。

目の前に座っているのは神経を張りつめた人たちだった。アレクサンドラ・ヴィークネルの母親は小柄で細かった。重いゴールドのアクセサリーをじゃらじゃら付けている。髪はきちんと整えており、身なりは立派だが、目の下には隈ができていて、いっそうやつれて見えた。婿のほうは、そのような悲しみの徴は微塵も見せていなかった。パトリックは、背景情報が記載されている書類を覗き込んだ。ヘンリック・ヴィークネル、イェーテボリ在住の成功した会社経営者、直系数世代にわたる厖大な資産の所有者。これは一目で分かった。一見して高価だと分かる服装や、室内に漂っている高価なアフターシェーブの香りだけではなかった。もっと定義できない何かがあった。世の中で突出した地位に対する自分の権利を当然視する自信のようなもので、これは、人生において優勢な立場を失った経験がないことにもよっていた。緊張した面持ちのヘンリックだったが、自分はいつも状況を把握しているといつは考えている、とパトリックは見てとった。

メルバリは、デスクの後ろで気取っている。仕方なくシャツはズボンの中に押し込んでいたが、コーヒーの染みはシャツのごちゃまぜの模様の上に点々と散らばっていた。彼は意識的に黙ったまま、同席者の一人ひとりを観察しながら、頭の片側に少し垂れすぎている髪を右手で直した。パトリックはエリカのほうを盗み見しないようにして、メルバリのコーヒーの染みの一個に気持ちを集中させた。

「さてと、おたくらがここに呼ばれたわけはきっとお分かりですな」メルバリはそこで芝居がかったひと息を入れた。「自分はバッティル・メルバリ警視、ターヌムスヘーデ警察署署長。こちらはパトリック・ヘードストルム、本件の捜査中は自分の補佐をさせます」

そして、パトリックに向かってうなずく。彼はエリカ、ヘンリックそしてビルギットがメルバリのデスクの前に作っている半円の少し外側に座っていた。

「捜査？　あの子はやっぱり殺されたのですね！」

ビルギットは椅子に座ったまま体を前にかがめ、ヘンリックはすばやく守るように片方の腕を義母の肩に置いた。

「そのとおり。娘さんは自分で命を絶ってはいないことを我々は確認したわけだ。監察医からの報告によれば、自殺の可能性は完全に排除される。捜査の詳細について立ち入って話すことは当然できないが、殺害されたと我々が理解する主たる理由は、両手首が切りつけられた時点には被害者の意識がなかった可能性が高いことだ。血液中に多量の睡眠剤が含まれていたことも判った。一人ないし数人の人間が、娘さんを、恐らくまず浴槽の中に入れて蛇口を開けて水を出し、それから自殺に見せかけようとしてカミソリの刃で両手首を切った」

オフィスの中はカーテンが引かれて、強い真昼の陽射しを遮っていた。室内には粛然としない雰囲気が漂い、アレクスが自分で命を絶ったのではなかったことにビルギットが覚えた、隠しようのない喜びと混じり合っていた。

「犯人が誰か分かっているのですか」

ビルギットは、ハンドバッグから刺繍のハンカチを取り出して、化粧を崩さないように、そっとまなじりを拭いた。

メルバリは両手を太鼓腹の上に組んで、自分の前にいる二人に目を据えている。そして、尊大な咳払いをして言った。「それは、おたくらに教えてもらえるのでは」

「わたしたち?」ヘンリックの驚きは率直に聞こえた。「どうしてわたしたちに分かるというのでしょう? これは気が変になった人間の凶行に違いありません。アレクサンドラには、仲たがいした友だちや敵などいませんでした」

「そうですか」

アレクスの夫の顔を影がよぎったように、一瞬パトリックは思った。しかし、次の瞬間には消え去り、ヘンリックはまた穏やかで控えめな様子に戻った。

パトリックはいつも、ヘンリック・ヴィークネルのような男たちに対して当然とも言える懐疑を抱いてきた。幸運帽をかぶって生まれてきた男たち。指を一ミリも上げる必要もなく、何でも手に入れている男たち。確かにヘンリックは優しくて感じもよさそうだが、その表面の下に、パトリックは、もっと複雑な人間性を暗示する激しいものを感じ取った。美しい外面の下に、無情さをパトリックは感じた。そして、メルバリがアレクスは殺害されたのだと明かしたとき、ヘンリックの顔には驚きの表情がまったく浮かばなかった。このことにパトリックは納得がいかなかった。そうかもしれないと思っていることと、事実として言われるのを聞くことは、まったく別のこと。このくらいは、少なくとも警察官として働いてきた十年の間に学んだ。

「わたしたちは疑われているのですか」

ビルギットは、まるで警視が自分の真ん前でカボチャに変わってしまったくらいにびっくりした様子で言った。

「統計は殺人事件の場合、嘘をつかない。ふつう犯人の大部分は、被害者の最も身近な家族の中にいる。本件でもそうだと言ってるわけではないが、確かめなくてはいけないことは、理解してもらえるはずです。どんな小さなことでも徹底的に調べ上げなければ。自り自身としてもそうするつもりだ。自分の殺人事件がらみの豊富な経験でもって」新たに芝居がかった一息をつき、そして反応をうかがう。「この事件の解決には大して時間はかからないだろう。それでも、おたくらには、アレクサンドラが死んだと我々が考える時間前後に、自分が何をしていたか報告を出してもらいたい」

「どの時間が問題なのですか」とヘンリックが質問した。「わたしたちのうちで最後にアレクスと話したのはビルギットです。そのあと日曜日まで誰も彼女に電話していません。だとしたら、事件は土曜日にあったとしてもよろしいのでは？　わたし自身は、金曜日の夜九時半ごろ電話しました。しかし妻は、休む前によく散歩をしておりましたので、ただ散歩に出ていたと思っていました」

「監察医が言えることは、被害者が死亡してからおおよそ一週間たっていたということだけだ。電話した時刻に関するおたくらの供述内容はもちろん後で裏を取るが、被害者が金曜日の夜九時以前の時点に死亡したことを示すと思われる情報がある。六時ごろ、被害者がフィエルバッカに到着して比較的すぐ後だったはずだが、ラーシュ・テランデルとかいう男に、故障したボイラーのことで電話をした。やつはすぐには行けなかったが、遅くとも同じ夜の九時には行くと約束した。本人の証言によれば、ドアをノックした時はちょうど九時だった。ところが、玄関に出てきて開けてくれる人間はいなかった。それからやつはしばらく待って、そのあと帰宅した。したがって、我々は被害者がフィエルバッカに到着したあと、その晩のいずれかの時点で死亡したという仮説を立てた。家の中がどれだけ寒かったかを考えれば、被害者が修理工がボイラーを見にやってくることになっていたのをすっかり忘れていたというのは、あり得ない」

髪の毛は今度は左側にずり落ちていた。パトリックは、その異様な眺めからエリカがほとんど目をそらせないでいるのを見た。おそらく、駆けよって直してやりたい衝動を抑えているのだろう。その感覚は、署の全員がすでに経験ずみだった。

「おたくらが話をしたのは何時だった?」

この問いを、メルバリはビルギットに向けた。

「よく分かりません」と言ってビルギットは考え込んだ。「七時よりもあと。七時十五分ごろ、七時半、だったと思います。ほんのちょっと話しただけです。あの子は客が来ると言っていましたから」ビルギットは蒼ざめる。「ひょっとしたら……？」

メルバリは勿体《もったい》をつけてうなずいた。「その可能性もある、奥さん。しかし、それを解明するのは我々の仕事だし、必ず全力を注ぐことは保証できる。だが、捜査の中でも容疑者どもをツブしていくことは最重要任務の一つなのだ。だから、金曜日の晩、何をしていたか説明をまとめてもらえないだろうか」

「わたしにもアリバイを証明しろと？」とエリカが言った。

「それは必要ないだろう。しかし、被害者を発見した日、あの家に入ったとき見たことは残らず全部、説明してもらえたら有難い。おたくらの書面による申し立ては、ヘードストルム警部補に渡してもらったらいい」

三人の視線がパトリックに向けられたので、彼はうなずいた。みんな立ち上がった。

「悲劇的な事件だな、これは。特に子供のことも考えると」

三人の視線はふたたびメルバリのほうに向けられた。

「子供？」ビルギットは理解できないという目で、メルバリとヘンリックを代わる代わる見やった。

「そうだ、監察医によれば、妊娠三カ月目だった。驚くことではないかもしれないが」

メルバリはにっと笑って、いたずらっぽくヘンリックのほうにウインクした。パトリックは、自分のボスの配慮のない振る舞いが恥ずかしかった。

ヘンリックの顔はだんだん色を失くしてゆき、最後には白い大理石そっくりになった。その彼に、ビルギットは理解できないという目を向けた。エリカは石になったように立っていた。

「あなたたちは子供ができるはずだったの？　どうして話してくれなかったの？　おお神様！」

ビルギットはハンカチを口に押しつけ、こらえ切れずに泣き出す。マスカラが頬を伝ってどんどん流れても気にもかけないで。ヘンリックはまた守るようにビルギットの体に腕を回した。このとき彼女の頭越しに、パトリックはヘンリックと目が合った。アレクサンドラに子供が生まれることを夫がまったく知らなかったのは明らかだった。エリカの困惑しきった表情から見て、反対に彼女が知っていたことは同様に明らかだった。

「ビルギット、そのことは家に帰ってから話しましょう」それから彼は、パトリックのほうに向きを変える。「あの金曜日の夜に関する書面による申し立ては、必ずお渡しするようにします。それを受け取ったらきっと、さらに詳しくわたしたちを事情聴取なさるのでしょうね？」

パトリックは、そうだとうなずいた。それから問いかけるように、エリカに向かって眉を上げる。

「ヘンリック、すぐに戻ります。パトリックとほんの少し話がありますから。わたしたち、古い知り合いなの」

エリカは、ヘンリックがビルギットを車まで連れていく間廊下に残っていた。

「こんなところで会えるなんてな。まったく予想外だ」とパトリックは言った。床に靴底をつけたまま、落ち着きなく体を前後に揺すっている。

「そうね。ちょっと考えれば、あなたがここで仕事をしていることは、当然思い出したはずなのにね」

エリカはハンドバッグの留め金を指でいじりながら、頭を少しかしげてパトリックを見つめた。エリカのどんな小さな仕草もみんな、パトリックには昔なじみだった。

「最後に会ってから、ずいぶんになるな。お葬式に行けなくて申し訳ない。うまくやっているか、アンナとは？」

にわかに長身のエリカが小さく見えて、彼はその頬を撫でてやりたい気持ちをやっと抑え込んだ。

「うん、何とかね。アンナはお葬式が終わってすぐストックホルムに戻った。わたしは家の片付けのため残って二週間ほどになる。でも、楽じゃないわ」

「フィエルバッカに住む女性がこの殺人事件の被害者を見つけたとは聞いたけど、それがきみだとは知らなかった。恐ろしかったろうな。子供のころ、彼女とは仲良かっただろう？」

「そう、決して網膜から消せない光景だわ。もう行かなくちゃ。あの人たちが車で待ってるから。機会があったら、会えないかな。まだしばらくフィエルバッカにいるから」

エリカはもう、廊下を向こうに向かって歩いていた。

「晩めしはどうだ、土曜の夜？　おれのところで八時に？　住所は電話帳に載ってる」

「行くわ。それじゃ、八時にね」

エリカは後ろ向きでドアから出ていった。エリカが視界から消えた途端、パトリックは廊下でちょっとした即興のインディアン・ダンスを踊った。これには同僚たちも大喜びをした。しかし、自宅を他人に見せられるほどきちんと片付けておくのが、どれだけ大変か実感したとき、喜びは少ししぼんだ。カーリンが家を出ていってからこっち、家事にちゃんと手をつけることはできずにいたのだ。

エリカとパトリックは、生まれたときからずっと知り合いだった。母親同士が子供のころから無二の親友で、まるで姉妹のように近しかったからだ。だから、パトリックとエリカは子供のころ、しょっちゅういっしょに遊んでいた。そして、エリカは彼が初めて真剣に愛した女性だったと言っても、言い過ぎではない。自分では、エリカに恋して生まれてきたと信じていた。彼女に対してずっと抱いていた感情は至極当然のものだった。しかしエリカのほうは、そのことを少しも考えることはなく、パトリックが仔犬のように自分を慕うのは当然のこととしていた。エリカがイェーテボリに引っ越したときになって初めてパトリックは、夢を封印すべき時が来たことを理解したのだ。その後も、確かに他の女たちに恋をしてきた。そしてカーリンと結婚したとき、二人で白髪になるまで共に暮らすと確信したが、エリカはずっと後頭部に思い浮かんで消えることがなかった。ときには、考えもせずに数ヵ月が過ぎ、ときには、一日に何回も考えた。

書類の山は、彼が外に出ている間に奇蹟のように減っていてはくれなかった。深いため息をつきながらデスクに座り、いちばん上に載っている書類を取り上げる。仕事は単調で、土曜日のメニューについてたっぷり考えることができたくらいだった。どっちにしてもデザートは決まっていた。エリカは昔からアイスクリームには目がなかったから。

彼は、口に嫌な味を感じながら目を覚ました。確かに昨日はめちゃくちゃなどんちゃん騒ぎになった。連れたちが午後やって来て、日付が変わった後も暴飲していた。昨晩あの警官がやって来たなというぼんやりした記憶が、あと一歩というところではっきりしなかった。ちゃんと立ち上がろうとしてみたが、部屋全体がぐるぐる回ったので、もうしばらくは転がったままでいることにした。

右手がヒリヒリした。それを天井に向けて上げて、視界に入るようにした。拳の先がひどく引っかかれていて、血が固まって一面にこびり付いていた。畜生！　昨日はちょっとした喧嘩になって、それで、あのおまわりが来たんだ。記憶がだんだん戻ってきた。あの自殺について喋り始めたのは連中だった。誰かがアレクスについて下らないことを山ほどほざき出した。「上流階級のアバズレ」「上流社会の売女」は、自分がアレクスについて使った言葉だ。アンデシュはショートしてしまって、その後で覚えているのは、酔いつぶれている最中に逆上しながら、ヤツをボコボコにしたときに見た激怒の赤い靄だけだった。確かに、彼女の裏切りにいちばん怒っていたときには、自分でも彼女のことをあれこれ罵《のの》りはした。だが、それとこれとは別だ。他の連中は彼女を知らない。決めつける権利があるのは自分だけなのだ。

　電話のけたたましい呼び出し音が鳴った。彼は無視しようとしたが、その音が脳を切り刺すままにしておくよりも、這《は》い上がって答えるほうが、まだ苦しみが小さいと判断した。

「アンデシュ」彼はくぐもった声で怒鳴った。

「こんにちは、母さんだよ。気分はどう?」

「うーん、話になんねぇよ」彼はずるずる滑り落ちていき、壁に背中をくっつけて座る格好になった。「いったい何時だ?」

「午後四時近くだよ。起こしてしまったかい?」

「いいや」頭は不釣合いに大きく感じられ、両膝の間に今にも落ちてしまいそうだった。

「ちょっと前に町に行って買い物をしてきたんだよ。そこでみんなが噂していることがあって、それをおまえに知らせておきたいと思ってね。聞いてるかい?」

「うん、聞いてる、くそっ」

「アレクスが自分で命を絶ったんでないことが、はっきりした。殺されたんだよ。おまえに分かっておいてもらいたくって」

　沈黙。

「アンデシュ、もしもし?　あたしの言ったことが聞こえたかい?」

「うん、聞こえた。何だって?　アレクスが……殺された?」

「そう、とにかく町でみんなが言ってるのは、そうだよ。今日ビルギットがターヌムスヘーデの警察に行って、はっきりそう知らされたんだって」

「畜生！　なあ、おふくろ、ちょっと片付けなきゃならないことがあるんだ。あとで話そう」

「アンデシュ？　アンデシュ？」

彼はもう受話器を置いていた。

やっとの思いで何とかシャワーを浴びて、服を着た。鎮痛剤を二錠飲んだら、また人間になったような感じがした。台所のウォッカ瓶が誘うように彼を見ていたが、屈服するのを拒んだ。今は素面《しらふ》でいることが必要なのだ。まあ、少なくとも比較的素面でいることが。

電話がまた鳴った。彼は無視する。代わりに上がり口の棚から電話帳を取ってきて、すぐに必要な番号を見つけた。その番号をダイヤルしているとき、両手が震えた。呼び出し音は、まるで終わりがないように何度も鳴り続いていた。

「もしもし、アンデシュだ」ついに向こう側で受話器が取り上げられたとき、彼は言った。

「……だめだ！　切るな、おめえ。ちょっとばかし話をさせろ」

「……おい、選択の余地はないんだ。十五分したら、そっちに行く。その時は、ぜったい家にいるようにしろよ」

「……おれは、他に誰が家にいたってかまわないんだ。分かったな」

「……失くすものがいちばん多いのは誰か、忘れんなよ」

「……てめえくそー、今から行く。十五分したら会おう」

アンデシュは、ガチャンと受話器を置く。二度ほど深く息を吸ってから、上着を着て、出かけた。鍵を掛けるかどうかなんて気にしなかった。アパートの中では、また電話がけたたましく鳴った。

自宅に帰ってきたとき、エリカは疲れ切っていた。帰りのドライブは重い沈黙のうちに過ぎた。ヘンリックは厄介な選択を迫られている、とエリカは思った。ビルギットに、アレクスの子供の父親は自分ではないと語るべきなのか、それとも黙ったままでいて、捜査の過程で明るみに出ないでほしいと願うべきか。ヘンリックの立場を思うと辛くなる。そして、彼の状況に置かれたら自分がどう反応するかも、まったく分からなかった。真実を語ることは必ずしも最良の解決とはならない。

日はとっぷり暮れていた。家に近づくと自動的に点く外灯を父親が取り付けておいてくれたことに、エリカは感謝した。昔から暗闇恐怖症だった。子供のころは、暗闇はいつか自分が大人になったら抜け出せるものだと信じていた。大人は暗闇を怖がるはずはないから。今三十五歳だが、あいかわらず待ち伏せしているものが何もいないことを確かめるため、休むときにはベッドの下を覗く。ああ、哀れ。

家中に灯を点けると、赤ワインを大きなグラスに注ぎ、バルコニーの籐のソファに座って丸くなっていた。闇は濃かったが、それでも何も見えないまま、真ん前を凝視していた。寂しかった。アレクスを悼《いた》む人、彼女の死に影響を受ける人がほんとうに沢山いた。エリカには、もうアンナしかいない。自分がいなくなったら、アンナは自分を恋しがってくれるだろうかと思うことが時たまあった。

アレクスとエリカは子供のころ、お互いにとても近しかった。アレクスは引きこもり、最後には突然引っ越して完全に姿を消してしまったのだが、その時エリカはこの世の終わりのように感じられた。アレクスは彼女が持っていたただ一つのもの、完全に彼女だけのものだった——エリカのことをほんとうに気にかけてくれたただ一人の人間だった父親を別にすれば。

エリカはワイングラスを、テーブルの上に勢いよく置く。そのため危うくグラスの脚を折りそうになった。静かに座っていられないくらい、ひどく落ち着かなかった。何かしないではいられなかった。アレクスの死はあまりこたえなかったと外見を装っても無駄だった。何よりも影響したのは、家族や友人たちによって描き上げられたアレクスのイメージが、自分が知っていたアレクスとは食いちがっていたという事実だ。人間が子供から成人になる人生の途上で変わるとしても、それでも、変わらない個性の核心というものがある。みんなが語ったアレクスは、完全に見知らぬ人間だった。

また立ち上がってコートを着る。車のキーはポケットに入ったままだし、懐中電灯はあやうく忘れそうになったが、コートのもう片方のポケットに入れた。

丘の頂上に建つ家は、街灯の青紫色の光の中で寒々と見えた。エリカは学校の裏にある駐車場に車を停《と》めた。その家に入っていくのを誰にも見られたくなかった。

敷地に生えていた低木は、そっとバルコニーに向かって忍び寄っていく時に格好の目隠しになってくれた。昔の習慣が続いていることを願いながら、ドアマットを持ち上げる。二十三年前とまったく同じ所に、家の合鍵が隠されていた。ドアを開けると少しきしんだ。近所の誰にもその音が聞こえないことを願った。

暗い家に足を踏み入れるのは不気味だった。暗闇を恐れるあまりなかなかうまく呼吸ができず、落ち着こうと何度か深呼吸をしなければならなかった。コートのポケットの中に懐中電灯が入っているのを思い出して、ほっとした。そして電池が充電されていることを静かに祈った。充電はされていた。電灯の明かりが少し不安を鎮めてくれた。

電灯の光線を一階の居間全体にぐるっと回してみる。いったい自分はこの家で何を探そうとしているのだろう。近所の住人や通りがかりの人が明かりを見て警察に通報しませんように。

居間は美しくて、天井が高く、広かった。しかしエリカは、自分が子供時代に見たのを覚えている褐色とオレンジ色の一九七〇年代の調度が、美しいラインの明るいスカンディナヴィアン・デザインの白樺製家具に取り代えられているのに気づいた。アレクスがこの家に自分の個性を加えていたことが見てとれた。何もかも完全にきちんとなっているが、ソファに皺一つなく、またローテーブルの上に新聞一枚も広げられていなくて、それが空疎な印象を与えた。さらに丁寧に見る価値がありそうなものは、一つも見当たらなかった。

台所が居間の後ろにあったのを覚えている。台所は大きくて広いが、シンクにコーヒーカップが一つぽつんと置かれてあるだけで、あとは完全に片付いていた。エリカは居間を通り抜け、二階に続く階段を上った。階段を上ってすぐ右側に曲がり、大きな寝室に入る。エリカはここを、アレクスの両親の寝室だったと記憶していたが、今はもちろんアレクスとヘンリックの部屋だ。ここのインテリアも趣味がよかった。エキゾチックな雰囲気が強調されていて、クロス類は褐色のチョコレート色や深紅、壁にはアフリカの木製仮面が掛けられていた。部屋は広く、天井が高かった。そのおかげで、とりわけ大きなシャンデリアが引き立っていた。夏休みのためにやってくる人たちの別荘では一般的だった、隅から隅までマリン・グッズをインテリアに使う誘惑には当然のことながら、アレクサンドラは無縁だったのだ。フィエルバッカの夏期営業の小さなショップでは、貝殻をつけたカーテンから、結びロープをつけた絵まで、何でも飛ぶように売れていた。

　エリカが覗いてきた残りの部屋とは違って、寝室には人が住んでいる気配があった。小さな私物がそちこちに散らばっていた。ナイトテーブルの上には眼鏡一つと、グスタヴ・フルーディング（一八六〇—一九一一。詩人）の詩集が一冊置いてあった。ストッキングが一足、床の上に投げ出され、そしてセーターが数枚ベッドカバーの上に広げられていた。アレクスはほんとうにこの家に住んでいたんだ、とエリカはこのとき初めて実感した。

　エリカは注意深く引出しや戸棚の中を覗き始めた。自分が何を探しているのか分からないまま、アレクスのきれいなシルクの下着をかき回していると、自分が覗き屋になったみたいに思えた。さらに次の引出しを調べようと決めたそのとき、底でカサカサいう物につき当たった。

突然、レースのパンティーとブラジャーを手いっぱいに摑んだまま、エリカは固まってしまった。一階から、家の静けさを破ってはっきりと音が聞こえてくる。ドアがそっと開いて、閉まった。慌てふためいてエリカは周囲を見まわす。この部屋にある隠れ場所といえば、わずかにベッドの下か、部屋の片方の長い壁全体を占めているクローゼットの中だけだった。どのクローゼットにしたらいいのか。階段を上がってくる足音を聞いてやっと動くことができ、本能的にいちばん近いクローゼットに向かった。戸は有難いことに、きしみもしないでスッと開いた。エリカはさっと衣服の間に入り込み、閉めた。家に入ってきたのが誰なのか見られなかった。しかし足音がますます近づいてくる様子、その人間が寝室のドアの外でほんの一瞬ためらってから中に入る様子が、はっきりと分かった。突然、自分が片方の手に何かを握っていることに気づいた。無意識のうちに、引出しの中でカサカサいった物を摑んできたのだ。そっとコートのポケットに入れる。

何とか息を吸うことはできた。鼻がむずむずし出して、それを止めようとして必死に鼻を膨らましたりすぼめたりした。運よくむずむずは止まった。

寝室に入ってきた人間は、何かを探して室内を歩き回っていた。男か女か分からなかったが、エリカがその人物に邪魔されるまでしていたのと同じようなことをしている様子だった。引出しが次々と引き開けられた。そろそろクローゼットが調べられるころだ、とエリカは思った。恐怖がつのり、額に小さな汗の玉がにじみ出る。どうしたらいいのだろうか。彼女が考えた解決法はただ一つ、できる限り体を衣服の後ろに押し込むことだった。運よく、長いコート数着がしまわれているクローゼットだった。そこで注意深くコートの間に体を押し込み、コートを自分の前に吊り下がるようにした。うまくいけば、床にある何足かの靴の間から左右の踵《かかと》が突き出しているのに気づかれないだろう。

書き物机は明らかに、時間をかけて調べられている。除虫剤の不快な臭いを吸ってしまう。それが効き目をちゃんと発揮していて虫がこの暗闇の中、そばで這い回ることなんてありませんように、とエリカは心から願った。同様に、わずか数メートルしか離れていないところにいる人間がアレクス殺害の犯人ではありませんように、と心から願った。しかし、そうでなければ、いったい誰にアレクスの家の中をこっそり歩き回る動機があるだろうか、とエリカは思った。自分については都合良く、いざとなった時に出して見せられる招待状をもらっていたわけでもないことは棚に上げて。

にわかにクローゼットの戸が開いて、エリカは新鮮な風がひとそよぎ、むき出しになっていた足首の膚《はだ》に当たるのを感じた。そして息を止める。

クローゼットは何か秘密とか、高価な品とか隠しているようには見えなかったのだろう——少なくとも探している誰かさんにとっては。戸はほぼ同時に、また閉められた。他の戸も同様にさっと開けられては閉められ、そして次の瞬間、足音が遠ざかってドアから出て階段を下りていくのが分かった。玄関ドアがそっと閉められるのを聞いて、しばらくしてから、やっと、思い切ってクローゼットから出る。呼吸を一つひとつ強く意識せずに息がつけるということは、素晴らしかった。

部屋は、エリカが入ってきたときと同じように見えた。来訪者が誰であれ、その人物は注意深く探していて、掻きまわした痕跡は一つも残さなかった。この家に入ってきたのは押し込み強盗などではないという確信がエリカにはあった。自分が隠れていたクローゼットをもっと詳しく見てみる。クローゼットの奥の壁に体を押しつけていたとき、ふくらはぎに何か硬いものが触る感じがしていた。自分の前に吊り下がっていた衣服を押しのけて見ると、触っていたのは大きなカンバスだと分かった。画は裏側を前にして置かれていた。それを彼女はそっと持ち上げて外に出し、裏表をひっくり返す。信じがたいほど美しい画だった。エリカでも、それが優秀な画家の手になるものだと分かった。モチーフはヌードのアレクサンドラで、頭を片方の手で支えて横向きになっていた。画家は熱情の色だけで描くことにして、そのおかげで、アレクサンドラの顔は穏やかな印象をかもし出していた。こんなに美しい画がどうしてクローゼットのいちばん奥に置かれていたのだろう。画から判断して、アレクサンドラは、画の自分を見せることを恥ずかしく思う必要などなかったのに。彼女自身、画と同じくらい傑作なのだから。その画には、エリカにはすでにおなじみな何かがあった。振り払おうとしてもそうできない何かが。以前にも確かに見たことのあるものだ。この画そのものを見たことが一度もないのは確かなので、別のことであるには違いなかった。画の下の右隅にはサインがなかった。裏返しにしてみると、「1999」とだけ書かれていた。これは画が描かれた年に違いない。画を注意深くクローゼットのいちばん奥の元の場所に戻して、戸を閉める。

最後に部屋を見まわした。ちゃんと突き止められていないことがある。何かが欠けているのだが、それがいったい何なのか、どうしても思い出せない。まあ、あとで浮かんでくるかも。今はこれ以上、この家に留まっている気にはなれない。鍵を、初めに取り出した場所に戻す。車に乗ってエンジンが掛かるまで、気が抜けなかった。一晩に経験するには十分すぎる緊張だった。ブランデーをたっぷり飲めば、気持ちも落ち着いて、不安もかなり消えるはず。一体全体どうしてあの家に車で出かけ、中を覗きまわるなんて気になったのか。自分の愚かさに脚をとられてずっこけた気分だった。

自宅の車庫のほうに向かっていたとき、出かけた時からまだ一時間も経っていないことに気づき、エリカは驚いた。何しろ、無限に長い時間に感じられたのだから。

ストックホルムはいちばん美しい装いをしていた。彼女の頭上にだけ、ずっと暗雲が垂れ込めている感じがしていたが。普段なら都心のヴェステルブロン橋を渡っているときは、リッダルフィヤーデン湾の上にきらきら輝く太陽を目にして喜んだはずなのに。しかし、今日はちがう。話し合いは二時に設定されている。フィエルバッカを発ってからずっと、あれこれ考えてきたけれども、どんな解決策も思い浮かばなかった。残念ながらマリアンは非常にはっきりと、エリカの法律的立場を説明してくれた。アンナとルーカスが売却を主張し続けたならば、それに同意せざるを得ないとのことだった。エリカが唯一できることは、フィエルバッカの住宅相場に従った売却価格を基準に、両親の家の市場価値の半分を妹たちに渡して家を買い取ることだった。その場合彼女には、売却額の何分の一も残らないだろう。確かに、家の売却によって彼女は取り分ゼロになることはない。自分の取り分となる家の半分は、おそらく二百万クローナぐらいにはなるはずだが、金はどうでもよかった。この世の金などで我が家を失うことの埋め合わせはできない。買い立てのヨットマン帽をかぶればすぐに沿岸地域の住民になれると思い込んでいる市外番号03のストックホルム市民が、我が家の前面にある美しいバルコニーを取り壊してパノラマ・ウィンドーを取り付けると考えただけで、エリカは気分が悪くなった。そして、それを大げさだとは誰も言わないはずだ。この種のことが、何度も起きるのを見てきたのだから。

エリカはカーブを切って、ウステルマルム地区のリューネバリ通りにある弁護士事務所に車を入れた。建物の正面は、完全な大理石造りで、数本の石柱があり、堂々としていた。彼女はここでは最後に、エレベーターのミラーで身なりをチェックした。服装は、今日の状況にふさわしいように入念に選んできた。ここに来るのは今度が初めてだが、ルーカスを取り巻いている弁護士がどんな類の連中なのかは容易に想像できた。慇懃無礼なジェスチャーで、あなたはもちろんご自分の弁護士をお連れになることもできますと指摘された。しかしエリカは、自分一人で来ることにした。弁護士など雇う余裕がなかっただけだが。

話し合いの前に少しの間アンナと子供たちに会いたい、彼らの家でお茶でもいっしょにできたらと思っていた。アンナの反応に憤激しながらも、エリカは妹との関係を維持するためにできる限り努力することを堅く心に決めていた。

アンナはそうは思っていないようで、そんなことをしたらひどいストレスになると言いわけをした。弁護士のところで会うほうが、まだ良いと。エリカが、代わりに、話し合いの後に会いましょうと提案するより早く、アンナのほうが、話し合いの後は別の場所に出かけて女友だちに会うことになっていると告げた。偶然だとは、エリカには思えなかった。明らかにアンナは姉を避けようとしていた。問題は、それがアンナ自身が決めたことなのか、それとも職場にいるルーカスが、自分がまったく監視できない時にアンナがエリカに会うのを許さなかったか、そのどちらなのかということだ。

エリカが入っていくと、すでに関係者は全員集まっていた。ルーカスの弁護士二人に挨拶するために、とってつけたような笑いを浮かべながら手を差し出した時にも、全員真剣な表情でエリカを観察していた。ルーカスは挨拶にうなずいただけだったが、アンナのほうは勇敢にも彼の背後でちょっと手を振った。座って交渉を開始する。

交渉全体は、さほど時間がかからなかった。弁護士たちはドライに、また実務的に、エリカが先刻承知していることを説明した。つまり、アンナとルーカスが両親の家の売却を求める権利を完全に有すること。もしもエリカが市場における価値の半分を妹たちに渡して買い取ることができるならば、そうする権利を有すること。もしもエリカがそうできない、あるいはしたくないならば、第三者の鑑定人によって評価がなされたら直ちに家は売却に付されること。

エリカはアンナの目を見すえていた。

「あなたは、ほんとうにこうしたいの？　あなたにとって、あの家は何の意味もないの？　両親が自分たちがいなくなった途端に娘たちが売ると知ったらどう思ったか考えてみて。これが、アンナ、あなたがほんとうに望んでいることなの？」

エリカはあなたを強調した。目尻に、ルーカスがいら立ちながら眉をひそめているのが見えたが。

アンナは目を伏せて、そのエレガントな服からありもしない細かい屑をつまみ取っていた。そのブロンドの髪はきつく掻き上げてうなじでポニーテールにしていた。

「あの家を何に使うの？　古い家なんて、やらなきゃならないことが山ほどあるだけじゃない。それから、あの家を売ったら手に入るお金のことも考えてみて。両親は、わたしたちのどちらかがこの問題を実際的に考えることを認めてくれたに違いないわ。わたしが言いたいのは、いつあの家を利用するのかってこと。それならわたしとルーカスはむしろストックホルム多島海の島にサマーハウス用の土地を買うわ。こっちに近いし。あなたは、あの家をどうするつもり？　たった一人で」

ルーカスは馬鹿にしたようにエリカに笑いかけながら、いかにもいたわるふうにしてアンナの背中を軽く叩いていた。アンナのほうは、あいかわらずエリカと視線を合わせなかった。

エリカは妹の疲れ切っている様子に、改めてショックを受けた。前より痩せて、着ているダークスーツは胸と腰のまわりがだぶついていた。目の下には黒い隈ができており、右の頰骨に塗ったパウダーの下に青黒い色が透けて見えるような気がした。エリカはこの状況に対して自分が何もできないことにたまらなく腹が立って、ただルーカスを睨みつける。彼は落ち着いて彼女の視線を見返した。職場から直行したため仕事着、つまりピカピカ光る白いワイシャツと光沢のあるダークグレーのネクタイの上に黒鉛色のスーツを着ていた。いかにもスマートで世慣れているように見えた。エリカは、彼の外見を魅力的だと見る女性はきっと沢山いるはずだと感じた。エリカには、ルーカスの容貌の上には醜いものがまるで毛布みたいに覆いかぶさっているように見える。顔は角張っていて、頬骨と顎が少し突き出ていた。それは、いつも髪を後退した額から後ろに滑らかに撫でつけていることでさらに強調された。赤ら顔の英国人ではなくて、明るい金髪と氷のように青い目をした正真正銘の北欧人みたいに見えた。上唇は女性のように弓なりで、ふっくらしていた。これは怠惰で退廃的な印象をかもし出していた。エリカは、彼の視線が自分の胸のデコルテに落ちているのに気づき、本能的に上着の前を合わせた。彼は彼女の動きを察知したが、そのことにエリカはむかついた。ルーカスがどんなやり方にせよ、エリカに影響を及ぼすことを彼に悟られるのは嫌だった。

話し合いが終わると、エリカはさっと背を向けて、礼儀正しい別れの挨拶など口にすることもなく、ドアを出た。エリカの側から言えることは、全部すでに言いつくしていた。彼女は家を評価する人物が連絡してくるのを待ち、その後できるだけ早く家を売りに出すことになる。哀願の言葉など、何の役にも立たなかった。エリカは負けてしまった。

都心のヴァーサスターン地区にある自分のマンションは感じのいい博士課程の学生夫婦に

又貸ししていた。しかしそのために、そこには帰れなかった。直ぐにフィエルバッカまで五時間に及ぶドライブを始める気にもなれなかったので、少ししてからステューレプラーン広場そばの立体駐車場に車を入れ、歩いてフムレゴーデン公園に行って腰を下ろした。考えをまとめる必要があった。このストックホルムの中心部にあるオアシスのような美しい公園の落ち着いた静けさは、まさに必要としていた思索に適していた。

今しがた雪が降ったようだ。雪が公園の草をまだ白く覆っていた。ストックホルムでは、雪が解けて汚い灰色のぬかるみになるのには一日、二日かかるだけだ。先ずお尻の下に防寒用ミトンを広げてから、ベンチに座った。膀胱炎は、けっして甘く見られる病気ではない。今の彼女にとっては、いちばん不必要なものだ。

自分の前を追い立てられるように歩道を走って行く人の群れを眺めながら、あれこれ考えをめぐらした。ランチのラッシュ時の最中だった。ストックホルムの生活環境がどれだけストレスの多いものか、エリカは忘れかけていた。誰もかれも、まるで追いつくのは絶対無理なものを追い求めているように、いつも走っている。急に、フィエルバッカが恋しくなった。この数週間のうちに自分がどれだけ落ち着いた生活をしていたのか、十分認識していなかったようだ。確かに処理すべきことは沢山あったが、同時にあそこでは、ストックホルムでは一度も味わったことがない心の平安というものを見つけた。ストックホルムで孤独だったら、完全に孤立する。フィエルバッカでは、良くも悪くも孤独にはならない。人々は、自分の隣人たちや仲間を気にかける。ときには極端に走ることもあるし、噂話もエリカの好みじゃないが、ここにいて首都の心臓部の人込みを見ていると、エリカはもうこの生活には戻れないと感じた。

最近何度も考えたように、またエリカの考えはアレクスに戻っていった。どうして、毎週末たった一人でフィエルバッカに出かけていたのだろうか。あそこで逢うことになっていたのは、いったい誰だったのか。それから、賞金一万クローナのクイズ——さて、アレクスが待ち望んでいた子供の父親は誰だったでしょうか？

突然エリカは、あのクローゼットの暗闇の中にいたとき上着のポケットに突っ込んだ紙のことを思い出した。おととい帰宅したとき調べるのをどうして忘れてしまったのか、理解できないくらいだ。右のポケットを触ってみて、くしゃくしゃになった紙切れを取り出した。ミトンを着けなかったのでかじかんでしまった指で皺を伸ばす。

それは、『ブーフスレーン県民新聞』の記事のコピーだった。記事には日付がついていなかったが、活字面と白黒写真からみて、最近の記事ではないことが分かった。写真から判断すれば、それは七〇年代のもので、写真に写っている人たちと記事が伝えている話もエリカは知っていた。なぜアレクスは、この記事を引出しの底に隠していたのだろうか。

エリカは立ち上がり、記事をまたポケットの中にしまった。ここでは答えは見つけられない。そろそろ家に帰ろう。

葬儀は、立派で厳かなものだった。フィエルバッカ教会の中は、参列者で満席というにはほど遠かった。参列者の大多数はアレクサンドラのことを知らなくて、ただ自分の好奇心を満足させるために来ていた。遺族と友人たちは最前列の席に座っている。アレクスの両親とヘンリックの他、エリカはフランシーヌしか分からなかった。そのすぐ隣に、長身で金髪の男性がいた。彼女の夫だろう。この人たちを除いたら、友人はそう多くなかった。席が二列もあれば十分で、エリカが抱いていたアレクスのイメージを裏付けていた。彼女は、知人は間違いなく無数にいただろうけれども、親しい友人はごく少数だったのだ。教会内の残りの席には、物見高い人たちが何人かそちこちに散って座っていた。

エリカ自身は二階の回廊にいた。ビルギットが教会の外でエリカを見かけて、自分たちのそばに座ってくれるように頼んだ。しかしエリカは丁寧に辞退した。遺族や友人たちの中に座ることは、偽善めいた感じがしたのだ。事実、アレクスは彼女にとって見知らぬ人だった。

エリカは座り心地の悪い座席に腰かけていて落ち着かなかった。子供時代ずっと彼女とアンナは、日曜日ごとに無理やり教会に連れてこられたものだった。子供にとって、長い説教や、メロディーを覚えることが絶望的な讃美歌が歌われる間ずっと座っているのは、恐ろしくつまらなかった。自分独りで楽しむため、彼女は頭の中でお話をこしらえていた。竜と王女様の昔話がいくつもそこで作られた——一度も紙に書き留められることはなかったが。十代になるとエリカが必死に抵抗したため、教会通いはぐんと減った。それでもいっしょについて行かなければならなかった折に創作したのはもはや昔話ではなく、もっとロマンチックな物語になっていた。このため皮肉なことだが、職業選択の決め手になった、退屈な教会通いをエリカは有難く、あるいは恨めしく思うべきではあった。

エリカは今でも自分の信仰というものを見つけられずにいた。エリカにとって教会というものは、丸天井をさまざまな聖書物語で飾られた美しい建築物であり、それ以上のものではなかった。説教では、子供時代に聞かされた説教は、信仰を持ちたいという願望を抱かせることがなかった。説教ではよく地獄や罪を扱っていたが、神への明るい信仰を説かれることはなかった、それが存在することを知りながらもエリカは未だに出会えずにいた。その後多くの変化が起きた。現在、女性が司祭の服装をして祭壇の前に立ち、永遠の呪いに代わって光、希望そして愛について語っている。エリカは、自分が成長の過程でこのような神の見方に出会えていたら良かったのにと思った。

エリカが今いる二階の回廊の引っ込んだ場所からは、一人の若い女性が最前列のビルギットの脇に座っているのが見えた。その女性の手をビルギットがしっかり握っていて、頭をときどき彼女の肩にもたせかけていた。エリカはそれが誰なのか分かった気がした。若い女性はきっとアレクスの妹ユーリアに違いない。座っている場所が遠すぎて、顔の表情ははっきり見えなかったが、ユーリアはビルギットに触れられるたびに身を引いているように見えた。ユーリアはビルギットが彼女の手を取るたびに引っ込めていたが、母親はそれに気づかないふりをしているか、今置かれている状況のせいでまったく気づいていないかのどちらかだった。

ステンドグラスを嵌《は》め込んだ、高い鉛製枠の窓を通して陽の光が流れ込んでいた。座席は硬くて座り心地が悪く、エリカは腰のあたりが鈍く痛み出したのに気づいた。葬儀の礼拝が比較的短かったのは有難かった。終わった時にはすぐ席から立たず、教会の中からゆっくり出てゆく人々を見ていた。

一歩外に出ると太陽が耐えがたいほど眩《まぶ》しい、雲一つない晴天が広がっていた。人々が行列になって小さな丘を下って墓地に、そしてアレクスの棺が埋められるために掘られたばかりの墓穴に向かう。

冬、土が凍って霜が降りているときどのように埋葬するのかなど、両親の葬式までは、一度も考えたことがなかった。今では土が暖められ、掘り起こされるということを知っている。そのようにして、埋められる棺の数に十分な大きさの区画が掘り起こされるのだ。

アレクスの墓のために選ばれていた場所に行く途中、エリカは両親の墓石のそばを通りかかった。行列の最後を歩きながら、墓石の前で立ち止まる。その縁には雪が厚く載っていた。丁寧に払い落とした。最後にもう一度墓石に目をやってから、少し離れたところにある小さな人だかりのほうに急いだ。野次馬たちは、少なくとも土葬の場からは遠ざかっており、今は遺族と友人たちがそこにいた。それに加わるべきか、エリカは迷った。それでも最後の瞬間、アレクスが永久《とわ》の眠りにつくのを見ようと心を決めた。

ヘンリックは両手をコートのポケットの底まで入れて、最前列に立っていた。頭《こうべ》を垂れて。目はゆっくり花で覆われていく棺に凝らされている。大部分は赤いバラだ。

彼もエリカと同じように、墓のそばに集まっている人を見渡して、子供の父親はこの中にいるかもしれないと思っていただろうか。

棺が地中に下ろされているとき、ビルギットの深い、悲しい、途切れることのない長嘆息が聞こえてきた。カルエーリックのほうは毅然《きぜん》として、涙も流していなかった。彼は全力を傾けて、心身両面でビルギットを支えていた。二人から少し離れたところにユーリノが立っている。ヘンリックがユーリアのことを、一家のみにくいアヒルの子だと語っていたのは正しかった。姉と違って髪は黒く、とてもヘアスタイルとはいえない髪型をしていた。顔つきは粗野で、長すぎる前髪の下からは落ちくぼんだ目が覗いていた。化粧っけはまったくなく、肌は十代に出ていたひどいニキビの痕をはっきりと残していた。ユーリアと並んで立っていると、ビルギットはいつもよりも小さく、もろそうに見えた。下の娘は母親より十センチ以上も背が高く、その体は横幅と重量感があり、まったく均整が取れていなかった。ユーリアの顔を旋風《つむじかぜ》のように行ったり来たりする矛盾した表情を、エリカは魅せられたように観察していた。痛みと怒りが、稲妻並みの速さで交互に入れ替わっている。涙はなかった。彼女だけ、棺の上に花を投じなかった。そして埋葬式が終わると、墓穴に背を向けて教会の方向へ歩き出した。

この姉妹の関係はどんなものだったのだろう。いつもアレクスと比べられること、常に貧乏くじを引かされるということは、楽ではなかったはずだ。後ろの一団と距離を広げ、ずんずん進むユーリアの背中は他人を拒んでいる。肩をいからせながら少し前かがみになっていた。

ヘンリックがエリカの傍にやってきた。

「このあと、ささやかな偲《しの》ぶ会を開きます。来ていただけたら有難いのですが」

「どうしようかしら」とエリカは言った。

「とにかく、ちょっとだけでもお寄りいただけませんか」

エリカは迷った。「分かりました。場所は？ ウッラさんのお宅ですか？」

「違います。あれこれ考えてみたんですが、結局ビルギットとカルエーリックの家ですることにしました。あそこで起こったことではありますけれど、アレクスがあの家を愛していたことは、わたしも承知しておりますので。あそこには明るい思い出が沢山あります。あの家以上に妻を偲ぶのにふさわしい場所は考えられません。でも、あなたにはご負担かもしれませんね。ついこの前ご訪問くださったときには、とても楽しいとは言えない経験をなさったでしょうから」

エリカは、自分のついこの前のご訪問がほんとうはどんなふうであったのか考え、恥ずかしさで赤くなり、目を伏せた。

「結構ですわ」

エリカは自分の車をまたホーケバッケン学校の裏の駐車場に停めた。玄関ドアから中へ入ると、家の中はすでに人で一杯だった。このまま帰ってしまおうかという思いが脳裡《のうり》をかすめたが、ヘンリックが迎えに来てコートを脱がしてくれたので、このまましばらくいるしかなくなった。

オープンサンドイッチの軽食が用意されていたテーブルのまわりには、人が群がっていた。エリカは、シュリンプののった大きなオープンサンドを一つ取ってから、急いで部屋の一隅へと離れる。そこでなら落ち着いて食べたり、他の出席者を観察したりできた。

パーティーは、その趣旨を考えると異常なまでに明るかった。皆、信じがたいほど陽気だった。しかし、自分のまわりの人たちを見ると、無理して着けた、お喋りする仮面を誰もがかぶっているのが分かった。仮面のすぐ下では、アレクスの死の原因をめぐって、それぞれの思いがうごめいている。

エリカは視線を、部屋中の顔から顔へと走らせる。ビルギットはソファの一方の端に座って、ハンカチで涙を拭いていた。カルエーリックは妻の後ろに立って、片手はぎこちなく彼女の肩に置き、もう一方の手にはオープンサンドの皿を持っていた。ヘンリックはプロのウエーター並みに室内を動きまわってサービスしていた。彼は客たちの作っていた小さなグループを次々に回って、握手をし、お悔やみの言葉に会釈して礼を述べ、コーヒーとケーキも用意されていることを知らせた。彼はあらゆる点で完璧に主人役を果たしていた。これが妻の会葬御礼の会などではなく、カクテルパーティーか何かであるように。そうすることが彼にとってどれほどの緊張であったかを示していたのは、一つのグループへの挨拶を終えて次のグループに向かう前に、新しい力を得ようとするかのような深い呼吸と一瞬見せるためらいの表情だけだった。

枠からはみ出した振る舞いをしていた人間は、ユーリア一人だけだった。彼女はバルコニーの窓敷居に座っていた。片膝を窓に向けて立てたまま、視線は遠く海を見つめていた。少し気を遣ってお悔やみを述べようとして近づく人は、目的を果たさないまま離れていくしかなかった。彼女は声を掛けられてもすべて無視し、ただ大きな白い空間を見つめ続けていた。

エリカは腕に軽く触れられるのを感じて、思わずぴくっと体を震わせ、そのためコーヒーが少し受け皿にこぼれた。

「ごめんなさい、驚かすつもりはなかったの」フランシーヌが微笑んでいた。

「いえ、ご心配なく。ちょっと考えごとをしていただけですから」

「ユーリアのこと?」フランシーヌは窓のところにいる人物のほうにうなずいた。「あなたが彼女をじっと見ているのに気づいていたわ」

「ええ、正直に認めますけど、彼女には関心があります。一人だけ、家族から完全に遠ざかっていますね。アレクスの死を悲しんでいるのか、それとも、わたしには分からない理由で、ひどく腹を立てているのか」

「ユーリアのことは誰も理解できないでしょう。しかし彼女の人生はこれまで、楽ではなかったはず。美しい二羽の白鳥の間で育ったみにくいアヒルの子。いつも脇に押しやられ、無視されてて。ご夫婦はこれまで彼女に対してあからさまに意地悪だったということはないと思います。彼女はただ——そう、望まれていなかったのです。たとえばアレクスとわたしがフランスにいた間、一度もユーリアのことを話題にしたことがありません。わたしがスウェーデンに移ってきてアレクスに妹がいたことを知ったときは、とても驚きました。彼女はユーリアのことよりずっと沢山、あなたのことを話していました。あなたたちはきっと、とっても特別だったのね？」

「ほんとうのところは分かりません。子供だったので。あの年ごろの他の子供と同じように、わたしたちは血を分けた本物以上の姉妹で、決して離れればなれにはならないなんて思っていたけれど。でも、アレクスが引っ越していかなかったとしても、成長してティーンエージャーになったら、他の女の子たちと同じことが、わたしたちにも起こっていたでしょう。ボーイフレンドを取り合ったり、服の好みが分かれたり、社会的にも違ったところにたどり着き、そしてお互いが所属することになった——あるいは、入りたかった集団の——成長段階にいっそう合った他の友だちを優先して、お互いから離れてしまう、などというようなことが。それでも、確かにアレクスは大人になったわたしの人生にも大きな影響を残しました。あの裏切られたという感じを振り払うことが、全然できなかったのですから。何か間違ったことを言った、あるいはしたのはわたしのほうだったのかと思ってました。アレクスはますます遠ざかって、それからある日、突然いなくなってしまったのです。二人が大人になって再会した時には、彼女はもう見知らぬ人でした。なんか変な感じ方ですけど、わたしは今、アレクスを改めて知ったような感じがしています」

　エリカは、自宅で山になっている原稿のことを考えた。これまでのところ、印象と説明をまとめただけだが、それに自分の想いと考察を加えていた。その材料をどんな形に創っていったらよいのか、まったく分かっていない。分かっているのはただ、どうしてもしなければならないということだ。彼女の作家としての本能が、これは何か本物を書くチャンスなのだと知らせてはいた。しかし、作家としての必要と、アレクスとの個人的な繋がりとの間のどこに境があるのか、これは少しも分からなかった。ものを書くためには不可欠である好奇心から、極めて個人的なレベルでアレクスの死をめぐる謎《なぞ》をどうしても解きたいとも思っていた。もちろん、アレクスとその運命を語らずにすます選択もできた。悲しみに暮れているアレクス一家に背を向けて、自分自身と自分の問題だけに集中することも。しかし、エリカはそうはしないで、今実際には知らない人間で溢れている部屋の中に立っている。

突然、ある考えが浮かんだ。アレクスのクローゼットの中で見つけた画のことは忘れかけていた。カンバスの上でアレクスの裸身をとらえた熱情的な色調に、エリカがどうしてそんなに親しみを覚えたのか分かったのだ。フランシーヌのほうに体を向ける。

「ねえ、わたしが画廊にうかがったとき……」

「はい?」

「ドアのすぐそばにあった画、熱情的な色彩、黄色、赤、オレンジ色だけを使った大きなカンバス……」

「ええ、あなたがどの画のことを言っているのか分かりますよ。あれがどうかしましたか。投資するなんて言わないでしょうね?」フランシーヌは微笑んだ。

「いいえ、ただ、あれを描いたのは誰かなと思って」

「ええ、あれには悲しいお話があるの。作者はアンデシュ・ニルソンといいます。このフィエルバッカ出身でもあるのよ。彼を発見したのはアレクスです。ものすごく才能がある人。でも残念なことに、重度のアルコール依存症で立ち直れないみたい。だから、たぶん画家としては成功できない。今の美術界では自分の作品を画廊に引き渡して成功を願うだけでは、足りないんです。画家として世に出るため自分でマーケットリサーチをする、自分の展覧会初日に出席する、社交的な催しに出かける、隅々までアーティストらしく行動する、なんてことも欠かせません。アンデシュ・ニルソンは、立派な調度で飾られた場所に行くことができない酒浸りの落ちこぼれなの。画をご覧になって才能を見抜くお客さまにはときどきお売りするけれど、アンデシュが、芸術の空に輝く不動の恒星になることは絶対にないでしょう。とんでもなくひどい言い方だけど、彼が酒を浴びたあげくに死んでしまったら、きっと価値も出るでしょうね。一般のお客さまは亡くなった画家を好みますので」

エリカは驚きの表情で、自分の真ん前に立っているすらりとした人を見た。フランシーヌはエリカの視線に気づいて、付け加える。

「シニカルに聞こえたら、本意ではありません。豊かな才能がありながら、それを酒瓶の中に垂れ流してしまうことに、腹が立つだけです。悲劇的だと思えるのは最初のうちだけ、でも、アレクスに見いだされたことは彼にとって幸いでした。そうでなかったら、彼の画を楽しめたのはフィエルバッカの呑んだくれ仲間だけだったでしょう。その人たちが芸術作品の微妙なニュアンスを正当に評価できるなんて、とても思えませんし」

パズルのピースが一個はまった。しかしエリカはどうしても、それが事件全体の中にどう合うのか分からなかった。なぜアレクスは、アンデシュ・ニルソンが描いた自分のヌード・ポートレートを隠していたのか。説明の一つとして、ヘンリックあるいは、もしかしたら愛人へのプレゼントだったということは考えられる。アレクスは自分が称賛している画家にポートレートを注文したのだ。でも、この説明はしっくりしない。画の上には、作者とモデルがとても見知らぬ者同士とは思えないような肉感的でセクシュアルな感じが漂っていたのだ。アレクスとアンデシュの間には何かがあった。しかし他方エリカは、自分が絵画にはまったくの素人であること、また自分のアンテナが間違ったシグナルを発する可能性も自覚していた。

部屋の中にざわめきが広がった。最初に、玄関ドアにいちばん近かったグループから始まって、部屋中に広がっていく。全員の目がドアのほうに向けられた。そこには、まったく想定外の客がいた。ネッリー・ローレンツがドアから入ってきたとき、客たちはすっかり驚いて息を止めた。エリカは、アレクスの寝室で見つけた新聞記事のことを考え、一見ばらばらな事実が相互に結びつかないまま、頭の中でぐるぐる回るのを感じていた。

フィエルバッカの存続は、一九五〇年代の初め以降ローレンツ缶詰工場と盛衰を共にしてきた。フィエルバッカの働ける住民のほぼ半分がこの工場に雇われて、ローレンツ家はこの小さな町では王侯扱いされていた。フィエルバッカには上流階級を発展させる下地がなかったため、ローレンツ家は単独で独自の階級を形成した。丘の上に広がる大邸宅の高みから、一家は用心深く驕《おご》りながらフィエルバッカを見下ろしていた。

工場は一九五二年、ファービアン・ローレンツが設立した。何代にも及ぶ漁師の出で、先祖代々の家業を継ぐことを期待されていた。しかし漁業はますます衰えてきていたし、若いファービアンは野心もあり、聡明でもあった。そして、父親と同じ生業を細々とやっていくことで満足するつもりもなかった。

彼はこの工場を徒手《すで》で始め、そして七〇年代末に死亡したときには、大きな資産を有する会社の他に、妻ネッリーにかなりの財産を残した。誰からも好かれた夫と違って、ネッリー・ローレンツは傲慢《ごうまん》で冷淡だと言われていた。ネッリーは今では滅多に町に姿を見せなくなり、特別に招待された者たちに、女帝のごとく謁見を許すだけになった。したがって、この時、そのドアから彼女が入ってきたことは、滅多にない類のセンセーションだった。今後数カ月分の噂の種になる。

針一本落ちても聞こえるほど部屋は静まり返った。ローレンツ夫人は仁愛深くもヘンリックに手伝わせて毛皮のコートを脱ぎ、彼の腕に手を預け居間に入ってきた。彼は夫人を部屋の真ん中にあるソファまで案内する。そこには、ビルギットとカルエーリックが座っていた。その間夫人はずっと、一部の人たちを選んでだが、軽く会釈していた。夫人がアレクスの両親のところにたどり着いてから、ふたたび客たちの会話が始まった。あれこれ、どうでもいいお喋りをしながら、誰もかれもが懸命に、向こうのソファでいったい何が話されているのかと、聞き耳を立てていた。

仁愛深い会釈を頂戴した人たちの一人がエリカだった。ぎりぎりセレブに入る人間として価値があると考えられて、両親の死後、ある機会にネッリー・ローレンツのお茶に招待されたことがあった。悲しみからまだ立ち直っていないことを口実にして、礼儀正しく辞退していたが。

ビルギットとカルエーリックに言葉少なく心からの見舞いを伝えているネッリーを、エリカは物珍しそうに観察していた。その骨と皮だけの体にお見舞いの心が入っているとは、信じがたかった。とても痩せていて、骨ばった手首が上等な仕立てのドレスから突き出ていた。細くてファッショナブルでいられるように、生涯ずっと食べたいものも食べずにきたに違いない。しかし、若いころ、自然な丸みを失わずにいるころは素敵に見えても、老齢が痕をとどめるころには、かつてと同じように美しいとは限らないことを理解していなかった。顔はとんがっていて、輪郭が鋭く、肌は驚くほどすべすべしていて、皺が全然なかった。このためエリカは、生まれもってきたものに外科医のメスが手を加えたのではないかと疑った。頭髪が彼女のもっとも美しい特質だった。豊かなシルバーグレーがエレガントに後ろにまとめられ縦に円筒形《フレンチ・ツイスト》に巻かれていたが、ひどくきつく掻き上げてあるので額の皮膚がちょっと上向きに突っ張っていた。これが顔に、少しびっくりしているような表情を加えていた。夫人の年齢を、エリカは八十歳をちょっと過ぎたぐらいとみた。噂では、若いころダンサーで、ちゃんとした娘ならとても行けないイェーテボリのダンスホールでバレエチームの一員として踊っていた時に、ファービアン・ローレンツに出会ったと言われていた。夫人のいまだに優雅な身のこなしに、ダンサーの専門的訓練の痕跡をエリカは垣間見る思いがした。それでも公式には、彼女はいかなるダンスホールにも近づいたことはなく、ストックホルム出身の領事令嬢ということになっていた。

数分間、低い声で言葉を交わした後、ネッリーは悲しみに暮れる両親のもとから離れて、バルコニーにいるユーリアの傍らに腰を下ろした。これがいかにも妙だと思ったことを顔に出す人は、一人もいなかった。みんな、この二人の珍しい組み合わせから目をそらさないまま、自分たちの会話を続けていた。

エリカは、フランシーヌがさらに他の客を求めて行ってしまったため、また一人で片隅に立っていた。そして邪魔されることなく、ユーリアとネッリーを観察できた。この日初めてエリカは、ユーリアの顔に笑いが広がるのを見た。彼女は窓敷居から飛び降りて、籐のソファのネッリーの脇に腰かけた。それから二人はそこで頭を寄せ合い、小声で話していた。こんなに不釣合いな二人に、一体どんな共通点があるというのだろうか。エリカはビルギットのほうに視線を向ける。涙はようやく彼女の頬を伝い流れなくなっていた。代わりに、すっかりおびえきった表情で、自分の娘とネッリー・ローレンツの様子を見ている。エリカは、ネッリー・ローレンツ夫人からの、あの招待に応じる決心をした。ネッリーと二人きりでひとときお喋りができたら面白いかもしれない。

丘の上の家を出て、ふたたび新鮮な冬の空気を吸えた時には、心からほっとした。

パトリックは少し神経質になっていた。女のために食事を作るのは、ずいぶん久しぶりだ。そのうえ、今度は自分が強い関心を持っていた女が相手ときている。すべて完璧でなければいけない。

彼はサラダ用のキュウリをスライスしながら鼻歌を歌っていた。悩みに悩んだ末、やっと牛フィレに決めたのだ。きれいに下ごしらえしてオーブンの中に入れ、もうすぐ焼き上がる。ソースはレンジの上でブツブツ音を立てている。匂いで腹の虫が鳴くのが分かった。

てんてこ舞いの午後になってしまった。希望していたほど早く仕事を切り上げられなくて、そのため仕方なく家の中の掃除を記録的なスピードでやる羽目になった。自分自身では、カーリンが出て行ってからどれほど家を荒れるままにしていたか意識していなかったが、エリカの目で見たら、真剣に片付ける必要があることが分かった。

身のまわりは散らかし放題、冷蔵庫は空っぽになっている典型的な独身男に成り下がってしまったことに、パトリックは戸惑っていた。彼は、カーリンが家でどれだけ大きな重荷を負っていたかちゃんと理解しないで、きれいに片付いた家をごく当たり前のこととし、家を掃除して、整えておくのにどれだけの労力が必要なのか、少しも考えなかった。彼が当たり前としていたものは、いっぱいあった。

エリカがドアチャイムを鳴らしたとき、彼はエプロンをさっと外し、それからちらっと鏡を覗いて髪をチェックした。ムースでいろいろ苦労したのに、髪はまた乱れていた。

エリカはいつものように、素晴らしかった。頬は外の寒さのためにピンク色に染まっていて、金髪はダウンコートの襟の上でふさふさとカールしていた。エリカを軽くハグしたとき、ほんの一瞬目をつむって香水の香りを吸いこみ、それから温かい家の中に招き入れる。

食卓はもう準備されていた。二人はオードブルを始めながらメインディシュができるのを待っていた。パトリックが盗み見している間も、彼女はシュリンプが一杯のった半切れのアボカドをいかにも美味しそうに食べていた。失敗しようのない一品だ。

「わたし、信じられなかったわ。あなたが手早く三品のディナーを作れるなんて」とエリカはアボカドを一口分、食べながら言う。

「実は自分でも信じられなかった。ウェルカム・トゥー・レストラン・ヘードストルム！乾杯！」

二人は乾杯をして、冷えた白ワインを味わい、それから心地よい沈黙のうちにしばらく食べていた。

「元気だったか」

パトリックは垂れた前髪の下からエリカを見た。

「うん、ありがとう。ここ数週間ましになったと思う」

「一体どうして、きみが事情聴取についていくことになったんだ？　アレクスやあの家族と付き合いがあったころから何十年も経ってるはずだろう」

「うん、正確には二十三年前でしょ。ほんとうのところ、よく分からない。まるで、自分が急流の渦に呑み込まれて、それから抜け出すことができるのか、あるいは抜け出したいのかどうかも分からないって感じ。ビルギットはわたしのことを、幸せだったころの思い出みたいに思ってるんでしょう。それに、わたしは部外者だから、安定剤みたいな働きもしてるのかもしれない」

エリカはためらう。「少しは前進してるの？」

「事件のことは何も言えない。申し訳ないけど」

「分かってる。ごめんなさい。わたしが考えなしだったわ」

「かまわないさ。逆に、きみがおれを助けられるかもしれない。あの一家を以前から知っているし、今じゃかなり会ってるわけだし。一家から受けた印象と、アレクスについて知ってることを話してくれないか」

エリカはナイフとフォークを置いて、自分が受けた印象を、パトリックに伝えたい順序に並べてみようとした。そして、自分が知ったこと全部と、アレクスの一生に登場した人間たちについて受けた印象を話した。パトリックは注意深く耳を傾けていた。そうしながらも立ち上がってオードブルを下げ、メインディシュを出していた。その合間に、質問を差し挟んでもいた。エリカが比較的短期間に入手した情報すべてにパトリックは驚きを禁じ得なかった。さらにエリカが昔のアレクスについても語ったので、パトリックにとっては殺人事件の犠牲者にすぎなかった女性に突然、顔と個性が与えられた。

「パトリック、事件のことは喋れないって知ってるけど、彼女を殺した人間について、手がかりがあるのかどうかぐらいは言えないの？」

「うん、捜査はこれまでのところ進展していないとしか言いようがない。手がかりは、どんなものでも今のところ、すごく有難い」

彼はため息をつき、指でワイングラスの縁を撫でまわしていた。エリカはためらう。

「ひょっとすると興味を惹くものを、わたし、持ってるかもしれない」

ハンドバッグに手を伸ばし、底まで探り始めた。そして、折りたたんだ紙切れを一枚取り出して、テーブル越しに渡した。パトリックがそれを開き、興味深げに読んでいたが、読み終わると怪訝《けげん》そうに眉を上げた。

「これ、アレクスとどんな関係があるんだ?」

「そうなの、それはわたしにも疑問なの。その記事は、引出しで見つけたの、アレクスの下着の下に隠されてたわ」

「見つけたって、どういうこと? いつ、きみは彼女の引出しを調べる機会があったんだ?」

エリカが顔を赤らめるのを見て、パトリックは何を隠しているのだろう、といぶかった。

「えっとね、ある晩あの家に行って、少し調べまわったの」

「何をしたって!」

「うん、分かってる。言わなくてもいいわ。ほんとうに馬鹿だった。でも、わたしのこと知ってるでしょ? まず行動して、後で考える」責め立てられるのを避けようと早口で続ける。

「とにかくこの紙切れは、アレクスの引出しの中で見つけて、たまたま持ち帰ったわけ」

パトリックは、どうしてエリカがたまたまその記事を持ち帰ったのか訊くのはよした。知らないほうがいい。

「これは一体どういうことだと思う?」とエリカは言う。「二十三年前の失踪事件の記事よ。アレクスとどんな繋がりがあるんだろう?」

「これについて他に、どんなことを知ってるんだ?」とパトリックは言って、その記事をひらひら振った。

「事実関係としては、記事に書かれていることだけよ。ネッリーとファービアン・ローレンツの息子ニルス・ローレンツが七七年一月に跡形もなく消えてしまったこと。遺体などはまったく発見されていない。それについてはこれまで何年も、いろいろ憶測されてきたわ。一部の人たちは、彼は溺死して死体は海に流れ出てしまったので発見されなかったと信じ、別の人たちは、ニルスは父親から大金を横領して国外に逃亡したと噂してたわ。わたしが聞いている限りでは、ニルス・ローレンツはあまり優しい人間じゃなかった。それで大多数の人は、第二の説に傾いていたようね。ニルスは一人息子で、ネッリーがすっかり甘やかしてたみたい。息子が行方不明になってから、母親は慰めようもなかったし、ファービアン・ローレンツも痛手から二度と立ち直れなかった。そして一年ほどして、心臓発作で死んでしまう。彼の資産のたった一人の相続人は現在、ニルスが行方不明になる一年あまり前に夫婦が引き取って、ネッリーが夫の死後養子にした里子の男性よ。そう、これは地元の噂話の簡単な抜粋にすぎないわ。これがどんなふうにアレクスと繋がるのか、わたしは今でも分からない。

この二つの家族の関わりはただ一つ、アレクスとわたしが小さかったころ、アレクス一家がイェーテボリに引っ越すまで、アレクスの父親のカルエーリックがローレンツ缶詰工場のオフィスで働いていたということくらいよ。二十年以上も昔のことだけど」

エリカは突然、さらに繋がりを一つ思い出した。そしてパトリックに、ネッリーが会葬御礼のレセプションに出し抜けに現れて、その注意をほぼ完全にユーリアだけに向けていたことを語ってきかせた。

「わたしは今でも、それがこの記事とどんな繋がりがあるのか分からない。でも、きっと何かある。アレクスと画廊を共同経営してきたフランシーヌも、アレクスはどうにかして過去を清算しようとしていたと思うって話してた。それ以上は知らないけど、わたしは関係あると思うわ。女の勘とでもなんとでも、呼びたかったら呼んで。繋がりがあると直感するの」

彼女は、真実を残らず全部パトリックに語ったわけではなかったため、少し自分を恥じた。語るのを省略した、小さいけれども、非常に不可解なパズルのピースが、さらに一個あった。少なくとも、もっと分かるまでは話したくなかった。

「うん、女の勘ってやつには反論できないよ。ワイン、もう少しどう？」

「ありがとう」エリカは台所の中を見まわした。「なかなか素敵じゃない。このインテリアを決めたのは、あなた？」

「いや、おれにはとても無理だよ。そういうのが上手だったのはカーリンだ」

「カーリン、そうか。カーリンといったい何があったの」

「よくある話だよ。彼女はベストできめたダンスバンド・シンガーに出会う。彼女は恋に落ちる。彼女はダンナと別れてシンガーのところに引っ越す」

「冗談でしょ！」

「残念ながら、冗談なんかじゃない。おれを捨てただけでは気がすまなかったんだ。あいつはレイフ・ラーションン、つまりブーフスレーンでいちばん有名なダンスバンド、レッフェスのファンにもみくちゃにされる人気者のシンガーとデキた。西海岸でいちばん格好いいモヒカン刈りの男と。そうなんだよ、飾り房付きのローファーを履いた男に対抗できるはずはなかったのさ」

エリカは目を丸くして、彼を見つめる。

パトリックは笑った。「うん、今のは少し誇張したバージョンだけど、でも、そっち系だ」

「大変だったわね！　辛かったでしょう」

「かなり長い間、自分のことを哀れんでいたけどな、今はもう大丈夫。調子がいいとは言えないけど、大丈夫になった」

エリカは話題を変える。「アレクスの妊娠のニュースは、爆弾のように降ってきたわ」パトリックの顔を探るように見るエリカを見て、その一見あたり障りのない言い方の裏には何かが隠れていると彼は感じた。

「うん、どっちにしろ、彼女はダンナにその良き知らせを伝えていなかったみたい」

パトリックは黙ったまま彼女が続けるのを待った。少し経ってからエリカは、本題に立ち戻って話し続ける決心をしたように見えたが、それでも低い声で、躊躇しながら語った。

「彼女の親友によると、子供の父親はヘンリックじゃないって」

パトリックは片方の眉を上げてヒューと口笛を吹いたが、エリカから情報をもっと得られるのを期待して、口を挟まなかった。

「フランシーヌが言うには、アレクスはこのフィエルバッカで誰かに逢っていた。逢うために、毎週末自分で運転してこの町に来ていた。フランシーヌによると、アレクスはヘンリックと子供を作る気持ちは全然なかったって。でも、この男性とは違ってた。子供ができたことを心の底から、喜んでた。だからフランシーヌは、アレクスの近くにいた人たちの中で、あれは自殺じゃなかったといちばん強く主張している一人なの。アレクスは彼女によると、生まれて初めて幸せだったんじゃないかしらって」

「その男性が誰なのか、フランシーヌは知っていたのか」

「ううん、何にも。アレクスはその部分はまったく秘密にしていたようよ」

「しかしな、アレクスの夫はどうして彼女が自分を連れないで一人だけで毎週末フィエルバッカに出かけることを承知したのかな？　女房がこっちで誰かに逢っていたのを知ってたんだろうか？」

さらにワインが一口分、すうっと喉の中に流れ込み、パトリックは頬が火照《ほて》り始めるのを感じた。火照るのがワインのためなのか、それともエリカがいっしょにいるためなのか分からなかったが。

「二人が、ふつうの夫婦のような関係でなかったことは、はっきりしてるわ。イェーテボリでヘンリックに会ってわたし、二人の人生は交じり合わない二本の平行線のようだったんだって気がした。ヘンリックと交わした短い会話から、彼が何を知っていて、何を知らなかったかなんて、とても言えない。ダンナはポーカーフェイスを決め込んで、何かを知ってるとか、感じてるとかしても、きっと自分の中にしまい込んでるわ」

「そのタイプの人間はたまに、圧力釜のようになることもある。つまり、圧力がだんだん加わって、ある日突然、爆発するんだ。今度起きたのはそういうことだって思わないか。拒まれた亭主がある日、抑えられなくなって不倫した女房を殺したって?」とパトリックが推測する。

「分かんないわ、パトリック。ほんとうに分かんない。でも、今は、もっとワインをガブガブ飲んで、殺人やおぞましい突然死以外のこと、何でもいいから話そう」

彼はもちろん大賛成で、杯を上げた。

二人はソファに場所を移して、この晩のあとはくつろいで、それまでの話題以外のありとあらゆることについてお喋りをしながら過ごした。彼女は自分の生活、両親を失くした悲しみ、そして家をめぐる心配について語った。彼は離婚した後に覚えた怒りと敗北感、そして、子供と家族を持つ心の用意ができたそのときに、夫婦で共白髪まで生きることを信じ始めたそのときにまた振り出しに戻ってしまったことへの欲求不満について語った。

二人がときどき黙り込むひとときもまた、心安らかに過ぎていった。それは体を前に乗り出して、エリカにキスしないようパトリックが自分を抑えたひとときでもあったが。我慢し、好機は過ぎていった。

III

彼らが彼女を運び出したとき、彼は見ていた。呻えながら、覆いを掛けられた彼女の遺体の上にわが身を投げ出したかった。彼女をずっと自分のものにしておきたかった。今彼女は、本当にいなくなってしまったのだ。全然知らない人間たちが彼女の遺体をほじくって穴を空ける。連中の誰一人として、彼が見てきたように、彼女の美しさを見られるはずもなかった。

連中にとって、彼女は一片の肉でしかない。紙に書かれた整理番号、命もない、炎もないかけら。

彼は左手で右手の甲を撫でた。昨日は彼女の腕を撫でた手で。その手の甲を頰に押しつけて、自分の顔に彼女の冷たい膚を感じようとして。

彼は何も感じなかった。彼女はいなくなってしまった。

青い光が明滅していた。連中は家に入ったり出たりと忙しく動いていた。どうして急いでいるのだろう？　もう手遅れじゃないか。

誰一人彼を見る人間はいなかった。彼は見えないのだ。彼はいつも見えなかった。それは、どうでもよかった。彼女は彼を見ていた。彼をいつも見ることができた。彼女がその碧い目を彼に向けたとき、自分は見られていると感じた。

今は何一つ残っていなかった。闘いの炎は、ずっと前に消えていた。彼は灰の中に立ちつくし、自分の消えた命が病院の黄色い毛布に包まれて、運び去られるのを見ていた。結末は、こうなるほか、選びようがなかった。このことを、彼はいつも意識してきた。そして、とうとうその瞬間がやってきた。この瞬間を、彼はずっと待ちこがれてきた。この瞬間をかき抱いた。

彼女はいなくなってしまった。

エリカが電話をかけたとき、ネッリーはちょっと驚いた様子だった。エリカは一瞬、自分はどうでもいいことを大げさに騒ぎすぎているような気がした。しかし、ネッリーがアレクスの会葬御礼のレセプションに姿を見せたことはかなり奇妙だという考えが、容易には頭から離れなかった。それに、もっぱらユーリアとだけ話をしたというのも、奇妙だった。確かにカルエーリックは一家がイェーテボリに引っ越すまで、ファービアン・ローレンツに雇われてオフィスの責任者をしていたが、エリカの知る限り、彼らの間には会社以外の付き合いなど、なかったはずだ。カールグレーン一家の社会的階層は、ローレンツ家の要求するものよりもはるかに下だったのだから。

案内されたサロンは、この上もなく見事だった。港から、反対側の端の島々の彼方に延びる水平線まで見渡すことができた。太陽が雪に覆われた氷上に反射している今日のような日は冬景色も、太陽がさんさんと降りそそぐ夏の眺めに勝るとも劣らない美しさだ。

二人は優雅な応接セットに腰を下ろした。エリカは銀製のトレイの小さなカナッペを勧められた。すばらしく美味しかったが、はしたなく見えないように食欲を抑えた。ネッリーは一つしか食べなかった。骨と皮だけの脚に肉一グラムでも付くのを恐れてか。

会話はゆっくりだが、礼儀正しく進んだ。言葉が途切れて一時的にできた長い休止の間聞こえるのは、規則的に時を刻む時計と、不快な音を立てないように熱い紅茶をすする小さな音だけだった。あたり障りのない話題が続いた。若者たちのフィエルバッカからの流出。働き口の不足。本物の美しい古い家屋がツーリストにどんどん買い上げられて、夏の別荘になっていくのは何とも悲しいこと。ネッリーは、自分が結婚したての若いころフィエルバッカにやって来たとき、町がどんな様子だったかを少し語った。エリカは注意深く耳を傾けた。ときどきお行儀よく質問を差しはさみながら。

まるで二人は、遅かれ早かれ触れなければならないと承知していた話題のまわりを、ぐるぐる回っているようだった。

最後に勇気を出して切り出したのは、エリカだった。

「先日お会いした折は、悲しい機会でしたね」

「ほんとに、何とも悲劇的だったわ。あの若い人が」

「あなたがカールグレーン一家と親しいお知り合いだったとは、存じませんでした」

「カルエーリックは、わたくしどものところで長年働いておりました。いろんな折に、彼の家族にも会っていましたよ。ですから、あの機会にお邪魔したのは、当然だと思います」

ネッリーは目を伏せた。エリカは、ネッリーが膝の上で両手を神経質そうに動かしていることに気づく。

「あなたはユーリアともお親しかったのですね。彼女はカールグレーン一家がフィエルバッカに住んでいたころには、まだ生まれていなかったと思いますが」

背中をぴんと伸ばし、頭をぐいと上げたことだけで、その質問をネッリーが不快に思ったことは察せられた。彼女は、ゴールドのアクセサリーで飾り立てた手を振った。

「そう、ユーリアと知り合ったのは比較的最近のことです。彼女はとてもチャーミングな若い女性だと思うわ。ユーリアは、アレクサンドラほどは美しくないかもしれません。でも、姉とは違って、強い意思と勇気をもっていますよ。彼女のほうが、間抜けな姉よりもずっと、ずっと面白いとわたくしは思います」

ネッリーは、あっと手で口をふさいだ。その瞬間、自分が死んだ人間のことを話しているのを忘れていたことに加えて、ほんの一瞬、取りつくろっている外面の下にあるものを、ちらっと垣間見せもしてしまったからだ。エリカがその短い一瞬のうちに見たものは、憎悪そのものだった。なぜネッリー・ローレンツはアレクスを憎むのだろうか——相手が子供だった時期以外は、ほとんど会うことはなかったはずなのに?

ネッリーが失言を取りつくろう暇もなく、電話が鳴った。明らかにほっとした様子で、「失礼」と言って彼女は電話のほうに向かった。

エリカはこの機会に室内を探るように見まわした。部屋は見事だが、個性がなかった。インテリアデザイナーの目に見えない手が部屋の表面をさっとひと撫でしたかのよう。細部にいたるまで色彩もコーディネートされていた。エリカは、両親の家のインテリアが持つシンプルさと比べずにはいられなかった。あそこでは、見た目がいいからというだけで置かれているものは一つとしてなく、どれもみんな何十年にもわたって、それぞれの機能に従って決まった場所にずっと置かれてきた。エリカは、使い込んだ個性的なものは、このピカピカに磨き上げられた展示室をはるかに凌ぐと思った。エリカがここで見つけることができた個性的なものは、マントルピースの炉棚の上に並んだ家族写真だけだった。前かがみになって写真を丁寧に見ていく。写真は左から右へ時代順に並んでいて、結婚式の正装をしたエレガントなカップルの白黒写真から始まっていた。体にぴったりの白いドレスを着ているネッリーは、輝くばかりに美しかった。一方、タキシードを着たファービアンは居心地が悪そうだ。

次の写真では家族が増えて、ネッリーは腕に赤ん坊を抱いている。その脇のファービアンは、あいかわらず硬く深刻な表情をしている。その後には年齢が上がっていく子供の、一人だったり、ネッリーといっしょだったりする写真が続く。列の最後の一枚では、その子は二十五歳ぐらいになっていた。ニルス・ローレンツ。失踪した息子。最初の家族写真のあとは、まるでニルスとネッリーだけの家族のようにも思えた。ファービアンは写真を撮られるのは好きではなく、カメラの後ろに残っていたのだろう。養子ヤーンの写真が一枚もないことも奇異に思えた。

部屋の隅の書き物机がエリカの興味を惹いた。黒褐色、桜材、美しい象嵌模様《ぞうがんもよう》──指でなぞってみる。机の上には何もなく、もっぱら部屋の飾りとしての役目を担っているようだ。引出しの中を覗きたいという誘惑にかられたが、ネッリーが今にも戻ってくるかもしれないので思いとどまった。電話は長引いていたが、いつ部屋に帰ってきてもおかしくない。今度は、屑かごが気になった。中に揉みくちゃにされた紙がいくつかあったので、いちばん上の紙の玉を取り上げて、慎重に伸ばす。それを読むにつれてぐんぐん引き込まれ、衝撃を受けた。紙をまたそっと屑かごの中に戻す。

背後で咳払いが聞こえた。ヤーン・ローレンツが入り口に立って、問いかけるように眉を上げていた。彼はどれくらい長くそこにいたのだろうか。

「エリカ・ファルクさん、ですね?」

「ええ、そうですが。あなたはきっとネッリーさんの息子のヤーンさんね?」

「そうです。お会いできて嬉しいです。あなたはこの町ではちょっとした有名人ですから」

ヤーンは顔いっぱいに笑みを浮かべて、手を差し出しながらエリカのほうに歩いてきた。彼女は仕方なく握手をした。彼の中にある何かに、エリカは鳥肌が立った。ヤーンはエリカの手を、少し長すぎるほど握っていた。エリカは、引っ込めたい衝動を必死で抑えた。

直前に会議でもあったのか、よくプレスされたスーツを着て、手にはブリーフケースを持っていた。現在は彼が同族企業を取り仕切っているのをエリカは知っていた。上々の成功を収めながら。

彼は髪を後ろに撫でつけていたが、整髪料《ジェル》を付けすぎのようでもあった。唇は男性にしてはふっくらして肉付きがよく、目はきれいで、まつ毛は黒くて長かった。深いくぼみがある角ばった頑丈な顎がなかったならば、とても女性的に見えただろう。その角ばり具合と肉付きのよさが交じり合って、少し不思議な容貌を作っていた。彼が魅力的と言えるのかどうか、エリカには分からなかった。個人的には嫌な感じがしたのだが、それは、なぜか胸騒ぎを覚えるからでもあった。

「母はようやくお招きできたんですね。あなたは、最初の本を出されてから、母のリクエスト・リストのトップに挙がっていたんですよ」

「そうですか。この町では世紀の一大事みたいに騒がれてしまいましたものね。お母様は二、三度お招きくださったのですが、今までは、都合が合わなくて」

「ご両親のことはお聞きしました。痛ましいことでした。心からお悔やみ申し上げます」

彼は気の毒そうに微笑んだが、気の毒だという感情は、まったく目に浮かんでいなかった。

ネッリーが部屋に戻ってきた。ヤーンは身をかがめて母親の頬にキスをしたが、ネッリーは無関心な様子でヤーンのするままにさせていた。

「お母さん、よかったですね。エリカさんがやっと来てくれて。長いこと、楽しみにしてられたから」

「そう、とても楽しいですよ」

ネッリーはソファに座る。一瞬、痛みをこらえるように顔が歪み、彼女は右腕を掴んだ。

「大丈夫ですか。痛むのですか。錠剤《くすり》を取ってきましょうか」

ヤーンは前かがみになって彼女の肩に手を乗せたが、ネッリーはそれを荒っぽく振り払った。

「何ともないわ。齢《とし》だからね、痛いところも出てきます。ところで、おまえは工場にいなくてもいいのかい？」

「書類を取りに帰っただけです。それでは、レディーたちのお邪魔をしないことにしましょう。お母さん、無理はしないでくださいよ。ドクターが言ったことを忘れないで……」

ネッリーは答える代わりに、鼻を鳴らした。ヤーンの顔には思いやりと同情が浮かんでいた。それに偽りはなさそうだったが、彼が部屋を出ていきながらほんの一瞬振り返ったとき、口の端にかすかに笑いが浮かんでいたのを、エリカははっきりと見た。

「年寄りになっては駄目！　姨捨て山《エッテストゥーパ》の崖から身を投げる最期も悪くないなと思えてくるのよ。希望はたった一つ、うんとボケてまた二十歳に戻ったと思えるかもしれないってこと。また経験できたら、楽しいでしょうね」

ネッリーは悲痛な笑みを浮かべた。

あまり楽しい話題ではなかった。エリカは曖昧に答えて話題を変える。

「とにかく、会社を継ぐ息子さんがおられるというのは、慰めになりますね。たしか、ヤーンさんご夫婦と同居しておられるのですね」

「慰め。ええ、そうかもしれません」

ネッリーは一瞬、マントルピースの上の写真に目を走らせた。あとに続く沈黙に、エリカは質問を続ける勇気を失くした。

「わたくしや家族についてのお話は、これでおしまい。あなた、新しい本に取りかかっているの？　実は、わたくしはあなたがカーリン・ボイェ（一九〇〇―四一。詩人・作家）について書いたこの前の本がとても気に入ったの。あなたの描く人物はみんな、活き活きしているわ。どうして、女性しか書かないの？」

「偶然なんです。大学の修了論文でスウェーデンの優れた女性作家たちを題材にしたのですが、夢中になりまして、もっと踏み込んで、彼女たちは何者だったのか、個人としてはどんなふうだったのか調べたくなりました。ご存知かもしれませんが、まずアンノ・マリーア・レングレーン（一七五四―一八一八。詩人）から始めました。それは、この人のことをほとんど知らなかったからです。その後は、ただ書き続けただけです。今はセルマ・ラーゲルルーヴについて書いています。いろんな発見がありました」

「何か……そうね伝記ではないものを書こうと考えたことはない？　あなたの文章にはほとばしるような勢いがあるので、小説のようなものを読めたら面白いと思うんですけれど」

「ええ、もちろん、そちらの方向のアイデアもいくつかあります」エリカはやましいところがないふうを装った。「でも、目下はセルマ・プロジェクトでいっぱいです。その後にどうなるかは、なってからのお楽しみですね」

　それから、時計に目をやる。

「書くと言えば……残念ですが、そろそろ失礼させていただきます。わたしの職業には、タイムレコーダーはありませんが、規則正しいことが大切なのです。家に戻って一日分の量を書きませんと。お紅茶、それから美味しいカナッペをごちそうさまでした」

「どういたしまして。とても楽しかったわ」

ネッリーは優雅にソファから立ち上がる。このときは、齢からくる衰えは微塵も認められなかった。

「お見送りします。以前なら、うちの家政婦のヴェーラがしたのだけれど。でも、時代は変わりました。家政婦なんて、流行《はや》りませんもの。そんな余裕のある人も、ほとんどいないでしょう。ええ、わたくし自身は家政婦を置いておきたかった。その余裕もありますしね。ところが、ヤーンが嫌がって。家には知らない他人にいてほしくないって。それでも、ヴェーラなら週一回やって来て掃除をしてもらうくらいは良いって言うの。そう、あなたたち、若い人を理解するのは簡単だとは限りませんね」

明らかに二人はこの日、さらに一歩親しい関係になった。それは、エリカが別れの挨拶に手を差し出したとき、ネッリーがそれを無視して、代わりに両頬にキスしたからだ。この時エリカは、左右どちら側から始めたらいいのか本能的に察知できたので少し洗練された人になったような気がして、上品なサロンを居心地よく感じさえした。

エリカは急いで帰宅した。ネッリーには、訪問の本当の理由を語るつもりはなかった。時計を見る。二時二十分前。二時には不動産仲介業者が訪ねてきて、売却に先立って家を見ることになっていた。他人が家の中を歩きまわり、かき回し、突っつくかと思うと、エリカは歯ぎしりした。しかし、なるがままにするしかなかった。

車は家に置いてきていたので、約束に遅れないように足取りを速める。しかし仲介業者はしばらく待ってくれるだろうと考え直し、少しスピードを緩めた。どうして、自分が急がなければならないのか？

いつの間にか楽しいことを考え始めていた。パトリックの家での土曜日のディナーは、期待をはるかに超えていた。同い歳なのに、パトリックはエリカにとっていつも可愛いけれども少しじれったい弟みたいな存在だった。今も昔と変わらない、いたずら好きの男の子を期待して出かけた。ところがそれに代わって、温かくてユーモアを理解する成熟した男性に迎えられたのだ。外見も悪くなかった——これは彼女も認めざるを得なかった。どれだけの間をおけばパトリックをディナーに、つまり先日のお礼に招待しても失礼にはならないだろうか。

セールヴィークのキャンプ場に上る最後の坂は、一見したところ平らだが、長々と続いている。右に曲がって、家までの最後の短い坂を上っていた時には、ひどく息が切れていた。そして丘の上で、エリカは急に立ち止まった。家の前に大型のベンツが停まっている。所有者として登録されている人間が誰なのかはよく分かっていた。今日一日、これからの仕事が、すでにすませてきたことよりはるかに大変なものになるかもしれないとは、思ってもいなかった。甘かった。

「こんにちは」ルーカスが腕を組んで玄関ドアに寄りかかっている。

「ここで、何をしているの？」

「それが、義弟を歓迎する言葉ですか?」

彼のスウェーデン語には少し訛りがあったが、文法的には完璧だった。

ルーカスは挨拶のハグを期待するかのように、嘲るように両腕を広げた。エリカはそのほのめかしを無視した。そして彼の表情から、この反応は彼の予想どおりだったことを知った。ルーカスを過小評価する過ちだけは、一度もなかったはずだ。彼が居合わせたときには細心の注意を払ってきた。今一番したいことといえば、前に進み出て彼の人を小馬鹿にした顔に一発見舞ってやることだった。しかし、そうしたら後悔する結果になることも分かっていた。

「質問に答えて。ここで、何をしているの」

「勘違いでなければ……うーん、そう、ここのきっかり四分の一は、わたしのものだよね」

ルーカスは手をさっと上げて家を指し示したが、全世界を指すかのようにも見えた。彼の自信過剰はそれほど大きかった。

「半分はわたしので、あとの半分はアンナのものよ。あなたはこの家と何の関係もありません」

「あんたは夫婦共有財産に関する法律には詳しくないかもしれないな——あんたといっしょになりたいと思うほどのアホ男に巡り合えないでいることを考えると。しかし、その法律によれば、結婚した夫婦はすべてを等しく分有する。海辺の家屋に関する部分所有権もだ」

エリカは、このケースがそうだとはよく承知していた。ほんの一瞬、両親に、家を娘たちの別有財産として登録するくらい先見の明があったらとうらめしく思った。両親も、ルーカスがどんなタイプの人間か知っていたが、自分たちがまさかあんなに早くこの世を去るとは思ってもいなかったのだろう。自分自身がいつかは死ぬ存在だということを、思い出したがる人間はいないし、エリカたちの両親も他の多くの人と同様にその種の決定を先延ばしにしていた。

エリカは、自分の婚姻に関する彼の侮蔑《ぶべつ》的なコメントに咬みつかないことにした。ルーカスのような男と結婚する過ちを犯すよりは、残りの一生をずっと独身でいたほうがましだ。

彼は続ける。「仲介業者がここに来たとき、立ち会おうと思ったもので。自分が工味どれだけの値打ちがあるのかチェックしたって少しも害にならない。すべてがうまくいくよう我々は望んでいる、よね？」

そしてふたたび、彼独特の悪魔のような笑顔を浮かべた。エリカはドアの鍵を開けて、彼を押しのけるようにして先に入る。仲介業者は遅れているが一刻も早く姿を見せてくれるようにエリカは願った。ルーカスと二人きりでいるなんて、思っただけでも反吐が出る。

ルーカスはエリカに続いて家の中に入ってきた。エリカは上着を脱いで台所をばたばた片付け始めた。彼に対抗できるたった一つのやり方は、無視することだった。ルーカスが家の中を歩きまわり、いろいろ点検している様子が聞こえてくる。彼がここに来たのは、これでせいぜい三度目、ないしは四度目だ。室内のシンプルな美しさはルーカスが高く買うものではなく、またアンナの家族に会うことにもさほど関心を示さなかった。父親のほうも、婿が我慢ならなかったので、この感情はお互いさまだった。アンナと子供たちがこの家を訪問する時は、母子だけでやって来た。

彼女は、ルーカスが部屋の中を歩きまわっていろんな物に触るのが嫌だった。家具や装飾品の触り方が嫌だった。布切れを持って後を追いかけ、彼が触ったところを拭いてまわりたい気持ちにかられた。白髪まじりの男性が大型のボルボに乗って入り口に入ってきたのを見たとき、エリカは心底ほっとした。飛び出して、ドアを開けてやる。そのあとエリカは自分の仕事部屋に入ってドアを閉めた。男性が歩きまわって子供時代の我が家を調べてその重さを金で量る、つまり一平米あたりの値段を決めるのは見たくなかったから。

パソコンはすでに起動していて、ディスプレイには書き続けられるようにテキストが出ていた。彼女は気分転換のため早起きして、かなり書き進めていた。朝のうちに、アレクスを扱った本の下書きをすでに四ページ書いていた。今仕事に戻って、その部分を通読する。本の形式については、あいかわらず問題が山積みだった。アレクスの死は自殺だと思っていた初めのころ、書こうと思っていた本は、なぜそうなったのかという疑問に答えを出すことを目的にしたノンフィクションの方向に傾いていた。現在、題材は推理小説の形を取り始めている。しかしこれは、彼女がことさら好むジャンルではなかった。本当に関心があるのは人間たちとその関係、そして心理的モチベーションだ。大抵の推理小説が、血にまみれた殺人と背筋をぞくぞくさせる興奮を優先するために失っているもの。エリカは陳腐な決まり文句が大嫌いで、自分が書きたいことは偽らざるもの——人がなぜ他人の命を奪うという最悪の罪を犯せるのか、ということをエリカなりに説明すること——だと、感じていた。これまでは、彼女が聞いたことはすべて精確に再現して時系列順に書きとめ、それに自分自身の観察と結論を加えてきた。その題材を絞り込む必要があるはずだ。もっと絞って、できるかぎり真実に近づける。アレクスの近親者たちがどのような反応をみせるか、まだ考えたくなかった。

アレクスが死んでいた家に行ったことについて、すべて残らずパトリックに語らなかったことを後悔していた。あの正体不明の人物と、クローゼットの中で見つけた画のことは、話すべきだった。最初にアレクスを発見したときに部屋の中にあった何かがなくなっているような気がしたということも。電話をして、「話していなかったことがある」とはとても言えないが、もし機会があったら全部を話そう。そう決心した。

ルーカスと業者が家の中を歩きまわっている様子が聞こえてくる。業者は、エリカの振る舞いをとても変だと思ったはずだ。挨拶をしたかしないうちに部屋に閉じこもってしまうなんて。その業者には、エリカが陥っているこの状況に対する責任はない。そこで彼女は歯を食いしばって、自分が受けたまっとうな躾《しつけ》をいささかなりとも実行することにした。

彼女が居間に出ていくと、ルーカスが、大きな明かり取り窓が室内に取り込んでいる素晴らしい陽の光についてまくし立てているところだった。変よ、岩の下から這い出てきたような気持ち悪い生き物が陽の光を有難がるなんて。一瞬エリカの頭の中で、ルーカスは黒光りのする大きなカブトムシになった。ブーツのかかとで一気にエイッと踏みつぶしてやりたい。

「さきほどは失礼しました。急いで片付けなければならない用件がいくつかあったものですから」

エリカはにこやかに微笑んで、不動産仲介業者に手を差し出した。彼は、シェル・エークと自己紹介した。エリカに、何も気にしていないこと、家屋の売却というものは極めて個人的な問題であり、エリカが想像もできないようなさまざまなケースを経験ずみだというような彼の言葉に、エリカはいっそう微笑んで茶目っ気たっぷりに目をしばたたかせた。ルーカスは不信の目でエリカを見つめている。それを彼女は無視した。

「でも、わたしのために中断しないでください。どこまでご覧になったのかしら?」

「義弟さまからちょうど、立派な居間を見せていただいていたところです。確かにとても趣味の良い部屋でございます。窓から射し込む光は素晴らしいですね」

「確かに素晴らしいですわ。隙間風だけが残念ですけど」

「隙間風?」

「ええ、そうですの、窓がちゃんと密閉しませんの。それで、ちょっとでも風が吹きますとね、いちばん厚い靴下をさらに上に履かなければならなくなります。窓を全部取り替えてしまえば、どうということもないのでしょうけど」

ルーカスはひどく怒った顔で彼女を睨んだが、エリカは、見えないふりをした。代わりに、仲介屋シェルの腕を取る。シェルが犬であったならば、もうすでに千切れんばかりに尻尾を振っていたはずだ。

「あなたたち、もう上の部分はご覧になったと思いますので、地下室へ行きましょうか。カビ臭いのは気になさらないで。アレルギー体質でなければ、何も問題ありませんから。わたしは地下で過ごすことが多かったのですけれど、それで何か困ったということはありませんでしたよ。お医者さまが断言なさったんですから、わたしの喘息はカビと何の関係もないって」

そう言ったとたん、エリカは仕上げとして、にわかに激しく咳き込んで体を二つに折った。ルーカスの顔がますます赤みを帯びてゆくのが見えた。家を詳しく調べれば、エリカのはったりなど直ぐばれると承知していたが、それまでは、ともかくルーカスを少しばかりいらいらさせて、いささかなりと溜飲の下がる思いをしたかった。

仲介屋シェルは、エリカから熱心に地下室のありとあらゆる長所を長々と説明されたあと、地上の新鮮な空気の中に戻ったときには、とてもほっとした様子だった。ルーカスはそれから後の時間はずっと黙り込んでいた。ちょっと冗談が過ぎたかもしれないと、エリカは一抹の不安を覚えた。本格的な調査をすれば、彼女が暴露したこの家の欠陥のどれ一つとして実体のないことは、ルーカスにも分かっているはずだ。エリカが彼をからかっただけなのだ。しかしこれは、ルーカス・マックスウェルの我慢できることではなかった。少しばかり恐怖を覚えながらエリカは、仲介業者が、いずれ公認鑑定士が連絡をよこしてこの家を屋根裏部屋から地下室まで調べることを約束したあと、明るく手を振りながら車で去ってゆくのを見送った。

エリカはルーカスより先に玄関の中に入る。その一秒後、まるで壁に貼り付けられたようにされ、ルーカスの片手に喉元を乱暴に絞めつけられていた。ルーカスの顔はエリカの顔からわずか一センチほどしか離れていない。その怒りの形相を見てエリカは、アンナがルーカスからどうして離れられないのか、やっと理解できた気がした。エリカが目にしたのは、自分の前に立ちふさがるどんなものも許さない男だった。エリカは恐ろしすぎて動くことができず、静かに立っていた。

「あんなこと絶対、絶対、二度とするな！　今度、あんなふうに、わたしを、笑いものにしたら、ただでは、すまないからな。覚えてろ！」

彼は小さな声で一語一語はっきりと吐き出したので、エリカの顔に唾がはね飛んだ。エリカはそれを拭き取りたい衝動をなんとかこらえた。その代わり、塩の柱のように静かに立ち、心の中で懸命に、どうぞルーカスがこの場を去って家からいなくなってくれますようにと祈っていた。びっくりしたことに、彼は実際そうした。エリカの首を絞めつけていた手を放し、向きを変えてドアに向かったのだ。しかし、エリカがほっとして深呼吸を始めたまさにそのとき、急に向きを変えてたった一歩で彼女の前に戻ってきた。エリカが反応する間もなく、彼女の髪をぎゅっと摑んで自分の唇をエリカの口に押しつけた。そして彼女の唇の間に舌を無理やり押し入れながら、もう一方の手で、ブラジャーのホックが肌に食い込むほど強く彼女の胸を鷲づかみにする。それからルーカスは薄笑いを浮かべながらふたたびドアに向かい、冬の寒気の中に消え去った。車が発進して去っていく音を聞いたとき、エリカはやっと体を動かすことができた。壁にもたれかかったまま沈むように床に座り込み、吐き気をもよおしそうになった口許を手の甲で拭った。首を絞めつけられたことよりもなぜか彼のキスのほうが恐ろしかった。体がブルブル震え出す。両腕で脚を抱きしめ、頭を膝につけてしゃくり上げた。自分のためにではなくて、アンナのために。

月曜日の朝というものは、パトリックの世界にあっては愉快な感情と結びつく現象ではなかった。彼はいつも、十一時ごろになってやっと人間になった。だから、高い書類の山がどさっとデスクの上に着地したとき、彼はほとんど昏睡状態にあった。まったく残酷に叩き起こされたものだ。その〝どさっ〟で、読むべき文書の数も二倍になった。彼は大きなうめき声を上げる。アンニカ・ヤンソンはからかうように微笑みながら無邪気そうに訊いた。

「ローレンツ一家についてこの数十年の間に書かれてきたものは、ぜーんぶ欲しいって、言わなかった？　ほら見て、あの一家についてこれまで書かれたことは一字一句もらさず拾い集めたわよ。この完璧な仕事にどんなご褒美がもらえるのかしら？　深いため息一つだけ？　代わりに、あなたの永遠の感謝の気持ちってのは、どう？」

パトリックも微笑む。

「アンニカ、あんたは永遠の感謝の気持ちに値するだけじゃない。あんたが今も独りだったら、すぐにでも結婚して、ミンクのコートとダイヤモンドでくるんでやるよ。でもた、あんたがおれのハートを砕いて、旦那にしているあの悪党野郎を手放さないと言い張ってる以上、簡単でささやかな〝ありがとう〟で我慢してもらうよ。それから、おれの永遠の感謝の気持ちも、もちろん添えてね」

アンニカの顔を赤らめさせるのに成功したのを見て、パトリックは大いに喜んだ。

「おふざけはいいかげんにして。どうしてこれを全部読もうっていうの？　フィエルバッカの殺人事件とはどんな関係があるの？」

「正直分からない。女の勘とでも言おうか」

アンニカは問いかけたそうに眉をひそめたが、当分はこれ以上何かを彼から引き出せないと判断した。それでも知りたい気持ちは強かった。ローレンツ一家のことは、ターヌムスヘーデでもみんなが知っていた。もしも一家が何らかの形で殺人事件と関係しているならば、控えめに言っても、センセーションだった。

パトリックは机から顔を上げてアンニカがドアを閉めて立ち去るのを見送った。めちゃくちゃデキる女だ。パトリックは心の底から、アンニカがメルバリの指揮下でも我慢していてくれるよう願った。我慢できなくなってどこかに行ってしまったら、この署にとって取り返しがつかない痛手になる。彼は無理やり、アンニカが彼の前に置いてくれた書類の山に集中した。さっさとめくってみてから、この資料を通読するには、きょう一日かかると結論した。それから椅子にそり返り、デスクの上に両脚をのせて最初の記事を手に取った。

六時間後、彼は疲れた首筋を揉《も》んでいた。目はチクチクして痒《かゆ》い。記事を年月日順に、いちばん古い切り抜きから読み始めた。そして夢中になった。長年にわたって、多くのことがファービアン・ローレンツとその数々の成功について書かれていた。大多数は肯定的な内容で、人生は長い間ファービアンに微笑んでいたようだった。ファービアンは非凡とまでは言わなくても、非常に才能豊かなビジネスマンだったようで、会社は驚嘆すべきスピードで成長した。ネッリーとの結婚は新聞の社交欄に書かれており、正装した美しいカップルの写真も添えられていた。それから、ネッリーと息子ニルスの写真が新聞に載り始める。ネッリーは各種の慈善の催しや社交関連のイベントに精力的に取り組み、その傍らには常にニルスがいたようだった。しばしば、怯《おび》えた表情で母親の手をしっかり握りしめて。

十代になって、母親といっしょに人前に出るのを嫌がるような年ごろになっても、必ず母親の傍らにいて、母親に自分の腕を取らせ、誇らしげな表情をして写っている。その表情は主人然としているように、パトリックには見えた。ファービアンはそのころにはますます新聞に出なくなり、大きな取引に関するニュースが発表されたときだけ、名前を挙げられていた。

ある記事がパトリックの注意を惹く。週刊誌『アッレシュ』が見開き二ページに、ネッリーを載せていた。彼女が七〇年代半ばに里子を引き取ったころのものだ。里子は、記者の記述によれば、「悲劇的な家族背景」を背負った男児だった。記事には、優雅な居間で派手な服装に身を包んだ厚化粧のネッリーが、十二歳の少年に片方の腕を巻きつけて座っている写真が添えられていた。少年はいかにも反抗的で不機嫌な表情を浮かべている。撮影された瞬間ネッリーの骨ばかりの痩せた腕から身を解きほどこうとしているようにも見える。ニルスはそのころ、二十代半ばの青年になっていたが、母親の後ろに立っていて、彼もまた笑っていなかった。黒い服を着て髪を後ろに撫でつけ、堅苦しい真面目くさった様子で、優雅な雰囲気に溶け込んでいた。一方、少年は他所《よそ》から来た小鳥のように周囲から浮いていた。

その記事は、ネッリー・ローレンツがこの子供を引き取るにあたって払った犠牲と大きな社会貢献に対する称賛に満ちていた。少年が子供時代に、はなはだしい悲劇を経験したこともほのめかされており、引用されたネッリーの言葉によると、ネッリーがその少年を悲劇のトラウマから救い、打ち勝つようにしてやったということだった。自分たちが提供する健全で愛情溢れる環境は少年を癒《いや》し、創造力に富む人間にすることができると、彼女は自信たっぷりに語っている。パトリックは少年が気の毒になった。物事はそんなに単純じゃないさ。

明るく輝くイベント写真と嫉妬《しっと》を招くような家庭訪問リポートは、それから一年ほどで影をひそめ、突然、黒枠記事にとって代わられた。「ローレンツ家の資産相続人行方不明」。数週間、地元各紙はこのニュースを大々的に世間に流し、それはさらに全国紙の『イェーテボリス・ポステン』でも取り上げられた。大げさな見出しには、ローレンツ青年に何が起こったのかをめぐって事実に立脚した、あるいは立脚しない、さまざまな憶測が続いた。ありとあらゆる可能性、あるいはあり得ないような可能性、つまり、父親の全財産を横領してどこか知れない土地にいて贅沢《ぜいたく》な生活を満喫しているという説から、自分がファービアン・ローレンツの実子でないこと、そしてファービアンが不倫の子に自分の莫大《ばくだい》な財産を相続させるつもりはないということを知り、命を絶ったという説まで、さまざまに主張された。このようなことは大部分あからさまに記事にはされず、遠まわしの表現でほのめかされていた。

しかし、少しでも理解力のある者ならば容易に読み取れた。

パトリックは頭を掻いた。二十三年前にあった失踪事件が現在捜査中の殺人事件とどんなふうに結びつくのかどうしても分からなかったが、両者の間に繋がりがあることは強く感じた。

彼は疲れた目をこすりながら、書類の山をめくり続ける。そしてその山もそろそろ底に近づいていた。少し時間が経ち、ニルスの運命について新しい情報が出なくなると、世間の関心も薄れ出し、失踪事件が記事になることは少なくなっていった。ネッリーもその間ごく稀にしか社交欄に載らず、九〇年代になってからはたったの一度も載らなかった。一九七八年ファービアンの死去で、『ブーフスレーン県民新聞』に大きな追悼記事が載っており、そこには「社会の柱石」等々、月並みの空世辞が並んでいた。そしてこれを最後に、彼のことは二度と語られることはなかった。

それとは反対に、養子のヤーンはますます頻繁に表に出はじめた。ニルスの失踪後、同族企業の唯一の後継者になり、成人してすぐに社長として会社に入った。彼の指揮の下、会社は繁栄を続け、そして今は彼と妻リーサが、頻繁に社交欄で取り上げられていた。

パトリックは中断した。紙が一枚、床にすべり落ちてしまったのだ。かがんで拾い上げたが、興味を惹かれてそのまま読み始めた。それは二十年以上も前の記事で、ローレンツ家にたどり着く前のヤーンとその人生について、興味深い情報をパトリックに与えた。情報はパトリックを混乱させたが、かなり面白い内容でもあった。少年の人生は、ローレンツ家にたどり着いたときに、劇的に変わった。問題は、少年自身がその人生と同じように劇的に変わったかどうかだ。

パトリックは決然とした表情で書類の束を寄せ集め、デスクの面に当てて揃《そろ》えた。さて、これから何をしたらいいものか？　これまでのところは自分——そしてエリカ——の勘しか頼るものはない。パトリックは椅子にそり返り、デスクの上に両脚をのせ、首の後ろに手を組んだ。目を閉じて自分の考えを整理し、いくつかの可能性を導き出して比べてみようとした。だが、目を閉じたのは失敗だった。先週土曜日のディナーの後は、エリカしか見えていなかったから。

しかたなく目をこじ開け、代わりに壁の憂鬱《ゆううつ》な薄緑色のコンクリートに焦点を合わせる。署の庁舎は七〇年代初めに建てられた。国の施設専門の設計士が設計したに違いない。彼らは四角形、コンクリート、汚い緑系の色を特に好んだ。パトリックはオフィスを少しは明るくしようとして、窓台には鉢植えを二、三個置き、壁にはフレームをつけたプリント画を数点掛けた。デスクの上には、二人がまだ結婚していたころはカーリンの写真を立てていた。デスクはそのあと何度も埃を払われていたにもかかわらず、写真があった部分にはまだ跡がついているようにも思えた。そこに無理やりペン入れを置き、それから直ぐにまた、目の前にある資料をめぐる幾つかの選択肢について熟考した。

調査の仕方は、実際のところ二つしかなかった。その一つは、彼が自分でこの手がかりを調べることで、それは非番のときにしなければならないことを意味した。その訳は、パトリックが一日中コマネズミのように走りまわらないと終わらないような仕事をメルバリに押し付けられていたからだ。事実、勤務時間内にこれらの記事を読んでいる余裕などなかったのだが、それでもそうしたのは、発作的に湧いた反抗心のためだった。その償いに、晩は大部分を仕事に当てることを余儀なくされる。ほんのわずかしかない自由時間をメルバリの仕事をすることに費やさなければならないなんて、かなり気の進まないことだった。それで、選択肢その二はやはり試してみるべきもののように思えた。

もしもメルバリのところに行ってその問題をしかるべき方法で示せば、おそらく勤務時間中にこの方向で調査を実施する許可が与えられるだろう。メルバリの虚栄心は最大の弱点で、くすぐり方を間違えずにやれたら、同意を得ることは可能だ。警視がアレクス・ヴィークネル事件をイェーテボリ警察本部復帰への確実な切符とみていることに、パトリックは気づいていた。噂によるとメルバリは自ら本部へ戻る橋をすべて焼き落としてしまったらしいが、その虚栄心はパトリック自身の目的のために利用できるかもしれない。もしも、殺人事件とローレンツ一家との繋がりをちょっと誇張できたならば、ヤーンがアレクスの子供の父親だとのヒントを得たとほのめかすことができたならば、自分が思っている方向にメルバリを誘導できるだろう。あまり倫理的とは言えないが、それでもみぞおちの奥では、目の前にある書類の山の中にアレクスの死と結びつくものがあると直感していた。

デスクから脚を下ろして、勢いよく椅子を後ろに蹴ったので、椅子はそのまま壁にぶち当たった。パトリックはコピーを全部持って、トーチカに似た廊下の一方の端に向かう。決意がぐらつく前にメルバリのオフィスのドアを強くノックして、「入れ」という声を聞いた。

いつもながら彼は、まったく何もしない男がどうしてこのような書類の山を手元に集められるのかと驚いてしまう。メルバリはオフィスで、もともと何も置かれていない場所に書類の山を築いていた。窓台に、数脚ある椅子の上に、そして何よりもデスクの上に分厚い書類の山ができていて、埃が積もっていた。警視の背後の書棚は、ファイルの重さにしなっている。その書類が最後に陽の光に当たったのは、どれだけ以前のことだろうか。メルバリは電話の最中だったが、パトリックに向かって手招きした。パトリックはいぶかった。メルバリは、クリスマスイブの窓の飾りつけの星みたいに顔を輝かせていた。満面の笑みが顔にピタッと貼りついている。耳が邪魔していたのは幸いだ、とパトリックは思った。そうでなければ、笑みはきっと頭をぐるっと一周していただろうから。

メルバリの電話の返答は、短くて素っ気なかった。

「はい」

「……確かに」

「……全然」

「はい、もちろん」

「……ご判断はまったく間違ってません」

「……ちがいます」

「……奥さん、本当にありがとう。必ずまたお知らせします」

そして、勝ち誇った様子で、受話器をガチャンと戻した。パトリックは思わず椅子の上で飛び上がった。

「仕事ってのは、こうするもんだ！」

メルバリは陽気なサンタクロースみたいに満足げに笑った。メルバリの歯を見たのはこれが初めてだ、ということにパトリックは気づいた。驚くほど白くて歯並びもきれいだ。いささか完璧すぎるが。

メルバリは、何かを期待するようにパトリックを見た。どうやら何が起きたのかパトリックに訊いてほしいらしい。彼は素直にそうしたが、返答の内容は想定外だった。

「おれは、ヤツを捕まえたぞ！　おれは、アレクス・ヴィークネルを殺した犯人《ホシ》を捕まえた！」

メルバリは興奮のあまり、脳天に寄せ集めていた髪の毛が片方の耳の上にすべり落ちていたことに気づかないほどだった。このときばかりはパトリックも、くすくす笑う気持ちにはならなかった。警視が〝おれ〟という代名詞を使ったということ、つまり、明らかに手柄を同僚たちと分け合うつもりはないという事実は無視して、身を乗り出し肘を膝に当て、真剣な表情で尋ねた。

「どういうことですか。捜査が進展したんですか。電話の相手は誰ですか」

メルバリは手を上げて、矢継ぎ早の質問をさえぎり、それから椅子にそり返り、手を腹の上に組み合わせる。これはいわば、できるだけ長く口の中で転がしていたいキャラメルだった。

「そうだ、パトリック、おれみたいに長いことこの商売をやってるとだな、進展てものは、他人から恵んでもらうものじゃないと分かってくるのよ。進展てものは自分で稼ぐものだ。おれの長い経験と能力の結合、並びに勤勉さによって、今捜査に進展がみられた。ダグマル・ペトレーンとかいう人間がさっき電話をかけてきて、死体が見つかる直前に観察した興味深いことをいくつか話してくれた。さらに踏み込んで、重要な観察と言いたいぐらいだ。その観察のおかげでいずれ結果として、おれたちは社会に危険な人殺しを刑務所にぶち込んでやれるんだ」

パトリックは気持ちがはやって、針であちこちをチクチク刺されているようにうずうずしていたが、経験から、メルバリが言い出すまで待つしかないことを知っていた。やがてメルバリはことの核心に触れるはずだ。パトリックはただ、署長が年金生活に入らないうちにそうしてくれるように願っていた。

「そうだ、自分らが扱った一件を思い出した。あれは、一九六七年の秋イェーテボリで……」

パトリックは心の中でため息をつき、長く待つことを覚悟した。

彼女は、探せるはずだと思っていた場所でダーンを見つけた。まるで木綿しか詰まっていない袋みたいに、道具類を軽々と移していた——太いロープの大きな輪、船乗り用ズック袋、それから巨大な防舷材。エリカは、彼が働くのを見て嬉しくなった。手編みのセーター、ニット帽とミトンを身につけ、呼吸するたびに口から白い煙を吐いている。背後の風景にすっかり溶け込んで。高く昇った太陽の光が、甲板の上の雪に降り注いでいる。静寂があたりを覆っていた。ダーンは能率よく、そして仕事を心得て働いている。エリカには、ダーンがその一瞬一瞬を慈《いつく》しんでいることが分かった。これこそ、彼の真骨頂だ。船、海、そして背後の島々。ダーンが心の中では、氷が割れ始める様子や、ヴェロニカ号が全速力で水平線に向かって進んでいくところを見ているのを、エリカは承知していた。冬は、ひたすら待機する季節だ。しかしこれは、いつの時代も沿岸住民にとっては苦しいことだ。夏が恵まれて豊漁だったら、昔はニシンをたっぷり塩漬けにして、冬を越すことができた。そうでなかったら別の方策を考えなければならなかった。多くの沿岸漁民と同様に、ダーンもこの職業だけでは生活していけなかったので、晩に勉強した。現在は週に二日ターヌムスヘーデで十二歳から十五歳の生徒のために基礎学校高学年のスウェーデン語講師をしている。きっと有能な先生だろうとエリカは思った。けれども心は教室にはなくて、この場所にあるのだ。

ダーンは船の上で一心不乱に働いていた。そのため軽い足取りでそっと近づいていったエリカは、波止場にいることをダーンに気づかれるまで、邪魔されないで彼を観察することができた。パトリックと比べずにはいられなかった。外見はちっとも似ていない。ダーンの髪はとても明るい金髪で、夏の数カ月間は白く見えるほどだ。パトリックの黒髪には、日と同じ微妙なニュアンスがある。また、ダーンは筋骨たくましいが、パトリックのほうはスリムな部類に入る。しかし振る舞いの点では、兄弟かと思えるほど似ていた。穏やかでソフトな態度、また、いつもしかるべきところで出る穏やかなユーモア。これまで、二人の人柄が実によく似ていることに思いいたらなかった。これは少々喜ばしい発見だ。ダーンとの仲が終わったあと、男性との関係で本当に幸せだったことは一度もなかった。それでも、そうした年月の間エリカは、まったく違った種類の男性たちとの関係を自分から求めていったか、あるいはそういう関係にたどり着いたかしていた。「大人になっていない」と、アンナが指摘していた男たち。「あなたは大人の男性を見つける代わりに、男の子を育てようとしているのよ。男性との関係がうまくいかなくって当然」と、マリアンも言っていた。きっとそのとおりだろう。歳月は過ぎ去り、そしてエリカは、幾分パニックに陥りかけていると白状せざるを得なかった。両親の死も残酷なやり方で、エリカの人生で不足しているものは何かということを悟らせた。そして、先週の土曜日の晩以来、自然とパトリック・ヘードストルムに関心が向いていたのだった。あれこれ思案しているのを、ダーンの声が中断した。

「やあ、どれだけ長くそこにいた?」

「うん、ちょっとだけよ。あなたの仕事ぶりを見ているのが面白くて」

「どっちにしても、おまえの稼ぎ方とは違うさ。一日中座り込んで空想にふけってて金をもらうなんて。まったく変だよ」

二人とも笑う。その話題は、昔からおなじみの口喧嘩の種だった。

「あなたに、温かい、お腹にたまるもの少し持ってきたんだけど」

エリカは片手に持っていたバスケットを振る。

「おお、どうしてこんなに豪勢なんだ？　何が欲しい？　おれの体か？　おれの心か？」

「結構よ。両方とも手放さないで。心のほうはあなたの場合、叶えられない夢だろうと言いたいけど」

ダーンは差し出されたバスケットを受け取り、それから頼もしい手を差し出してエリカが船べりをまたぐのを手伝った。滑りやすくなっていて、尻もちをつきそうになったが、ダーンがしっかり手で腰を支えてくれたので助かった。二人は力を合わせて、魚箱の一つの蓋から雪を払った。それから、ミトンをそれぞれ丁寧に尻の下に敷いて腰を下ろし、バスケットの蓋を開ける。ダーンは温かいココアが入った魔法瓶と、ホイルに包んだサラミ・オープンサンドを開けると、喜びの笑い声を上げた。

「おまえは最高だよ」サラミサンドを頬ばったまま、ダーンが言った。

二人はしばらく黙って、おごそかな気持ちで食べていた。午前の太陽を浴びて座っているのは、何とも平和だった。本来仕事をすべき時間にこうしていることに、エリカの良心はうずかなかった。この一週間は執筆がかなりはかどっていたので、少し休みを入れてもいい頃合いでもあったから。

「アレクス・ヴィークネルのこと、あれからどうなってる？」

「警察の捜査は今のところ、行き詰まってるみたい」

「噂によると、おまえは、警察の内部情報を少しは入手できるらしいな」

ダーンはからかうように笑う。エリカは、田舎の口コミのスピードと効率の良さに驚きを禁じ得なかった。パトリックとの出会いがどれだけ広まっているのか、見当もつかない。

「何のことかしら、分かんないわ」

「よし、それじゃ、おまえたちはどこまで行ってるんだ？　まだ試運転中なのか？」

エリカは腕でダーンの胸を突いたが、笑い出さずにはいられなかった。

「よしてよ、〝試運転〟なんかしてるわけないじゃない。自分にその気があるのかどうかも本当のところ、分からないの。正確に言えば、その気は確かにある。でも、もっと関係を深めたいかどうかは分からない。彼がわたしに関心を持っている、という前提でだけどね。現実は、そうとも限らないけど」

「つまり、おまえは臆病なんだ」

ダーンの言うことは、大抵は当たっていた。エリカはそれがほんとうに嫌だった。ときどきエリカは、ダーンは自分のことを知りすぎていると思った。

「ええ、白状すれば、少し自信がなくて」

「うん、チャンスをものにするかどうか決められるのは、本人であるおまえだけだ。うまくいったらどんな気持ちになるか、考えたことはないのか」

それは、エリカも考えていた。この数日は何度も。しかも目下のところ、考えるにしても仮定に仮定を重ねたことなのだ。いずれにせよ、二人は夕食を共にしただけの関係だ。

「おれは思うけど、とにかくおまえは、がんがん突っ走れって。赤い糸が切れてしまった昔の男の言うことには、耳を貸したほうがいいぞ」

「アレクスのことだけど、わたし、変なもの見つけてしまったんだ」

エリカは急いで話題を変える。

「そうか、何だ?」好奇心いっぱいにダーンが尋ねた。

「うん、二日ほど前にアレクスの家に行ったときに、面白い紙切れを見つけたの」

「何をしたって!」

エリカは、ダーンの驚きぶりを無視した。

「ニルス・ローレンツの失踪事件を扱った古い新聞記事のコピーを見つけたの。なぜアレクスが、二十三年前の記事を自分の下着の下に隠していたのか、あなた分かる?」

「下着の下! エリカ、いったい何なんだ!」

エリカは片手を上げてダーンを制して、穏やかに続ける。

「わたしの勘だと、彼女が殺された理由と関係があるはず。どんなふうに関係するかは分からないけど。本当に匂うのよ。それにわたしがアレクスの家にいる間誰かがやって来て、家の中を探しまわってた。その人が探してたのも、あの記事だったかもしれない」

「おまえ、おかしいんじゃないか?」ダーンは大きく口を開けたまま、ただエリカを見ていた。「おまえといったいどんな関係があるっていうんだ! アレクスを殺した人間を捜し出すのは警察の仕事じゃないか」彼の声は裏返った。

「分かってる。声を上げる必要なんかないわ。わたし、耳は遠くないし。自分が何の関係もないことは十分に自覚してます。でも、もう遺族を通して関わりを持ってしまってるの。それにアレクスとわたしは昔、ほんとうに親しかった。そして第三に、わたしが彼女を発見して通報したのよ。事件について考えないでいるなんて、できないわ」

ダーンには、本のことは話さずにおいた。大きな声を出すと、エリカのしゃべり方は、なぜか粗《あら》っぽく、冷淡に聞こえた。ダーンの反応は、ちょっと大げさすぎるともエリカには思えたが、自分のことを気遣ってくれていることも分かっていた。それに、アレクスの家の中を跳びまわることは、状況を考えれば、決してスマートな振る舞いだったとは言えない。

「エリカ、このことから手を引くって約束してくれ」

それから彼女の肩に手を置いて、自分のほうに向かせる。彼のまなざしは澄んでいたが、いつになく毅然としていてダーンらしくなかった。

「おまえに何かあったら困る。もしおまえがこのことに首を突っ込み続けたら、おまえの手に余ることになるぞ。手を引け」

ダーンはエリカの目を覗き込みながら、肩に置いた手に力を込めた。エリカはダーンの強い反応に戸惑いながら何か言いかけたとき、パニッラの声が波止場から聞こえてきた。

「そこでお楽しみ中みたいね」

パニッラの声は、エリカがこれまで一度も聞いたことがないような冷ややかな調子だった。目は鋭い光を帯びており、両手は結んだり開いたりしている。二人ともパニッラの声に固まってしまった。ダーンの両手はあいかわらず、エリカの肩に置かれたままだ。しかし次の瞬間、まるで火傷《やけど》でもしたかのようにダーンはさっと両手を引っ込め、直立不動の姿勢になった。

「おおっ、パニッラ。今日は早く終わったんだな？　エリカがサンドイッチを持って通りかかったので、少しの間しゃべってたんだ」

ダーンは浮かされたように話し続ける。エリカはびっくりしたまま、彼とパニッラの間に目を走らせた。パニッラは別人のようだった。黒い目で、憎しみを剝き出しにしてエリカを睨んでいる。両手をとてもきつく握り締めているのか、関節が白くなっていた。エリカはほんの一瞬、パニッラが自分に跳びかかってくるのではないかとさえ思った。何一つ理解できなかった。自分とダーンに関する限り、関係を清算してからもう何年にもなる。パニッラも、二人の間にはもはや特別な感情がないことは知っていた。少なくともエリカは、知っているものと思っていた。しかし今は、確信がなかった。問題は、何がこんな反応を惹き起こしたのかということだ。エリカの目はダーンとパニッラの間を行ったり来たりしていた。沈黙のうちに権力争いが進み、敗者はダーンになるように見えた。エリカには、言うべきことはもはや何もない。ベストなのは、黙ってそっと立ち去り、二人に自分たちで解決させることのようだ。

彼女は急いでカップと魔法瓶をまとめて、バスケットに戻した。彼女が波止場から離れていくとき、ダーンとパニッラの興奮した声が静寂を破っているのが聞こえた。

IV

彼は、言いようもなく孤独だった。彼女がいなくなってこの世は虚しくて冷たく、冷気をやわらげるためにできることは、何一つなかった。痛みは、彼女と分かち合えるときならばまだ耐えられた。彼女がいなくなってしまってからは、まるで自分一人で二人分の痛みに耐えているようで、限界を超えていた。日々を一分一分、一秒一秒、足を引きずるようにして生き抜いてきた。自分の外の現実は存在していなかった。彼が意識していたことはたった一つ、彼女が永遠にいなくなってしまったということだった。

その負い目は等分に分けられて、負い目のある者たちの間に割り当てられる。彼は、一人だけで負うつもりはなかった。そのつもりはまったくなかった。

彼は自分の手を見た。この手をどれだけ憎んできたことか。手は美と死という正反対のものをもたらした。このような矛盾を引きずって生きていくことを学んだ。彼が彼女を撫でた時だけ、その手は完全に正しかった。彼女の膚に当てられた彼の膚は、悪をことごとく押し返し、しばしの間遠ざけた。同時に二人は、互いの隠された悪を忘れずにいた。愛と死、憎しみと命を。それは二人を、ぐるぐる円を描きながらだんだん炎に近づいていく蛾にした。最初に焼かれたのは彼女だった。

彼は炎の熱を首筋に感じていた。今、炎は近かった。

彼女は嫌になっていた。他人の汚物を片付けるのが。喜びのない人生が。変化のない毎日の繰り返しが。来る日も来る日も、負い目を感じて生きることが。朝、目を覚まし、晩、床に入るとき、アンデシュはどうしているだろうかと思いわずらうことに、飽き飽きしていた。ヴェーラは、煮出しコーヒーをコンロにかけた。台所の時計が時を刻む音だけがあたりに響いている。彼女は台所のテーブルに座って、コーヒーができるのを待つ。

今日は、ローレンツ家で掃除をしてきた。あの邸はとても大きいので丸一日かかる。ときどき昔が恋しくなった。いつも同じところに行って働ける安心感が恋しい。ブーフスレーン北部地方でいちばん上流の家庭の家政婦だった身分が恋しい。でも、そんな気持ちはいつも感じるわけではなかった。大体は、あそこに毎日行かなくてすむことがただただ嬉しかった。ネッリー・ローレンツに向かって、つまり、彼女が分別も正気も失くすほど憎んでいる人間に向かって、腰をかがめてお辞儀をする必要がもはやないことが嬉しかった。それでも、年々歳々ネッリーに雇われて、ついには時代の波が彼女に追いついて、家政婦など流行らなくなるまで働き続けた。三十年以上もの間、視線を落として「ありがとうございます、奥様」「かしこまりました、奥様」「ただいますぐに、奥様」と口ごもりながら答えていた。その間、強い両手でネッリーの華奢な首を掴んで、息がつけなくなるまで絞めつけたいという強い気持ちをやっとの思いで抑えていたのだ。この気持ちはときどき抑えがたくなり、小刻みに震える両手をネッリーに見られないようにエプロンの下に隠すこともあった。

ポットがピーッと鋭い音を立てて、コーヒーができたと合図する。やっとのことでヴェーラは立ち上がって背筋を伸ばし、それから古い縁《ふち》の欠けたカップを出して、コーヒーを注いだ。このカップは、アルヴィッドと結婚したとき彼の両親から贈られた結婚祝いのセットの最後の一つ、上等なデンマーク製の陶器だ。白い地には青い花が描かれていて、何年経ってもまったく色あせていなかった。今はこのカップが一つ残っているだけだったが。アルヴィッドが生きていたときは、そのセットは来客用にしか使わなかった。しかし彼が亡くなった後は、日常と改まった機会を区別することに何の意味もないように感じられた。長年にわたって使った当然の結果、一部は壊れた。そして残りは、アンデシュが十年以上前に一時的に精神に変調を来したとき、粉々に砕いてしまった。そして、この最後に残ったカップは、ヴェーラのいちばん大事な財産になった。

彼女はコーヒーを満足げに飲んでいた。残り一口分になったとき、コーヒーを受け皿に空け、歯の間に角砂糖を一個はさんでコーヒーを流し込んだ。一日中掃除をした後で両脚は疲れて疼《うず》いていた。目の前の椅子のうえに上げて、少し楽にしてやる。

この家は小さくて、造りも簡単だ。住んでもう四十年近くになるし、死ぬ日まで住むつもりだ。ことさらに便利なわけではなかった。急勾配の坂のいちばん上にあるので、家に帰るときは、何度か立ち止まって息をつかなければならなかった。家は長年のうちにすっかり古くなって、外も内もすり減り傷んでいた。売ってアパートに引っ越したらかなりの金が手に入るぐらい立地は良かったのだが、そうしようと考えたことは一度もなかった。引っ越すぐらいだったら、むしろこの家を自分もろとも朽ち果てるままにしておきたかった。アルヴィッドと結婚していた数年、ヴェーラはここで幸せに暮らした。初めて両親の家を離れて寝たのが、この寝室のベッドだった。初夜。同じベッドでアンデシュがつくられた。風船のように膨れていて横向きになって寝るしかなかったとき、アルヴィッドが背中に体をぴったりくっつけてお腹を撫でてくれた。そして彼女の耳に、二人いっしょの人生がどんなものになるか囁《ささや》いてくれた。二人のもとで成長する子供たちについて。巡りくる年月に家の壁の間に響く明るい笑い声のすべてについて。そして二人が歳をとり、子供たちが独立して家を出ていったあと、ストーブの前に置かれた自分たちそれぞれの揺り椅子に腰かけて、二人いっしょに何とも素晴らしい人生を送ってきたものだと話し合うはずだった。二人は二十歳を少し出たばかりで、未熟で、人生の地平線の彼方に何が待ち受けているか、思い描くこともできなかった。

この同じテーブルに座っていた時だった、あの知らせが来たのは。制帽を手に持ったポール巡査が表のドアをノックした。その彼をひと目見たとたん、何が自分を待っているのかヴェーラには分かった。巡査が切り出すと、彼女は指を口にあてて、言葉の代わりに身振りで、台所に入るよう促した。彼女は体を揺すって後をついていった。出産間近の九ヵ月目。台所に入ってから、ゆっくり、手順どおりにポットにコーヒーを入れて準備をした。コーヒーができるのを待っている間腰かけて、テーブルの向かい側にいる男性を注意深く見ていた。彼のほうは、とてもヴェーラを見ることができなかった。代わりに、神経質そうに襟を引っ張りながら壁に視線を走らせていた。それぞれのカップに、湯気を立てたコーヒーが注がれ、二人の前に出されたとき、やっと彼女は巡査に身振りで話を続けるよう、うながした。ヴェーラ自身は、あいかわらず一言も発しなかった。そして、ただ頭の中でがんがん鳴る音に耳を傾けていた。音はますますひどくなっていった。彼女は巡査の口が動くのを見ていたが、彼女の頭の中で響く不快な音を貫いて聞こえる言葉は、一つもなかった。聞く必要などなかった。そのころにはアルヴィッドが海底に横たわって、海草のようにゆらゆら揺れているのが分かっていた。言葉はまったく役に立たなかった。そのとき頭の真上に重くたれ込め始めた、半解け雪のような暗い雲を蹴散らすことができる言葉などなかった。

ヴェーラは台所のテーブルに座ってため息をついていた――あれから長い年月が過ぎた。身近な者、愛しい者を失った他の人たちは、失くした者たちの面影は年月が経つにつれて薄れていくと言う。しかしヴェーラには逆だった。アルヴィッドの面影はますます鮮明になり、ときどき目の前にとてもはっきり見えるので、悲しみがまるで鉄の輪のように心を締めつけた。アンデシュがアルヴィッドに生き写しであることは、苦悩のもとでもあり、天の恵みでもあった。アルヴィッドが生きていさえしたら、あんな災いはけっして起こらなかったと、彼女には分かっていた。アルヴィッドはヴェーラの力であり、アルヴィッドといっしょだったら、強くなるべき時ほど強くなれたはずだ。

電話が鳴ったとき、ヴェーラは椅子の上で飛び上がった。昔の思い出にすっかり浸っていたので、けたたましい呼び出し音が気に障った。両足はしびれてしまっていたため、椅子から下ろすのに両手の助けを借りる。少し足を引きずりながら、玄関にある電話のところまで急いだ。

「母ちゃん、おれだ」

アンデシュの声はかすれていたが、長年の経験から、息子が酩酊のどの段階にいるのか正確に分かった。意識を失くすほうに向かってちょうど真ん中あたり。彼女はため息をつく。

「もしもし、アンデシュ。具合はどうなの?」

彼はその問いかけを無視した。このようなやり取りは、数え切れないほどしてきていた。

ヴェーラは玄関にある鏡を覗いた。受話器を耳に当てて立っている自分がいる。鏡は古ぼけており、黒い染みが付いていた。わたしはこの鏡によく似ている、とヴェーラは思った。髪は傷んだ白髪に変わっていたが、黒い色もところどころに見分けられた。いつも後ろに撫でつけ引っつめにしていた。爪切り鋏《ばさみ》を使って浴室の鏡の前で自分で切っていた。美容院に行って金を浪費するなんて、意味のないことだ。長年にわたる心労のため、顔には深い皺が刻まれていた。衣服は彼女そのものだった。色彩に乏しいが、実用的。グレーかグリーンがほとんど。長年の重労働と食への無関心のために、同じ年代の他の多くの女性のような肥満体ではなかった。むしろ頑丈そうに見えた。馬車馬のように。

　彼女は突然、受話器の向こうでアンデシュが語っている内容に気づき、ぎょっとして鏡から目を離す。

「母ちゃん、外にパトカーが来てる。くそったれの警官隊だ。あいつら、このおれを捕まえに来たにちがいねえ。きっとそうだ。おれはどうしたらいいんだ?」

　アンデシュがさらに取り乱し、一言ごとにパニックに陥っていくのが分かった。ヴェーラの体の中を冷たいものが広がっていった。鏡の中に、手の関節が白くなるほど受話器を握りしめている自分が映っている。

「アンデシュ、何もしないで。じっとしてるんだよ。すぐ行くから」

「わかった。頼むから急いで来てくれ。母ちゃん、いつもおまわりが来るときとは違うんだ。いつもなら車は一台なんだ。いま三台もいて、みんな青色ランプが点いてて、サイレンまで鳴ってやがる。くっそ……」

「アンデシュ、よく聴いて。深呼吸を一つして落ち着きなさい。受話器を置いて、すぐ飛んでくから」

　何とか息子が落ち着いたのを確かめて、受話器を置く間もなく、オーバーを着て小走りにドアから飛び出す。鍵を掛けることなどかまいもしないで。

　ヴェーラは、古いタクシー乗り場の裏にある駐車場を横切り、エヴァス・フーズの倉庫入り口の裏を抜けた。近道だ。そのあたりで息も切れ、足取りも遅くなり、十分ほどしてやっとアンデシュが住んでいる賃貸住宅に着いた。

なんとか間に合ったものの、大柄な警官二人が息子に手錠を掛けて連行するのを見る羽目になった。思わず声を上げそうになった。しかし近所の連中が物見高いハゲワシのように窓から身を乗り出しているのが目に入ったので、その声を押し殺す。どんなことがあっても、この連中がこれまで目撃してきたことに加えて、さらに新しい見世物を見せてやるつもりはなかった。残っているのは誇りだけだ。ヴェーラは、べたつくチューインガムのように自分とアンデシュにまつわりつく噂話を憎んでいた。噂はあちこちでひそひそ語られてきたが、今度のはもっと速く広まるはずだ。みんなが何と言うか、分かっていた。「ヴェーラはほんとに可哀そう。最初に亭主が溺れ死に、それから息子がすっかり酒に溺れてしまって。あんなに信頼できる人なのに」そのとおり、ヴェーラはみんなが言うことをちゃんと知っていた。しかし、受ける害をできるだけ小さくするためにできることは何でもしなくてはならないことも、知っていた。ここで自分が参ってしまってはだめだ。そうなったら、何もかもトランプでこしらえた家みたいに崩れてしまう。ヴェーラは、いちばん近くにいた警官のほうを向いた。それは小柄で華奢なブロンドの女性で、ヴェーラにはいかめしい制服が似合っているとは思えなかった。女性が希望するどんな仕事にも形式的には携わることのできるようになった新しい時代に、今なお慣れていなかったのだ。

「あたし、アンデシュ・ニルソンの母親なんだけど。いったい何があったの？　息子をどこに連れてくの？」

「すみません、何もお話できません。ターヌムスヘーデの警察署に問い合わせてください。あの人は署に勾留されます」

相手の一言ひとことに、ヴェーラは意気消沈していった。今度は酔っ払ったあげくの喧嘩が問題となっているのではない、と理解できた。警察車両は次々と出発する。最後の車に、アンデシュが警官二人に挟まれて乗っているのが見えた。車が走り出すと、彼は振り向いて、見えなくなるまで母親のほうを見ていた。

パトリックは、アンデシュ・ニルソンを乗せた車がターヌムスヘーデの方角に去っていくのを見ていた。この大人数の警官隊は大げさすぎると思ったが、メルバリはショーをやりたがり、そうであれば、ショーは行われるのだ。逮捕を支援するためにウッデヴァッラから応援が呼ばれていた。パトリックの考えではショーの結果は、居合わせた六名のうち少なくとも四名は時間を無駄にしただけだった。

女性が一人駐車場に残り、遠ざかる警察車両を見ていた。

「犯人《ホシ》の母親よ」とウッデヴァッラ署の警官、レーナ・ヴァルティーンが言った。彼女も残って、パトリックといっしょにアンデシュ・ニルソンのアパートの家宅捜索を行うことになっていた。

「レーナ、分かっているだろ、まだ犯人じゃないんだぞ。裁判で有罪の判決が下されないうちは。それまではあの男も、おれたち同様、無罪なんだ」

「誰が信じる? あいつが有罪だっていうのに、わたしの一年分の給料を賭けてもいいよ」

「そんなに自信があるんだったら、そんなケチくさい額じゃなくて、大盤振る舞いしろよ」

「アッハッハ、面白すぎ! 同じ警官に給料のことで皮肉を言われるなんて、まったくお笑いだわ」

パトリックも、それには賛同するしかなかった。「おれたちはしがない働き蜂だからな。中に入ろうか」

アンデシュの母親がまだそこに残ってパトカーのほうを見ているのに、パトリックは気づいた。車はとうに視界から消えてしまっていたのに。いたたまれなくなり一瞬、近づいて、ひとこと、ふたこと慰めの言葉をかけようかと考えた。しかしその腕をレーナが引っ張って、うながすようにアパートの門のほうに向かってうなずいた。彼はため息をつき、肩をすくめ、彼女についていて家宅捜索をすることにした。

二人は、アンデシュ・ニルソンのアパートのドアを触ってみる。鍵は掛けられておらず、そのまま中に入ることができた。パトリックはあたりを見まわして、短い間に二度目のため息をついた。内部は見るも無残な有り様だ。どうしたら、このゴミための中で何か価値のあるものを見つけられるだろう。二人は上がり口に転がっている空き瓶をまたいで、寝室兼用の居間と台所をさっと見まわした。

「ひゃー、ひでえ」レーナがうんざりした様子で頭を振る。

二人は、薄いビニールの手袋をポケットから取り出して着けた。暗黙の了解のもと、パトリックは居間部分から始め、レーナのほうは台所を分担した。

アンデシュ・ニルソンの居間にいると、頭も心もばらばらになるような気がした。そこは不潔さ、乱雑さに満ち満ちており、家具や私的な所有物がほとんど無いからか、典型的な麻薬中毒者の巣窟、という感じだった。パトリックがこの仕事についてからこっち、多数見てきたものだ。しかしそれまで、壁が絵画で埋め尽くされた麻薬中毒者の巣窟に入ったことは一度もなかった。画は床上一メートルから天井までの壁を覆いつくしていた。それは色彩の爆発だった。パトリックの目はうずき、目を守ろうとして手をかざしたい衝動を抑えなければならないほどだった。熱い色彩だけで描かれた抽象画で、その色彩はパトリックの腹に蹴りを入れた。その感覚はボディーに効いた。まっすぐに立っているのもやっとだった。壁から飛び出してこちらに向かってくるように思われた画から視線をそらすには、かなりの努力を要した。

彼は注意深く、アンデシュの所有物を調べ始める。しかし、見るべきものはそう沢山なかった。比較すると自分は何とも恵まれた人生を生きていると、一瞬、有難く感じた。そして突然、自分の悩みなど取るに足りないものだと思った。人間の生き続けたいという意思はとても強い。生活そのものがほとんど破綻《はたん》しているにもかかわらず、それでもたゆまず日々、年々、生き続けることを選ぶという事実は、パトリックの心を魅了した。アンデシュ・ニルソンの人生には、喜びのもとが何かあったのだろうか。人生は生きる価値がある、と思えるような感情——喜び、期待、幸せ、上機嫌——を味わったのだろうか。それとも、すべてはアルコール獲得に至る通過点にすぎなかったのか。

パトリックは、居間にあるものは何でもひっくり返してみた。マットレスに触って、その中に何か隠されていないか調べた。たった一つしかない戸棚の引出しを引っ張り出して、その下を調べた。絵画を注意深く一枚ずつ外して、裏側を見た。何もなかった。何一つ彼の関心を惹かなかった。レーナのところに行って、自分よりも運がいいかどうか確かめることにした。

「うっ、ひっどい豚小屋。どうしたらこんなふうに暮らせるんだろ?」

うんざりした様子で彼女は、新聞の上にひっくり返したごみ袋の中身を調べていた。

「何か、見つけたか」

「何とも言えない。ゴミの中に請求書が数枚見つかったけど。電話料金の請求書にある通話明細は、詳しく見てみたら面白いかもね。あとは大部分屑《くず》みたい」それからパチンと音を立て、ビニールの手袋を手から取った。「どうする? 今日のところはこのへんで満足しておく?」

パトリックは時計を見た。二人はここに二時間もいたことになる。外は暗くなっていた。

「そうだな、今日はもう何も見つからないだろうし。どうやって帰るつもりだ? 送ろうか?」

「自分の車で来たから大丈夫。でも、ありがとう」

二人はこの部屋に入った時の状態とは違ってちゃんと鍵がかかっているのを確かめ、ほっとしてアパートを出た。

駐車場に出てきたときには、もう街灯は点いていた。中で捜索をしている間に雪が軽く降り出していた。二人ともフロントガラスから、けっこうな量を払い落とす羽目になった。OKQ8ガソリンスタンドに向かって走っていたとき、パトリックは彼を一日中悩ませ続けていた何かが意識の上にのぼってくるのを感じた。静かな車の中、一人自分の考えに耽っていて、アンデシュ・ニルソンの逮捕に何かしっくりこないものがあるのを認めざるを得なくなった。メルバリが目撃者と話をした時ちゃんとした質問をしていたのか、確信が持てない。その目撃者の話を根拠に、事情聴取のためにアンデシュは身柄を拘束されたのだが。目撃証言を少し詳しく調べるべきだった。ガソリンスタンドそばの交差点の真ん中で、パトリックは心を決めた。急ハンドルを切って、方向転換をする。ターヌムスヘーデへ向かう代わりに、南のフィエルバッカの町を目指す。ダグマル・ペトレーンが自宅にいるよう、願いながら。

彼女はパトリックの手のことを考えていた。男に会うとまず手と手首を見るのが、彼女の癖だ。手というものは信じられないほどセクシーだと思う。小さいのは駄目、便器の蓋みたいに大きい必要もない。ほどほどに大きくて筋っぽく、毛が生えてなくて、力強く柔らかい手。パトリックの手は、まさにそんなふうだった。

エリカは、自分を白日夢から叩き起こした。みぞおちに感じるおののきのようなものについて考えるのは、どっちみち無駄なことだ。どれだけ長く自分がこの地にとどまることになるか、まったく分からないのに。家が売れれば、エリカをここに引き止めるものは、何もなくなる。そのときは、ストックホルムのマンションがエリカを受け入れてくれる。あちらの友人たちとの生活が待っている。フィエルバッカで過ごしているこの時期は、十中八九、人生における短い幕間《まくあい》にすぎないはずだ。そのように考えてくると、幼なじみのまわりにロマンチックな空中楼閣を築くことは、愚か以外の何ものでもない。

まだ午後三時ぐらいなのに、もう地平線の上にかかり始めた夕暮れを眺め、エリカは深いため息をついた。大きな、ゆったりした手編みのセーターに包まれて丸くなる。このセーターは、父親が寒い日漁に出たときいつも着ていたものだ。手をセーターの長い袖の中でうんと上まで引っ込め、袖の先を結び合わせて、少しかじかんだ手を温めていた。かわいそうなエリカ。今のところ嬉しいと思えることなどほとんどない。アレクスの死、この家をめぐる争い、ルーカス、執筆がはかどらない本――みんな大きな重荷のようにエリカの胸を押しつぶそうとしている。そのうえ、親が亡くなった後しなければならないことが実際にも、また精神的にもまだ沢山あるような気がする。最近家の片付けは少しもできずにいた。いたる所に、半分しか詰まっていないゴミ袋と段ボールが散らばっている。彼女の心の中も半分は空で、他の半分には感情のほどけた糸玉と絡まったままの糸が詰まっていた。

午後はずっと、ダーンとパニッラの諍《いさか》いのことをいろいろ考えていた。まったく分からない。エリカとパニッラの間に軋轢《あつれき》のようなものがあったのは何年も前のことで、それはとうに解決されていた。とにかくエリカはそう信じていた。ならば、どうしてパニッラはあんなふうに反応したのだろう。エリカは、ダーンに電話しようかとも考えたが、パニッラが出たらと思うと、できなかった。目下のところ、争いをもう一つ抱えるなんてとても無理だ。それで、成り行きに任せることに決めた。さらに、パニッラはあのときはただ、虫の居所が悪かっただけで、この次会う時にはすべてを忘れてくれているように願うことにした。それでも、あのことはエリカを悩ませた。あれは、やはりただ単に不機嫌なんていう感じではなかった。もっと根の深いものがあった。それが何なのか、エリカには分からなかった。

本の仕事が進んでいないことがひどいストレスになっていたので、良心の呵責《かしやく》を和らげるために、しばらくの間書くことに決めた。仕事部屋でパソコンの前に座り、書くためには暖かいセーターを脱がざるを得ないと悟る。初めは遅々として進まなかったが、やがて調子が出て体も温かくなり、集中していった。厳格な執筆原則を守れる作家たちが羨《うらや》ましかった。エリカは毎度、自分を無理やり座らせて書くようにし向けなければならなかった。怠惰だから、というわけではない。前回の執筆の後、自分は力を失くしてしまったかもしれないと深刻に恐れていたからだった。指をキーボードに載せ、目をディスプレイに釘づけにして座っていたって何も起こらないかもしれないという恐れ。空虚なまま、言葉は出てこず、二度とふたたび紙に一文も書けないかもしれない。そうならないとき毎度覚えるのは、安堵《あんど》だった。今や指はキーボードの上を飛びまわり、わずか一時間で二ページあまり書き終えた。あと三ページも書いたら、エリカは自分にご褒美をあげても良いと思い、少し時間をノレクスを扱った本に当てようと決めた。

独房はおなじみだった。ここに入れられるのは、初めてではない。本当にひどかった時期には毎日のように、泥酔しては独房の床に反吐を吐いていた。しかし、今度は違う。今度は深刻な状況だ。

彼は硬い板の寝台の上で横を向き、母親の胎内の子供のように丸くなって、顔に台のビニールがべたつくのを感じないですむように両手を頭の下に敷いた。独房内は寒く、またアルコールが体から抜け始めていたこともあって、体内を悪寒が駆け抜けていく。

知らされたことはたった一つ、アレクス殺害の容疑をかけられているということだった。そのあと独房にぶち込まれ、呼び出されるのを待っていろ、と告げられた。それ以外にいったい何を、寒い独房の中でやれると思うんだ？　クロッキーでもしろと？　アンデシュは一人で、口を歪《ゆが》めて笑った。

視線を捉えるものがなかったので、彼の考えはのろのろとさ迷った。壁は薄い緑色で、すり減ったコンクリート造りだが、塗装がはげ落ちたところは灰色の染みになっていた。彼は頭の中で、壁を鮮やかな色に塗っていた。こちらには赤でさっと一筆、あちらには黄色で。すり減った緑色をすぐに呑み込んでしまう力強いタッチ。彼の心の目には、この空間が間もなく火花を散らして燃え上がる色彩の競演の場となり、そうなってやっと自分の考えをまとめ始められるようになった。

アレクスは死んでしまった。これは、逃げ出したくたって逃げられないこと、揺るがしようのない現実なのだ。アレクスは死に、そしてアレクスといっしょに彼の未来も死んでしまった。

まもなく誰かが彼を引きずり出すはずだ。あいつらは彼を荒っぽく小突き、嘲り、乱暴に体を揺さぶる。そうしてやっと真実が、連中の前にむき出しになって震えながら現れるのだ。彼はあいつらを止められない。自分も止められたいのかどうか、ちっとも分からない。分からなくなってしまったことは沢山あった。かつては沢山分かっていた、というわけでもないのだが。アルコールの靄《もや》の中を突き抜けるだけの力があるものは、ほとんどない。その力があったのはアレクスだけだった。彼女がどこかで同じ空気を吸っている、同じことを考えている、同じ痛みを感じていると知っていることだけが、彼に力をくれた。このことだけが当てにならない靄をすり抜け、その下にもぐり、その上を越え、そのまわりを回ってゆく力を絶えず持っている唯一のものだった。この靄は、思い出を一つ残らず、慈悲深い闇の中に隠しておこうと全力を尽くしていた。

寝台に体を伸ばして寝ているると、両脚が無感覚になり出したが、彼は体が発するシグナルを無視して頑固に、今見ている染みから目をそらさないようにじっと動かずにいた。体を動かしたら、おそらく壁を一面に覆っていた色彩はよく見えなくなって、また寒々とした醜悪な光景を目にしなければならなかったから。

もっとはっきりしている瞬間なら時々、これらのことに幾分かユーモアを、あるいは少なくとも皮肉を見ることができた。汚れと醜悪さにまみれた人生を送る運命だったのと同時に、飽くことを知らない美に対する欲求を持って生まれる定めだったこと、おそらく彼の運命は生まれたときにはすでに定められていた、おそらく運命はあの破滅的な日に書き換えられた。

もしももしも……。彼の考えは何度も、もしものまわりを巡っていた。彼は慰みに考えていた——自分の人生はどんなふうになっていたろうか、もしも……。まともで、ましな人生、家族と家があって、絶望の代わりに喜びの源としての芸術があって……。彼のアトリエの外の庭で遊び戯れる子供たち、台所からは美味しそうな匂いが漂う……。画の四隅にはバラ色の空想の光をそえたカール・ラーションの田園風景画。そして、いつも画の真ん中にはアレクスがいる。そしてアレクスのまわりを、まるで惑星みたいにぐるぐる回っている自分。

さまざまな空想をすると、いつも彼の心は温かくなった。しかし突然、この温かなイメージは冷たいものにとって代わられた。青みを帯びた色調と氷のような鋭い冷たさ。これを彼は知っていた。夜な夜な静かにゆっくり観察してきたので、こと細かに知っていた。血は、彼がいちばん怖いものだった。青と鮮やかなコントラストをなす赤。死もまた、いつものようにそこにあった。死はすぐそばに身を潜めていて、うっとりして手をこすり合わせていた。なんでもいい、彼が何かするのを待っていた。ただ一つ彼ができたことは、死に気づかないふりをすることだった。死が消えてしまうまで無視すること。そうしたら、画はまたバラ色の光を取り戻すことができたかもしれない。アレクスはふたたび彼に向かって微笑むこともあったかもしれない。彼のはらわたを引っ張り、引きちぎる、あの微笑み。しかし死はあまりにもなじみの仲間で、無視できなかった。もう何年も前から死とは知り合いだが、それでも、年を追うごとにいい関係になってきたとは言い難かった。彼がアレクスと分かち合った幸せな瞬間にあっても、死は二人の間に割って入った——ずうずうしく、自己主張しながら。

　独房の中の静けさは慰めだった。遠くで動きまわっている人間たちの立てる音が聞こえてきたが、それは別世界のように遥か遠くに感じられた。その音の一つが近づいてくるのが分かった時になってようやく、彼は夢心地から引きずり出された。独房に着実に近づいている足取り。錠がガチャガチャ鳴って、戸が前後に揺れて開く。背の低い太った警視が戸口に姿を見せた。アンデシュはかったるそうに両脚を寝台から下ろして、足を床につけた。取り調べのときが来た。さっさと片付けるのも悪くない。


　青あざは薄くなり始めていたので、厚くパウダーを塗れば十分隠せそうだった。アンナは鏡の中の自分の顔をじっと見た。疲れ切った醜い顔。化粧をしないと、皮膚の下の青い輪郭がはっきりと見分けられた。片方の目は、まだ少し充血している。ブロンドの髪は艶がなく、生気もなくて、カットが必要だった。それでも、とても美容院に予約を入れる気にはなれなかった。そうするエネルギーなどまったく無かった。力はすべて、子供たちの毎日を心配すること、そして自分自身が倒れないようにすることに当てられた。一体どうして、こんなふうになってしまったのだろう？

　アンナは髪をきつく掻き上げてポニーテールにし、それからやっとの思いで服を着た。肋骨が痛まないようにかばいながら。彼は以前ならいつも注意深く彼女の体だけ、衣服で隠せる個所だけを殴るようにしていたが、この半年は気をつけることもなくなり、繰り返し彼女の顔を殴った。

それでも最悪なのは、殴りつけられることではなかった。それは、ずっと殴打に怯えながら生きることだった——この次の暴力を、次の拳を待ちながら。何よりも残酷なのは、ルーカスがそのことをよく意識し、アンナの恐怖心をもてあそんでいることだ。彼は殴ろうとして上げた手で、殴る代わりに、やさしく撫でて微笑んだ。ときにははっきりした理由もなく、まったく出し抜けに殴りつけた。理由など必要ないのだ。夕食のために何を買うか、あるいはどのテレビ番組を観るか話し合っている最中に、突然、拳骨がアンナの腹に、頭に、背中に、あるいはルーカスが殴りたい場所に飛んでくる。そうしてから彼はほんの少しも話の筋をたがえることなく、顔色一つ変えることなく会話を続けることができた。その間、アンナのほうは床に転がって喘いでいた。彼が楽しんでいたのは、権力だった。

ベッドルーム中に散らかっていたルーカスの衣類を、やっとのことで、一枚一枚拾い集めてハンガーに掛けたり、洗濯かごに入れたりした。そこが完璧に片付くと、今度は子供の様子を見にいく。アドリアンは仰向けになっておしゃぶりをくわえて、穏やかに眠っていた。エンマはベッドの中でおとなしく遊んでいた。アンナはしばらく戸口に立って、エンマを見つめていた。エンマはルーカスにそっくりだ。意志の強い、角張った顔と氷のように青い目。頑固さ。

ルーカスを嫌いになれない理由の一つは、エンマだった。彼を嫌いになることはエンマの一部を否定することのようにも思えた。ルーカスはエンマの一部で、それゆえアンナの一部でもあった。ルーカスは、子供たちには良い父親だった。アドリアンは小さすぎてまだ理解できないが、エンマは父親が大好きだ。娘から父親を奪うことなど、とてもできない。子供たちから安心感の半分を奪うこと、子供たちがなじんでいる大切なものを取り上げることなど、どうしてできようか？　代わりに、自分が二人を護るため強くなれるよう頑張るしかない。そうしたら、きっと乗り越えられる。初めは、確かにこうではなかった。きっとまた良くなる。自分が強くありさえすれば。ルーカスも、もともとアンナを殴りたいわけではない、アンナがすべきようにしないので、仕方なくアンナのためにやっているのだと言っていた。もうちょっと努力して、もっと立派な妻になりさえすればいいのだと。アンナは彼のことを理解していない、ともルーカスは言った。ルーカスを幸せにするものを見つけられさえすればいいのに、ルーカスがしょっちゅう失望せずにすむように物事をちゃんとできさえすれば。

エリカには理解できない。自立し、一人で暮らしているエリカには。勇気があり、かつ息苦しくなるほど心配りをするエリカには。アンナはエリカの声に軽蔑を感じ取って、それにいら立ち逆上してしまった。結婚生活や家族生活を営む責任について、姉はいったい何を知っているというのだ。まっすぐ立ってはいられないほど重い責任を自分の肩に担うことについて、何が分かるというの。エリカが心配しなければいけない人間は、自分だけではないか。エリカはいつも知ったかぶりだ。アンナに対する大げさな、母親のような態度は、時おり妹を窒息させそうにさえなった。アンナがただただ放って置いてほしかったときも、エリカの不安げな、監視するような視線がずっとアンナを追いかけていた。そんなこと、実の母親が娘たちの世話ができないのなら、何の役に立つの？　自分たち姉妹には、少なくとも父親はいた。両親二人のうち一人がいて、まだ良かった。自分とエリカの違いは、エリカはいつも原因を探し出そうとしたのに対して、自分は事実をありのまま受け入れていたことだ。大抵エリカは、その疑問を自分の中に向けて、原因を見つけ出そうとしていた。そのため、いつも頑張りすぎていた。アンナのほうは、頑張らないことにしていた。あれこれ考えないこと、流れに従うこと、やって来る、その日だけを受け止めることにしていた。だから、アンナはエリカに対してあのような敵意を感じていたのだ。姉は心配し、気に病み、妹を甘やかした。このために、真実とまわりの人たちに対して目をつむることが、あんなにも難しくなったのだ。親の家から出たときは何ともいえない解放感があった。そして、その後すぐにルーカスと出会ったとき、彼女をありのまま愛して、何より彼女の自由を尊重してくれるたった一人の人間をとうとう見つけたと思ったのだった。

ルーカスの朝食の後片付けをしながら、アンナは苦々しい笑みを浮かべていた。「自由」という言葉がどんな字の組み合わせなのか、もはや分からなくなってしまった。彼女の人生は、このマンションの数室がすべてだった。今もなお息をつけるようにしてくれているのは、子供たちだけだ。子供に加えて、正しい呪い《まじな》、正しい呪文《じゅもん》を見つけさえすれば、何もかもまた以前のようになるという希望だけだった。

体をゆっくりと動かしながらバター壺に蓋をし、チーズをプラスチックの袋に入れ、皿を食器洗い機に入れ、そしてテーブルを拭いた。何もかもピカピカできれいになったとき、アンナはキッチンの椅子の一つに腰を下ろしてまわりを見まわした。聞こえる音はたったひとつ、子供部屋からエンマの子供らしい片言のおしゃべりで、アンナは、しばし平穏無事を楽しむ贅沢にふけった。キッチンは明るくて天井が高く、趣味の良いウッドとステンレスの組み合わせでできていた。調度品には出費を惜しまなかった。そのおかげで、フィリップ・スタルクとポーゲンポールだらけになってしまった。アンナ自身はもっとこぢんまりしたキッチンが欲しかったが、ウステルマルムの美しい五室のマンションに引っ越したとき、自分の意見を押し通さなくて良かったと分かった。

フィエルバッカの実家についてエリカが抱く心配は、アンナがどうにかできることではなかった。アンナ自身は感傷にひたる余裕などないし、夫婦があの家から得られる金は、自分とルーカスにとって再出発を意味するかもしれないと思っていた。ルーカスがこのスウェーデンでの仕事に満足しておらず、はるかに活気とキャリアのチャンスがあると考えているロンドンに戻りたがっていることは、アンナにも分かっていた。ルーカスはキャリア的には、ストックホルムを沈滞している場所だと見ていた。そして現在の仕事で収入がかなりいいとしても、フィエルバッカの家から得られる利益があれば、すでに持っている金と合わせると、ロンドンで彼のステータスにふさわしい住居を購入できるはずだ。このことはルーカスにとって重要なことだったし、それゆえにアンナにとっても重要だった。エリカはきっと大丈夫だ。エリカは自分一人のことを考えればいいのだし、ストックホルムに仕事とマンションも持っている。フィエルバッカの家は、エリカの夏の別荘になるにすぎない。お金のほうが、役に立つはずだ。作家などしていても、いくらも稼げるものではない。アンナは、エリカがときどきお金に困っているのを知っていた。いずれエリカも、これが最善策だったと悟るはずだ。姉妹二人にとって最善だと。

アドリアンがきーきー声を上げているのが聞こえてきて、一瞬の休息はおしまいになった。まあ、くよくよしてみたってしょうがない。青あざはいつものように消えてなくなるし、明日は明日の風が吹く。

パトリックはなぜか分からないが、うきうきしながら、ダグマル・ペトレーン宅の階段を一段おきに上がっていった。それでもいちばん上でしばし、両膝に手を当てて前かがみになって息をつかざるを得なかった。もう二十歳ではなかったから。それは、ドアを開けた女性もまったく同じだった。そんなに小さくて皺だらけなものは、最後に干しプルーンの一袋を開けた後は見たことがなかった。背が丸くて腰が曲がっていたので、彼の腰の高さにも達しないくらいだった。パトリックは、風がちょっとでも吹いたら彼女は飛ばされてしまうかもしれないと心配になった。しかし彼のほうを見上げている瞳が、若い娘のように澄んで活き活きしていることにも気づいた。

「お若い方、そこに立ってハアハア言ってないで、中にお入んなさい。コーヒーを一杯差し上げますから」

その声は驚くほど力強かったので、パトリックは突然、先生の前に立った生徒のような気分になって素直に従った。お辞儀をしたい強い衝動をぐっと抑え、ペトレーン夫人の先を越さないように、努力して階段をカタツムリのように進んだ。ドアの内側に入ると、パトリックは一歩も動けなくなった。こんなに沢山のサンタクロースを見るなんて生まれて初めてだ。あらゆる所に、空いているスペースはどこにでも、サンタクロースが立っていた。大きなサンタ、小さなサンタ、じいさんサンタ、若者サンタ、ウィンクしているサンタ、白髪まじりのサンタ。彼に向かって押し寄せてきたありとあらゆる視覚情報を処理するために、まるで脳がトップギアに入れられたようだった。思わずぽかんと口を開けてしまい、意志の力を振り絞って、やっと閉じた。

「どう思います？　すごいでしょ！」

パトリックは、どう答えたらいいのかよく分からず、やっと少し経ってから、詰まりながら返事した。「ええ、まったく。すごく素敵です」

不安そうにペトレーン夫人に目をやって、自分の言う言葉と口調がちゃんと合っていないのをペトレーン夫人が気づいたかどうか、確かめようとした。驚いたことに、彼女はいたずらっぽい笑みを浮かべながら、目をきらきらさせていた。

「心配しないで。これがあなたの好みにぴったりじゃないことぐらい、よく分かってます。でもね、歳をとると、こういうことが一種の義務になるんです。分かります？」

「義務ですか」

「自分が関心を持ってもらう存在になるためには、少し奇抜でなければ。そうしないと、陰気な年寄りばあさんになるだけよ。歳なんて関係ねえ、でいたいもんなの。分かります？」

「しかしどうして、よりによってサンタなんですか」

理解できないでいるパトリックにペトレーン夫人は、まるで子供に話すみたいに説明する。

「ええ、サンタさんたちのいいところはね、年に一回楽しむだけですむってこと。残りの一年は、ここはみんな片付けて、すっきりしておけるんです、あなたには想像もつかないくらいにね。それからクリスマス時《どき》には、ここで子供たちが賑やかに走り回ってくれるというおまけもあるの。あまりお客さんが来てくれない年寄りばあさんにとっちゃ、小さい元気な子たちがサンタさんたちを見せてもらおうとやって来るなんて、それはもう、魂の歓喜ってものよ」

「でも、どれだけ長く、サンタたちを並べておくんですか？　もう二月も半ばじゃないですか」

「わたしはサンタさんたちを十月に並べ出して、それから四月にかけて片付けます。でもね、こういうふうだと、並べるのも、しまうのも一、二週間はかかるってこともお分かりでしょう？」

それだけの時間がかかることは、パトリックにも容易に納得できた。そして、さっと大雑把に暗算しようとしたが、脳みそは視覚が受けたショックからちゃんと立ち直っていなかったので、自分で計算する代わりに、ペトレーン夫人にストレートに質問した。

「ここには、サンタは何人いるんですが」

答えは、間を置かずに返ってきた。

「一四四三人、いえ、ごめんなさい。一四四二人――昨日一人、壊してしまったから。それも、いちばん素敵なサンタさんの一人を」とペトレーン夫人は悲しげな表情を浮かべながら答えた。

それでも彼女はすぐ気を取り直して、また瞳をきらきら輝かせた。そして、びっくりするような力でパトリックの上着の袖を引っ張って、台所まで、ほとんど引きずっていった。そこには、対照的にサンタは一人もいなかった。パトリックは上着の皺をそっと伸ばした。もしも彼女の背がもっと高ければ、袖の代わりに、耳をつまんで引っ張られたはずだ。

「ここに座りましょ。たくさんのおじいさんたちに囲まれると、少しうんざりすることもあるの。台所は、サンタさんたちは立ち入り禁止なわけ」

パトリックは手伝いを申し出たが、それをみんなはねつけられたので、台所の硬い長椅子に腰を下ろした。薄くてまずい煮出しコーヒーなんか絶対口にしないぞ、と身がまえていたら、調理台の上に堂々と鎮座する大きい、スティールがピカピカ光っている超モダンなコーヒーメーカーが目に入り、驚いてふたたびぽかんと口を開けてしまった。

「何をご所望でしょうか？　カプチーノ？　カフェオレ？　ひょっとして濃厚なエスプレッソをダブルで？　あなたが必要としているのは、きっとこれね」

パトリックは、ただうなずくしかできなかった。ペトレーン夫人は明らかに、彼のびっくりした様子にご満悦だった。

「何を予想してました？　一九四三年製の古いコーヒーポットと手回しで挽いた豆？　いいえ、年寄りばあさんになってるからって、それは必ずしも、人生の楽しみにあずかれないということではないのですよ。これはね、二年ほど前に息子からクリスマスプレゼントにもらったの。これで淹れるコーヒーは、温かいご馳走みたいによく売れるんですから。ときどき、ここに来て一杯飲ませてもらおうって、この辺のおばあさんたちの行列ができるほどなのよ」

彼女は愛しそうにその器具を撫でた。器具はコーヒーを吐き出しながらシュッシューッと音を立て、ミルクをかき混ぜて軽い泡を作っていた。

コーヒーが準備されている間に、パトリックの前のテーブルの上には、見事なペストリーが次から次へと現れた。それは、細長いフィンランド・パンやカールスバート・パンなどではなくて、大きなシナモンロール、みごとなマフィン、濃厚なチョコレートケーキ、そしてふわふわしたメレンゲケーキ。これが並べられ始めると、パトリックの目はますます大きくなり、口は唾で一杯になり、今にも口の両端から溢れ出そうになった。パトリックの表情を見たペトレーン夫人はくすくす笑い、まず熱い、いい香りのする淹れたてのコーヒーを出したあと、彼の真向かいのウィンザーチェアに腰掛けた。

「あなたがわたしと話したいのは、真向かいの家の女の子についてだって、分かってますよ。そう、お宅の警視さんには、知ってるちょっとしたことをお聞かせしました」

　パトリックは、歯を突き立てたばかりのチョコレートケーキをやっとの思いで口から取り出し、舌で前歯を掃除してから話し始める。

「よろしければ、ペトレーンさんがご覧になったのは何だったのか、お話しいただけませんでしょうか。ところで、テープレコーダーにお録《と》りしてよろしいでしょうか」

　彼はテープレコーダーの〝録音〟のボタンを押し、相手が答えるのを待つ合間を逃さずケーキを大きくひと口ほおばった。

「ええ、かまいませんよ。そう、あれは一月二十五日、金曜日、六時半でした。ねえ、もっとフランクに言ってちょうだい。そうでないと、わたし、自分がひどく年寄りになった気がするから」

「どうして日付と時間についてそんなに正確に言えるんですか。あれからもう二週間も過ぎていますが?」

　パトリックはまた一口ぱくついた。

「あの日はわたしの誕生日だったの。息子が家族を連れて訪ねてくれたわ。みんなでケーキを食べたり、プレゼントを開けたりして。それから、4チャンネルの六時半のニュースが始まる直前に帰っていきました。ちょうどその時よ、このすぐ外で誰かが騒ぐのが聞こえたのは。丘と、それからあの娘《こ》の家の方に面している窓のところに行って、そのときに彼を見たの」

「アンデシュ?」

「そう、絵描きのアンデシュ。ひどく酔っぱらっていて、おかしくなっちゃったみたいに叫びながらドアを叩いてたわ。とうとうあの娘は彼を中に入れて、あとは静かになりました。ええ、彼が叫ぶのを止めたかどうかは分からないわ、他人《ひと》さまのおうちの中で何が起こっているかなんて誰にも聞こえませんもの」

ペトレーン夫人は、パトリックの皿が空になっているのに気づいて、誘惑するように、シナモンロールの皿を前に押し出した。彼は勧める言葉を待つこともなく、山盛りになっている皿から、いちばん上のを一つ素早く取る。

「それがアンデシュ・ニルソンだったということに、確信はありますか？　その点は確かですか？」

「間違いないわ。あのごろつきのことならすぐ分かるもの。四六時中このあたりをうろついてるの。このあたりで見なかったら、酔っぱらい連中と広場にたむろしているわ。だから、あの男がアレクサンドラ・ヴィークネルとどういう関係なのか、理解できませんよ。あの娘には確かに品がありましたよ。器量よしで躾もよくて。子供のころには、よく遊びにきてくれたので、ジュースやパンなんかを上げてました。いつもその長椅子に腰かけてたわ。トーレのところの娘とよくいっしょに来てた。あの子の名前はなんといったかしら？……」

「エリカ」とパトリックが、シナモンロールをほおばりながら言った。彼女の名前を口にしただけでみぞおちのあたりが苦しくなる。

「そう、エリカだったわ。あの子も可愛かった。でもね、アレクサンドラには何か特別なものがあったわね。いうならば、あの子にはオーラがありました。それから何かが起こったのね……あの子はもう、ここに来なくなって、会っても挨拶すらしなくなった。それから二カ月ほどして一家はイェーテボリに引っ越してしまったわ。そのあとはずっと、どうしていたか知らなかった。今から二年ほど前に、あの娘がまた週末にここに来はじめるまではね」

「その間カールグレーン一家は、一度もここに来たことがなかったんですか」

「そう、一度も。でもね、あの家はずっときちんと手入れがされていたわ。職人たちが来て塗装したり、大工仕事をしたり、ヴェーラ・ニルソンも月二回来て掃除をしていたし」

「ペトレーンさんには思い当たることはありませんか？　アレクスを変えてしまったような、つまり、あの一家がイェーテボリに引っ越す前に起きたこと、ということですが。家庭内トラブルのような出来事」

「噂はありましたよ。この辺ではいつもそうですからね。でも、信じてもいいというような噂はなかったわ。このあたりの人が何をしているかたいていは分かっていると主張する人がこのフィエルバッカには沢山いますけれども、一つだけ、あなたが分かっていなきゃいけないのはね、四方が壁に囲まれている家の中で本当に起こっていることなんて、他人には知りようもないってこと。ですから、わたしはあれこれ考えたくないの。何の役にも立ちませんから。さあ、ケーキをもう一つ召し上がれ。あなたはまだわたしの〝夢のメレンゲ〟を食べてないじゃない」

パトリックは腹を触ってみた。うん、確かにまだ、夢のメレンゲ一切れくらい入りそうな小さな小さな隙間はある。

「そのあとはどうですか、何かもっと見ませんでしたか。たとえば、アンデシュ・ニルソンが帰ったときとか」

「いいえ、あの晩は、それ以上見てません。でも、その次の週、何度かあの家に入るのは見ましたよ。変ですね、町で聞いたところじゃ、そのころあの娘はもう死んでいたんでしょ?　そしたら彼は、一体あそこで何をしていたんでしょう?」

それは、まさしくパトリックが不思議に思っていたことだった。ペトレーン夫人は催促するようにパトリックを見た。「どう?　お気に召した?」

「こんなにおいしいケーキはこれまで食べたことがありませんよ、ペトレーンさん。どうしたら、こんなにすてきにケーキ皿を山盛りにできるんですか。っていうか、わたしが電話をかけてここに来るまで十五分たらずだったたし。ペトレーンさんがこのおいしいケーキを焼くためには、スーパーマン並みのスピードが必要だったんじゃないですか」

彼女はその称賛を浴びて、得意げに頭をぐいと上げた。

「わたしたち夫婦はこのフィエルバッカで三十年間、ケーキ屋をやっていました。ですから、その歳月のうちにわたしも何かは身につけていたようね。古い習慣というのはなかなかやめられなくて、わたしは今でも毎朝五時に起きてケーキを焼いているのよ。訪ねてくれる子供たちやおばあさんたちの口に入らなかったものは、小鳥たちの餌にしています。新しいレシピを試してみるのも楽しいですよ。昔何トンも焼いていた、昔ながらのドライなフィンランド・パンよりもずっとおいしいモダンなペストリーがいっぱいありますもの。レシピは食品関係の雑誌で見つけて、少しアレンジしてみるんです」

ペトレーン夫人は長椅子の脇に山積みになっている食品関係雑誌のほうを身振りで示した。そこには、今まで何年にもわたって刊行されてきた『アメーリア・フード』から『食品百科』に至るまで、何でも揃っていた。一冊あたりの価格から判断してパトリックは、ペトレーン夫人はケーキ屋時代にかなりの金を貯めたのではないかと思った。そこで、考えがひらめいた。

「ペトレーンさんは、カールグレーン一家とローレンツ家の関係についてご存知ありませんか。カルエーリックがローレンツの会社で働いていたということの他に、ということですが。たとえば家族ぐるみで交際していたとか？」

「まさか、ローレンツ家がカールグレーン一家と交際するなんて！　あなた、それはありませんよ。そんなこと、一週間に木曜日が二日もあるようなことよ！　その二つの家は、交際する社会が違ってましたもの。ですから、ネッリー・ローレンツが――わたしが聞いたところじゃ――カールグレーン家の会葬御礼のレセプションに突然姿を見せたそうですが、これはセンセーションだと言いたいですね。まさに、びっくりよ！」

「息子はどうですか。行方不明になった息子、ニルスのほうです。あなたが知る限り、あの男はカールグレーン一家と関係はなかったですか？」

「ありません。なかったことを願うわ。とんでもない子だったもの。いつもお店で、人の目を盗んでケーキをかっぱらおうとしてたんですから。夫が現場を押さえた時には、強く叱って諭しました。あの子にとっちゃ生まれて初めてっていうくらいにね。もちろん、そのあとネッリーが息せき切って飛んできたわ。わたしたちをなじって、警察を呼んでやるって夫を脅したの。でもね、夫が、息子さんの万引きには目撃証人がいるから検察官に電話したければどうぞ、と言ったら黙ってしまったわ」

「つまり、あなたが知る限り、ニルスはカールグレーン一家と繋がりはなかったということですね」

彼女はうなずいた。

「すみませんでした、ちょっと思いついたことがありまして。アレクスの殺害を別にすれば、ニルスの行方不明は、この町で起こったいちばん劇的な出来事です。そして未だに解決されていない……時おり奇妙な偶然を見つけるものです。それなら、これ以上お訊きすることはありません。ほんとうにごちそうさまでした。ものすごくおいしいケーキでしたよ。これから二、三日はサラダだけにしなくては」とパトリックは言って、腹を叩いた。

「まあ、ウサギのエサなんか食べることはないでしょ。あなたはまだ伸び盛りの若者ですもの」

その言葉をパトリックは真に受けることにして、三十五歳にもなって伸び盛りなのはウエストのサイズだけです、とは言わないでおいた。長椅子からいったんは立ち上がったものの、またすぐに座りこむしかなかった。腹の中にコンクリートが一トンも詰まっているみたいで、気分の悪さが波のように喉にこみ上げる。こんなにたくさんのペストリーをほおばったのは、浅はかだった。

居間を通り抜けるときちらりと目をやったら、一四四二人のサンタクロースがみんな彼に向かってウインクしてピカッと光ったように見えた。

この家を出ていくのも、入ってきたのと同じように時間がかかり、パトリックは何とか我慢して、ペトレーン夫人が玄関ドアに向かって歩むのを追い越さないようにした。実に元気なおばあさんで、それには少しの疑いもなかった。信頼に足る目撃者でもあり、その証言があれば、そしてパズルのピースをさらに二、三個を追加してアンデシュ・ニルソンを完璧に起訴できるのは、時間の問題にすぎない。目下のところ大部分は状況証拠だが、それでもアレクサンドラ・ヴィークネル殺害事件はもう解決したも同然に思えた。けれども、パトリックは完全に満足しているわけではなかった。腹にペストリーの他に何かを感じたとすれば、それは不安であり、容易な解決というものは必ずしも正しい解決にはならないという直感だった。

新鮮な空気は爽快で、気分の悪さはいくぶん楽になった。改めてお礼を言って、それから帰ろうとして体の向きを変えたその時、ペトレーン夫人は彼の手の中に何かを押し込んでドアを閉めた。中身が気になったので覗くと、ケーキがいっぱい詰まったスーパーの袋に――さらに小さなサンタが一人入っている。パトリックは腹に手をやって呻《うめ》いた。

「おい、アンデシュ。おまえにとっちゃ見通しは明るくないぞ」

「そうか」

「そうか——言うことはそれだけか？　おまえ、ちゃんと理解しないと、クソまみれになるぞ！　分かるか」

「おれは何もしてねえ」

「でたらめ言うな！　そこに座って、おれの顔にでたらめを浴びせようってのか！　分かってんだぞ、おまえがあの女を殺したのは。だからな、さっさとゲロして、おれに面倒かけるな。面倒かけなければ、おまえ自身も面倒なことにはならないんだ。おれの言ってることが分かるか」

メルバリとアンデシュは、ターヌムスヘーデ警察署に一つしかない取調室に座っていた。アメリカの刑事物シリーズで見られるのとは違って、スウェーデンの警察署には、同僚たちが取り調べ中の様子を室外から覗けるマジックミラーの壁はなかった。これは、メルバリにはまったく好都合だった。取り調べの対象と二人だけになることは、完全な規則違反だった。かまうもんか！　送検できさえすれば、誰もばかばかしい規則など気にしない。アンデシュは、弁護士や他の誰かが同席することを要求もしていなかった。ならばどうして、メルバリがそうしてやる義務があるのか。

取調室は小さく、備品もほとんどなく、壁がむき出しになっていた。唯一備品といえるものは机一台と椅子二脚で、椅子には今アンデシュ・ニルソンとバッティル・メルバリが座っていた。アンデシュは平然と椅子の上に半ば寝ころんでおり、両手は膝の上に握って、長い両脚を机の下に放り出していた。メルバリは反対に、上半身を机の上に覆いかぶせ、顔をうんとアンデシュに近づけていたが、それは容疑者が吐く、ミント以外のありとあらゆる臭いがする息を何とか我慢できる近さまでだった。とは言っても、メルバリがなり立てると、小さい唾のしぶきがアンデシュの顔にはね飛んだ。しかし、アンデシュはしぶきを拭こうともしなかった。警視がまるでただの小うるさいハエ、追い払う値打ちもない取るに足りないやつだというように。

「おまえもおれも知ってるんだ、アレクサンドラ・ヴィークネルを殺《や》ったのはおまえだってな。だまして睡眠薬を飲ませ、浴槽に入れて手首を切り、それから血を流して死んでいくのを静かに見ていた。さっさと片をつけちまおう、お互いのためにな。おまえは白状して、おれは書き留める」

メルバリは、これを力強い取り調べの開始だと考えて、非常に満足していた。それから椅子に腰かけ直し、大きな腹の上で手を組み合わせる。彼は待った。アンデシュからは反応がない。アンデシュは頭を下げたままだったので、髪の毛がかぶさって表情が見えなかった。メルバリの口の端が歪んだ。おれのこの演説の序章を無視されてなるものか。さらにしばらく何も言わずに待ったあと、拳を机に叩きつけて、半分寝ているアンデシュを叩き起こそうとした。が、反応なし。

「こんちくしょう、このアホ酔っ払いが！　ここでだんまりを決め込んで、逃げ切れるとでも思ってるのか！　よく聞け、そう思ってるんだったら、とんだ見こみ違いだぞ！　相手が悪かったな、覚悟しろ。こうして、おれたちが一日中ここにい続けたら、おまえは必ず真実を話すことになるんだ！」

メルバリの脇の下にできた汗のあとは、彼が発する一言ごとに広がっていった。

「やきもちだろ？　おれたちは、おまえが描いたあの女の画を見つけたぞ。おまえたちが乳くり合っていたのは明々白々ってもんだ。それを裏付けるような、おまえが女に書いた手紙も見つけたぞ。甘ったるくて、感動的なラブレターだ。ったく、なんて悪党なんだ！　一体あの女はおまえのどこを見てたんだ？　おまえ、自分を見てみろ、薄汚れてて、ヘドが出そうで、見た限りじゃ、とてもとてもドンファンといえる代物じゃねえ。理由はたった一つ、あの女に倒錯趣味があったってことだ。クソとヘドが出そうな酔っ払いの老いぼれじゃないと、燃えなかったってわけだな。フィエルバッカにいる他の酔っ払いどもの面倒も見てたのか。それとも、女がサービスしてたのはおまえ一人だけか」

電光石火の早業でアンデシュは立ち上がり、体を机の上に乗り出して、両手でメルバリの首を絞めた。

「この野郎、殺してやる、このクソおまわりっ！」

メルバリはアンデシュの手を振りほどこうとしたが、できなかった。その顔はみるみる赤くなっていき、頭の毛はその巣からどさっと落ちて右耳の上にかぶさった。それにすっかり驚いて、アンデシュはメルバリの首を絞めていた手を放したので、警視はフーッと息がつけた。アンデシュはまた椅子に体を落として、挑むようにメルバリを睨みつけた。

「こんなこと、二度とするな！　二度とだぞ！」メルバリは咳き込み、咳払いをして声を普通に戻そうとする。「おとなしく座ってろ。でなかったら、独房にブチ込んで鍵は捨ててしまうからな。いいな！」

メルバリはまた椅子に腰かけたが、視線はアンデシュから離さなかった。警視の日には、かすかに恐怖が浮かんでいた。以前にはなかったものだった。そして、細心の注意を払って整えた髪型がすっかり吹き飛び崩れてしまったのを知って、何事もなかった振りをしながら、慣れた手つきでピカピカの脳天に髪を振り上げ戻した。

「さあ、元に戻ろう。おまえたちは性的関係があったわけだな、殺された被害者のアレクサンドラ・ヴィークネルとおまえは？」

アンデシュは下を向いて、何かつぶやいた。

「何て言った？」メルバリは、体の前に手を組み合わせたまま前かがみになる。

「おれたちは愛し合っていたって、言ったんだよ」

その言葉はむき出しの壁の間でこだまし、跳ね返った。メルバリは嘲るように笑った。

「オーケー、おまえたちは愛し合っていた。美女と野獣は愛し合っていた。なんともすっぱらしい。じゃ、どれだけ長い間、愛し合っていたんだ？」

アンデシュはまた、もごもご話し、メルバリは、もう一度言うよう促した。

「子供のころからだ」

「そうかそうか、オーケー。おまえたちは、五歳のころからウサギみたいにやってたとは思わないが。では、別の訊き方をさせてもらう。おまえたちはどれだけ長い間、性的関係を持っていた？　女はどれだけ長い間、おまえと不倫をしてたんだ？　おまえたちはどれだけ長い間、夜な夜なチークダンスを踊ってたんだ？　まだ続ける必要があるか、それとも、質問がちゃんと分かってるか？」

アンデシュは、憎々しげにメルバリを睨みながらも必死で自分を抑えているようだった。

「分かんねえ。何年にもわたって、ときたま。ほんとうに分かんねえよ。カレンダーに印を付けてたわけでもねえから」

そして、穿いているズボンのありもしない糸をもてあそぶような仕草をした。

「あいつは以前、そんなにしょっちゅうこっちに来ていなかった。だから、そうしょっちゅうはなかった。たいがいはあいつを描いていただけだ。すごい美人だったし」

「死んだ晩、何があったんだ？　痴話喧嘩にでもなったのか？　やらせてくれなかったのか？　それとも、女が孕《はら》んでいると知って頭にきたのか？　そうだろ？　女は孕んでた、そしてそれがおまえの子供なのか、ダンナのか分からなかった。女にきっと、おまえの人生も台無しにしてやるって脅されたんだろ。違うか？」

メルバリは至極満足していた。そしてアンデシュが犯人《ホシ》だと確信していた。正しいボタンを強く押しさえすれば、自白を引き出せるに違いないと信じていた。ぜったい間違いない。その後でイェーテボリの連中はおれに、こっちに戻ってきてください、と懇願するのだ。連中には、時間をかけてたっぷりお願いさせてやる。しばらく連中をやきもきさせれば、きっと昇進と昇給の二つでおれを誘う。メルバリは満足げに腹をさすった。そして、このときになってやっと、アンデシュがかっと目を見開いて、自分を凝視しているのに気づいた。顔面蒼白、血の気がまったくない。両手が痙攣《けいれん》するように震えている。アンデシュは顔を上げて、初めてメルバリをまっすぐ見た。下唇がわなわな震え、両目は涙でいっぱいだ。

「嘘つくな！　あいつが孕んでたなんて、ありっこない！」

アンデシュは流れ出た鼻水を袖で拭いた。そしてほとんど哀願するようにメルバリを見た。

「ありっこないって、何がだ？　サックが百パーセント安全なわけじゃないだろ？　女は三カ月目だった。だから、もう名演技は止めろ。女は孕んでた。どうしたらそうなるか、おまえもよく知ってるだろ。孕ませたのがおまえなのか、ご立派なダンナのほうなのか、これは知りようがないけどな。男の災難、ってもんだな。おれも何度か追い詰められたことがあるが、これまでのところ、紙にサインを無理やりさせるようなひどい女に出くわしたことはないな」と言って、メルバリはくっくっくっと笑った。

「おめえには関係ないが、おれたちはこの四カ月以上何もしてねえ。これ以上おまえとは口をききたくねえ。独房に戻してくれ。もう一言も話さねえ！」

アンデシュは大きく鼻をすすった。その目からは涙が今にも溢れ出そうだ。腕組みをしたまま椅子の上で身を反らし、前髪の下からメルバリを睨んでいる。警視のほうはため息をつきながらも、相手の黙秘するという主張は受け入れた。

「それじゃ、二時間たったらまた始めよう。分かっているだろうな――もう戯言《ざれごと》は聞きたくない！　独房にいるうちよく考えておくんだな。次に話す時には、おまえは洗いざらい吐くんだぞ」

彼は、アンデシュが独房に連れていかれてからもしばらく取調室に残った。あの悪臭プンプンの酔っ払いは自白しなかった。警視にとってはまったく不可解だ。しかし彼の切り札は、まだ切られていなかった。アレクサンドラ・ヴィークネルの生きている声が最後に聞かれたのは、一月二十五日、金曜日、七時十五分過ぎで、死体となって発見されるちょうど一週間前だった。そのとき、電話会社によれば、彼女は母親と五分五十秒間話した。これは、監察医が挙げている時間幅ともよく合致した。隣人のダグマル・ペトレーンの、アンデシュ・ニルソンが同じ金曜日の夕方七時直前に被害者を訪ねているばかりではなく、翌週にも数回被害者の自宅に入ったという目撃証言も得ていた。そのときにはすでに、アレクサンドラ・ヴィークネルは浴槽の中で死んでいた。

自白を取れさえすれば、メルバリの仕事は大いに楽になるはずだったが、たとえアンデシュが頑固だと分かっても、落とす自信はあった。自分にはペトレーン夫人の証言があるばかりでなく、デスクの上にはアレクス・ヴィークネルの自宅の家宅捜索報告書もあった。もっとも興味を惹くのは、彼女が発見された浴室の非常に詳しい捜索から得られた情報だった。床面に凝固した血の中に、アンデシュのアパートで押収された一足の靴と一致する足跡痕が発見されたばかりか、アンデシュの指紋が被害者の死体の上に付いているのも見つかった。

固くて平らな表面に付いているのと同じぐらいに明瞭ではないが、それでも特定可能なものだった。

彼は、今日弾薬《タマ》を使い果たすつもりはなかったが、次の取り調べでは飛び道具を総動員するつもりだった。それでもあのクソ野郎をぶっ潰せなかったら、もう知ったことじゃない！

満足してメルバリは掌にペッと唾を吐いて、髪を撫でつける。


電話が鳴って邪魔されたとき、彼女はヘンリック・ヴィークネルとした会話の内容をまとめている最中だった。エリカはいらいらしながらキーボードから手を離して、電話のほうに体を伸ばした。

「はいっ？」自分で思っていたよりも少しいらついた声になってしまった。

「もしもし？　パトリックだけど。邪魔だったかな？」

エリカは椅子にまっすぐに座り直した。電話を取ったとき優しい声を出さなかったことを悔やみながら。

「ううん、ちっとも。書き物をしていただけよ。電話が鳴ったときね、仕事に没頭していたものだから、飛び上がっちゃったの。だから、もしかするとわたしの声ちょっと……でも、邪魔だなんて、とんでもない。まったく平気よ。っていうのはね……」

エリカは自分が十四歳の女の子みたいにとりとめもなく喋り出したことに気づいて、頭を抱えた。ったく！　落ち着いて、ホルモンをコントロールしなくっちゃ！　これでは、滑稽すぎる。

「あの、おれ今、フィエルバッカにいるんだよ。きみが家にいたら、ちょっと寄らせてもらっていいか、訊こうと思って」

彼の声は男らしくて自信に満ちており、安心できた。エリカは、ティーンエージャーみたいに口ごもった自分をよけい情けなく感じた。そして、素早く自分の服装をチェックする。この日は薄汚れたジョギングウェアだ。そうしながら手で髪に触ってみた。やっぱり心配したとおり、頭の真ん中でまとめられてはいるが、四方八方に飛び出している。状況は、ほぼ壊滅的。

「もしもし、エリカ聞いてる?」パトリックがいぶかしげに尋ねる。

「え、聞いてる。ただ、あなたの携帯が切れてしまったのかなと思ったの」

エリカは、また頭を抱えた。さっき頭を抱えてから十秒ほどしか経っていない。まったく! ああ神様、おろおろして、わたし、まるで恋愛初心者みたい。

「もしもし、エリカ聞こえる? もしもーし?」

「え、うん、聞こえる。いらっしゃいよ! でも、十五分だけ頂戴! 今最中なの……そうなの、えっと……とっても重要な部分を書いていて、それを書き上げてしまいたいの」

「ああ、もちろんだ。ほんとうに邪魔じゃないか? 明日の晩に会うことにしても……」

「邪魔じゃないわよ、そんなわけないじゃない。ほんとうだって。十五分だけ待って」

「オーケー。それじゃ、十五分したら会おう」

エリカはゆっくり受話器を置き、深い、期待に満ちた呼吸をした。心臓は高鳴り、その音が聞こえるようだった。パトリックが自分のもとに向かっている。パトリックが自分の……冷水をバケツ一杯浴びせられたみたいにブルッと震えがきて、椅子から飛び出した。彼は十五分したら着く。なのに、自分はまるで一週間も顔を洗ったり、髪を梳《す》いたりしていなかったみたいだ。二階まで階段を一段おきに駆け上がりながら、ジョギングウェアの上着を頭から引き抜いた。寝室でズボンを脱ぐ。躓《つまず》いて、あやうく顔から床に転びそうになりながら。

浴室で脇の下を洗いながら、今朝シャワーを浴びたとき剃っていたことに、心の中で静かに感謝の祈りを捧げた。香水のついた指で手首、胸の谷間、そして喉のあたりをたどる。頸動脈が指の下で強く打っているのが分かった。クローゼットを開け放し、大部分をベッドの上に放り出して、ようやく黒のフィリッパ・コーのトップスを選び、これに、足首まで届く黒のぴっちりしたスカートを合わせた。時計を見る。まだ十分残っている。ふたたび浴室へ。パウダー、マスカラ、リップグロス、そしてアイシャドーを薄く。ほお紅は必要ない、顔は十分に赤かったから。目指したのは、フレッシュなすっぴんふうメイク。そんな顔を作るために、年ごとに、ますます念入りなメイクが必要になるような気がする。

下の階で玄関ドアの呼び鈴が鳴った。そして彼女が鏡の中の自分に最後の一瞥《いちべつ》を投げたとき、髪はまだ黄色い蛍光色のゴムでぞんざいに房にまとめられているのが分かり、すっかり慌てふためいた。ゴムを解いて、ブラシと少量のムースで整える。また呼び鈴が鳴った。せき立てるように。彼女は急ぎ足で階下に向かったが、階段の途中で立ち止まってひと息つき、気持ちを落ち着かせた。そして、自分にできるいちばんクールな雰囲気でドアを開け、満面に笑みを浮かべた。

玄関ドアの呼び鈴を押したとき、彼の指はかすかに震えていた。何度か引き返して、支障ができて行けなくなったとお詫びの電話を入れようとしたのだが、車は勝手にセールヴィークに向かった。パトリックは、エリカがどこに住んでいるのか、もちろんよく覚えていたので、キャンプ場の手前の狭い坂でたやすく右折して、彼女の家のほうに上ってきた。外はすっかり夜のとばりが降りていた。しかし街灯は十分に明るく、海を遠望できるほどだった。すぐに彼は、エリカが我が家をどのように思っているのか理解した。また、それを失うかもしれないと感じてどんなに苦しんでいるのかも。同時にパトリックは、自分のエリカに対する思いは遂げられそうにないことも悟った。エリカとアンナは実家を売る。そうすれば、エリカをフィエルバッカに引き止めるものは、もう何もない。彼女はストックホルムに戻ってしまう。ターヌムスヘーデの田舎警官ごときは、首都中心部のステューレプラーンの高級バーの常連客と比べたら、物の数ではない。彼はすっかり気落ちした足取りで玄関ドアに向かい、呼び鈴を鳴らした。

誰も開ける気配がなかったので、彼はふたたび呼び鈴を鳴らした。この突然の訪問は、ペトレーン夫人のところからこちらに向かったばかりのときに考えていたほど、良い思いつきでもなかったらしい。エリカがこんなに近くにいるのだ、電話をかけたいという誘惑には抗《あらが》えなかった。それでも彼女が電話に出たときにはもう、少し後悔していた。電話に出た彼女は忙しそうだったし、いらいらしているようだった。でも、後悔しても手遅れだ。呼び鈴は、家の中ですでに二回目が響いている。

誰かが階段を下りてきた。足音は一瞬途絶えたが、また下り、玄関のほうへ向かってくる。ドアが開いて、そして、そこに彼女が立っていた。満面の笑み。それを目にして、彼は息ができなくなった。どうしたらいつもこんなに活き活きとしていられるんだろう。化粧っけはなく、パトリックが女性にあって何よりもいちばん魅力的だと考えている自然な美しさを備えていた。カーリンなら、化粧せずに人前に出るなんて考えられなかったが、エリカは彼の目にはこれ以上ありそうもないほど素晴らしく見えた。

家は、彼が子供時代に遊びにきていたころの記憶にあるのとまったく変わっていなかった。ここでは家具と家が気高く、共に齢を重ねていた。木と白が基調で、さらに白と青の明るいクロスが使われていて、古い家具の艶とよく調和していた。彼女はキャンドルを点けていたので、冬の暗さはここでは息を潜めていた。ここには、ただ穏やかな安らぎだけがあった。

パトリックはエリカの後に続いて台所に入る。

「コーヒーでいい？」

「うん、ありがとう。ところで、これ」と言って、パトリックはケーキの入った袋を渡した。

「いくつかは署に持っていきたいんだけど。たっぷりあるから、余ることとは保証するよ」

エリカはビニール袋を覗き込む。そして笑った。「ペトレーンさんのところに行ってきたんだ」

「あたり！　満腹でもう一歩も動けないくらいだよ」

「チャーミングなおばあさんでしょ？」

「信じられないくらいに。おれ、九十二歳あたりだったら、彼女と結婚してたよ」

二人は笑い合った。

「それで、調子はどう？」

「うん、まあまあね」

一瞬の沈黙に二人は少し慌てた。エリカはコーヒーを二つのカップに注ぎ、それから残りを魔法瓶に入れた。

「バルコニーに座りましょ」

二人は黙ったまま最初の数口分をすすったが、沈黙はもう不自然には感じられず、むしろ心地よかった。エリカは彼の正面の籐のソファに座っていた。彼が咳払いをする。

「本はどんな具合？」

「うん、まあまあ。そっちは？　捜査はどんな具合？」

パトリックはしばらく考えて、本来許されているよりも少しだけ多く話すことにした。エリカはいずれにせよ、もう事件に巻き込まれているし、彼女に話したからって何の支障もないだろう。

「解決したかに見える。容疑者を逮捕して今取り調べの最中だよ。そして裏付けも考えられる限り完璧だ」

　エリカは好奇心いっぱいの表情で身を乗り出した。「誰？」

　パトリックは一瞬ためらった。「アンデシュ・ニルソン」

「そう、アンデシュだったの。でも、なんか、しっくりこないわね」

　パトリックは、それに賛成したかった。アンデシュを逮捕しても、繋ぎ合わせられない、ばらばらになった糸があまりにも多すぎるのだ。しかし、殺害現場で見つかった物的証拠と、被害者が殺害されたと推定される時刻の直前に彼が現場の家にいただけでなく、被害者が死体となった後も何度か侵入していたという目撃証言とによって、疑う余地はほとんどなかった。しかし、それでも……。

「うん、じゃ、もう終わったんだ。妙だわ。わたしは、もっとホッとするだろうと思ってたんだけど。それじゃ、わたしが見つけた新聞記事は？　ニルスの行方不明の記事だけど。アンデシュが殺人犯だったら、記事は事件とどう関係するんだろう？」

　パトリックは肩をすくめ、左右の手のひらを上に向けてお手上げの仕草をした。

「分からない、エリカ。分からないんだ。殺人事件とは何の関係もないのかもしれない。まったくの偶然かも。どっちにしろ、これ以上このことに鼻を突っ込む理由はないよ。アレクスは自分のいろいろな秘密を墓の中まで持っていったんだ」

「彼女の子供は？　アンデシュの子供？」

「誰にも分からないよ。アンデシュの子、ヘンリックの子……きみの推測もおれのと同じ、いい線いってるな。いったい何があの二人を結びつけたんだろう。不釣合いなカップルもいいとこだよな。確かに、連れ合い以外にもう一人いるってのは世間じゃ珍しくないだろうけど。それにしても、アレクサンドラ・ヴィークネルとアンデシュ・ニルソン？　あいつにベッドを共にする相手がいたなんて信じられないよ。それが、アレクサンドラ・ヴィークネル――超美人としか言いようがないような女とだもんな」

ほんの一瞬パトリックは、エリカの眉間に皺が一本できるのを見たような気がした。しかし、次の瞬間それは消えて、いつもの優しい、感じがいいエリカに戻っていた。思いすごしだろうか。エリカが何か言おうとして口を開けたそのとき、アイスクリーム宅配の〈ヘッムグラース〉の着メロが玄関ホールから聞こえてきた。パトリックもエリカもびくっとした。

「おれの携帯だ。ちょっと失礼」

取りそこねないように玄関に飛んでゆき、上着のポケットの中をごそごそ探して、携帯を取り出す。

「パトリック・ヘードストルム」

「……ええ……はい……分かりました。それじゃ振り出しに戻ったわけですね。はい、分かってます。そうですか、やつはそう言ったんですか。そんなこと誰にも分かりませんでしたよ。了解です、警視、失礼します」

彼は携帯電話をパタンと閉じて、エリカのほうに戻った。

「上着を着て。車で一回りしよう」

「どこへ？」

コーヒーカップを口許まで持っていったところで、エリカはいぶかるように彼を見た。

「アンデシュの周辺で新しい情報が出てきたんだ。あいつを容疑者リストから消さなきゃならないようなんだ」

「そう。でも、わたしたち、どこに行くの？」

「おれたち二人とも、何かしっくりこないと感じていた。きみはアレクスの家でニルスの行方不明の記事を見つけたし、あそこには、まだ見つけられるものがあるかもしれない」

「でも家の中は、もう調べたんじゃなかったの？」

「調べた。しかし、見つけるべきものを見つけたという確信はない。一つ試してみたいことがあるんだ。さあ、行こう」

パトリックはすでにドアを通って半分外に出ており、エリカは上着を引っかけて後を追うしかなかった。

その家はぼろぼろの小屋のように見えた。人間がこんな暮らし方ができるとは、彼女には信じがたかった。暗くて陰気な人生、こんな――貧しい――人生を耐えることができるとは。しかし世の中というものは、きっとこうなのだ。金持ちがいて貧乏人がいる。彼女は、自分が前者で、後のほうに入らなかった幸運に感謝した。彼女は貧乏人になるには適していなかった。ファーとダイヤモンドで身を包んでもらうために造られた彼女のような女性は。

彼女のノックに応えてドアを開けた女は、きっと一度も本物のダイヤなんて見たこともないだろう。全身が灰色で褐色だった。ネッリーは嫌悪を覚えながら、ヴェーラのけばだったカーディガンと荒れた手を見た。その手はカーディガンを胸元で合わせていた。ヴェーラは何も言わず、ただ戸口に立っている。ネッリーはまわりを見まわしてから、仕方なく言った。
「どうなの、わたくしを中に入れてくれるかい？ それとも、ここに一日中立っていろというの？ お互い、わたくしがここに来たことは、あまり人に知られたくないことだろう、どう？」

ヴェーラはあいかわらず一言も言わないままだが、腰を少しかがめて玄関の中に後ずさりしたので、ネッリーは入ることができた。
「話し合う必要があるね、わたくしとおまえは。違うかい？」

外ではいつも着けている手袋をエレガントに脱いで、ネッリーは嫌悪を覚えながら家の中を見まわす。玄関、居間、台所、小さな寝室一つ。ヴェーラは目を伏せてネッリーの後に従った。部屋は暗くて陰気だった。壁紙はすっかり古びていた。リノリウム製のマットを剝いで、下にある木面を表に出してやろうとする人間は、誰もいなかった。それは、この種の古い家屋ならばほとんどの人たちがしていたことだが。それでも、この家では何もかもが清潔で、きちんと片付いていた。部屋の隅にはチリ一つなかった。あるのはただ、床から天井まで、この家に充満している、人の気を滅入らせる絶望のみ。

ネッリーは、居間にある古い袖椅子のいちばん端に気をつけながら腰を下ろした。まるで自分のほうがこの家に住んでいる人間みたいに、ヴェーラに向かって手振りで、ソファに座れと指図した。ヴェーラは指図に従って、反対側の隅に腰を下ろした、静かに——膝の上で神経質そうに動く両手を別にすれば。

「わたくしとおまえがこれからもずっと黙っていることは、大事だよ。おまえ、分かってるね？」

ネッリーは命令口調だった。ヴェーラはうなずいたが、視線は膝に落としたままだ。

「ところで、今度アレクスに起きたこと、わたくしは決して気の毒になんか思っていない。あの娘にふさわしい結果になったんだ。おまえも同じ考えだと思うけど。あのアバズレは遅かれ早かれ、不幸な目に遭うはずだった。わたくしには、ずっと前から分かってたよ」

ヴェーラはネッリーの言い方に反応して、さっと彼女を見上げた。それでもあいかわらず一言も口をきかない。ネッリーは、体の中に自分自身の意思というものを持っているようには見えない、このみすぼらしい陰気な人間に対して一種の軽蔑を覚えた。まさしく、頭《こうべ》を垂れた労働者階級。違うふうになってほしいと思っているわけではないが、それでも、社会的身分、品格を持たない人間どもに対して軽蔑を覚えるのは、どうしようもなかった。何にもまして彼女をいら立たせるのは、自分がヴェーラ・ニルソン次第の存在になっているということだ。しかし、金などいくらかかっても構うものか。彼女は是が非でもヴェーラの沈黙を確保しなければならなかった。ことは以前はうまくいったし、またふたたびうまくいかなければならない。

「ああいうふうになってしまったのは、運が悪かった。でも今は、わたくしたちが早まったことをしないことが、大事なんだよ。これからも、どんなこともこれまでどおりにしなくては。わたしたちは過去を変えることはできないし、古い話を蒸し返す理由もない」

ネッリーはハンドバッグを開けて白い封筒を取り出し、テーブルの上に置いた。

「これはほんの少しだけど、家計の足しにして。さあ、受け取りなさい」

ネッリーは封筒を押し出した。ヴェーラはそれを取り上げないで、ただ見ている。

「アンデシュがあんなふうになってしまったのは、気の毒だよ。でも、今度のことはアンデシュにとって、起きたかもしれないことの中ではいちばん良いことだったかもね。刑務所の中なら、あまりアルコールは手に入らないだろうから」

即座にネッリーは、一線を越えてしまったことを悟った。ヴェーラはソファからゆっくりと立ち上がり、震える指でドアのほうを指した。

「出ていけ!」

「まあ、後生だから、ヴェーラや、そんなふうには……」

「この家から出ていけ!　アンデシュを刑務所なんかに入れるもんか。いまいましいクソ婆め、おまえの薄汚れた金を持って、とっとと地獄に落ちるがいい!　おまえがどういう出なのか分かってるんだぞ。それを隠すのにどれだけ香水をぶっかけたって無駄だ。そんなことしたって、クソの臭いは分かるもんだ!」

ネッリーは、ヴェーラの目に浮かんだむき出しの憎悪を前にしてたじろぎ、引き下がった。

ヴェーラは両手を堅く握りしめ、背中をぴんと張って立ち、ネッリーの目をまっすぐ見すえている。長年抑えられていた怒りから全身が小刻みに、左右に揺れているようだ。彼女がそれまで見せていた服従はかけらもなく、ネッリーはひどく気詰まりに感じ始めていた。こんなに過剰反応しなくても！　ありのままを言っただけなのに。真実は少しぐらい我慢すべきだ。ネッリーはドアのほうへと急いだ。

「出ていけ、二度と来るな！」

ヴェーラはネッリーを、本当にあばら家から追い出した。そして勢いよくドアを閉める直前に、封筒も投げ出した。ネッリーは何とか体を曲げて拾い上げるしかなかった。五万クローナもの大金は、地べたに転がしたまま放っておけるものではない。隣人たちのカーテンが開いたらどんなに屈辱を感じるか分かっていても。文字どおり、砂利の中に這いつくばっていたのを見られてしまった。あの恩知らずめ！　まあ、あの女は、金が底をついて誰も清掃係に雇ってくれなければ、もう少し謙虚になるに決まっている。ローレンツ邸の仕事は、これで完全に失った。あの女の残りの仕事が徐々に減っていくようにするのも、大した手間ではないだろう。ネッリーは、ヴェーラと最終決着をつけるより先に、彼女が膝を屈して生活保護担当の役所に嘆願に行くようにしむけることに決めた。ネッリー・ローレンツを侮辱して、懲らしめを受けずにすむ人間など、一人もいないのだから。

水の中を歩いているような感じだった。留置場の板の寝台で一晩過ごしたあとなので、手足は重くなっていた。頭のほうは、アルコールが切れてしまって、ふわふわした木綿がいっぱい詰まっているみたいだ。アンデシュは自分のアパートに戻って、部屋を見まわしていた。床は、あたり一面おまわりのブーツの跡で汚れている。しかし、ことさら気にならなかった。隅っこに少し泥があるくらい、何ともない。

彼は冷蔵庫から、六缶パックのストロングビールを取り出して、居間のマットレスの上に転がって仰向けになった。マットレスに左肘をついて支えにして右手でビールを開け、息もつかず一気にぐびぐび自分の中に流し込み、缶の中身は最後の一滴まで呑み干した。それから缶は長い曲線を描いて居間の中を飛んでゆき、金属音を立てて反対側の隅の床に落ちた。極度に激しかった渇きがひとまず治まったので、手を頭の下に組んでマットレスに寝る。なんとなく天井を見やりながら、しばしの間、はるか昔の思い出に浸った。魂の平安をわずかながらも得られるのは、ただ過去を漂っているときだけだ。まだましなころの記憶に耽る、このような瞬間と瞬間との間で、痛みは断えず深くなりながら彼の心を切り裂いた。過去の出来事が、とても遠くに感じられると同時にとても近くに感じられることがあるなんて驚きだ。

彼の記憶の中では、太陽はいつも輝いていた。アスファルトは裸足に熱く、昼は海水浴をしていたためにいつも塩からかった。妙なことだが、夏以外はまったく何も思い出せなかった。どの冬も。どの曇天の日も。雨も。思い出すのは、青く澄みわたった空から降り注ぐ陽の光と、キラキラ輝く鏡のような海面を波立たせる微風だけ。

サマードレスを着たアレクス、それが脚にからみついている。カットするのを嫌がったので、ストレートの金髪が腰のあたりまで届いていた。時おり彼は、彼女の匂いをとても強く思い出すことがあった。その匂いを鼻孔に感じ、むずむずして懐かしさを掻き立てられる。イチゴ、塩水、ティモテ草のシャンプー。これが時おり、彼らが、気が変になってしまったかというほど夢中になって自転車競走をしたり、脚がもう言うことを聞かなくなるまで山登りをした時の、ちっとも不快ではない汗臭さと混じり合っていた。山登りをしたときにはヴェッテバリエット山の頂上で仰向けになった。足を海に向けて、手を腹の上に組んで。アレクスは彼らの真ん中に寝ていた。髪は広がるままにして、空を見ていた。滅多にない、かけがえのない時間。アレクスは、二人のそれぞれの片方の手を自分の手の中に握る。一瞬の間、彼らは別々の三人ではなくて、たった一人の人間になった。

　彼らは細心の注意を払って、自分たちがいっしょにいるのを誰にも見られないようにしていた。見られたら呪いの力はなくなってしまうし、かけられた魔法はもはや効《き》かなくなる。現実は、どんな犠牲を払っても遠ざけなければならなかった。現実は醜くて暗く、三人いっしょにいれば造り上げることのできた陽光降り注ぐ夢の世界とはまったく無縁だった。現実など、彼らは話題にもしなかった。その代わり日々は、たわいのない遊びと話題で満たされていた。真剣に受け止めなければならないものは、何一つなかった。このとき、彼らは自分たちが不死身、無敵で、特別だというふりができたのだ。彼らは、一人ひとりでは取るに足りない存在だった。しかしいっしょになれば、「三銃士」だった。

大人なんて、どうでもいい夢の中の生き物、つまり自分だけの世界の中を動きまわるにわか役者でしかなく、三人に対してまったく影響を及ぼさなかった。大人たちの口は動くが、音は発しなかった。大人たちは身振り手振りをし、しかめ面をするが、それらは何の意味ももたず、切り離されて、つくりもの、無意味なものに堕していた。

思い出に微笑んでいたアンデシュは、徐々にその深く浸っていた夢の状態から現実に引き戻されていった。尿意に急き立てられ、ふたたび不安な世界に舞い戻る。そして目の前に迫った問題を解決するために立ち上がった。

便器は、埃と汚れにまみれた鏡の下に置かれていた。膀胱を空っぽにすると、鏡に映った自分の姿に目がいった。そして、何年も経って初めて自分を、他人が見るような目で見た。髪は脂でぎとつき、もつれていた。顔は蒼白く、肌の色は病的で灰色がかっていた。長い年月、手入れをしないでいたために、前歯が二本欠けている。そのために、実年齢よりも二十歳も老けて見えた。

はっきりと意識しないまま、一つの決定がされた。もたつきながらジーパンのジッパーを上げる。次に何をすべきか分かっていた。台所に入ったとき、彼の目つきはしっかりしていた。引出しを探って大きな包丁を見つけ、それをズボンの脚にこすりつけて拭いた。それから居間に戻り、画を壁から順番に外しはじめる。長年にわたる仕事の成果である画を、一枚また一枚と下におろした。これまで壁に掛けていた作品は、自分が満足していたものだけだった。他の多くの作品は、彼の目から見て標準に達していなかったために破り捨てていた。

今、包丁は次から次へとカンバスを切り裂く。この作業を彼は心おだやかに確かな手つきで進め、最後には、画に描いてあるものが何だったのか見極めることができなくなるくらい、細長い布切れの山にしてしまった。画が描かれたカンバスを切り裂くのは、驚くほど骨が折れた。それが終わったときには、額に汗の玉が真珠のように浮かんでいた。部屋は色彩の戦場のようだった。作品を吊っていた紐は居間の床を覆い、額縁は歯の抜けた口蓋みたいに大口を開けていた。彼は満足げに周りを見まわした。


「ねえ、どうしてアレクスを殺したのはアンデシュじゃないって分かったの？」

「アンデシュと同じ階に住んでる女の子が、あいつが七時ちょっと前に帰宅したのを見てたんだ。それにアレクスは十五分すぎに母親と電話で話してる。そんな短い時間であいつが現場に戻れたはずはない。ということは、ダグマル・ペトレーンの目撃証言で明らかになったのは、アレクスがまだ生きていたときにアンデシュが訪ねたっていうことだけだ」

「それじゃ、浴室で見つかった指紋と足跡は？」

「あれは、あいつが彼女を殺した証拠にはならない。あいつが女が死んだ後にあの家にいたという証拠にしかならない。とにかく、それだけではこれ以上あいつを拘束しておけないんだ。メルバリは、また捕まえるって。まだ、アンデシュが殺したんだって自信をもって言い張るんだから。しかし、しばらくはあいつを釈放せざるを得なかった。そうしないと、警視が弁護士にこてんぱんに言い負かされることも、無くはないんだ。おれはずっと、何かしっくりこないと思っていた。これで確かになった。しかし完全にアンデシュへの疑いが晴れたわけでもない。いろんな疑問がいっぱいあるから、これからも調べなきゃならないはずだ」

「そのために、わたしたちはアレクスの家に向かってるわけね。いったい何を、あそこで見つけようっていうの?」とエリカは言った。

「実は、分かってないんだ。事件がどんなふうに起こったのか、もっとはっきり把握する必要があると感じてるだけだ」

「ビルギットが言ってたけど、アレクスは客があるので話す時間がなかったって。アンデシュでなかったら、誰だろ?」

「うん、まさにそれが問題なんだよ」

パトリックは、エリカにしてみるとスピードを出しすぎだった。そのため、エリカはドアの上にあるアシストグリップをしっかり握っていなければならなかった。彼はヨットクラブのクラブハウスそばの出口を見落としかけて、ぎりぎり最後の瞬間に右カーブを切ったが、そのために、すんでのとこで走ったままガードレールを引きずってしまうところだった。

「遅くなったら、あの家は無くなってしまうって思ってる?」

エリカは、蒼くなりながら微笑んだ。

「うっ、すまない。ちょっと熱くなってしまった」

それからは、ずっと法定内のスピードに落としていた。おかげでエリカはアレクスの家に到着する最後のころには、思い切ってアシストグリップから手を離しさえした。あいかわらず、彼がどうして自分を連れてきたがったのかよく理解できなかったが、有難く同意した。もしかしたら、本のために必要な情報を得られるかもしれない。

玄関ドアの外で、パトリックがばつが悪そうな表情を見せて立ち止まった。

「鍵を持ってなかったことを忘れてたよ。中に入れないな。メルバリは、部下が窓から侵入しようとして現行犯で捕まったら、喜ぶはずもないし」

エリカは大きなため息をつき、かがんでマットの下を触ってみた。そして皮肉っぽい笑みを浮かべながらパトリックに鍵を見せ、それからドアを開けて彼を先に入れる。

誰かがまたボイラーを使っていた。屋内の温度が外よりもずっと高くなっている。二人はコートを脱ぎ、二階に続く階段の手すりに掛けた。

「これからどうするの？」

エリカは腕組みをして、うながすようにパトリックを見た。

「アレクスは、母親と電話で話をした七時十五分をすぎてから、多量の催眠剤を飲んだ。何者かが侵入した痕跡はまったくない。ということは、十中八九、顔見知りが訪ねてきたことになる。ここに来てから催眠剤を飲ませるチャンスを見つけた人間だ。こいつがどのようにしてそのチャンスを見つけたか？　うん、二人はいっしょに食べるか飲むかしたに違いない」

パトリックは話しながら、居間の中を行ったり来たりした。エリカはソファに腰を下ろして興味深そうに、室内を往復する彼の足取りを観察していた。

「事実」と彼は、歩いている最中に、急に立ち止まって人差し指を上に向けた。「監察医は胃の残存物から、彼女が最後に何を食べたか教えてくれた。殺害があった晩、アレクサンドラが食べたものは、医者によれば、胃袋にはフィッシュグラタンとシードルが残っていた。ゴミの中にはフィンドゥス社のフィッシュグラタンの空き袋があったし、調理台の上にはシードルの空き瓶があった。これと胃の中身は一致してるみたいだ。ちょっと変なのは、冷蔵庫の中にものすごく大きな牛フィレ肉二枚が入っていたこと、それからオーブンの中にポテトグラタンがあったことだ。しかし、オーブンは点火されておらず、ポテトも生のままだった。さらに調理台の上には白ワインが一本あった。これは開いていて、すでに百五十ccなくなっていた。これは、おおよそグラス一杯分に相当する」

パトリックは親指と人差し指で、その量を示した。

「しかしアレクスの胃の残存物には、ワインはまったくなかった?」

エリカは関心を掻き立てられて両肘を膝の上にのせ、身を乗り出した。

「そう、そのとおり。妊娠していたので、ワインの代わりにシードルを飲んだんだ。問題は、いったい誰がワインを飲んだのかということになる」

「何か洗い物あった?」

「あった。フィッシュグラタンの残りが付いた皿一枚とフォーク一本とナイフ一本。それから流しの中にはグラスが二個あり、片方のグラスには指紋がいっぱい付いていた。アレクスの指紋だ。反対に、別のグラスには指紋が一つも付いていなかった」

彼は急に立ち止まって、エリカの真向かいにある安楽椅子に腰を下ろして、長い脚を前に投げ出し、手を腹の上に組んだ。

「それはつまり、誰かがグラスに付いた自分の指紋を拭き取ったってことね」

エリカは座っていただけでこう結論づけることができたので、自分は素晴らしく頭がいい気がした。パトリックのほうも礼儀をわきまえて、まるで彼女よりも先にそのことを考えつきもしなかったような顔をした。

「うん、そうだろうな。両方ともすでにすすがれていたため、どっちのグラスからも催眠剤の残りは見つからなかった。アレクスがシードルといっしょに飲んだ、というのがおれの推測だ」

「でも、キッチンに牛フィレ肉の豪華なディナーを二人分準備していたのだったら、どうして独りで、フィッシュグラタンを食べたのかしら」

「そう、それが問題なんだよ。どうして女性がごちそうを手つかずのまま残して、代わりに電子レンジでチンしなきゃならなかったのか？」

「二人のためのロマンチックなディナーを計画したけど、相手がやって来なかったため」

「おれの推理もそうなんだ。アレクスは待ち続けたが、最後には諦めて、冷蔵庫にあったものをレンジに放り込んだ。おれには分かるな。独りでステーキを食べるなんて空しいもんだ」

「アンデシュは実際ここを訪ねた。だから彼女が待っていたのは、あいつだってことはほぼあり得ない。子供の父親だろうか?」とパトリックが訊いた。

「うん、それがいちばんありそうなことだわね。まったく、なんて悲劇かしら! ここでアレクスは最高のディナーを準備して、ワインも冷やしてた。ひょっとしたら赤ちゃんができたお祝いをしようって思って。しかし、彼は来なかった。彼女はここで待ち続けた。問題は、代わりに来たのが誰かっていうことね?」

「アレクスが待っていた人物を容疑者リストから消すことはできない。予定よりもずっと遅れて来たという可能性だってあるんだ」

「そうね、本当ね。あー、まったくいらいらするわ! 壁に口を利かせることができたらな!」エリカは室内を見まわした。

とてもきれいな部屋だった。ま新しい感じだ。空気には、塗料の臭いが混じっている。壁の塗料はエリカのお気に入りの色の一つ、かすかにグレーがかったライトブルーだ。白い窓枠と家具がくっきり際立っている。穏やかな雰囲気が部屋の中に満ちており、おかげでエリカは頭をソファの背もたれに寄せて、目を閉じたくなった。そのソファはストックホルムのハウス社で見たことがあるが、エリカの収入ではただ夢に見るほかなかった。ソファは座面が盛り上がっていて大きくて、中身が溢れ出さんばかりに弾力がある。新品の家具がアンティーク家具と、かなり趣味よくミックスされていた。アンティークものは、イェーテボリの邸を改修作業中に見つけたのだろう。大部分は一七七〇―八〇年代のグスタヴ朝様式で、エリカがこの様式だと判断できたのはイケアのおかげだった。同社のほかならぬグスタヴ朝様式の新しい家具製品シリーズのうち二点ほど買おうとして、長い間無駄骨を折ってきたのだ。羨ましくて大きなため息が出たが、なぜ自分たちがここにいるのかを思い出したので、羨ましさは一瞬のうちにどこかに消えてしまった。

「じゃ、あなたが言ってることはつまり、彼女の知り合い、愛人か他の誰かがやって来て、いっしょに飲んで、その人がアレクスが飲んでいたシードルのグラスに催眠剤を入れたってことね」とエリカが言った。

「うん、それがいちばんありそうなシナリオだ」

「じゃ、そのあとは？　それから何が起きたと思うの。どうして彼女は、最後は浴槽の中に入ってたわけ？」

エリカは体をソファにぐっと押しつけて、大胆にも両脚をローテーブルの上にのせた。このソファを買うために節約しなくっちゃ！　両親の家を売ったら自分の欲しいどんな家具でも買う余裕ができるという考えが、一瞬彼女の頭をよぎったのだ。しかしすぐに払いのけた。

「犯人はアレクスが眠るまで待って、裸にして浴室まで引きずっていったんじゃないかな」

「どうして犯人は浴室まで、負ぶっていったんじゃないと思うわけ？」

「解剖報告書の内容によると、左右のかかとにこすった痕、それから左右の腕の下に青あざができていた」

パトリックは背をまっすぐに伸ばして安楽椅子に座り直し、懇願するようにエリカを見た。

「一つテストさせてもらえないかな？」

エリカは疑わしげに答える。「何をテストしたいかによるわよ」

「被害者の役をしてもらいたいと思ってさ」

「まあ、ありがと。そんな役をやれるほど、わたしに役者としての才能があると思ってるわけ?」エリカは声を上げて笑い、願いを叶えてあげようと立ち上がった。

「違う、違う。座って。おそらくこうだったと思う。アレクスたちはここに座っていて、それから、アレクスはソファで眠ってしまった。だから、横になって、つまり死んだ塊になってもらえたら、有難いんだけど」

エリカはぶつぶつ不平を言いながらも、精いっぱい、意識を失くした人間の塊になった。パトリックがエリカを引っ張り始めたとき、彼女は片目を開けて言った。

「わたしも裸にしようなんて、思ってないといいんだけど」

「まさか、絶対ない。そんなこと、おれはしない、しようなんて思ってない、つまり……」

パトリックは口ごもり、赤くなった。

「冗談よ。殺害を続けて」

最初にローテーブルを少し押しやってから、エリカは床に引きずり下ろされた。パトリックはまず、エリカの両手首を引っ張り始めた。しかし、それがあまりうまくいかなかったので、代わりに彼女の脇の下を持って浴室のほうに引っ張る。そのとき急にエリカは自分の体重をひどく意識した。パトリックはエリカのことを五百キロはあると思ったはずだ。少しでも軽くなるように、自分から体を押し出してごまかそうとしたが、パトリックに叱られてしまった。あーあ、どうしてこの数週間、ウェイト・ウォッチャーズのダイエットをきちんと守らなかったんだろう。でも、正直言えば、ダイエットをしようという気はさらさらなくて、むしろ、食べ物に慰めを見いだしていたので、ほとんど食べ放題だったのだ。そのあげく、パトリックがエリカを引っ張ったとき、セーターがずり上がりベルトからは、具実を暴露する脂肪の塊が今にもこぼれ出そうになった。深呼吸をしてお腹を引っ込めようとしたが、それも一瞬のことで、息を吐き出すと元通りになってしまった。

浴室のタイル張りの床は背中に冷たくて、思わず震えがきた。しかし、震えは冷気だけが原因ではなかった。パトリックはエリカを浴槽のところまで引っ張ってくると、そっと下ろした。

「うん、かなりうまくいった。重かったけど、できなくはないな。アレクスはきみよりも軽かったし」

大きなお世話、とエリカは転がったまま心の中で毒づいた。目につかないように、セーターをお腹の上に引き下ろそうともがく。

「あと犯人は、彼女を持ち上げて浴槽に入れればよかったんだ」

そしてエリカの脚を持ち上げようとしたが、エリカは起き上がって、体から埃を払った。

「いいえ、もう十分よ！　青あざも、今日はこれ以上は嫌。アレクスが寝かされてた浴槽には絶対入らないから。これだけは譲れない！」

パトリックはしぶしぶ彼女の抗議を受け入れた。二人は浴室を出て、居間に戻る。

「犯人がアレクスを浴槽に入れてしまった後は簡単で、水を出して、それから安全カミソリで両手首を一回ずつ切った。カミソリは、浴室のキャビネットの中の袋に入っていたものを使った。それから犯人は、ただ後片付けをすればよかった——グラスを洗うことと指紋を拭き取ること。その間浴室では、アレクスが血を流しながらゆっくり死んでいった。血も涙もない手口だ」

「それからボイラー。これは彼女がフィエルバッカに着いたときにはもう止まってた？」

「うん、そうみたいだ。これは、おれたちにはラッキーだったんだ。遺体が室温の中にまる一週間も放置されたら、遺体から証拠を取り出すのは、うんと難しくなってた。たとえばアンデシュの指紋は、おそらく取れなかった」

エリカは身震いした。死体から指紋を採取することを考えるなんて、彼女の感覚からすると少しばかり気味が悪すぎた。

二人はいっしょに、家の残りの部分を見てまわった。エリカは時間をかけてかなり入念に、アレクスとヘンリック夫婦の寝室を調べた。それは、この前の訪問があんなふうに中断されたからだ。それでも、さらに何かを見つけることはできなかった。何かが欠けているという感じはあいかわらず消えなくて、それが何なのか思い出せないために、死ぬほどいらついた。それで、パトリックに話してみることにした。するとパトリックもまた、エリカと同じくらいいらついていた。さらにエリカは侵入者と、クローゼットに隠れていなければならなかった状況について語った。パトリックがかなり不安そうな顔をしたのを見て、エリカは満足した。

パトリックは深いため息をつきながら、天蓋のある大きなベッドの端に座って、エリカが記憶の中で探しているのは何なのか、見つける手伝いをしようと言った。「そいつは、小さなもの、大きなもの？」

「分からないわ。でも、おそらく小さなもの。でなかったら、わたし気づいているはずでしょ？　たとえばこのベッドが消えてしまってたら、気づいたはずよ」

エリカは笑って、ベッドの彼のそばに腰かけた。

「しかし場所は？　部屋のどこにあったんだ？　ドアのそば？　ベッドのところか？　机の上？」

パトリックは、アレクスのナイトテーブルの上で見つけた革の切れ端をいじくり回していた。それは会員証の類のようで、子供っぽい字で革に刻みつけられた銘だった――「D.T. M.1976.」裏返してみると、色の薄れた染みがいくつか付いていて、それは乾いた古い血のように見えた。これはどこからきたのだろう。

「それも分からないわ。知ってたら、ここで髪の毛を掻きむしったりしてないでしょ」

エリカはパトリックの横顔をこっそり盗み見した。素晴らしく長くて黒いまつ毛。不精髭も完璧だ。細かい粒々のサンドペーパーみたいな肌触りだろうし、短いのでチクチクしないはずだ。肌に触れたら、どんな感じがするだろう。

「どうした？　おれの顔に何かくっついてるか？」

パトリックは不安そうに口のまわりを拭いた。エリカは、見とれていたことがばれてしまったことに気づいて、慌てて目をそらす。

「何にも。小さいチョコレートかす。でも、もうとれたわ」

それから一瞬の沈黙。

「うーん、どうかな。今はもうこれ以上は無理じゃない？」とうとうエリカが言った。

「そうだな。でも、探してるものが何なのか思い出したら、すぐに電話をくれよ。誰かがここに取りに来るほど重要なものだったら、捜査にも重要なものに違いない」

二人はしっかり鍵を締め、エリカが鍵をマットの下のいつもの場所に戻した。

「車で送ろうか」

「いいわ、パトリック。歩いていきたいの」

「そうか。それじゃ、明日の晩また会おう」

足をドタバタ右に、左に踏みつけながら、パトリックは間抜けな十五歳の若者になったような気がしていた。

「うん、八時にどうぞ。お腹すかして来てよ」

「やってみる。でも、約束できないな。今のところ、腹がまた減るなんてなさそうな感じだ」とパトリックは、腹をぽんぽん叩きながら笑い、通りの向こう側にあるダグマル・ペトレーンの家のほうにうなずいてみせた。

パトリックが愛車のボルボで去っていく間、エリカは微笑みながらずっと手を振っていた。

明日への期待がもう胸のあたりでうずいている——不安、心配、そして全くの恐怖と入り混じりながら。

エリカは我が家に向かって歩き出した。しかし、ほんの数メートル進んだところで急に立ち止まる。ある考えがどこからともなく浮かんできたのだ。打ち消す前にどうしても試してみなければならない気がした。決然とした足取りでアレクスの家に戻っていき、マットの下から鍵を取り出し、靴を蹴って雪をすっかり落としてから、また家の中に入った。

ロマンチックなディナーに姿を現さない男性を待っている女性は、どうするか？　もちろん、相手に電話をかけるはず！　エリカは、アレクスが最新流行のアンティーク電話器を好んでいたり、旧式のものを使ったりしていませんように、と祈った。ラッキー！　新品のドーロ社のコードレス電話が台所の壁に掛かっている。アレクスの死後は誰もこの電話を使っていませんようにと祈りながら、震える指で、最後にかけた番号を示すボタンを押した。

呼び出し音が何度も続いた。七回鳴って受話器を置きかけたが、とうとう留守電のメッセージが流れてきた。メッセージを聞いて、ピーッという音が聞こえないうちに電話を切った。血の気が引いていくのが分かった。ゆっくりと、受話器を置く。どうしても嵌《はま》らなかったパズルのピースが、ぱちんと嵌る音を聞いたような気がした。このとき突然、エリカには二階の寝室から消えていたものが何か分かったのだ。

メルバリのはらわたは怒りで煮えくり返っていた。彼は復讐《ふくしゅう》の権化となってターヌムスへーデ警察署内をうろつき回り、署員たちは、できることならデスクの下に隠れて難を避けたかった。しかしみんな大人なので、そんなことはせず、そのため反吐が出るような罵り、小言、そして悪態を、まる一日耐え忍ぶ羽目になった。アンニカがいちばんひどく打ちのめされ、その結果、メルバリが署の指揮を執ってきたこの数カ月間に打たれ強くなっていたにもかかわらず、実に久しぶりに目から涙がこぼれそうになった。四時ごろには我慢も限界に達した。職場を飛び出し、生協《コープ》に寄って、アイスクリームの大きなバスケットを買って帰り、『グラマーTV』（女性専用番組放送）にチャンネルを合わせ、涙の玉がチョコレートアイスの上に転がり落ちるままにしていた。この日は、そんな一日だった。

メルバリは、アンデシュ・ニルソンを釈放せざるを得なかったために、怒りのあまり変になりそうだった。メルバリは、アンデシュがアレクス・ヴィークネル殺害のホシだと体の隅々で感じていた。やつと二人きりになる時間をもう少し作れさえしていたら、真実を吐かせることができたはずだ。しかし、そうはならず、テレビでメロドラマ『二つの世界』の開始直前にやつが帰宅するのを見たという忌々しい証人のために、アンデシュを釈放せざるを得なかった。それで、やつは七時には自分のアパートにいたとされた。アレクスのほうは七時十五分過ぎに母親のビルギットと電話で話していた。忌々しいったらありゃしねえ！

それからあの若い警官、パトリック・ヘードストルムだ。女を殺《や》ったのはアンデシュ・ニルソンとは別人だとするいろんなヨタ話をおれの頭にぶち込もうとしてやがる。ったく、あいつぁ、いったい警察で何年働いてるんだ、何にも学んでないじゃないか。普通、すべてのことは見た目どおりなんだ。隠された動機、込み入った計画なんてものはない。存在するのは、立派な市民を不安に陥れるくそったれどもだけだ。くそったれを見つけろ、そうすれば犯人も見つかる。これが、おれの人生のモットーだ。

彼はパトリック・ヘードストルムの携帯電話の番号を押した。

「一体どこにいるんだ?」礼儀をわきまえた言葉遣いなど、ここでは無用だ。「どこでへそのカスをほじくってるんだ、ん? 署にいるおれたちは仕事をやってるんだぞ。残業してな。おまえになじみの現象かどうかは知らないけどな。知らなかったら、おれが叩き込んでやる。おまえは自分でその心配をしなくてもいい。とにかく、おれがいるここではな」

あの若造にちょっとプレッシャーをかけることができて、みぞおちのあたりが少し楽になった気がした。ああいう連中は手綱をしぼってやらないと、すぐにつけ上がる。

「これから、アンデシュ・ニルソンが七時ごろ自宅にいたと証言したやつと話をしてきてくれ。その女にプレッシャーをかけろ、ちょっと腕をねじって、何でも聞き出せ、すぐ行け!」

「……そうだ、今すぐだ!」

彼は受話器を叩きつけた。他の連中に面倒な仕事を指示できる地位にいる自分に満足しながら。突然、人生がぱっと明るくなったように感じられた。メルバリは椅子にふんぞり返り、デスクのいちばん上の引出しを開け、チョコボールの袋を取り出した。ソーセージに似た、短い指で一個取り出し、嬉しそうに丸ごと口に入れる。それを嚙み終わると、もう一個取った。彼のように懸命に働く人間には、燃料が要るのだ。

パトリックは、メルバリが電話をかけたときにはすでに、グレッベスタ経由でターヌムスヘーデへと方向を変えてしまっていた。彼は引き返すためフィエルバッカ・ゴルフ場のアプローチに乗り入れ、車の向きを変えた。深いため息をつく。午後も遅くなり、署ですべきことも山ほどある。フィエルバッカにあんなに長くいるべきではなかったのだが、エリカとのひとときに、強く惹きつけられてしまった。磁場に吸い込まれるような感じで、身を引き離すには、体力も気力もうんと必要だった。また深いため息。片思いで終わるだろう。それも、悲惨な。カーリンと別れた後の危機を何とか乗り越えてからまだそんなに経っていない。なのに、もう時速一二〇キロのスピードで新たな痛みに突き進んでいる。自己破滅型だ。離婚の成立には一年かかった。幾夜も、テレビの前で『ウォーカー』や『テキサス・レンジャーズ』や『ミッション・インポッシブル』のような傑作シリーズを見るともなく見つめて過ごした。ダブルベッドに独りで身をよじりながら、カーリンが他の男とベッドの中にいる光景がくだらないメロドラマのように目の前にちらついては過ぎていくのに比べれば、テレビショッピングでさえ、まだましな選択肢だという感じがしていた。それでも、最初カーリンに感じた魅力は、今エリカに感じている魅力に比べたらゼロに等しい。それだけに、今度失敗したらその打撃はいっそう深刻になるんじゃないかと、理性が意地悪く囁いた。

フィエルバッカの町の手前にある狭いカーブを、パトリックはいつものようにかなりのスピードで進んだ。今度の事件は彼をいらだたせ始めていた。そのフラストレーションを車にぶつけていたが、そのせいで、古いサイロがかつてあった場所に続く丘の手前にある最後のカーブを曲がったときに、彼は間違いなく人命を危険にさらしてしまった。サイロは取り壊されていて、跡地には昔風に設計された家とボートハウスが何軒か立っていた。家の売価は一戸あたり二百万クローナ台だが、彼はいつも、一体どれほどの金の余裕があったら、そんな値段で夏の別荘を買えるものだろうかと、売り値の高さに驚かずにはいられなかった。

オートバイが一台、どこからともなくカーブに飛び出してきたので、パトリックは慌ててハンドルを切った。心臓が早鐘を打っている、ブレーキを踏んで法定以下のスピードに落とした。危うく大事故になるところだった。バックミラーを覗き、バイクがあいかわらず走り続けているのを確かめる。

パトリックはその道を直進してミニゴルフ場を過ぎ、ガソリンスタンドそばの交差点を左折して賃貸住宅のほうに入っていった。改めて、なんとも恐ろしく醜悪な住宅だなと思いながら。フィエルバッカ南インター近くに、まるで放置された四角いブロックのように立っている褐色と白の一九六〇年代の家々。その設計図を描いた建築家は何を考えていたのだろう。できうる限り醜悪な住宅を建てる実験をしたのだろうか。それとも、ただ無頓着なだけだったのか。おそらくこの住宅は六〇年代の住宅百万戸計画熱――「万人に住まいを」の結果だろう。「万人に美しい住まいを」と、長文のスローガンにしなかったことが問題だ。

彼は駐車場に車を停め、一階入り口に入っていった。五号棟。アンデシュの使っている入り口だが、さらに目撃者イェンニ・ロセーンの入り口でもある。二人とも三階に住んでいる。目指す階に上がってきたときパトリックは息を切らしながら、近ごろはすっかり運動不足かつパン菓子類の食べすぎだったことを思い出していた。それまでエクササイズの鬼だったわけではないが、それでも、これほどひどかったことは以前は一度もなかった。

パトリックはアンデシュのドアの外で一瞬立ち止まり、耳を澄ました。もの音一つ聞こえない。留守にしているか、酔いつぶれて寝ているかだろう。

イェンニのドアは階段を上って右横にあり、アンデシュの真向かいだった。彼女は普通の表札ではなく木製のオリジナル表札を掛けていた。それには、飾り文字で〈イェンニ&マックス・ロセーン〉という名前が書かれてあり、縁はバラ飾りで囲まれていた。ということは、彼女は結婚しているらしい。

イェンニが自分の目撃情報を警察署に電話してきたのは今朝のことだったが、パトリックは彼女が今も家にいてくれるように願っていた。昨日、自分たちがこの階段を使う全世帯のドアをノックした時には、イェンニは留守だった。しかし名刺を置いて、帰宅したら署に電話をしてくれるように頼んでおいた。そのために、アレクスが死んだ金曜日夜のアンデシュ帰宅に関するイェンニの情報は、ようやく今日になって得られたのだった。

チャイムの音が部屋の中で響き、すぐ子供の金切り声が続いた。玄関で足音がして、誰かがドアののぞき穴から見ているのが分かった、というよりもそんな気がした。チェーンが外れて、ドアが開く。

「はい？」

開けたのは、一歳《ひとつ》ぐらいの子供を連れた女性だった。とても細くて、髪を金髪に染めていた。頭髪の付け根の色から判断すると、地毛はダークブラウンだろう。栗色の瞳もそのことを裏付けていた。化粧っけはなく、疲れている様子だ。膝が抜けたくたくたのジョギングパンツと、胸に大きなアディダスのロゴがプリントされたTシャツを着ている。

「イェンニ・ロセーンさん？」

「はい、あたしだけど。何なの？」

「わたしはパトリック・ヘードストルムといいます。警察の者です。あなたが今朝署に電話を下さった情報について少しお話をうかがいたいのですが」

彼は低い声で言った。向かいの部屋には聞こえないように。

「入って」

彼女は脇に退《の》いて、パトリックを中に入れた。

アパートは小さなワンルームだった。そして、パトリックはここには男は住んでいないと確信した。少なくとも一歳以上の男は。室内はピンク一色だった。すべてがピンクだ。カーペット、テーブルクロス、カーテン、ランプ、全部。さらにバラ結びがお気に入りのモチーフらしく、ランプやろうそく立てなどあちらこちらに、うるさいほど沢山付いている。壁には、部屋の住人のロマンチックな性格をさらに強調する画が掛かっていた。柔和な女性の顔と、羽ばたいている小鳥。泣いている子供を描いた画も一枚、ベッドの上に掛かっている。

二人は白のレザーソファに座った。有難いことにイェンニはパトリックにコーヒーを出さなかった。今日はもうたっぷりすぎるくらい飲んだから。彼女は子供を膝に座らせたが、子供は母親の手をすり抜けようと体をくねらせていたので、床に下ろされ、まだおぼつかない脚でよちよち歩きまわった。

パトリックは、彼女が若いことに驚いた。きっとまだ十代だろう。十八歳ぐらいかもしれない。しかし、まだ二十歳にならないうちに子供を一人や二人持つことは、ここみたいに小さな町では例外的なことではないと承知していた。イェンニが子供をマックスと呼んだので、パトリックは、父親はこの母子といっしょに住んでいないと結論づけた。これもまた、例外ではなかった。十代の男女関係はしばしば、赤ん坊がらみの試練をうまく乗り越えることができないものだから。

彼はメモ帳を取り出した。

「つまり、先々週の金曜日、二十五日の金曜日だったんですね、あなたがアンデシュ・ニルソンが七時ごろに帰宅するのを目撃したのは？　七時だとはっきり言い切れるのは、どうしてですか」

「あたし、テレビで『二つの世界』はぜったい見逃さないの。あれは七時に始まるんだけど、始まるちょっと前に、部屋の外で誰かがすごい騒いでいるのが聞こえたんだ。珍しいなんて、言えないけどさ。アンデシュのところじゃ、いっつも、ものすごく賑やかだから。おっさんの呑み仲間がさ、夜昼の区別なく出入りしてさ、時たま警察の出動もあったりするし。とにかくあたし、ドアまで行ってのぞき穴から確かめたんだ。そしたら、おっさんが見えた。めっちゃくちゃ酔っ払っていながらも、ドアを開けようとしてた。でも、おっさんがうまく開けるには、鍵穴は一メートルくらいどでかくないと駄目な感じだった。それでも、やっと開けて、中に入った。その時『二つの世界』のオープニングが聞こえてきて、あたし、テレビまですっ飛んでったわけ」

イェンニは落ち着かない様子で長い髪を一房噛んでいた。爪がすっかり噛み切られていることにパトリックは気づいた。けばけばしいピンクのマニキュアが残りの部分にほんの少しずつついている。

マックスはよちよち歩きながらローテーブルをまわってパトリックのほうへやって来て、ズボンをつかんで勝ち誇った表情を見せた。

「あっこ、あっこ、あっこ！」と繰り返す。パトリックは尋ねるようにイェンニを見た。

「だっこしてやって。あんたのこと好きみたい」

パトリックはぎこちなく男の子を抱いて膝にのせ、おもちゃに自分の鍵束を渡した。すると、子供は顔を太陽のようにキラキラ輝かせた。そしてパトリックに向かって、小さい米粒みたいな二本の前歯を見せて、にっこり笑った。パトリックのほうも微笑みを返した。胸が少しうずく。事情が違っていたら、彼も今ごろはもうこれくらいの息子を膝にのせていたかもしれない。パトリックはおそるおそるマックスのふさふさした頭を撫でた。

「いくつ？」

「十一カ月。ちっとも休ませてくれないんだよ」

イェンニの顔は、自分の息子を見ると愛しさで明るく輝いた。疲労の色が濃かったので気づかなかったが、パトリックは、彼女が実はとても可愛い娘だと分かった。パトリックには、この年齢でシングルマザーであることがどれだけ大変なものか、想像さえつかなかった。外出して仲間たちと人生を謳歌していて当たりまえの年ごろ。しかし、そうしないで毎晩、オムツや家事と格闘している。彼女のストレスを物語るように、イェンニはローテーブルの上にあった箱からシガレットを一本抜いて火を点けた。そして、旨そうに深く一服吸い、問いかけるような目つきでパトリックのほうに箱を差し出した。パトリックは頭を横に振った。小さな子供のいる部屋でタバコを吸うことについて、自分なりのはっきりした考えを持っていたから。しかし、これは彼女の問題であって、パトリックの関知するところではない。個人的には、タバコのように嫌な臭いがするものをどうしたら吸い込めるのか、理解できなかったが。

「アンデシュは帰宅した後、また出かけたってことはないかな？」

「ここの壁はすっごい薄いから、廊下でピン一本落ちても聞こえるくらいなんだ。ここに住んでる連中はみんな、出入りする人間を——そして時刻も——完全にチェックできるよ。自信満々で言える、アンデシュはそれからはずっと家にいた、出かけたりしてない」

パトリックは、それ以上聞き出すのは無理だと悟った。そして、好奇心から尋ねた。「アンデシュが人殺しの疑いをかけられてるって聞いた瞬間、どう思った？」

「ありえなーい、って」

彼女はまた深く一服吸って煙を吐き出し、今度は輪に吹いていた。パトリックは受動喫煙のリスクについて一席ぶちそうになったが、抑えた。膝の上ではマックスが夢中になって鍵束を吸っていた。小さくてまるまるとした手の間にはさんで、ときどき、この素晴らしいおもちゃを貸してくれたことに感謝するように、パトリックを見上げた。

イェンニが言葉を続ける。「確かにアンデシュはすっかりイワレてるけどさ、人を殺せるはずないよ。おっさんはちゃんとしてたよ。ときどきうちのチャイムを鳴らして、タバコを貸してくれって頼むことはあったけど。素面《しらふ》でも酔ってても、おっさんはいつもちゃんとしてた。あたし、これまで買い物に出かけてる間マックスの子守りをしてもらったことだって何回かあるんだよ。といっても、おっさんが完全に素面のときだけだけど。それ以外の時は、一回も頼んでないけどね」

彼女は、吸い殻が溢れそうになっている灰皿にタバコを押しつけて消した。

「この辺の呑んだくれたちに悪いやつなんていないよ。人生をすっかり酒に流してしまった不幸せなアホばっか。あの連中が傷つけるのは、おのれだけ」

彼女は頭を振って顔から髪の毛を払いのけてから、またタバコの箱を取ろうと体を伸ばした。指はニコチンで黄色くなっている。二本目のタバコも、一本目に劣らず彼女にとってはたまらなく旨いのだ。パトリックは、少し煙を吸いすぎたと感じたし、これ以上イェンニから役に立つ情報は得られないとも思った。マックスを膝から抱き上げ、イェンニに渡そうとすると、マックスが抵抗した。

「ご協力に感謝します。またお邪魔することになるはずです」

「うん、あたし、いつでもいるから。どこにも行かないから」

灰皿の中でくすぶっていたタバコの煙が流れてきたので、マックスは煙たそうに目をしばたたいた。そして、あいかわらず鍵を噛みながら、自分から取れるもんだったら取ってみろと、挑むようにパトリックを睨んでいる。どうしても鍵が必要なパトリックは、そっと引っ張った。ところが米粒の歯は、驚くほど強かった。そのうえ、この時までに鍵束はすっかり涎《よだれ》だらけになっていて、ちゃんと掴むことも難しかった。彼は試すように、もう少し強く引っ張った。するとマックスから、怒りのうなり声が返ってきた。こんな状況に慣れっこのイェンニが鍵束を強く引っ張って、パトリックに渡す。マックスは声を張り上げて不満を訴えた。パトリックは鍵束を親指と人差し指で挟んで、そっとズボンで拭いてから、また尻のポケットに入れた。

イェンニと泣き咆えるマックスが、ドアまで見送ってくれた。ドアが閉まる前にパトリックが最後に目にしたものは、赤ん坊の丸い頬を転がり落ちる大きな涙だった。彼の胸の奥が、またうずき始めた。


その家は彼にとって、今は大きすぎた。ヘンリックは部屋から部屋へと歩いていった。家の中の何もかもが、アレクサンドラを思い出させる。家の一センチ、一センチを彼女は護り愛していた。ときどきヘンリックは、アレクスが彼と結婚したのは家のためではないかとさえ思ったものだ。この家に連れてきた時からだった、二人の関係が真剣なものになったのは。ヘンリックのほうは、留学先の大学が外国人学生のために開いた交流会で初めてアレクスを見かけた時から本気だった。長身で金髪、近づきがたいオーラを放っていたアレクスに、人生で初めてというくらいヘンリックは夢中になった。アレクスほど自分のものにしたいと熱望したものは、それまでなかった。そして、欲しいと思ったものは手に入れるのが彼の常だった。

両親は自分の人生に追われて、息子の人生のために費やすエネルギーを持っていなかった。仕事に奪《と》られていない時間は、社交イベントに奪られていた。慈善ダンスパーティー、カクテルパーティー、ビジネス界の知人たちとのディナー。ヘンリックは、子守りと大人しく留守番をしなければならなかった。彼が母親のことでいちばん覚えているのは、これから向かう派手なパーティーにもう気持ちが飛んでいってしまっている母親が、〝いってきます〟のキスをしてくれたときしていた香水の匂いだった。埋め合わせとして、ヘンリックはただ何かを指差せば、それを手に入れられた。物質的なものは何一つ拒まれなかったが、それはまるで、かまってほしいと願っている犬がうわの空の飼い主に耳の裏をかいてもらうようなものだった。

それゆえにアレクスは、ヘンリックがねだるだけでは手に入れられなかった人生最初のものとなった。彼女は近づきがたくて愛想もなく、それゆえに実に魅力的だった。彼は執拗に、そして熱烈にプロポーズを繰り返した。バラの花、ディナー、プレゼント、そしてお世辞。どんな労苦も惜しまなかった。そうしているうちに、彼女はしぶしぶプロポーズに応じ、親密な関係を許した。嫌々ながら、というわけでもなかったが――ヘンリックはアレクスに無理強いすることなどできなかった――関心があるという感じでもなかった。ところが、アレクスが二人の関係に積極的になり出したのは、ヘンリックが最初の夏にアレクスをイェーテボリに連れ帰って、このセールーの邸に足を踏み入れた時からだった。彼女がそれまでなかった熱烈さで彼の抱擁に応えてくれたので、ヘンリックは生まれて初めてというくらい幸せを感じた。知り合ってわずか二カ月ほどしか経っていなかったその夏、二人はスウェーデンで結婚した。そしてフランスに戻って大学で最後の一年と試験をすませてから、セールーの邸に戻って、それ以後ずっと住み続けてきたのだ。

思い返してみると、アレクスが本当に幸せそうだったのは、この邸に手を入れていたころだけだったのではないだろうか。ヘンリックは書斎の大きなチェスターフィールド・アームチェアに腰かけて頭を反らし、目を閉じた。アレクスの姿が古い8ミリフィルムの映像のように、明るくなったり暗くなったりしながら流れ過ぎていく。革張りの椅子のひんやりとした感触と弾力を手のひらに感じながら、人差し指で、古くなってできたひび割れの曲線をたどっていく。

ヘンリックがいちばん思い出すのは、アレクスのさまざまな笑顔だった。この家のために探していたそのものずばりの家具を見つけたとき、あるいは小刀で壁紙を切り取ってその下に保存状態の良い古い、元々の壁紙を見つけたとき、彼女は本当に輝くような会心の笑みを浮かべた。ヘンリックがアレクスのうなじにキスをしたり、頬を愛撫したり、あるいはアレクスをどれだけ愛しているか囁いた時も彼女は微笑んだ――時おり。ほんの時おり、いつもではなかった。そんなときの微笑を、ヘンリックは次第に嫌いになっていった。それは打ち解けない、うわの空の、冷ややかな微笑だった。そして、笑った後はいつもそっぽを向いてしまう。ヘンリックには、アレクスの心の中で秘密が小さな蛇のようにのたくっているのが、分かった。

ヘンリックは一度も尋ねたことはなかった。それはまったくの臆病心からだった。彼は連鎖反応の口火を切ることを恐れていた――その帰結を受け止める心の準備ができていなかった。それより、アレクスを完全に自分のものにできる日がいつかは来るという希望を抱きながら、少なくともその体を自分のそばに置いておくほうが良かった。少なくともアレクスの一部は絶対に自分の手元にあると確信するために、すべてを手に入れるのを諦めることもできた。アレクスのかけら一つで十分だった。それほどまでに、彼女を愛していた。

彼は書斎を眺めまわす。壁一面を覆っている、彼女がイェーテボリの古書店で探し出した本は、ただの飾りだった。大学で使った教科書を除けば、本を読んでいるアレクスを見た記憶はない。たぶん自分自身の痛みだけで十分で、他人の痛みなど読む必要はなかったのだ。

ヘンリックが最も認めがたいものは、子供のことだ。彼が子供のことを口にしたとたん、アレクスは激しく首を振ったものだ。今のような世の中では子供は産みたくない、とアレクスは言っていた。

男がいることは分かっていた。ヘンリックは、アレクスが独りになるためだけにあんなに熱心に毎週末フィエルバッカに出かけていたのではないことは承知していたが、それに耐えることはできた。さらには、二人の夫婦生活は一年以上も前から無くなっていた。これにも耐えることはできた。さらには、アレクスの死にも耐えて生きることもできるようになるだろう、時が経てば。彼が耐えられないのは、アレクスが他の男の子供は身ごもったのに、彼自身の子供は身ごもりたがらなかったことだ。このことが、彼を夜な夜な苦しめた。汗をかきながら右、左にと寝返りを打ち、上下のシーツに挟まれて身をよじって、一睡もできずにいた。目の下には隈ができて、体重が何キロも落ちた。彼は自分を伸びきったゴム紐のように感じていた。このゴムは遅かれ早かれ、パチンと音を立てて切れてしまうだろう。これまでは、涙を流さずに悲しんでいたが、今は、ヘンリック・ヴィークネルは前かがみになり、顔を両手に埋めて泣いていた。

V

非難、辛辣《しんらつ》な言葉、侮辱の数々、すべては水のように彼から流れ落ちていった。数時間の侮辱など、何年にもわたる負い目に比べれば何だ。数時間の侮辱など、自分の姫がいなくなった一生に比べれば何でもない。

彼は、自分が罪をこの手に引き受けようとした感動的な試みを笑った。そうする理由はなかったのだ。理由が認められない以上、うまくやり遂げられるはずもなかった。

しかし、彼女は正しかったのかもしれない。最後の審判の日は、とうとうやって来たのかもしれない。彼女とは反対に彼は、審判者が人の肉の形をとっていないことを知っていた。彼を審判できるものはただ一つ、人間よりも偉大で、肉よりも偉大で、魂と等しいものだ。おれを審判できるのはただ一人、おれの魂を見ることができる人だけだ、と彼は思っていた。

まったく正反対の感情が互いに混じり合って、一つのまったく新しい感情になることは、なんとも不思議だった。愛情と憎しみはどうでもよくなった。復讐欲と赦《ゆる》しは決意となった。愛しさと恨みは哀しみとなり、これは一人の男を押し潰せるほど大きかった。彼にとって、彼女はいつも光と闇が奇妙に混じり合った存在だった。あるときは審判を下し、あるときは理解を見せるヤヌス神の裏表の顔。時おり彼女は、人に吐き気をもよおさせるほど不潔な彼に、熱いキスを浴びせた。時おり彼女は、その不潔さのために彼を罵り憎んだ。この両極には、平穏も休らぎもなかった。

彼が最後に彼女を見たのは、彼女をいちばん愛したときだった。とうとう彼女は完全に彼のものになった。とうとう彼女は完全に彼の一部になり、彼の思いのままにできるようになったのだ。思いのままに愛され、あるいは憎まれる。もう二度と彼の愛を無視することはない。

以前は、ベールを愛するみたいだった。捉えどころのない、透き通った、誘惑のベール。彼が彼女を最後に見たとき、ベールは神秘性を失くしていて、あとに肉だけが残っていた。しかし、そのおかげで彼女は近づける存在になった。このとき初めて彼は、彼女が誰なのか分かったと思った。彼は彼女の凍りついた手足に触り、凍てついた牢獄の中でまだ脈打っている魂を感じた。このときほど彼女を愛したことは一度もなかった。今や運命と真正面から対決するときとなった。彼は、運命が寛大なものとなることを願った。しかし、そうだとは信じていなかった。

電話が彼女を起こした。世間の人は常識的な時間に電話をかけられないのか。

「エリカです」

「おはよう、アンナよ」様子を窺《うかが》うような声のトーンだ。当りまえだわ、とエリカは思った。

「おはよう」エリカは妹を簡単に手放すつもりはなかった。

「調子はどう?」アンナはどこにあるか分からない危険に用心しながら、前に進もうとしていた。

「うん、ありがとう。まあまあよ。あなたのほうは?」

「ええ、うまくいってるわ。本はどんな具合?」

「良かったり悪かったりよ。でも、とにかく進んでるわ。子供たちは元気?」エリカは、少しは努力してやることに決めた。

「エンマはひどい風邪を引いているけど、アドリアンの癪《しゃく》は軽くなってきたみたい。それでわたしもとにかく一晩に一時間ほどは眠れるわ」

アンナは声を上げて笑ったが、エリカはその笑いの中に苦々しさのようなものも聞こえるように思った。

　しばらく沈黙となった。

「ねえ、わたしたち、家の件を話し合わなきゃ」

「ええ、わたしもそう思う」苦々しい口調で答えたのは、今度はエリカのほうだった。

「売らなくちゃ、エリカ。あなたがわたしたちの取り分を払えなかったら、わたしたち、家を売らなきゃ」

　エリカが答えないでいると、アンナは神経質にお喋りを続ける。「ルーカスは不動産仲介業者と話をして、売り値を三百万クローナにするべきだと思ってるの。三百万よ、エリカ。分かる？　百五十万の取り分があれば、あなたはお金のことを心配する必要もなく、静かにゆったりと書けるはずだわ。今のようだと、ペンだけで暮らしていくって楽じゃないはずよ。本の発行部数は、一作あたりどれくらいになるの？　二千？　三千？　そしてあなたは一部につき、そんなに沢山はもらえないでしょ？　分かるわよね、エリカ。これはあなたのチャンスでもあるのよ。あなたはいつも、純文学の作品を書きたいって言ってたよね。このお金があれば、その時間ができるわ。仲介業者の考えによると、買いそうな客にできるだけ多く来てもらうために少なくとも四月、五月までオープンハウスにして待つべきだっていうの。いったん売りに出したら、二週間のうちには売れるだろうって。そうするべきだって、エリカも思うでしょ、どう？」

　アンナは哀願するような声になっていたが、エリカは同情する気持ちはなかった。前の日にはっきり分かったことのために、夜中半分も眠れず、あれこれ考えていたのだ。裏切られたように感じ、たいがい不機嫌だった。

「わたしはそんなこと分からないわ、アンナ。ここはわたしたちの両親の家よ。わたしたちはここで育った。両親はこの家を新婚のときに買って、この家を愛していた。わたしも同じよ、アンナ。あなたはこんなやり方、できやしない」

「でも、お金が……」

「お金なんか、なんだっていうの！　わたしはこれまでちゃんとやってきたし、これからもそうしてゆくつもりよ」

エリカの声は怒りのあまり震えていた。

「でもエリカ、あなたは、わたしがそのつもりでなかったら、家を売るなってわたしに強制できないことは分からなきゃ。半分はやっぱりわたしのものなんだから」

「売りたいと望んでるのが本当にあなた自身だったら、もちろん、それはとても、とても残念だけど、あなたの考えたことなら受け入れたわ。問題は、今聞かされている考えが誰か他の人のものだって、わたしには分かってることよ。これを望んでるのはルーカスで、あなたじゃない。わたしが訊きたいのは、あなた自身が、自分が何を望んでるのか本当に分かっているのかということよ。分かってるの？」

エリカは、アンナの返答を待つ気はなかった。

「それからわたし、自分の人生をルーカス・マックスウェルに左右されるなんてお断りだわ。

あなたの夫はとんでもないごろつきよ！　それに、お願いだからこっちに来て親のものを整理するのを手伝ってちょうだい。何週間もかけて片付けたけど、まだ半分くらいしか終わってないの。これをわたし一人だけでしなきゃいけないなんて、不公平だわ！　もしあなたが台所から一歩も出られないくらい忙しくって、両親が遺した地所を整理する手伝いすらできないのだったら、自分が残りの人生をそんなふうに生きていきたいのかどうか、ようく考えるといいわ」

エリカが受話器を強く投げつけたので、受話器はナイトテーブルから落ちてしまった。ひどく腹を立てていたので、彼女の体はブルブル震えていた。

ストックホルムでは、アンナが受話器を手にしたまま床に座りこんでいた。ルーカスは仕事、子供たちは眠っており、自分だけの時間ができたので、機会を逃さずにエリカに電話をかけたのだ。アンナは数日間、この電話を延ばしてきたのだったが、ルーカスが、家のことでエリカに電話をかけろとしつこく要求していたので、とうとう根負けしてしまったのだ。

アンナは自分が、千個のかけらに粉々にされて、みんな別々の方向に吹き飛んでいく感じがした。アンナはエリカを愛していた。フィエルバッカの家も愛していた。でもエリカに分かってもらえないのは、アンナは自分の家族を優先しなければならないということだった。自分の子供のためならあらゆる犠牲を払うつもりでいた。そして、姉との関係を犠牲にしたらルーカスが幸せになるのであれば、それも仕方がなかった。ただエンマとアドリアンの二人のおかげで毎朝起き、この世に生き続けていることができた。彼女がルーカスを幸せにできさえすれば、すべて解決する。それは分かっていた。アンナがとても扱いにくく、彼がしてほしいようなことをしないために、ルーカスはやむを得ず厳しくしているのだ。もしアンナが彼のために両親の家を犠牲にして贈り物にできれば、ルーカスは、アンナが彼と家族のためにどれだけ多くのものを犠牲にする覚悟ができているか、はっきり理解するだろう。そしてすべては再びよくなるはずだ。

アンナの中のどこかはるかに深いところから、まったく別のことを語る声が聞こえてきた。しかしアンナはうなだれ、その弱い声を流れる涙に溺れるままにしていた。受話器は床に転がったままだった。

いらいらしながらエリカは上掛けを払いのけて、勢いよくベッドから脚を下ろした。彼女はアンナに叩きつけた厳しい言葉を後悔した。電話を取る前からすでに不機嫌で、睡眠不足のせいもあって、すっかり冷静さを失くしていたのだった。またアンナを呼び出して仲直りをしてみようとしたが、受話器からは話し中のシグナルしか聞こえてこなかった。

「ちくしょう!」

ドレッサーの前のスツールに、スツールにとっては理不尽なことに、蹴りを入れたが、エリカのほうは機嫌がよくなるどころか、呻きながら片足で跳ねまわり、痛む足指を握る羽目になった。お産でもこれほどは痛くないはず、と思える痛さだった。痛みがひいていくと、自分ではよく分かっているくせに、体重計に乗ってみた。

自分でもするべきではないと思ったが、彼女の中に潜むマゾヒストが無理強いして確かめさせるのだ。彼女はパジャマ代わりに着て寝ているTシャツを脱いだ。これはいつも、数グラムの重さになる。さらにパンティーも脱いだら違いが出るかと考えた。おそらく違わない。まず右足を乗せ、まだ床についている左足のほうにかなり体重をかけておいた。体重を徐々に右足に移してゆく。針が六十キロまで来たとき、そのままそこで止まっていてくれるよう願った。しかし、そうはならなかった。そして、全体重を体重計に乗せたとき、針は無情にも七十三キロを指した。そうか。だいたい心配していたとおりだったが、さらに一キロ悪かった。自分ではプラス二キロを予想していたが、体重計はこの前計ったときよりもプラス三キロを示していた。この前に計量したのは、アレクスを見つけた朝だった。

あれ以来、体重を計ることなんてまったく不必要なことだと感じるようになっていた。体重が増えたことがズボンのウエスト具合では分かっていなかった、というのでもなくて、ただ白黒はっきりさせられる瞬間まで、事実を否定して、それに甘んじていたのだ。クローゼットの中の湿気や洗濯用の水温が高すぎるために起こる洋服の縮みは、長い間にわたって何度も自分への言い訳に使ってきた。しかし、今はただ絶望していた。晩のパトリックとのディナーは心底、とり止めにしたい。彼と会うときは、自分はセクシーで、きれいで、スリムでいたかった、太ってまん丸ではいたくなかった。エリカは気分の重いまま自分のお腹を眺めて、試しに、できるだけへこましてみた——無駄。それから姿見に横向きの自分を映してみて、今度はお腹をできるだけ突き出してみた。ほら！　この格好が、まさに今、自分が感じているものに近い。

ため息を一つついて、伸縮自在のゴムが入っているLサイズのジョギングパンツを穿き、パジャマ代わりにして寝ている同じTシャツを着た。今度の月曜日からまた体重のことを真剣に考えよう。今すぐ始めるという考えは、意味のないことだ。すでに今晩三品のディナーをご馳走する計画を立てていて、認識すべきことはただ一つ――自分の手料理で男性の目を眩ませたいと望むならば、クリームとバターは欠かせない食材だということ。それに、新しい生活を始めるのは月曜日がいい。エリカは今まで十万回も厳粛に、今度の月曜日から自分は運動を始めてウェイト・ウォッチャーズ・ダイエットを守ること、新しい人間になることを誓ってきた。しかし今日は、気にしなくていい。

もっと大きな問題が出てきて、エリカが昨日からへとへとになるほど思案していた理由だった。いくつかの選択肢をああでもない、こうでもないとひねくり回して、自分はどういう態度をとるべきか考えたが、あまりいい答えは出てこなかった。エリカは突然、あることを知ってしまったが、それは、知らなければよかったと心から望んだことだった。

コーヒーメーカーからいい香りがたち始め、人生が少しばかり明るくなったように思えた。この熱い飲み物は少量でも、なんて素晴らしい力を持ってるんだろう！　エリカは一杯いれて、調理台のところに立ったまま、美味しそうにブラックで飲んだ。朝食を摂りたかったことは一度もないし、今晩のために少しカロリーを節約できる。

玄関で呼び鈴が鳴ったとき、エリカは驚いて思わずコーヒーを少しTシャツにこぼしてしまった。彼女は大きな声で唸った。朝のこんな時間に呼び鈴を鳴らすなんていったい誰だろう。時計に目をやる。八時半だ。カップを置いて、いぶかりながらドアを開ける。外にはユーリア・カールグレーンが階段の上に立っていて、胸に重ねた両手を叩き合わせて温かくしようとしていた。

「おはよう」エリカは問いかけるように言った。

「おはよう」そのあと、ユーリアは沈黙。

アレクスの妹は火曜日の朝こんなに早く、我が家のポーチの階段でいったい何をしているのだろうといぶかりながらも、躾の良さが災いして、エリカはユーリアに中に入るように勧めた。

ユーリアは靴音を立ててバタバタと中に入って外套を脱いで掛けると、エリカの先に立って居間へと入っていった。

「ここまでいい匂いがしてくる、あのコーヒーを一杯いただけますか」

「えっ、もちろんよ。待ってて」

エリカはコーヒーを用意しながら、台所の、ユーリアから見えない場所で天を仰いだ。あの娘はなんか普通じゃない。エリカはユーリアにコーヒーを出してやり、自分のカップを手に持って、ユーリアにバルコニーの籐のソファに座るように勧めた。二人は黙ったまま、しばらくコーヒーを飲んでいた。エリカは、待つことにした。ユーリアに、どうしてここにやって来たのか、自分から話させよう。重苦しい雰囲気のうちに数分が過ぎて、ユーリアがやっと口を開いた。

「今、ここに住んでるんですか」

「いいえ、そうじゃないわ。住んでいるのはストックホルム。ここでは家の整理をしてるの」

「ええ、わたしも聞いてます。お悔やみ申し上げます」

「ありがとう。そちらもね」

ユーリアはクスッと、おかしな笑い方をした。人を困惑させる、場違いな笑いだとエリカは思った。そして、自分がネッリー・ローレンツのところで屑かごの中に見つけた書類のことを思い出し、これら事実の諸断片がどのようにしたらぴったり嵌り合うのだろうかと考えていた。

「あたしがどうしてここに来たんだろうって、思ってるんでしょ?」

ユーリアはその奇妙なまなざしをじっとエリカに注いだ。ほとんど瞬きをしない。

ユーリアは姉とは正反対なまでに似ていないなあという思いが、再びエリカの心をよぎった。ユーリアの皮膚はニキビの痕ででこぼこしているし、髪は自分で爪切り鋏を使って、鏡も見ずに、切っているように見えた。彼女の外見は不健康そうでもあった。病的な蒼白さが、汚れた灰色の膜のように彼女の肌を覆っていた。服装への関心も見た限り、アレクスとは共通していない。ユーリアが着ているものは、まるでおばさん相手の店で買ったような服だった。今どきのファッションからはあらん限りにほど遠く、仮装パーティー用の扮装みたいだった。

「アレクスの写真、ないですか」

「何ですって？」

そのものズバリの質問にエリカはびっくりしてしまった。

「写真？　ええ、きっとあると思うわ。それもかなりの数が。父がとても写真を撮るのが好きだったから、わたしたちが子供のころ、いつも撮ってくれてたわ。アレクスはしょっちゅうここに来てたから、きっとかなりの数の写真に写ってるわよ」

「それ、見せてくれますか」

ユーリアは催促するようにエリカを見た。まるで彼女がさっさと腰を上げて写真を取ってきていないことを責めるみたいに。これは有難いと思ってエリカは、アルバムを取ってくることを口実にして、ちょっとの間ユーリアの射るような視線から逃げ出した。

写真は屋根裏部屋の収納箱の中に入っていた。そこはまだ掃除を始める時間がなかったが、収納箱のある場所は分かっていた。一家の写真は全部その中に保存されている。そこに座り込んで写真をみんな調べなければならないことを考えて、ぞっとしていた。無数の写真が分類されないままいくつもの山になっていたが、自分が探すものはきちんとアルバムに挟まれているのを知っていた。アルバムを上から下へと順番にめくってゆき、三冊目のアルバムに探しているものを見つけた。四冊目にもアレクスの写真があって、両方を胸に抱え、気をつけながら階段を下りていった。

ユーリアは前とまったく同じ格好でいた。エリカは、自分がここにいなかった間ずっと少しも動かなかったんだろうかと思った。

「はい、興味があるんじゃないかと思うもの、取ってきたわ」

エリカは息を切らしながら厚いアルバムをテーブルの上に置く。埃が舞い上がった。

ユーリアは待ちかねたようにいちばん上のアルバムに飛びつき、エリカのほうは写真の説明ができるように彼女の脇で籐椅子に座った。

「これ、いつですか」

ユーリアは、自分が見つけたアレクスの最初の写真、アルバムの二ページ目にあるのを指差しながら言った。

「見せて。これはきっと……一九七四年だわ。確かそうよ。このころわたしたちは九歳ちょっとくらいだったでしょう」

その写真を指で撫でて、エリカはひどくもの悲しくなった。そんなにも遠い昔のことなのだ。彼女とアレクスが暑い夏の日、裸で庭に立っている。彼女の記憶が間違っていなければ、二人は庭の水道ホースから噴き出す水を浴びながら大声を上げ、裸であちこち走りまわっていたのだ。その写真で少し変に見えたものは、アレクスが手編みの冬用ミトンを着けていることだった。

「どうしてミトンをつけてるんですか。これ、七月かそのへんみたいだけど」

ユーリアは困惑したようにエリカを見たが、エリカは思い出しながら笑う。

「お姉さんはそのミトンが大好きで、どうしても着けてるんだって言い張っていたの。冬中だけじゃなくて夏もほとんど着けてたわ。とっても意地っ張りだったから、アレクスにその汚れたボロ手袋を脱ぐよう説得できた人なんていなかったのよ」

「あの人は、自分の欲しいものがちゃんと分かっていたんだ?」

ユーリアはそのアルバムの写真を愛しげに見つめた。しかし、あっという間にその表情は消えてなくなり、せっかちに次のページをめくった。

それらの写真はエリカにとっては、別の人生の遺物のように思えた。あまりにも昔の出来事、あれからとても沢山のことが起こった。時おり、アレクスといっしょに過ごした子供時代は、夢だったのかと感じられたほどだ。

「私たちは友だちというより、むしろ姉妹みたいだったわ。寝ていない時間はほとんどいっしょに過ごしたし、よくお互いの所に泊りっこもした。毎日それぞれ自分の家で夕ご飯に何が出るか確かめ合っていて、いちばん美味しいご飯が出るほうを選んでいたわ」

「っていうことは、二人はしょっちゅうここで食べてたんだ」

このとき初めて、ユーリアの唇に笑みが浮かんだ。

「そう、あなたのお母さんはいろいろな言い方ができるけど、確かに料理はそれほど得意ではなかったわね」

一枚の写真がエリカの目を捉えた。ためらいながらその写真を撫でる。すごく美しい写真だった。アレクスが、父トーレのスニーパ（船首と船尾が尖った小舟）の船尾に腰かけて、満面に笑みを浮かべている。金髪が顔にかぶさるように舞っていて、背後にはフィエルバッカ全体の美しいシルエットが広がっている。きっと、太陽を浴びて海水浴をして岩の小島で一日を過ごそうと出かけたのだ。そんな日が多かった。エリカの母はいつものように、いっしょに来れなかった。片付けなければならない、山ほどの細々とした用事のせいにして家に残るほうを選んだのだ。いつもこうだった。母のエルシがいっしょに出かけた遠出は、容易に片手の指で数えられた。その同じ日の遠出で撮ったアンナの写真を見て、エリカは小さく噴き出した。妹はいつものように物まねをしている。この写真では向こう見ずにも船べりに身を乗り出して、カメラに向かってしかめ面をしていた。

「妹さん？」

「そう、妹のアンナ」

エリカの言葉は短く、その話題にはそれ以上触れたくないということを暗に告げた。ユーリアはそれを理解して、短く太い指でアルバムをめくり続ける。彼女の爪は指先ぎりぎりまで噛み切られていて、数本の指は爪が深く噛まれて傷ができていた。エリカはユーリアの傷ついた指から目を引き離して、代わりに、彼女の手の下をひらひら飛んでいく写真を見ていた。

二冊目のアルバムが終わりに近づくところで、突然アレクスが写真の中にいなくなった。この対照は際立っていた。それまではどのページにも必ずあったのに、あるときを境に、アレクスの写真は一枚もなくなっていた。ユーリアはテーブルの上にアルバムをそっと重ねて置き、コーヒーカップを両手に挟んだままソファの端で体を伸ばした。

「新しいコーヒーを少しどう？　もう冷めているでしょう」

自分のカップを見て、ユーリアはエリカの言うとおりだと知った。

「うん、あるんだったら、ちょっともらいたいです」

カップを受け取ったエリカのほうは体を少し伸ばせる機会ができて嬉しいくらいだった。籐のソファは見る分には素敵だけど、しばらく座っていると背中のためにもお尻のためにも良いとは言えないことが分かる。ユーリアも立ち上がってエリカに続いて台所に来たことからすると、ユーリアの背中も同じことを感じていたようだ。

「立派なお葬式だったわね。それに、お宅でのお茶会にも、大勢のお友だちが集まって」

エリカはユーリアに背中を向けたままカップに新しいコーヒーを注いでいた。返ってきた答えは中身のない呟きにすぎなかった。エリカは、少し思い切って訊くことにする。

「あなたとネッリー・ローレンツはとても親しそうだったわね。どんな知り合いなの？」

エリカは息を凝らした。ネッリーの自宅の屑かごの中で見つけた紙片のせいで、ユーリアの答えがとても知りたかった。

「父があの人のところで働いてました」

ユーリアはしぶしぶ答えた。指先が口の中に入っていったが、それをユーリア自身はまったく気づいていない様子だ。それから激しく爪を噛み始めた。

「ええ、でも、それはあなたが生まれるよりもずっと前のことでしょう」

エリカはさらに探りを入れる。

「あたし、若いころ缶詰工場で夏のバイトをしてました」

答えはあいかわらず、抜かれた歯みたいにポロッと返ってくる。返事ができる間だけは、爪を噛むのを止めた。

「あなたたち、とっても気が合うようだったわ」

「ネッリーは他の誰も見ないようなものを、あたしに見てるんじゃないのかなあ」

ユーリアが浮かべた微笑みは苦々しく、彼女自身の内部に向けられていたようだった。エリカは即座に、ユーリアに強い同情を覚えた。みにくいアヒルの子として生きる人生は、厳しいものだったに違いない。エリカはあえて何も言わなかった。少しして、沈黙に促されるようにユーリアが話し続ける。

「夏はいつも家族でこっちに来てた。私が八年生が終わった夏にネッリーが父親に電話してきて、あたしに事務所でバイトして、小遣いを稼ぐ気はないかって訊いてきた。あたしはそれを断るなんてできなくて、そのあと教育大学で勉強を始めるまで夏はずーっとあそこでバイトしてたわけ」

エリカには、その返答が肝心なことを大部分はぶいていることは分かった。はぶいているに違いなかった。しかし、ユーリアのネッリーとの関係についてそれ以上は聞き出せないことも分かっていた。二人はまたバルコニーのソファに座り、黙ったままコーヒーを数口飲んだ。二人とも見るともなく、水平線まで広がる氷を見渡していた。

「うちの両親がアレクスを連れて引っ越したとき、きっとあなたは辛かったんじゃないですか」

最初に口を開いたのはユーリアだった。

「どちらとも言えないわ。そのころはわたしたち、もういっしょに遊んでいなかったし。確かに残念だったわ。わたしたちがずっと大の仲良しでいたら、別れももっとドラマチックだったでしょうけど」

「何があったの？　どうして付き合いを止めたわけ？」

「わたしのほうが知りたいわ」

エリカは、思い出しただけで今なお心が痛むことに驚いていた。アレクスを失ったことが、今でもこんなに強く心に残る。あれから何年も過ぎており、子供時代の親友同士が互いに離れてしまうことは、例外というよりはむしろ世の常なのに。でも、それはきっと関係があまりに不自然に終わってしまったこと、そして何よりも、説明をまったくしてもらえずに去られてしまったせいだろう。何かをめぐって不和になったわけではない、アレクスに新しい親友ができたわけでもない。友情が永遠に終わりになってしまうきっかけは何もなかった。彼女はただ無関心の壁を作って自分の中に引きこもり、一言も言わないまま消えてしまったのだ。

「喧嘩でもしたんですか」

「してないわ、してないつもり。アレクスはどうしてか興味が失くなったみたいね。電話をくれなくなり、いっしょに何かを考え出そうとか訊いてこなくなった。わたしが尋ねると拒まなかったけど、すっかり興味を失くしていることが分かった。それで最後には、わたしのほうが尋ねるのを止めてしまったの」

「あの人に新しい友だちができて、その人たちと付き合ったとか」

エリカは、どうしてユーリアが自分とアレクスについてこんなにいろいろ質問をするのだろうかといぶかった。しかし、記憶を新たにすることは自分でも嫌ではなかった。例の本を書くのに役に立つかもしれないし。

「アレクスが他の子といっしょにいるのを見たことは一度もなかったわ。学校ではたった一人で行動していた。でも……」

「何ですか？」

ユーリアが熱心に身を乗り出す。

「それでもわたしは、誰かがいるような気がしてた。でも、間違ってるかもしれない。そんな感じがしてただけで」

ユーリアは考え込むようにしてうなずいた。エリカは、自分はユーリアがすでに知っていることを単に確認しているだけだ、という感じがした。

「訊いてもいい？　あなたはどうしてわたしとアレクスの子供のころについて、そんなにいろいろ知りたいの？」

ユーリアはエリカと目を合わすのを避けた。返事は曖昧だった。

「あの人はあたしよりもずっと年上だったし、あたしが生まれたときにはもう外国に行って、家にはいなかった。あたしたちすごく似てなかったし。あの人のこと、あたしはちゃんと知らなかったみたい。そのうえ、もう遅すぎるけど。うちであの人の写真を探したんだけど、ほとんど無かった。それで、あなたのことを思いついたわけ」

エリカは、ユーリアの返事はあまりにも真実らしくなく、嘘だともいえるような気がしたが、しぶしぶ納得した。

「おや、そろそろ失礼しなくちゃ。コーヒー、ごちそうさま」

ユーリアはふいに立ち上がって、台所に行きコーヒーカップを流しの中に入れた。突然、急いで帰ろうとしている。エリカはドアまで送った。

「写真を見せてくれて、ありがとう。あたしにとってはすごく意味がありました」

そのあと、ユーリアは去っていった。

エリカはドアのところに長い間立って、ユーリアの後ろ姿──刺すような寒さから身を護る防寒具のように両腕を体に巻いて、通りを急ぐ灰色の不恰好な姿──を見ていた。そうしてエリカはドアをゆっくり手前に引き寄せ、暖かい室内に入る。

久しぶりに、彼は神経質になっていた。みぞおちのあたりで喜びと怯えが渦巻いている。ベッドの上にできる衣類の山は、新しいスーツを試すにつれてますます大きくなっていった。試しに着てみた服はどれも流行後れか、ラフすぎるか、改まりすぎるか、シンプルすぎるか、あるいは不恰好すぎた。そのうえ、ズボンのほとんどはウエストが窮屈で、着心地が悪かった。ため息をつきながらさらにもう一本ズボンも脱ぎ捨てて、パンツ一枚でベッドの縁に腰を下ろした。ふいに、晩への期待がすっかりすぼみ、代わりに昔よく感じたような不安を覚えた。断りの電話をするほうがいいのかもしれない。

パトリックはベッドの上で仰向けになり、頭の下に手を組み合わせて天井を眺めた。今も、カーリンと分け合っていたダブルベッドを使っている。感傷的な気分になってカーリンが寝ていた側を手で撫でまわした。眠っている間にカーリンが寝ていた側のほうへ転がるようになったのも、ごく最近のことだ。本来ならば、カーリンが引っ越すと同時に新しいベッドを買うべきだっただろうが、その決心がつかなかった。

カーリンが彼のもとを去ったときには確かに悲しかったが、パトリックはたまに、寂しいと思うのはカーリンがいなくなったからなのか、それとも制度としての結婚について自分が抱いていた幻想が消え去ってしまったからか、と考えたことがあった。父親は、パトリックが十歳のとき、女ができたため母親を捨てた。そのあとの離婚は、パトリックと妹のロッタを争いの最大の武器にした悲痛なものだった。その折にパトリックは誓ったのだ。絶対不倫をしない、何よりも絶対離婚はしない。結婚したら、一生続ける。それで、五年前ターヌムスヘーデ教会でカーリンと結婚したとき、それはいつまでも続くものだと信じて一瞬たりとも疑わなかった。しかし人生は滅多に人が考えているようにはならない。カーリンとレイフは、パトリックが現場を押さえたときにはすでに一年以上も続いていた。忌々しいほど古典的だった。

ある日彼は体調があまり良くなかったので、いつもより早く帰宅した。彼の中にはマゾヒストがいるのか？　そのとき、あいつらは寝室で寝ていたのだ。ついさっきまで彼が寝ていたベッドに。彼の中にはマゾヒストが潜んでいたのかもしれない。そうでなければ、そんなベッドをさっさと処分しなかったことは、どう説明できるのか。それでも、あれはもう過去のこと、今となってはどうでもいい。

体を上げてベッドから出たが、今晩エリカのところに行くべきかどうか、まだ決めかねていた。行きたい。でも、行きたくない。この日一日、いや今週ずっと抱いていた期待は、あっという間にすぼんでしまった。なぜか急に自信がなくなったのだ。しかし、断るにしても遅すぎる。選択の余地はあまりなかった。

やっとウエストがなんとか入るチノパンを見つけ、アイロンをかけたばかりのブルーのシャツを着るとすぐに、再び今夜が楽しみになってきた。ジェルで髪をほどほどにふわわにして、鏡に映った自分にガッツポーズをすると、さあ行こう、という気になった。

時刻は七時半を過ぎたばかりなのに、外は闇夜だった。そして雪も少し降っていたせいで、フィエルバッカに向かっている間視界は悪かった。早めに出てきたので、急ぐ必要はなかった。エリカのことでいっぱいだった頭の中に、この数日職場であったことをめぐる考えが入りこんできた。アンデシュの隣人イェンニが自信ありげに証言したこと、アンデシュには実際あの決定的な時刻にアリバイがある様子だったことをパトリックが報告するしかなかったとき、メルバリはいかにも不服そうだった。彼はメルバリと同じようには激昂しなかったものの、少なからず失望を覚えたことは否定できなかった。アレクスを発見してから二週間が経っていたのだが、あのときに比べて今もあまり解決に近づいていないみたいに感じられた。

今肝心なのは、意欲をすっかり失うことなく、気を取り直して初めからやり直すことだ。手がかりや目撃証言は一つひとつ新たな視点から調べ直さねばならない。パトリックは頭の中で、明日すべき仕事のリストを作った。最優先事項は、アレクスが待っていた子供の父親が誰なのか調べ出すことだ。フィエルバッカには、アレクスが週末に逢っていた男について見たり聞いたりした人間がいるに違いない。ヘンリックが父親である可能性はまだすっかり消えていないし、アンデシュも考えられる候補として残っている。しかしなぜかパトリックには、アレクスがアンデシュを子供の父親候補としてふさわしいと考えていたとは思えなかった。フランシーヌがエリカに語ったことが真実にごく近いように思った。アレクスにはとても、とても大切な人がいた。二人の子供ができて、大喜びするほど重要な人が。夫とは喜ぶことができなかった、あるいは望まなかった子供が。

アンデシュとの性的関係も、さらに調べたい。イェーテボリのいわゆる上流社会の女性が、落ちぶれはてた酔いどれとどんな共通点を持っていたのか？　もしも二人が歩んでいた人生行路がどのように交わって結びつけられたかを見つけられたら、求めている答えの多くも見つけられるはずだと、虫が知らせていた。それから、ニルス・ローレンツの行方不明を扱った記事の件だ。当時、アレクスはまだ子供だった。どうして二十三年も昔の新聞の切り抜きを引出しの中に取っておいたのか。手がかりの糸はとても多く、またごちゃごちゃからみ合っていて、まるで、初めはすべて不鮮明な点々みたいに見えていても、目の細め方を正しくやれば、突然一つの形がこれ以上ないほど鮮明に浮かび出る画像を、見ているように感じられた。点々が繋がってパターンを形作るときの完璧なポジションを彼が見つけられないでいるにすぎない。それを見つけられるほど十分優秀な警察官ではないのかもしれないと、弱気になった瞬間には考えてしまう。十分有能でないために、殺人犯に逃げられてしまうかもしれない。

野生の動物が一匹、車の前に急に飛び出し、パトリックはぎょっとして暗い思いから現実に引き戻された。ブレーキを踏み込んで、二センチほどの差で動物の尻に当てずにすんだ。車は凍結した路面でスリップして、恐怖の瞬間が二秒も続いた後やっと止まった。ハンドルを震えながら握り締めている両手の上に頭を当てて、脈拍が普通に戻るのを待った。二分ほど、そうして座っていた。フィエルバッカに向かって走り続けたが、一、二キロはのろのろ進み、その後何とかスピードを出せるようになった。

エリカの家に向かってセールヴィークの砂地の坂を上っていったときには、すでに五分遅れていた。ガレージの入り口の前にあったエリカの車の後ろに駐車して、プレゼントに持ってきたワインを摑んだ。深呼吸を一回、そしてバックミラーで最後のヘアスタイルチェックをして、準備ができた。

エリカのベッドの上にできた衣類の山は、パトリックのものと似たりよったり、いや、少しばかり大きかった。クローゼットの中は空っぽになっていて、たくさんのハンガーが横棒の上でカタカタ鳴っていた。エリカは深いため息をついた。何一つ決まっていない。この数週間でいつの間にか身に付いてしまった余分な数キロのせいで、衣類はどれも望むようにはフィットしてくれなかった。今朝の計量には今でもひどく後悔し、自分に腹を立てていた。エリカは姿見に自分を映して厳しい目を向けた。

最初のジレンマは、シャワーのあとに現れた。そのとき、お気に入りの小説のヒロイン、ブリジット・ジョーンズみたいに、どのパンティーを選んだらよいかという選択に直面した。きれいな、レースのTバックにするべきだろうか。自分とパトリックがベッドまでたどりつくわずかな可能性のために。それとも、大きくてみっともないが、お腹とお尻を押さえるガードルパンツにするべきだろうか。こちらはスタイルがよく見えるため、ベッドまでたどりつくチャンスもぐっと増えるかも。難しい選択だ。しかしお腹の出具合を熟考した結果、ガードルパンツに決めた。その上に、お腹を平らにする効果のあるパンストを穿くことにした。つまり、重装備だ。

時計を見て、そろそろ決めるタイミングだと知った。ベッドの上の山をもう一度見て、最初に試したものをいちばん下から引っ張り出した。黒は細く見せる効果があるし、古くて新しいジャクリーン・ケネディ風の膝丈のスカートは、体形を実物以上に演出してくれる。アクセサリーはパールのイヤリングと腕時計だけにして、髪はほどいて肩に垂らした。鏡に横向きに全身を映して、お腹を引っ込めてみる。うん、ガードルとパンストと、息を一瞬止めたおかげで、まあまあの外見になった。余分に付いてしまった体重も悪いだけではないと、認めるしかなかった。もちろんお腹に付いた分はなしにしたかったが、胸に付いた一キロのほうは、ペチャパイでもない谷間を、デコルテからくっきり目立たせてくれた。確かにパッド入りの、寄せて上げるブラのおかげでもあったが。このような補助手段は現在では世界中で当たり前に使われている。さらに今エリカが着けているブラなどは、最新のテクノロジーの成果でカップにゼリーが入っているので、バストの微妙な揺れまでもが本物そっくりなのだ。科学の発展ってすごい、ここまで人類に奉仕してくれるんだもの。

あれこれ繰り返し着替えをし、ストレスも感じたため脇の下に汗をかき始めたので、彼女はため息をつきながら再び脇の下を洗った。メイクには二十分ほどかけて完璧になった。そして、化粧に時間がかかりすぎたことと、ずっと前に料理に取りかかっているべきだったことが分かった。さっと、寝室を片付ける。衣類をいちいちハンガーに掛け直すには時間がかかりすぎるので、衣類の山を無造作にそのまま持ち上げて、どさっとクローゼットの中の床に置き、ドアを閉めた。あらゆる可能性のためにベッドを整え、使ったパンティーが一枚でも床に転がったりしていないか見まわした。ドイツ・スロギー社製の汚れた普段着のパンティーを二枚も転がしておいたら、どんな男性だってひいてしまうだろう。

息せき切ってエリカは台所へ走り下りた。ストレスのせいですっかり混乱してしまっている。何から手をつけていいかまったく分からない。

エリカは無理やり立ち止まり、大きく息を吸って吐いた。テーブルに載っているレシピ二つに従って、調理の手順を決める。けっして料理の達人とは言えないが、心得はあった。レシピは、定期購読している『エル・グルメ』のバックナンバーから探し出したものだ。オードブルはポテトパンケーキの生クリーム添え、キャビア、そして赤タマネギのみじん切り。メインディシュにはポークフィレのパイ包み焼きポルトワイン・ソース、マッシュポテト添え、そしてデザートには焼きフルーツとバニラアイスを考えていた。デザートは有難いことに、午後のうちに用意しておいたので、調理のリストから外せた。最初にメインディシュ用のじゃがいもを茹でることにして、そのあとオードブルのじゃがいもの皮をむくことにした。

一時間半もの間一心不乱に料理をしていたので、玄関の呼び鈴が鳴ったとき、エリカは思わず飛び上がってしまった。あっという間に時間が過ぎていた。パトリックのお腹がぺこぺこになっていなければいいけど。料理ができ上がるまで、もう少し時間がかかるはずだから。

ドアに向かって半分まで来たとき、エリカはまだエプロンを着けたままでいるのに気づいた。自分で結んだ背中の縦結びをほどくのにもたついている間に、呼び鈴がまた鳴った。ようやくほどいて、エプロンを頭の上から剝ぎ取って、玄関ホールにあった椅子の上に投げ出した。手で髪を撫でつけ、また思い出してお腹を引っ込め、深呼吸を一つしてから、笑顔でドアを開ける。

「いらっしゃい、パトリック。ようこそ。さあ、入って」

二人が軽くハグしてから、パトリックがアルミ箔に包んだワインボトルをエリカに渡した。

「ま、ありがとう。気をつかってくれて！」

「うん、それ専売公社《システーメット》の店で勧められたんだ。チリ産。果実味が残っていて、こくがあって、芳醇でまろやか、赤いベリーの味があって、わずかだけどチョコレートの香りもするって。おれ、ワインのことはちんぷんかんぷんだけど、あの連中は専門家だろうから」

「間違いなく最高のものだわ」

エリカは温かい笑い声を上げて、ボトルをホールの古い戸棚の上に置いて、パトリックがジャケットを脱ぐのを手伝った。

「中に入って。飢えてないといいんだけど。いつものように時間設定が楽観的すぎて、料理ができ上がるまでまだ少しかかるの」

「おれは大丈夫だよ」

パトリックはエリカの後について台所に入る。

「なんか手伝えることある？」

「そこのいちばん上の引出しから栓抜きを取って、ボトルを一本開けてくれる？　あなたが持ってきてくれたワインの味見から始めてもいいんじゃない？」

パトリックは言われたとおりにした。エリカのほうは大きなワイングラスを二個、調理台の上に出してから、鍋の中をかき混ぜたり、オーブンの中のものをチェックし始めたりした。ポークフィレはまだかなり時間がかかるし、ポテトのほうも、串を刺してみるとまだ半なまだった。パトリックは、片方のグラスをエリカに渡したが、どちらのグラスにも深紅のワインがなみなみと注がれていた。エリカはグラスを軽く揺すって香りを飛ばし、グラスの中に鼻を突っ込み、それから口を閉じたまま鼻から息を吸った。温かいオークの匂いが鼻孔からつま先まで伝わっていく——芳しい。それからワインをそっと口に含んで転がしながら、口から空気をわずかに吸い込んだ。味も香りと同じくらい心地よく、エリカには、パトリックがこの一本のために大枚をはたいたことが分かった。

パトリックは期待の目でエリカを見ている。

「素晴らしいわ！」

「うん、きみがこういうことをよく知ってるんだって、この間分かったよ。おれは情けないけど、テトラパック入りの五十クローナのワインと、何千クローナもするワインとの区別がつけられない」

「つけられるわよ。でも、かなり習慣の問題でもあるけどね。ただがぶ飲みするんじゃなくて、時間をかけて味わうこと」

パトリックはバツが悪そうに、手に持っているグラスを見た。もう三分の一ほど減っている。エリカがこちらに背を向けてレンジで何かをしている間に、エリカのしていたテイスティングを慎重に真似してみた。確かに！　まったく別のワインみたいじゃないか。さらにさっきのエリカと同じやり方でワインを一口分、口の中で転がした。すると突然、はっきりした味が出てきた。チョコレート——ブラックのほのかな味と、赤いベリー——たぶん赤ブドウの強い味にイチゴが少し混ざっているような気さえするじゃないか。信じられない！

「捜査はどんな具合？」

エリカはついでのように尋ねたのだが、緊張して答えを待った。

「振り出しに戻ったみたいだ。アンデシュは、殺害時刻にはアリバイがあった。日下のところ他にあまり手がかりはない。情けないけど、典型的な失敗をやらかしてしまったんだろうな。おれたちはしかるべき根拠もなく犯人《ホシ》を捕まえたと信じ込み、他の可能性を調べることを止めてしまった。アンデシュがアレクス殺しの犯人としてぴったりだということでは、おれも警視に賛成なんだけど。アンデシュのような落ちこぼれにはどうしたってとてもとても手の届くはずもない女と、何かの理由で性的関係を持った酔いどれ。当然の終わりが来たとき、つまり、夢のような幸運がとうとう終わってしまったときに嫉妬から行われた犯罪。やつの指紋は遺体全体と浴室中から検出された。そのうえ、床の血だまりからはやつの足跡も見つかった」

「それって、証拠として十分のはずじゃない？」

パトリックはグラスを揺すって、考え込むようにグラスの中の赤い渦巻きに目を落としていた。

「やつにアリバイがなかったなら、あれで十分だったかもしれない。しかし、アレクスが殺害されたとおれたちが考えている時刻にはアリバイがあるんだ。証拠の指紋からは、やつが殺害後に浴室の中にいたことは十分に証明できるが、殺害中にあそこにいた証拠にはならないんだ。これは小さいけど、とても重要な違いなんだ、もし起訴して裁判を維持するつもりだったら」

台所の中には素晴らしい香りが広がっていた。エリカは、少し前に焼き上げておいたポテトパンケーキを冷蔵庫から取り出して、またオーブンに入れて温め直した。それからオードブル皿を二枚出し、また冷蔵庫のドアを開けて生クリームの缶とキャビアの缶を取り出す。みじん切りにしたタマネギはボウルに入れて、調理台の上に置いてあった。エリカは、パトリックがどれだけ自分の近くに立っているかを強く意識した。

「そっちはどうだ？　家のことで何か言われてるのか」

「そう、残念だけど。仲介業者がきのう電話してきて、家を復活祭《イースター》休み期間中にオープンハウスにしたほうがいいって提案されたわ。業者によると、アンナとルーカスも大賛成らしくて」

「それでも復活祭まで、まだ二カ月くらいあるじゃないか。その間にきっといろんなことが起こるって」

「うん、わたしはいつも、ルーカスが心臓発作かなんかになればいいなって思ってるの。あ、ごめん。今のは聞かなかったことにして。わたし、猛烈に腹が立つだけ！」

そう言ってエリカはオーブンのドアを少しばかり勢いよく閉めた。

「おいおい、オーブンにあたるなよ」

「そう、わたしはきっと、ただ現実を受け入れるようにして、家を売って入るお金をどうするか、計画し始めなければならないんだわ。白状するけど、昔は大金持ちになったらきっとすっごく嬉しくなると思ってた」

「大金持ちになることを、怖がる必要はないよ。この国の税金としてきみは利益の大部分を、オンボロ学校や劣悪な医療サービスの経費にあてるんだ。途方もなく、信じ難く、完全にぞっとするくらい低い給料をもらっている警察官のことは言わずもがなだが。おれたち、きみの資産に羽をはえさせてパッパッと飛ばしちまうなんて、お手のものさ」

エリカは笑いをこらえられなかった。

「うん、でも、それは結構じゃない。そしたらわたしは、ミンクの毛皮にするかブルーフォックスの毛皮にするか迷わずにすむわ。ねえ、信じられないかもしれないけど、もうオードブルはできた」

エリカは左右の手それぞれに皿を持って、パトリックの先に立って食堂に入っていく。台所と食堂のどっちに座ったら良いか、けっこう長いこと考え込んだのだが、最後に、木製の美しい折りたたみ式テーブルが置いてある食堂に決めた。テーブルは、灯したキャンドルが放つ光の中でいっそう美しく見えるばかりだった。エリカはキャンドルをけちけちしなかった。キャンドルほど女性の容貌を引き立てるものはないとどこかで読んで、キャンドルを惜しむことはなかった。

テーブルにはナイフ、フォーク、スプーンとリンネルのナプキン、そしてメインディシュのためにロシュトランド社の皿が並べてあった。そのブルーの縁どり模様のある白い皿はエリカの母親が客用に使っていたもので、この皿類がどれほど大切に扱われていたか、エリカは覚えている。それは、非常に特別な機会にしか食卓に載らなかった。子供たちの誕生日とか、子供に関係するイベントは入っていなかったなと、エリカは苦々しく思った。子供には台所のテーブルの上に普通の陶器を並べれば十分。ところが牧師夫妻、教区牧師あるいは信徒代表の女性がディナーに来たときは、ご機嫌とりに限りがなかった。エリカは自分を無理やり現在に引き戻して、オードブル皿をテーブルの上に向かい合わせに置いた。

「おいしそうだな」

パトリックはポテトパンケーキを切って、タマネギ、生クリーム、キャビアをフォークに山ほど載せて口の途中まで運んだところで、エリカが自分のワイングラスと片方の眉を上げているのに気づいた。恥じ入ってフォークを置き、ワイングラスに持ち換える。

「それでは、ようこそ。乾杯！」

「乾杯！」

エリカは、パトリックのマナー違反に笑みを浮かべた。ストックホルムでデートした男性たちとは違って新鮮だ。あっちの男性はみんなクローンみたいに瓜二つ、マナーを完璧にわきまえていた。彼らと比較すると、パトリックは本物っぽいし、パトリックがもしそうしたかったなら指で食べても、自分は気にならない、とエリカは思った。そんなこと全然かまわない。そのうえ、顔を赤らめるとすっごくカワイイし。

「今日、思いがけない客が来たわ」

「そう、誰？」

「ユーリアよ」

パトリックは驚きの表情でエリカを見た。しかし、食べるのを中断できない様子でいるのに気づいてエリカは喜んだ。

「きみたちが知り合いだったとは知らなかったけどな?」

「知り合いなんかじゃないわ。アレクスのお葬式で初めて会ったのよ。でも今朝あの子、この玄関の外に立ってたの」

「何しに来たんだろう?」

パトリックはまるで陶器の縁どりの色をこすりとろうとしているみたいに、熱心に指で皿をこすっていた。

「アレクスとわたしの子供のころの写真を見せてほしいって言われたわ。あの家にはあまりないみたい、ユーリアによればね。それで、わたしなら持ってるんじゃないかって考えたらしいの。確かに持ってる。写真を見たあと、子供のころや何かについて山ほど質問をされたわ。わたしが他から聞いたところによると、あの姉妹は特に仲がよかったわけじゃないみたい。二人の歳の差を考えれば、そんなに変なことでもないかもしれない。ユーリアは、これからアレクスについてもっと調べたい、姉のことを知りたいと思っているようだわ。とにかくこれが、わたしが受けた印象。ところで、あなたはユーリアに会った?」

「いや、会ってない、まだ。おれが聞いている限りでは、二人は特にはよく似ていない、いや、似ていなかったらしいね」

「うん、それは事実ね。というより、二人はまるっきり正反対、とにかく容貌の点ではね。ただ一つ共通点みたいなものがあるとすれば、それは打ち解けないこと。ユーリアには暗い感じもあって、これはアレクスにはなかったと思うわ。アレクスにはもっと、どう言ったらいいかなあ……無関心さがあった、わたしが話をした人たちから聞いたことから考えるとね。ユーリアは、むしろ強い不満ね。あるいは、激しい怒りかも。彼女の外面の下では、何かがぶくぶく泡を立てて発酵してるみたい。火山よ。休火山。これって、飛躍しすぎかな？」

「いや、そうは思わない。作家ならば、人間について鋭い直感を持たなければならないと思うけど。人間の本性ってものについて深く、な」

「やだ、わたしのこと作家だなんて言わないで。まだその肩書きにふさわしいことはしてないって、自分では思ってるんだから」

「本を四冊も出して、自分は作家だと思わない？」

パトリックは率直に理解できないという顔をしたので、エリカは、どう言うつもりだったのか説明する。

「うん、伝記四冊、五作目を執筆中。これを軽く考えるつもりはないけど、わたしにとって作家というのは、自分の心の中にあるものを自分の頭を使って書く人間なの。誰か他の人の一生について語るだけじゃなくて。わたし自身の中から出てくるものを書けた日に初めて、自分を作家と呼ぶことができると思ってる」

そして突然、それは真実のすべてではないという思いに打たれた。その定義によれば、表面的には、歴史上の人物について書いてきた伝記と、目下執筆中のアレクスを扱った本との間にはいかなる相違もない。後者も他人の人生を扱っている。しかし、それでもとにかく何かが違う。一つにはアレクスの人生は極めて明瞭にエリカ自身の人生と関わっており、また一つにはエリカは本の中で自分自身の思いを表現することができる。実際にあったさまざまな出来事の枠内で本の魂を操ることもできる。しかしまだ、これをパトリックに説明することはできなかった。自分がアレクスについて本を書いていることは、誰にも教えていなかったのだ。

「そうか、ユーリアはここにやって来て、アレクスについてたくさん質問していったわけだ。あの娘とネッリー・ローレンツのことを訊くチャンスはあった？」

エリカは自分の中で激しく葛藤したが、良心の呵責を覚えることなく、この情報をパトリックに伏せておくことはできないと結論づけた。エリカには無理でも、パトリックならばその情報から結論を導き出せるかもしれない。それは、エリカがパトリックの家にディナーに招かれたときにはまだ明かせなかった、小さいけれども極めて重要なパズルのピースでもあった。それでも、そのピースのことは自分ではあまり解明できなかったので、パトリックに黙っている理由も見つけられなかった。しかし今は、まずメインディシュをテーブルに出すことにしようと思った。

エリカはパトリックの皿を取ろうとして、意識して体を少し余分に前に傾けた。持っている切り札はできる限り使うつもりだった。パトリックの表情から、ずばりエースのスリーカードを手にしているのが分かった。ワンダーブラはここまでのところ、投資した五百クローナの値打ちが十分にあったようだ。買ったときはふところがかなり痛んだけれども。

「それ、おれに取らせてくれ」

パトリックは皿を受け取って、台所までついてきた。彼女はポテトの湯を捨てて、彼に大きなボウルでつぶしてもらうことにした。自分はソースを最後に温めて、味をみる。ポルトワインを少々、バターの大きな塊を加えてよくかき混ぜてでき上がり、テーブルに出すばかりになった。これに脂肪抜きのダイエット用クリームなんか入れたら、台なしよね！　あとは、オーブンから焼いたポークフィレを取り出して薄く切り分けるだけ。完璧だわ。いちばん内部は薄いピンク色をしているし、火が十分に通っていないことを示す赤い肉汁も出ていない。付け合わせにはさっと茹でたサヤエンドウを準備していて、あのマッシュポテトが入れられて待っているロシュトランドのボウルの中に入れた。二人は力を合わせて料理を台所に運んだ。エリカは爆弾を落とす前に、パトリックに自分の分を取ってもらった。

「ユーリアは、ネッリー・ローレンツの唯一の相続人になってるわよ」

パトリックはワインをまさに一口飲んでいるところだったが、気管に入ってしまったようだ。咳き込みながら胸を押さえ、苦しくて涙目になった。

「ごめん。いま何て言った？」と、パトリックは声を絞り出した。

「ユーリアがネッリーの資産の唯一の相続人だって。そう、ネッリーの遺言書に書いてあるわ」とエリカが静かに答えながら、咳を鎮めるために水を少しパトリックに注いでやった。

「それをきみがどうして知ってるのか、訊いてもいいかな？」

「ネッリーの邸にお茶に招待されたとき、屑かごの中を覗いたからよ」

パトリックはまた咳き込んで、疑うようにエリカを見た。パトリックが水の入ったグラスを一気に飲んでいる間、エリカは言葉を続ける。

「屑かごの中に、遺言書のコピーが入ってたの。それにははっきり、ユーリア・カールグレーンはネッリー・ローレンツの財産を相続するものとする、って明記されてたわ。もちろん、ヤーンにも少しは取り分があるでしょうけど、残りはユーリアが全部相続するの」

「ヤーンはそれを知ってるのかな？」

「分からない。わたしの推測では――知らないと思う。たぶんヤーンはそのことを知らない」

エリカは、食べながら話し続けた。

「ユーリアがここに来たとき、実際わたし、彼女が『ネッリー・ローレンツをよく知っているように見えたけど、それはどうしてかしら』って、訊いたわ。もちろん、二、三年夏に缶詰工場でアルバイトをしていたので知り合った、みたいな無意味な返事しかしてもらえなかった。工場でバイトをしていたのが事実なのは疑わないけど、それ以外の事実は全部カットしたのね。そのことをユーリアが絶対に話題にしたくないっていうのだけは、はっきり分かったわ」

パトリックは、考え込んでいる。

「この話には、すごく不釣合いなペアが二組いることにならないか。あり得ない組み合わせとさえ、言いたいな。アレクスとアンデシュ、そしてユーリアとネッリー。共通項があるとすれば何だ？　その繋がりを見つけられたら、事件の解決の糸口も見つけられるとおれは思う」

「アレクスよ。アレクスが共通項じゃない？」

「いいや」とパトリックは言う。「それではちょっと単純すぎる。何か別のものだ。おれたちには見えないものとか、理解できないもの」

そして、勢いよくフォークを振った。

「それからニルス・ローレンツがいるぞ。もっと正確には、やつの失踪。あのころきみはフィエルバッカに住んでたよね。そのことで何か覚えてないかい？」

「あのころわたしは小さかったし、子供には誰も何も話してくれなかった。でも、覚えてるのは、みんながあれに関係する話をしているのに、しょっちゅう、言っちゃダメって感じだったこと」

「言っちゃダメっ？」

「分かるでしょ。わたしが部屋の中に入っていくと話を止めたの。小声で話していた大人たちが。『しーっ、子供たちに聞こえるわ』とかって言って。言い代えれば、ニルスが行方不明になったころ、いろんなことが山ほど言われてたということね、それ以上わたし知らないわ。小さすぎたの。何も教えてもらえなかった」

「そうか、このことを少し掘り下げてみるよ。明日の捜査事項のリストに加えておこう。でも今おれは、美しいだけじゃなく、すばらしくおいしい料理ができる女性のところでディナーによばれてるんだ。では、女主人のために乾杯！」

パトリックがグラスを上げた。エリカは彼のお世辞に心が熱くなった。料理上手というお世辞ではなくて、美しいというお世辞に。お互いの考えが読めさえしたら、何もかもずっと簡単なはず。こんなゲームはすべて必要ないはずだ。それが読めないからここで、彼が自分に関心を持っているのかどうか、ほんのわずかなヒントでも現れるのを待っているのだ。ティーンエージャーだったら身を投げ出して運に賭けてみるのもいいかもしれないが、歳月とともに、心はだんだん柔軟でなくなっていくようだ。回を重ねるごとに掛け金は高額になり、痛手も大きくなる。

パトリックが三度お代わりをし、忌まわしい急死の話もとうに終わって、夢や世間話をあれこれ取り上げてから、二人はバルコニーに移って、デザートの前にしばし胃袋を休ませることにした。それぞれソファの端に座ってワインをすすっている。ボトル・ナンバー・ツーも終わりかけており、二人ともワインの効き目を感じていた。手足は重く熱くなり、頭はまるで柔らかくて気持ちいいコットンに包まれているような感じだった。窓の外にはぬばたまの夜が広がり、天を明るくする星ひとつなかった。外の濃い闇のおかげで、大きな繭に包まれているような感じだった。自分たちは地上にいる唯一の人間だという幻想は完璧な仕上げになった。エリカは、自分がこれほど満ち足りて寛いだことが今までの人生であった記憶はなかった。ワイングラスを持っていた手をバルコニーの右から左へぐるっと掃くように動かし、何とか家全体を示した。

「この家をアンナが売るっていうの、理解できる? これは、世界でいちばん美しい家だっていうだけじゃないわ。壁に歴史も刻まれてるの。わたしとアンナの歴史ばかりじゃなくて、わたしたちの前に住んでいた人たちの歴史も。知っていた? この家を一八八九年に自分と家族のために建てさせたのは、ある船長さんだったの。ヴィルヘルム・ヤンソン船長。船長さんの歴史は実際のところ、ほんとうに悲劇的だった。この土地の他の多くの歴史と同じようにね。船長さんはこの家を自分と若い妻イーダのために建てた。二人は五年で五人の子供をもうけたけど、六人目のときイーダは産褥熱で亡くなった。当時は、シングル・ファーザーなんてものは存在しなかった。それで、ヤンソン船長の独身のお姉さんが引っ越してきて、父親が七つの海を航海している間子供たちの世話をした。ヒルダはこの辺一帯の県ではいちばん信心深い女性だった。このことは、ここの住民が非常に信心深かったことを考えると、軽く見ていいことではなかった。子供たちはちょっとでも動こうものなら罪を犯したと責められ、ヒルダの信心深く厳しい手によって鞭打ちの罰を加えられた。今ならば、ヒルダはきっとサディストと呼ばれたわね。でも、そのころは、そのようなことを宗教の美名の下に隠すことは、問題なくやれた。

ヤンソン船長はそうしょっちゅうは家にいなかったから、子供たちがどんなにひどい目に遭っていたか知らなかった。でも、虫の知らせはあったに違いないわ。それでも男の勝手で、子育ては女の役割だと思っていて、子供たちに住む家と食卓の上に並ぶ食べ物を与えることで、父親としての務めは果たしたと考えていた。ある日家に帰ってきて、末娘のマッタが一週間前に腕を折ったと知るまではね。このときヒルダは凄まじい音を立てて出てゆき、船長さんは行動の人だったので、地元の未婚の女性たちの中から子供たちにふさわしい新しい養母を探した。今度は申し分のない人を選んだ。二カ月もしないうちに信頼できる農家の娘、リーナ・モンスドッテルと結婚して、彼女は子供たちをまるで実の子のように心から可愛がった。夫婦の間にさらに七人もできたので、きっとここはうんと狭かったに違いないわ。よく見るとね、あの一家が住んでた痕跡が見つかるの。小さく切りつけた跡や、穴や、すり減った部分とか。家のあっちこっちにあるわ」

「きみの父さんは、どのようにしてこの家を買うことになったんだ？」

「その兄妹たちは月日が経つにつれて風と共に散ってしまった。ヤンソン船長とリーナは年を追うごとに深く愛し合うようになったけど、亡くなってしまう。最後にこの家に残ったのは、長男のアランだけで、彼は一生独身だった。歳をとり、家を一人で維持するのは無理になって売ることに決めた。私の父は母と結婚したばかりで、ちょうど家を探していた。父は、この家に一目惚れしたって言ってたわ。一瞬も迷わなかったって。

アランは家を父に売り渡したとき、歴史も渡した。この家の歴史、家族の歴史をね。アランにとって大切なのは、その足でこの家の古い木の床をすり減らした人たちのことを父が知ることだったの。紙類もあとに残した。ヤンソン船長が世界の隅々から、最初は妻のイーダに、その後はリーナに送った手紙を。それから、ヒルダが子供たちを罰するのに使った木の鞭も残した。それは今でも地下室に掛けられてるのよ。アンナとわたしは子供のころ、ときどき地下室に下りていってはそれに触ってみたものよ。わたしたち、ヒルダの話を聞かされていたから、鞭のでこぼこした表面がむき出しの肌に当たったらどんなふうに感じるだろうかって、よく想像してみたわ。そして、そんなひどい目に遭った小さい子供たちのことを、可哀そうだなあって思ったものよ」

エリカはパトリックに目をやり、さらに続ける。

「この家を売ることを考えると、どうしてわたしがこんなに胸をかきむしられる思いをするのか分かったでしょ？　この家を売ってしまったら、絶対、絶対二度と取り戻すことはできない。取り返しのつかないことになるわ。金持ちのストックホルム市民がここに土足のまま入って床を平らに張り直し、小さな貝の絵がある新しい壁紙を張るとか、論外だけど、このバルコニーに私が『趣味が悪い』と言う間もなくさっと上に開くパノラマ・ウィンドーを取り付けてしまうなんてことを考えると、わたし気分が悪くなる。いったい誰が、食料貯蔵室のドアの内側に残ってる鉛筆の印を消さずにおこうとしてくれるかしら。あそこにリーナは毎年、子供たちがどれだけ大きくなったか印をつけてたのよ。あるいは、ヤンソン船長の手紙を読もうとしてくれる？　手紙の中で船長さんは、村の外にさえ出たこともないような奥さんたちに、南洋はどんな様子をしているのかやさしく説明してあげてるのよ。彼らの歴史は消し去られ、そうしたらこの家はただの……どこにでもある家になってしまう。チャーミングだけど魂のない家にね」

　エリカは自分が他愛もないお喋りをしているのは分かっていたが、なぜか、パトリックが分かってくれることが自分にとって大切だった。エリカはパトリックを見た。彼女をじっと見つめていた。その視線を受けながら、彼女は熱くなった。何かが起こった。想いが完全に重なる瞬間。何が起こったのか分からないうちに、パトリックが体をぴたりと寄せてきて、少しためらったあと唇を重ねる。初めは唇に残っていたワインの味しかしなかったが、そのあとパトリックの味がした。そっと唇を開いてあげると、彼の舌先が自分の舌を求めてくるのを感じた。全身を電流が走る。

　少しすると耐えられなくなり、エリカは立ち上がってパトリックの手を取って、無言のまま上の寝室にいざなった。二人はベッドに横になり、キスを重ね、愛撫し合った。少しすると、パトリックが問いかけるまなざしで、ドレスの背中のボタンを外し始めた。彼女も、それを促すように彼のシャツのボタンを外し始めた。そしてその時、今着けている下着は、初めてパトリックに自分を見せるときに着るべきものではなかったと気づく。穿いているパンストも、この世でいちばんセクシーなものだとはとても言えない。問題は、パンストとガードルをどのようにしたらパトリックに見せないで、体をよじりながら脱げるかだった。急にエリカは起き上がった。

「ごめんなさい。ちょっとトイレ」

それから浴室に急行し、興奮したまま周囲を見まわす。ついていた。片付ける暇がなかった清潔な洗濯物が洗濯かごの中に入っていた。苦労して体をよじりながら、きついパンストを脱ぎ、おばさんガードルといっしょにかごの中に入れた。そのあと、白くて薄いレースのパンティーを穿く。これなら、ブラジャーとぴったり合うはずだ。まくり上げていたドレスを再びお尻の上まで下げ、自分の姿を鏡に映して入念にチェックする。髪はふんわりカールしていた。目は熱っぽい光を放っている。口はいつもよりも赤く、ずっとキスをしていたために少し腫れている。自分で言うのもなんだが、かなりセクシーだ。ガードルを外すと、お腹は願っていたほどぺちゃんこにはなっていなかったが。さあ、お腹をへこませ、胸を突き出して、パトリックのところに戻ろう。パトリックのほうはエリカが出ていったときと同じ姿勢でベッドにいた。

二人の体から、衣類はどんどんはがれ落ちて山になっていった。一回目は、恋愛小説ならお約束になっているような素晴らしいものではなかった。現実の人生であるように、強い感情と当惑が混じり合っていた。互いに体に触れられるたびに爆発するように反応すると同時に、自分たちが裸であることを強く意識し、ささいな短所に不安を覚え、厄介な音が立たないかということまで気になった。二人ともぎこちなく、相手が何が好きで何が嫌なのか、確信もなかった。そのことを口に出して語れるほど確信もなかったので、代わりに喉から出る小さな音に、何がうまくいっていて、何が加減する必要があるのか語らせた。それでも、二回目はもっとよくなった。三回目は完全に満足がいった。四回目はベリー・グーで、五回目は最高だった。二人はスプーンのように重なって抱き合い眠った。エリカが寝入る前最後に覚えているのは、パトリックの腕がエリカの胸にのっていたこと、そして指がエリカの指にからまっていたことだ。唇に微笑みを浮かべながら、エリカは眠りに落ちた。

頭は今にも破裂して粉々に飛び散りそうだった。口はからからに乾いていて、舌が上顎にくっつきそうにべとっとしていた。顎にはそれまでに、唾液がついていたに違いない。というのも頬に、枕についてまだ乾き切っていない涎《よだれ》の痕を感じたからだ。まるで何かがまぶたを押さえつけ、目を開けようとするのを妨げようとしているようだった。それでも二度ほど必死に頑張ってみて、やっと開けることができた。

目の前に、幻が横たわっていた。エリカも横向きに、パトリックのほうを向いて寝ていたのだ。ブロンドの髪は、ふわふわと顔を縁取っている。深い、穏やかな息づかいから、まだぐっすり眠っていることが分かった。まつ毛が上下に動き、まぶたが軽くひくついたので、何か夢を見ているのだろう。パトリックは、自分は飽きることもなくこんなふうにエリカをいつまでも見ていられるだろうと思った。なんだったら一生。エリカは少し引きつるような動作をしたが、すぐに深い息づかいに戻った。あれがまるで自転車をこぐみたいだというのは本当だ。彼が言わんとするものは、性行為そのものだけでなく、女を愛するという感情のことでもあった。以前の夜のように真っ暗闇で陰鬱な昼と夜には、自分がいつか再びこんなふうに感じるなんてあり得ないと思っていた。今は、こんなふうに感じないなんてあり得ない気がする。

エリカが落ち着きなく体を動かし始めたので、意識の上にのぼり始めていることが分かった。懸命にまぶたを開けようとしたあと、やっと開いた。本当に青い瞳だな、と彼は改めて驚いた。

「おはよう、おねぼうさん」

「おはよう」

エリカの顔に広がった笑みを目にしてパトリックは億万長者になったような気さえした。

「よく眠れた?」

パトリックは目覚まし時計の光る数字に目をやる。

「うん、二時間寝たけど、最高に気持ちよかった。その前の寝ていなかった数時間のほうが本当のところ、もっと気持ちよかったけど」

エリカは返事の代わりに、ただ微笑んだ。

パトリックは、自分の息がマムシみたいな臭いがしないかと心配だったが、それでも体をかがめてキスしないではいられなかった。キスは深くなってゆき、あっという間に一時間が過ぎた。そのあとエリカはパトリックの左腕を枕にして、人差し指で彼の胸に円を描きながら見上げた。

「昨日来たとき、わたしたちがこうなるって思ってたの?」

パトリックは答える前にしばらく考え、その間ずっと右手を頭の下に敷いていた。

「いいや、思っていたなんて言えない。願ってはいたけど」

「わたしも。つまり、願っていた、思っていなかった」

パトリックは、ちょっと大胆かなとも思ったが、エリカに腕枕をさせている安心感から、何でも言えそうな気がした。

「違うのは、きみはごく最近願うようになったということだろ？　おれがどれだけ長い間願ってたか、きみ分かるか？」

エリカが不思議そうな目を向ける。

「ううん、どれだけ？」

パトリックは効果を高めるために、一息ついた。

「思い出せないくらい昔から。思い出せないくらい昔から、おれはずっときみに恋してたんだ」

このことを自分が大きな声で言うのを聞いたとき彼は、それがいかに嘘いつわりのないことか分かった。それは、事実だったのだ。

エリカは目を丸くして彼を見る。

「冗談でしょ！　それじゃあなたは、ほんのちょっとでもわたしに気があるんだろうかと、わたしが勝手に不安がっていただけだと言うの？　そして今、熟した柿の実を拾うようなものだと、教えてくれてるんだ。あとは自分のものにするだけだってね」

その口調は冗談めかしてはいたが、パトリックは自分の言ったことにエリカが少し動揺しているのが分かった。

「そのために、ずっと童貞で、砂を噛むような人生を送ってきたわけではないけどね。他の女にも恋してきたよ。たとえばカーリン。でも、きみはずっと特別な存在だったんだ。きみを見るたびにいつも何かを感じていた、ここで」

握り拳を胸に当てて、心臓の上を示した。エリカはその握り拳を取って、キスをし、自分の頬に当てた。そのしぐさで、パトリックはすべて理解した。

二人はこの朝を、お互いを知り合うために使った。暇なときには何をして過ごすかという質問に返したパトリックの答えを聞いて、エリカが失望の叫びを上げた。

「うっそ！　あなたもスポーツマニアなの！　どうしてなの、いったいどうしてわたしは、芝生の上でボールを追いかけるのが何も特別な生業《なりわい》なんかじゃないと――もう五歳にもなったら、見抜けるぐらい賢い男を見つけられないんだろう！　あるいは、誰かが二メートルのバーを跳び越えられることで人類はどんな利益を受けるんだろうって、少しくらい疑問を覚える男を」

「二メートル四十五」

「二メートル四十五って、何よ」とエリカは興味なさげに尋ねた。

「世界でいちばん高く跳べる男、キューバのソトマヨルは二メートルと四十五跳んでる。女子なら二メートル強ってとこかな」

「あ、そうなんだ」

エリカは探るような目をした。

「衛星放送のユーロスポーツは観てる？」

「ああ」

「カナル・プリュは？　映画ではなくてスポーツのほう」

「ああ」

「テレビ1000もスポーツ？」

「ああ。でもね、正確に言うと、おれはテレビ1000でスポーツ以外の番組も観る」

エリカはふざけた調子でパトリックの胸を指ではじいた。

「他に、わたし忘れているもの、ある？」

「ああ、3チャンネルはスポーツをいっぱい流してるよ」

「わたしのスポーツ狂レーダーはとても性能がいいの。一週間ほど前に友だちのダーンのところでとんでもなく退屈な夜を過ごしたわ。オリンピックのアイスホッケーを見させられて。不細工なすね当てを着けた男たちがちっちゃな黒い代物を追いかけ回すのを見て、何が面白いんだろ。理解できない」

「そうは言っても、ブティックを飛びまわってまる一日潰すよりも、はるかに面白いし、もっと生産的だと思うよ」

人生における最高に素敵な悪習に対していわれない非難を受けてエリカは、鼻に皺を寄せ、パトリックに向かって顔をしかめた。それから、にわかにパトリックの目がきらりを光るのを見た。

「くっそー」

　彼はベッドの上に座りなおした。

「えっ？」

「くそー、くっそうー、くそったれ！」

　エリカは目を丸くしてパトリックを見た。

「くっそー、どうしておれは、あんなことを見落とすなんてできたんだ？」

　パトリックが握り拳で数回、自分の頭を叩いた。

「もしもーし、こちら、エリカでーす！　何の話をしておられるのか、教えていただけませんでしょうか？」

　自分の存在を知らせるために、エリカがパトリックの目の前で両手を振った。そのために弾んでいるエリカの裸の胸が目に入って、パトリックは一瞬、集中力を失くしてしまった。それから、生まれたままの姿でベッドから飛び下り、階段を駆け下りた。そして、手に新聞を二つ持って戻ってきた。ベッドに座って、とり憑かれたように新聞をめくる。エリカは諦めて、ただ好奇心いっぱいにパトリックの動作を見つめていた。

「なーるほど！」とパトリックが勝ち誇ったように声を上げた。「きみが古いテレビ番組案内のページを捨ててなかったのは、ラッキーだったよ！」

　エリカの前で新聞を振る。「スウェーデン対カナダ戦だ！」

あいかわらず黙ったまま、我慢してエリカは問いただすように片方の眉を上げていた。

パトリックは、じれったそうに説明を始めた。

「オリンピックの試合で、スウェーデンはカナダに勝ったんだ。一月二十五日、金曜日。4チャンネル」

彼女はあいかわらず無表情のまま、パトリックを見ている。パトリックはため息をついた。

「通常の番組は全部、この試合のために中止になってたんだよ。あの金曜日、アンデシュは『二つの世界』と同じ時間に帰宅したなんてことはあり得ない。あの番組は放送されなかったんだから。分かるか？」

パトリックが言っているのが何のことなのか、エリカにもだんだん呑み込めてきた。アンデシュには、もはやアリバイはないのだ。たとえ可能性が低くても、警察が調べずにすますことはあり得ない。警察は、すでに持っている材料に照らして見て、アンデシュをまた連行できる。エリカが理解したのを見て、パトリックは満足そうにうなずいた。

「でもあなたは、アンデシュが犯人だとは思ってないわけでしょ？」とエリカが訊いた。

「うん、確かに思ってない。しかし、まず第一に、おれだって間違うことはある。きみはなかなか信じないだろうけど」ウインクして続ける。「そして第二に、もし、おれが間違っていなければ、絶対アンデシュはやつが語る以上にずっと多くのことを知ってる。おれたちには、やつを締め上げるチャンスがまた手に入ったってわけだ」

パトリックは寝室の中で自分の衣服を探し始めた。あちらこちらに散らばっていたが、いちばん慌てたのは、ソックスを穿いたままでいたことに気づいたときだった。素早くズボンを穿く。そして、エリカも情熱の嵐の渦の中でこのことには気づいていなければいいが、と思った。〝ターヌムスヘーデ体協〟と刺繍された白いチューブソックスを穿いたままでは、とてもセックスの神さまにはなれない。

パトリックはにわかに慌ただしくぎこちない手つきで、もそもそと服を着はじめた。しかし、最初にシャツのボタンのかけ違いをしてしまい、みんな外してまたかけ直さなければならなくなり、舌打ちをした。そして直ちに、自分の慌てふためいた様子がどんなふうに見えるか悟り、ベッドの縁に腰を下ろし、エリカの両手を取って瞳を覗き込む。

「こんなふうに飛び出していくなんて、申し訳ない。でも、しようがないんだ。それでも、ゆうべがおれの人生でいちばん素晴らしい夜だったということは、知っておいてほしい。次に逢うまで待ちきれないよ。おれとまた逢ってくれるか?」

二人の関係は今でもあまりにもろく壊れやすいものに感じられたので、返事を聞くまで息をつめていた。彼女はうなずいた。

「じゃ、仕事が終わったら、また戻って来るから」

エリカがふたたびうなずく。パトリックは前かがみになってエリカにキスをした。

寝室のドアから出ていくとき、エリカはベッドの上で膝を立て、シーツをゆったりと体に巻いて座っていた。陽の光が傾斜天井にある小さな丸窓から射し込んで、彼女のブロンドの頭のまわりに後光を作っている。これは、パトリックがこれまで見たいちばん美しい光景だった。

雪はやわらくて、あっという間に薄いローファー・シューズに入り込んできた。この靴は夏の気候には適していたが、アルコールは、寒さを鈍くするのに効果的な方法だった。ウオッカと冬靴のどちらを買うかの選択では、結論は簡単だった。

この水曜日の早朝の空気は爽やかに澄んでいて、繊細な光がすべてを包み込むようだった。そうして、ベングト・ラーションの胸の奥に長いこと感じていなかった感じが甦った。それは平穏さの感じに、不安を覚えるほどよく似ていて、このような滅多に感じない感覚を呼び起こすものは、普通の水曜日の朝とどう関わりがあるのだろうかと思った。足を止め、目を閉じて朝の空気を吸い込む。自分の人生にこんな朝がいっぱいあったらなあ。

彼にとって、人生の分岐点ははっきりしていた。人生が不幸な方向転換をしたのはどの日だったのか、正確に分かっていた。時刻まで言える。本来、彼にはあらゆるチャンスがあった。責任を押しつけられる虐待など無かった。貧乏も、飢えも、愛情の欠除も無かった。責められるべきはただ一つ、自分の愚かさと、自分の優秀さに抱いた自信過剰だった。もちろん、若い女もからんでいた。

十七歳になっていた。ある若い女がからんでいないところで彼が何かをやることはなかった。この女は特別だった。豊かな金髪、偽物のしとやかさをもったモード。彼女はベングトのエゴを、よく調弦されたバイオリンを弾《ひ》くように巧みに操った。「ねえ、ベングト、わたしが必要なのは……」「ねえ、ベングト、頂けないかしら……」モードは手綱を握り、その先にベングトは繋がれて素直についていった。自分が働いてもらった金をみんな貯めて、上等な服、香水、モードが指差すものは何でも買ってやった。しかしモードは、あんなにしつこくねだった物を手に入れたとたん、それを脇に放り出して次の物をねだった。それが自分を幸せにできるたった一つの物だ、と言い張って。

モードは、いわば、ベングトの血の中にこもった熱だった。そしてベングトが気づかないうちに、運命の輪は徐々に回転を始めてますます速くなり、最後にはもう何がなんだか分からなくなっていた。ベングトが十八歳になったときモードは、キャデラック・コンバーチブルよりも小さい車ではドライブしないと言い放った。この車は、ベングトの一年分の稼ぎよりも高かった。それでベングトは夜な夜な寝返りを打ちながら、どうしたらその金を手に入れることができるか考えた。ベングトが苦しみ悶えている間、モードは口を尖らせ、もし車を手に入れられなかったら、自分にふさわしい扱い方ができる男たちは他にもいるからと、ますます露骨に匂わせた。不安に満ちた眠れない夜々、嫉妬は激しさを増し、そして最後には、もはや我慢できなくなった。

一九五四年九月十日十四時ちょうど、ベングトはターヌムスヘーデ銀行に入っていった。父親が長年自宅に保管していた軍隊の拳銃で武装し、ナイロンストッキングで顔を隠して。何一つうまくいかなかった。確かに銀行の従業員は彼が持っていたバッグにさっと紙幣を投げ入れてくれたが、その総額は、望んでいたほど多くはなかった。それからナイロンストッキングで顔を隠していたのに、客の一人で、ベングトの級友の父親がベングトだと分かった。一時間もしないうちに警察が自宅に来て、ベングトのベッドの下で金の入ったバッグを発見した。ベングトは、母親の顔に浮かんだ表情をけっして忘れない。母親はとうの昔に亡くなっていたが、その目は、アルコールが切れて不安になるとベングトを追い立てる。

刑務所に三年入って、将来への希望という希望はみんな消えてなくなった。娑婆に戻ったとき、モードはとうに姿をくらましていた。どこに行ったか分からなかったし、知りたいとも思わなかった。昔の友人はみんな安定した職と家庭生活を手に入れていて、ベングトとは関係を持ちたがらなかった。父親は、ベングトが塀の内にいるうちに交通事故で死んだので、ベングトは母親のところに転がり込んだ。平身低頭して仕事を見つけようとしたが、どこへ行っても拒まれた。誰もベングトと関係を持ちたがらなかった。彼のあとについて離れない、ありとあらゆる視線に耐えきれなくなり、ベングトはとうとう酒瓶の底に未来を求めるようになった。

通りで出会ったら誰もが挨拶を交わす小さな町の安全に守られて成長した人間にとって、村八分にされるということは、身体に加えられた殴打と同じほど苦痛で、耐えがたいものだった。フィエルバッカから出ていくことも考えてはみたが、一体どこへ行けばいい？　ならば、出ていく代わりに、慈悲ぶかいアルコールの中に包みこまれるほうが簡単だった。

ベングトとアンデシュはすぐに仲良くなった。この二人の情けない役立たずが、と二人はいつも言っては苦笑いしていた。ベングトはアンデシュに対してほとんど父親に似た情愛を抱いていて、自分自身の運命よりもアンデシュの運命のほうに、大きな悲しみを覚えていた。アンデシュの人生を違った方向に変えるために何かできたらと願ったが、ベングト自身もアルコールの引きつけて放さない魔力を痛感していたため、歳月とともに要求するばかりになっていく愛人のような酒から我が身を剝がし取ることがいかに難しいか承知していた。この愛人は何もかも要求して、何一つお返しをしてくれない。それに二人にできたことはただ一つ、互いにささやかな慰めを与え合い、いっしょにいることだった。

アンデシュのアパートの入り口までの道路は念入りに除雪されて砂を撒かれていたので、内ポケットの瓶に気をつけながら用心して小さな歩幅で歩く必要はなかった。これは、この前の冬には必要だった。厳しい冬で、アンデシュの部屋に続く階段の下まで氷が張っていた。

アンデシュの部屋がある三階まで続く階段を昇るのは、エレベーターがないためいつもひと仕事だ。数回足を止めて息をつき、そして忘れず二回、内ポケットの中の瓶を取り出して気つけに二口飲んだ。やっとアンデシュの部屋のドアの前に来ると、ベングトの息は切れていた。ドアの縁枠にもたれて少し休んでからドアを開ける。アンデシュがこのドアに一度も鍵を掛けたことがないのは知っていた。

部屋の中は静まり返っていた。留守か？　酔って寝ていれば、いつもの深い息づかいといびきが、上がり口からも聞こえるはずだ。ベングトは台所を覗いた。誰もいない。いつものバイ菌の群を除いては。風呂の戸は開けっぱなしになっており、そこも空っぽだった。角を回ったとき、みぞおちに不快な感じがした。居間の光景を目にして一歩も動けなくなった。

手に持っていた瓶が重い、鈍い音を立てて床に落ちたが、壊れはしなかった。

最初に見えたのは、床の少し上でひとりでに揺れている足だった。靴下を穿いていないその足は、振り子のようにかすかに揺れていた。アンデシュはズボンは穿いていたが、上半身には何も着ていない。頭は変な角度に下がっていた。顔は腫れて変色しており、少し唇の外に飛び出している舌は、口に比べて大きすぎるように見えた。ベングトがこれまで見たことがない悲しい光景だった。瓶を拾い上げてから、向きを変えてゆっくり部屋から出る。闇雲に自分の中の何かを探して、すがりつこうとしたが、見つかったのは空しさだけだった。代わりに自分が知っているたった一つの命綱に手を伸ばした。それからアンデシュの部屋の敷居に腰を下ろして、瓶を口に当てながら泣いた。

血液中のアルコール濃度が合法であるかどうかは疑わしかったが、パトリックはそんな心配はしていなかった。念のため、いつもよりも少しゆっくり運転したが、同時に携帯電話でいろいろな番号をプッシュして話していたので、そんな運転がどれだけ安全度を高めるのに役立ったかは議論の余地があった。

最初の通話は4チャンネルが相手で、テレビ局は『二つの世界』がアイスホッケーの試合のために二十五日金曜日には放送が中止されたことを確認した。そのあとメルバリにかけた。まったく予想外というわけではなかったが、署長はその新事実に大喜びし、アンデシュを直ちに連行しろと命令した。三番目の通話で応援を要請して認められ、アンデシュが住んでいいない。証人に関しては、まったく稀とは言えない間違いだ。イェンニ・ロセーンはまったく単純に日にちを混同したに違いない。

捜査の転機が訪れる可能性を目前にして興奮しているのに、ちゃんと任務に集中できない。思いはずっとエリカとゆうべのことに戻っていった。気がつくと、間抜けな笑いを顔いっぱいに浮かべながら、両手は勝手にハンドルの上で小さなリズムを叩いている。カーラジオをオールディーズを流している局に合わせると、アレサ・フランクリンの『リスペクト』が聞こえてきた。陽気なサウンドは気分にぴったりだったのでボリュームを上げる。リフレインになると、声を張り上げてハモり、座ったままでできる限り上手に踊った。なんてイケてるんだろうと調子が出はじめていたとき、急にラジオが切れて、耳には自分の「R.E.S.P.E.C.T.」とガナる声だけが響き、鼓膜にとっては不快以外の何物でもなかった。

昨日の夜は初めから終わりまでずっと夢に酔っている感じだった。二人が飲んだワインの量のせいだけではない。まるでさまざまな思い、愛、セックスのベールか霧の幕が夜の一時間、一時間を包みこんでいるみたいだった。

ハンドルを切って集合住宅そばの駐車場に入ったとき、しぶしぶ昨日のことを考えるのは止めた。応援隊が、いつになく早ばやと到着していた。みんなは近くにいるはずだ。回転灯を点灯している警察車両が二台見えたので、パトリックは額に軽く皺を寄せた。まったく、連中は指示を誤解している。車は一台しか要請していない。さらに近づくと、パトカーの後ろに救急車が一台停まっているのが見えた。様子がおかしい。

レーナがいるのが分かった。ウッデヴァッラ署の金髪の警察官だ。彼女のほうに歩いていく。レーナは携帯電話で話していたが、近づくと「それじゃ」と言ったのが聞こえた。彼女は携帯を腰のベルトに結びつけていたホルダーに入れた。

「おはよう、パトリック」

「おはよう、レーナ。いったい何があったんだ？」

「アンデシュ・ニルソンがアパートでぶら下がってるのを、呑んだくれ仲間が見つけたんよ」

レーナは入り口の方向を示した。パトリックは横腹にひんやりするものを覚えた。

「何にも触ってないだろうな？」

「あたしたちのこと、何だと思ってんの？　ちょうど今、ウッデヴァッラの連絡センターと話したとこ。あっちからチームを寄こして現場を調べさせるって。あたしたち、メルバリとも話したばっかりで、あんたと話したって言ってたから、あんたが来るんだろうと思ってた」

「違うんだ。また事情聴取するためにアンデシュを連行しようと思って来たんだ」

「でも、アリバイがあったって聞いてるけど？」

「うん、そう思ってたんだが、それが崩れたんで、また連行することになったんだ」

「なんてこった！　これはどういうことになるわけ？　つまり、突然このフィエルバッカに人殺しが二人も現れたなんてことはほとんどあり得ないから、おっさんはアレクス・ヴィークネルの命を奪ったのと同じやつに殺《や》られたに違いない。大体あんたたち、アンデシュ以外の被疑者はいたの?」

パトリックは体をもじもじさせる。この事件が何もかもひっくり返してしまったというのは事実だが、まだレーナと同じ結論、つまりアンデシュがアレクス・ヴィークネルの命を奪った人物によって殺害されたという結論を、導き出す気持ちにはなれなかった。確かに、この土地で何十年もの間たった一件の殺人もなかったことを考えれば、突然二人の違った殺人犯がうろつくようになったなんて、確率的にはほぼ不可能だ。しかし、不可能なことを完全に排除する気持ちにもなれなかった。

「いっしょに上がろう、おれも現場を見たい。それから、これまで分かったことを話してくれないか。たとえば、通報はどんなふうにされた?」

レーナが先に階段の吹抜けの中に入っていく。

「うん、さっきも言ったけど、アンデシュを見つけたのは呑んだくれ仲間の一人、ベングト・ラーションン。今朝アンデシュのところにやって来て、早起きは三文の徳とばかりにいっしょに呑もうとしたわけ。いつも勝手に入り込んでいたので、今日もそうした。そして部屋に入ると、居間の天井燈の据え付け鉤に結び付けられたロープからアンデシュがぶら下がってるのを見つけてしまった」

「そいつは即座に通報したのか?」

「ううん、してない。入り口にへたり込んで、安酒のエクスプローラー一本に悲しみをまぎらせていた。隣人が部屋から出ようとしたところで、どうしたんだって訊いて、やっとこらえきれずに話したってわけ。それから隣人が、こっちに電話をした。ベングト・テーションはぐでんぐでんで、とてももっと詳しく話が聞けるような状態じゃなかった。それであたし、おやじをおたくらのトラバコに送り出したとこ」

パトリックは密かに、どうしてメルバリは電話をかけてよこして、このアクションについて残らず知らせてくれなかったのかと思ったが、警視のやり方はいつも不可解だという説明で我慢した。

パトリックは階段を一段おきに上がっていき、レーナを追い越す。二人が二階まで上がってくると、ドアが大きく開けっぱなしになっていて、部屋の中を動きまわっている人間たちが見えた。イェンニがマックスを腕に抱いて、自分の部屋の入り口に立っていた。パトリックが近づくと、マックスが嬉しそうに小さな丸々とした両手を振りながら、数本はえた歯を見せて笑った。

「何があったの?」

イェンニはマックスをしっかり押さえていた。息子のほうは、何とかして腕からすり抜けようともがいている。

「まだ分からない。アンデシュ・ニルソンが死んだ、それ以上のことは分かってない。何か変わったこと、見たか聞いたかしなかったかな?」

「ううん、特別なことなんかなかったと思う。最初に聞いたのは、この横に住んでる人が階段の吹抜けで誰かと話してる声がして、少ししたらパトカーと救急車が来て、外が大騒ぎになった」

「しかし、今朝か昨日の晩、あるいは夜中には何か特別なこと、なかったかな?」

パトリックが続けて探りを入れる。

「ううん、何にも」

とりあえず、そこで止めた。

「オーケー、ありがとう、イェンニ」

それからマックスに微笑み、自分の人差し指を握らせたが、これは狂喜するほど面白いことだったらしく、マックスは息がつけなくなるほどはしゃいだ。パトリックはしぶしぶたりから離れ、アンデシュの部屋のほうにゆっくりバックした。マックスに手を振り、赤ちゃん言葉でバイ、バイと繰り返し言いながら。

レーナはアンデシュの部屋の戸口に立って、からかうような笑いを唇に浮かべている。

「自分のが欲しいんでしょ?」

パトリックは、自分が顔を赤らめるのを感じて焦ったが、レーナの笑いをさらに大きくしただけだった。答える代わりに、何か意味不明なことをもごもご呟いた。レーナが先に部屋に入りながら、肩越しに言った。

「ちょっと言ってくれればいいのに。あたしフリーでシングルだし、生物時計もチクタクうるさくって、その音で夜もろくに寝れないんだから」

パトリックは、レーナが冗談を言っているのは分かっていた。これはレーナのいつものおふざけなのだが、それでも、ますます赤くなるのはどうしようもなく、返事はせずにおいた。そして、二人が居間に入ると、笑いを誘うあてこすりはすっかり影を潜めた。

誰かがアンデシュがぶら下がっていたロープを切って下におろして、アンデシュは床に横たわっていた。アンデシュの真上には、天井から十センチほどのところで切られたロープがまだ下がっていた。残りのロープは、罠の縄のように結ばれてアンデシュの首に巻かれている。ロープが皮膚に食い込んだ部分に、深い、怒ったように赤くなっている痕が見られた。パトリックがいつも死体を前にしていちばん苦労するのは、不自然な顔色を見ることだった。首を絞められると、不気味な青みを帯びた薄紫色が被害者の顔に出て非常に変な表情にさせる。上下の唇の間から突き出た膨張して厚い舌は、絞殺や扼殺《やくさつ》された被害者には一般的なものだと知っていた。パトリックが殺人の被害者にかかわった経験は控え目に言って限られたものであるにせよ、警察の扱う自殺件数は毎年それなりにあったし、パトリックもこの職業に就いてから現在まで三体、ロープを切って下ろすのにかかわった。

それでも、居間の中を見まわしたとき、これまで見てきた首吊り自殺の現場とこの現場を非常にはっきり区別するものが一つあった。アンデシュは天井によじ登って、吊り下がった輪の中に、頭を突っ込むことは、できなかったはずだ。そばには椅子もテーブルも無かった。アンデシュは薄気味悪い人間モビールとなって、部屋の真ん中でふわふわ浮いていたのか。

殺害現場には不慣れだったので、パトリックは慎重に、大きな円を描きながら死体のまわりを大きく回った。アンデシュの目は開いていて、空中を固く凝視していた。パトリックはかがんで、死人の目を閉じてやらずにはいられなかった。監察医が現場に着く前にいかなる形であれ、死体に触れるべきでないこと、本来ならば死体を下ろすべきでないことは承知していた。しかし凝視する目の中にある何かが、パトリックを落ち着かなくさせた。まるでその目が歩きまわるパトリックをずっと追っているように感じられたのだ。

部屋が異常に寒々としているのに気づき、絵画がみんな壁から消えてなくなっているのを知った。残っているのは、作品が掛かっていた個所にできていた大きな汚れた跡だけだ。他はパトリックがこの前ここに来たときと同様に散らかっていた。しかし、あのときはとにかく画が部屋を明るくしていた。画は汚れと美のコンビネーションによって、アンデシュの家に一種退廃的なイメージを作り出していた。今は、ただ汚くてむかつくにすぎない。

レーナは途切れなく携帯電話で話していた。そして、彼女がごく短く返答しているのがパトリックに聞こえていた通話のあと、エリクソン社製の小さな電話をパタンと閉じて、彼のほうを向いた。

「現場捜査のため法医学室から応援が来るよ。今イェーテボリを出るみたい。何にも触っちゃいけないって。念のため、外で待とうよ」

二人は玄関まで戻り、レーナがドアの内側にあった鍵を使って静かにドアを閉めた。アパートの外の寒さは刺すようで、レーナとパトリックはその場で軽く足踏みをする。

「ヤンネはどうしたんだ?」

パトリックはレーナの相棒のことを訊いた。彼女といっしょに車で来ているはずだった。

「あいつ、今日は看病日」

「看病日？」

パトリックは尋ねるように言った。

「病気の子供の世話。看病日。経費削減のおかげで、短時間で出てこられる人間は一人もいなかったんで、召集がかかったとき、あたし一人で来るはめになったんよ」

パトリックはうわの空のまま、うなずいていた。彼はレーナの考えに傾いていた。自分たちが追っているのは同一の殺人犯なのだと示唆するものが多くあったのだ。結論を急ぎすぎることは捜査上もっとも避けなければならないことだが、この小さな土地に殺人犯が二人もいる見込みはゼロに近いほど小さい。さらに二人の被害者同士に強い繋がりがあることも考えれば、この見込みはいっそう小さくなる。

二人は、イェーテボリから来るのに最低一時間半、おそらく二時間かかることを知っていた。それで、寒さをしのぐためにパトリックの車に乗ってヒーターを入れた。ラジオもつけ、長いこと黙ったまま、愉快なポップミュージックに耳を傾けていた。これは、長い間待たされることになった理由と比べると、有難いコントラストだった。一時間と四十五分たって、警察車両が二台駐車場に入ってくるのが見えたので、ふたりは応援を迎えるために車から出た。

「ねえ、ヤーン。ふたりだけの家を持てないの？　バードホルメンの家の一軒が売りに出てるのを見たの。見に行かない？　眺めは最高だし、小さなボートハウスもついてんのよ。ねえ？」

リーサのきんきん声は神経を刺激する。この頃は、ほとんどいつもそうだ。リーサが余計な口を叩かずにただ可愛らしくしてくれていたら、彼女と結婚して良かったとずっと思えるはずだ。しかし最近では、大きくて固い胸や丸い尻も、いろいろ苦労してモノにする値打ちがあったとは思えなくなってきていた。わがままはエスカレートするばかり、たとえばこのような瞬間には、ヤーンは結婚をせがまれて譲歩するんじゃなかったと後悔した。

彼が目をつけたとき、リーサはグレッベスタのクラブ〈赤毛のオルム〉でウェートレスをしていた。当時つるんでいた不良仲間は、彼女の大きな胸許のラインと長い脚を見ると文字どおり涎を垂らし、ヤーンはその場で、自分のものにすると決めた。ヤーンはいつも大抵自分が欲しいものは手に入れていて、リーサも例外とはならなかった。ヤーンはルックスもまあまあだったが、決定的な瞬間はヤーン・ローレンッと自己紹介するときだった。その姓を名乗るといつも、女たちの目が輝いた。あとは、なんでもオーケーだった。

初めのうちはリーサの体に夢中だった。飽きることを知らないくらいだったが、彼女が金切り声でしょっちゅう口にする単純な話には耳をふさいでいた。リーサと腕を組んでどこかへ行くと他の男たちから投げかけられる妬みの視線は、リーサの魅力を増幅させてくれた。初めのうちは彼女が自分をきちんと妻にしてくれてもいいはずだと控えめにほのめかしても、まったく無駄だった。正直なところすでに、おつむの弱さのせいで魅力は少しずつ弱くなり始めていた。それでもリーサを自分の妻にするとはっきり決めたのは、ネッリーがその考えに強く反対したからだった。ネッリーは初めて会った瞬間からリーサを嫌っていて、自分の考えをことあるごとに口にし、決して変えなかった。子供っぽい反抗心のせいで現在の状況に陥ってしまい、ヤーンは今では自分の愚かさを呪っていた。

リーサは唇を突き出して、大きなダブルベッドに腹ばいになっていた。リーサは、懸命に自分の裸を魅力的に見せようとしていた。しかしヤーンの気持ちは動かない。彼女が返事を待っていることは分かっていた。

「おまえだって、おれたちが母を置いて出ていけないことは知ってるだろ。病気で、この大きな家を自分だけでは維持してはいけない」

リーサに背中を向けて、彼女のドレッサーの大きな鏡の前でネクタイを結ぶ。鏡の中に、いらついて眉根を寄せるリーサが映っている。そんな表情は彼女には似合わなかった。

「あのクソ婆は、どっかいい老人ホームにでも入って家族の重荷にならないようにしてやろうって分別を持てないのかしら。こっちにだって自分の人生を生きる権利があるんだよ、分かってないのかしら？　こっちはくる日もくる日も世話しなきゃいけないんだから。あの大金の上にとぐろを巻いてるだけで、何が楽しいんだろ？　賭けてもいいわ、こっちがへこへこして、あいつのテーブルからころころ転がり落ちる小銭の前に這いつくばるのを楽しんでるんだよ。あなたがあいつのためにどれだけ沢山のことをしてるか分かってるんだろうか？　あんな会社で奴隷みたいにあくせく働いて、帰ってきたらあいつのお守りをしてるのに。お礼として、この家でいちばん良い部屋をくれることもしないで、こっちを地階に住まわせながら、自分はサロンでぶらぶらしている」

ヤーンは向き直って、冷たい目で妻を見る。

「おれの母親のことをそんなふうに言うなって、言わなかったか」

「おれの母親?」と、リーサは鼻を鳴らした。「ヤーン、まさかあなた、あいつが本当にあなたのことを息子だと思っているなんて幻想を抱いてないよね。あなたはあいつにとってはしまってなかったら、遅かれ早かれ放り出されてたって。あいつの溺愛したニルスが消えて可哀そうな慈善の対象以上になることは絶対ないんだよ。あいつの溺愛したニルスが消えてしまってなかったら、遅かれ早かれ放り出されてたって。あなたは当座しのぎの代役なだけ。あなたでなきゃ、誰が一日二十四時間あいつのために事実上ただで、あくせく働くもんですか。あなたがもらってるものはたった一つ、あいつがいつかくたばったときに金は全部あなたのものになるっていう約束だけ。第一に、婆はたぶん最低百歳までは生きるし、第二に、きっと金はもう捨て犬どものホームに遺贈することになっていて、陰で大笑いしてるよ。ヤーン、あなたはときどき、とんでもない馬鹿なんだから」

リーサは仰向けになって、念入りにマニキュアした爪をよく見直していた。ベッドのリーサのところへ、氷のように冷たく落ち着いてヤーンが一歩寄ってきた。そしてしゃがんで、ベッドの縁まで垂れ下がっていた長い金髪を手に巻いて、ゆっくり引っ張り始めた——徐々にきつく——とうとう彼女は痛みに顔をゆがめる。ヤーンは、彼女の息づかいを感じるほど自分の顔を彼女の顔に近づけ、低い声で脅した。

「絶対に、絶対に、おれのことを馬鹿呼ばわりするな、分かったな。みてろ、あの金はいつかおれのものになる。問題はたった一つ、おまえが分け前にあずかれるかどうかってことだ」

彼女の瞳に恐怖が走るのを見てヤーンは満足した。そして、彼女の愚かながらも、原始的に狡猾な脳が情報を分析して、戦術を変えるタイミングになったという結論に達したのが分かった。リーサはベッドの上で体を伸ばし、両唇を突き出し、両手をカップにして乳房にかぶせた。ゆっくり人差し指で乳首が固くなるまで撫でまわし、喉を鳴らすような声で言った。

「ごめ〜ん。ヤーン、わたしが馬鹿だった。わたしがどんな人間か、知ってるでしょ。ときたま考えもしないで喋るんだよね。何かで埋め合わせできないかな〜？」

彼女は挑発するように片方の人差し指を吸って、その手を自分の体の下のほうに持っていった。

ヤーンは意に反して、体が反応するのを感じた。少なくともこの女はまだこういう利用価値ならあるのだと考えた。そして、ネクタイをほどく。

メルバリは考え込みながら股を掻いていたが、その仕草のために、彼の前に集まっている部下たちの顔に浮かんだ不快感には気づいていなかった。この日を記念して、少々きつすぎたが、スーツも着てきた。スーツがきついのは、きっと誰かがドライクリーニングでいい加減な仕事をしてアイロンを高温にしすぎたせいだ。体重が新兵のころから一グラムも増えていないことを確認するために、わざわざ体重測定をする必要もなかった。したがって、新しいスーツの購入は無駄遣いだと考えていた。高級品質は永遠だ。ドライクリーニング屋の間抜けどもが自分の仕事をちゃんとやれないのは、彼にはどうにもできなかった。

彼は咳払いをして、全員の注意を喚起しようとする。私語や、椅子が立てる音が止んで、皆の視線がデスクを前にして座っているメルバリに向けられた。署内から椅子がかき集められて、メルバリの前に半円形に並べられていた。彼は無言のまま、厳粛な表情をして全員を見た。これは、メルバリができる限り多くのものを部下から搾り取るつもりでいる瞬間だった。パトリックがひどく疲れきった顔をしているのに気づいて、額に皺を寄せた。確かに部下たちは勤務時間外には自分のしたいことをしてかまわないが、週のど真ん中であることを考えれば、宴会や酒に関して節度を守るよう求めることができてしかるべきではないか。メルバリは、前夜に自分の喉を通って流れ込んでいったハーフボトルの記憶はうまく抑えた。そして、署のアルコール対策についてパトリックと二人だけで話し合うことを記憶にとどめた。

「すでに全員も承知のとおり、フィエルバッカでさらにもう一件、殺人事件が発生した。殺人犯が二名いる確率は極めて低く、したがって自分は、アンデシュ・ニルソンを殺害したのは、アレクサンドラ・ヴィークネルを殺害した者と同一であると前提できるものと考える」

自分の声と、前に並んでいるいろいろな顔に浮かんだ強い興味と関心にいたく満足した。これぞおれの真骨頂だ。こうすることに、自分は生まれついたのだ。

メルバリは続ける。「アンデシュ・ニルソンは今朝ベングト・ラーションによって発見された。こいつはアンデシュの呑み仲間だ。アンデシュは絞殺された。イェーテボリからの最初の予備的情報によれば、少なくとも昨日からあそこにぶら下がっていた。もっと精確な情報を得るまでは、これが捜査開始の仮説である」

メルバリは、仮説という言葉が舌の上で転がる感触が好きだ。彼の前に集まっている連中は特に大人数ではないが、メルバリの頭の中では何倍にもふくらんでおり、またその関心は見まがいようがなかった。みんなが待っているのは、メルバリの言葉と命令なのだ。彼はいかにも満足そうに見まわした。アンニカが鼻眼鏡で熱心にラップトップ・パソコンに何かを打ち込んでいる。女らしい豊満な体形には、ぴったりした黄色いジャケットとそれに合わせたスカートが似合っていた。メルバリはアンニカにウインクだけして我慢した。怖がらせてはいけない。彼女の脇にはパトリックが座っていて、いつ倒れ込んでもおかしくないように見えた。まぶたは重く、その下でにぶく光っている目が赤く充血しているのがはっきり見える。こいつとはいの一番に話をしなければならない。やはり、一定の行動規範を自分の部下たちに要求する権利はあるだろう。

ターヌムスヘーデ警察署には、パトリックとアンニカに加えてさらに三人の署員がいる。ユスタ・フリューガレは最年長で、あと二年ほど先に控えている年金生活までできるだけ何もしないことに全力を費やしていた。年金生活が始まったあとは、飯よりも好きな趣味――ゴルフに時間をすべて捧げることができるのだ。十年前、妻が突然ガンで他界して、週末が突然まったく長すぎ、わびしすぎると感じられたころにゴルフを始めた。このスポーツはほどなく血液中の毒みたいになってしまった。そして仕事のことは、ゴルフコースに出るのを妨げる厄介な要素だと見なすようになった。ついでながら、彼はこれまでも特にそう仕事熱心ではなかった。

薄給の身にもかかわらず、南スペインのコスタデルソルにマンションが買えるほど十分な蓄えもあったので、遠からず夏の数ヵ月をスウェーデンでプレーすることに費やし、残りの月はスペインのコースに出られるはずだ。しかし長い警察勤務で今回の殺人事件には初めて幾分か関心をもったということは、認めなければならない。それでもその関心は、季節が許しても今でも十八ホールのラウンドを回らずにおく、というほどのものでもなかった。

その脇には署で一番の若造が座っていた。マーティン・モリーンには、他の署員全員がさまざまな度合いの親心を抱きながら世話をしており、力を合わせてマーティンのために仕事上の目に見えない松葉杖となって助けていた。しかもみんなは、マーティンがまったく気づかないように心配りをしていた。そして彼には子供でもやれるような任務を与え、代わる代わる、彼が書いた報告書に目を通して訂正してから初めてメルバリに提出させていた。

彼はわずか一年ほど前に警察学校を卒業したばかりだったが、第一に、どのようにして厳しい採用条件をパスして入学できたのか、第二に、どのようにして養成課程を修了して卒業試験を通ったのか、これらをめぐる困惑は大きかった。しかしマーティンは心が優しく親切で、その素朴さのために警察官という職業にはまったく適さないにしても、このターヌムスヘーデにいても大した害にならないだろう、こう目上の者たち全員が議論した上で結論し、みんなで彼を助け、あらゆる障害を乗り越えさせてやることになった。とりわけアンニカはその大きな懐にマーティンをかくまい、時おりはあからさまに、自分のほうからマーティンの顔を自分の大きな胸元に押しつけてベアハグをしては、みんなを愉快がらせた。

こんなときには、いつも逆立っている燃えるように赤い髪と、同じくらい赤いソバカスは、顔の色と競い合えた。しかしアンニカをとても慕っていて、どうしようもないほど恋してアドバイスが必要になると、アンニカ夫婦のもとで幾晩も過ごした。恋に夢中になってしまうのは、いつものことだった。そのナイーブさと優しさのせいで、朝飯に男を食ってあとは吐き出してしまう手の女たちにとっては抗いがたい磁石になってしまうようだ。しかしアンニカはいつもマーティンの話に耳を傾け、彼のまだ残っている自信の断片を縫い合わせ、再び世間に送り出した——ソバカスだらけの表面の下に隠れている黄金の粒のような男を大切に思える女性にいつか出会うことを願って。

グループ最後のメンバーは、いちばん人望のない男でもあった。アーンスト・ルンドグレーンはひどい胡麻すりで、自分を目立つようにする機会は一つとして逃さず、他人を犠牲にすることも厭わなかった。アーンストが未婚であることに驚く人はいなかった。とても魅力的と言えるような男ではなかったからだ。アーンストよりも不細工な男たちのほうが好ましい性質のおかげでパートナーを見つけているのに、アーンストはその性質を持ち合わせなかった。そのためだろう、ターヌムスヘーデの南十キロのところにある農園に老母と二人きりで住んでいた。噂によれば、父親はアルコール依存症のひどく攻撃的な男として地元で悪名を馳せていたが、妻が作業を手伝っていたとき干し草を置いていた納屋の二階から落ちて、干し草用フォークに突き刺さってしまったという。しかし、これは今から何年も昔のことだったし、また噂というものは、わくわくする話題が特にない生活が続くと容易に広まるものだ。真実はいずれにせよ、出歯、ぼさぼさの髪の毛、大きな耳、そして激しやすい気性に我の強さとそろっているアーンストを愛せるのは、母親だけだった。今や彼の目は、メルバリの言葉がまるで真珠の玉か何かであるように、その唇に釘付けになっていた。そして他の連中が大胆にもメルバリの演説から注意を逸らすようなごく小さな音でも立てようものなら、シーッと黙らせる機会を一度たりと逃さなかった。それから、小学生みたいに熱心に手を挙げて質問する。

「その酔っぱらいがアンデシュを殺ってないって、どうしたら分かるんですか。あいつは今朝、初めて発見したふりをしたのでは？」

アーンスト・ルンドグレーンに向かってメルバリが評価するようにうなずいた。

「非常にいい質問だ。実にいいぞ、アーンスト。しかし話したように我々は、犯人はアレクス・ヴィークネルを殺害したのと同一人物だという仮説を採っている。それでも念のため、ベングト・ラーションの昨日のアリバイをチェックしろ」

メルバリはペンでアーンスト・ルンドグレーンを指しながら、残りの部下たちに目を走らせた。

「このヤマの解決に必要なのは、そういう注意深い考え方だ。みんなもアーンスーの話に耳を傾け、そこから学んでもらいたい。彼のレベルに達するまで、まだまだかかるだろうがな」

アーンストは謙遜して視線を落としたが、メルバリが注意を別のほうに向けたとたん、同僚たちに向かって勝ち誇った視線を投げずにはいられなかった。アンニカは鼻を大きく鳴らして、アーンストが彼女のほうに投げてよこした意地悪い視線に応え、瞬きもせず睨み返した。

「話はどこまでいったかな？」

メルバリは、上着の下に掛けていたサスペンダーの下に両手の親指を突っ込んで、椅子に座ったまま回転し、自分の後ろの壁に掛かっているホワイトボードに顔を向ける。ボードには、アレクス・ヴィークネル殺害事件の概略が図示されていた。脇にもう一つ、同じようなボードが掛けられていた。こちらに付けられていたのは一点だけ、アンデシュを写したポラロイド写真で、救急隊員がロープを切って死体を下ろす前に撮ったものだった。

「うん、これまでのところ分かっていることは？　アンデシュ・ニルソンが今朝発見され、最初の予備報告書によれば、死亡したのは昨日のいずれかの時刻だ。やつは一人ないし複数の特定されていない人間によって天井に吊るされ絞殺された。実行犯はおそらく複数だ。成人の男を、天井から吊り下げるために必要な高さまで持ち上げるのには、かなりの力が要るからな。分かっていないのは、それをどのようにやったかだ。争った形跡は部屋にもアンデシュの体にもなかった。やつの体を死亡の前にも後にも、手荒に扱ったことを示すような青あざもない。これは今話したように、まだ予備的情報にすぎない。アンデシュが解剖され次第、確かなことが分かるはずだ」

パトリックがペンを振った。

「解剖の情報は、いつもらえますかね？」

「向こうには死体が山ほど転がっているので、残念ながら、解剖がいつ終わるかまだ何の連絡ももらえずにいる」

誰も、驚いた顔をしなかった。あっちも、経費削減の皺寄せを食っているのだ。

「さらに分かっているのは、アンデシュ・ニルソンと、最初の被害者アレクサンドラ・ヴィークネルとの間にはっきりした繋がりがあることだ」

そしてメルバリは立ち上がって、最初のボードの真ん中にあるアレクサンドラの写真を指差す。その写真はアレクスの母親から入手したもので、一同は改めて、アレクスが存命中は実に美しい女性だったという印象を強くした。それもあって、横に張られている、浴槽の中の青みを帯びた蒼白い顔、髪とまつ毛には水滴が凍りついているアレクサンドラの写真はいっそう恐ろしいものにみえた。

「このとてもありそうもない不釣合いなカップルは、性的関係を持っていた。これはアンデシュ自身も認めていた。またみんなも知ってのとおり、この主張を裏付ける証拠もいくつかある。分かっていないのは、どうして二人が関係を持つようになったのか、どれくらい続いていたのか、それよりも何より、金持ちの美人がどうして汚らしい、ふつう人に嫌悪をもよおさせる呑んだくれをベッドパートナーに選んだのかということだ。そこが何か臭うんだな。おれの鼻にはプンプンする」

メルバリは人差し指で二度ほど、静脈が浮かんでいる大きな鼻の横を叩いた。

「マーティン、そこをもっと掘り下げてみろ。ヘンリック・ヴィークネルをこれまでよりもっと締め上げるんだ。あの若造は証言したこと以外に、もっと何か知ってるに違いない」

マーティンは熱心にうなずきながらノートに書き込んでいる。そんな彼をアンニカは、読書眼鏡ごしに母親のような優しいまなざしで見つめていた。

「残念だが、アレクス殺害の被疑者に関するかぎり、こっちのヤマが起きたために振り出しに戻ったと言わざるを得ない。アンデシュが最初のヤマの第一容疑者だったが、状況が変わってしまった。パトリック、手元にあるヴィークネル殺害に関する資料を全部調べ直してくれ。また細かい内容を一つひとつ確認、再確認するんだ。資料のどっかに、見落としている手がかりがあるはずだ」

この台詞は、メルバリがテレビの刑事物で聞いていて、これから使ってやろうと記憶していたものだった。

今やユスタ一人が、分担すべき任務を当てられていなかった。メルバリは自分の作ったリストを見ながらしばらく考えていた。

「ユスタ、アレクス・ヴィークネルの家族と話をしてみてくれ。前の証言以外に何か知ってるかもしれない。友人や敵、成長歴、人柄、全部訊いてこい。何から何までだ。両親と妹のどっちとも話してこい。それでも、連中とは一人ずつ個別に話をするように気をつけろ。おれの経験から、そのやり方だといちばん多くを聞き出せる。ただ、亭主と話をするマーティンとは、連絡を取り合ってやれ」

ユスタは具体的な任務の重荷の下に沈んでしまい、あきらめのため息をついた。任務のために、こんなくそ寒い真冬だがゴルフの時間がなくなってしまうからというわけではなく、この数年はいわばすっかりまともに仕事をしないですます癖がついてしまっていたからだ。具体的な成果を示す必要があるという任務は肩にずっしりときた。彼は、忙しそうにするコツを身につけていて、仕事の代わりにコンピューターゲームのペーシャンスで遊び、時間をつぶしてきたのだ。平穏無事の生活はおしまいになってしまった。おそらく時間外の手当さえ払ってもらえない。イェーテボリまで往復するのに使うガソリン代だけでももらえたら御の字だ。

メルバリは両手を叩いて、みんなをせき立てた。

「さあ立った！　急ぐんだ。このヤマを解決する気があるんなら、いつまでも座ってられないぞ。これまで以上にもっと働いてもらうぞ。また、休みについてだが、そんなことはこのヤマが片付いてから真剣に考えればいい。それまでは、みんなの時間はおれの望むように自由にさせてもらう。さあ立った！」

幼児のように追い立てられることを嫌う人間が誰かいたとしても、何かを言う者はいなかった。座っていた椅子を一方の手に、もう一方にはノートとボールペンを持ってみんな立ち上がった。アーンスト・ルンドグレーン一人があとに残ったが、メルバリは彼らしくなく、おべっかを聞きたい気分ではなかったので、アーンストも追い出した。

この日は、大いに成果が上がった一日となった。署長の考えるアレクス・ヴィークネル殺害の第一容疑者がはずれだと分かって捜査が暗礁に乗り上げたのは確かだが、それでも一たす一がはるかに二以上になったことで、十二分に補うことができた。殺害事件が一件ならば単なる出来事だが、それがこんな狭い土地で二件ともなれば大騒動だ。これまで、アレクス・ヴィークネル殺害事件を解決した暁には大事件の表舞台に戻る片道切符を手に入れられると確信していたが、今度はこの二件の殺人事件をスマートに一括解決した折には、エライさんたちは必ず戻ってきてくれと懇願、強要するとゆるぎない確信を持った。

そんなにも明るい将来の展望を手にして、バッティル・メルバリは椅子にそり返り、慣れた手つきで三番目の引出しに手を伸ばして、マシュマロを一個取り出し、嬉しそうにポイと口の中に放り込んだ。それから頭の後ろに手を組み合わせ、目をつむってちょっと昼寝をすることにした。どっちにしても、もうほとんど昼飯どきだ。

パトリックが出ていってから、彼女は二時間ほど眠ろうとしてみた。眠れなかった。胸の中にこみ上げてくるあらゆる感情のためにベッドの上で寝返りを打つだけ、その間ずっと笑みが浮かび、それで口の両端は上向きになっていた。こんなに幸せになるなんて罪だ。あまりに強い幸福感に彼女は自分をどうしたらいいのか、ほとんど分からなかった。横向きになって、右頬を両手にのせた。

今日は何もかも明るく感じられる。アレクスの殺害、出版社がじりじりしながら待っている本の執筆が順調に進まないこと、両親を失った悲しみ、とりわけ子供時代からの我が家の売却——どれも、今日は耐えるのがいつもより楽に感じられた。問題は雲散霧消したわけではないが、初めて、自分の世界がひっくり返りかけてはいないこと、前途をふさぐいかなる困難にも対処できる力が自分にもあることを確信した。

一日、たったの二十四時間でこんなに大きく違ってしまうなんて! 昨日の今ごろは、胸にのしかかる重みで目が覚めた。無視できない孤独に目が覚めた。今は、まるで物理的にあいかわらずパトリックの愛撫を肌に感じることができるようだ。物理的というのは、言葉としては正確でない、ないしは狭すぎる。

一人ぼっちが二人いっしょに取って代わられたと、全身全霊で感じていた。寝室の静けさは、以前は永遠に続くようで恐ろしくもあったけれども、今は穏やかだ。確かにパトリックにはもう無性に逢いたくなっていたが、彼がどこにいたとしても、自分のことを思ってくれているはずだと確信して、安心して横になっていた。

エリカは、まるで自分が心の中の大掃除を決心して、心の隅々に張られた古い蜘蛛の糸や心の中に積もった埃をすっかり掃き取ってしまったように感じた。しかし、大掃除の結果ははっきりしたのは、この数日の間、頭を占めていたことからはどうしても逃げられないということだった。

アレクスが待っていた子供の父親に関する真実が、空に赤々と書かれたようにはっきり見えてからずっと、その真実との対決を恐れてきた。対決は今でも待ち望んでいるわけではなかったが、自分の中に生まれた新しい力のおかげで、いつものように先延ばしはせずに対決することができるようになった。自分が何をするべきか、分かった。

肌がひりひりするほど熱いシャワーを時間をかけて浴びた。この朝、何もかもが新しいスタートのように感じられ、それを、すっかり汚れのない形で迎えたかった。シャワーを終えて寒暖計をちらっと見てから暖かい服装をし、車が動いてくれますようにと静かに祈る。運が良かった。一発でエンジンがかかった。

車で移動中にエリカは、話題をどういうふうに切り出したらよいか、あれこれ考えてみた。切り出しのフレーズを二つほど言ってみたが、どちらも十分ではなかった。それで、アドリブでゆくことに決めた。確固としたよりどころはなかったが、それでいいと、自分の直感を信じた。ほんの一瞬、パトリックに電話をして自分の疑念を話そうかとも考えたが、それはすぐ脇に押しやった。やはり、まず自分自身で確認しなければならない。あまりにも多くのものが関わっているから。

車の行き先までの道は近かったのだが、まるでどこまでも続くような気がした。ハンドルを切ってバードホテルの下手の駐車場に入ったとき、ダーンが嬉しそうに船から手を振っているのが見えた。やっぱりここにいた。エリカは手を振り返したが、笑みは返さなかった。

車をロックして、両手を薄茶色のダッフルコートのポケットに入れたまま、船に乗っているダーンのほうへとゆっくり歩いていった。あたりは灰色の霧に包まれていたが、空気は清々しく感じられた。深呼吸を二回して、頭の中の最後の靄を散らそうとした。靄の原因は、ゆうべたっぷり飲んだワインだ。

「よう、エリカ」

「おはよう」

ダーンは船の上で仕事を続けながらも、仲間ができたことを喜んでいる様子だった。エリカは少し神経質に、パニッラがいないかと見まわしてみた。ダーンの妻がこの前二人を見たときに向けた視線に今でも不安を覚えるのだ。しかしあの視線は、今は明らかになった真実に照らして見ると、急によく理解できた。

この古いすり減った漁船は実に美しい、とエリカは初めて思った。これをダーンは父親から受け継いで、愛情をこめて手入れしてきた。漁も父親ゆずりで、これで一家を養っていけなくなったことは、人生の大きな悲しみだった。ダーンは確かにターヌム学校でしている教師の役割も気に入っていたけれども、天職はこっちのほうだった。船の上で働いているときは、いつの間にか笑みを浮かべている。重労働は平気だったし、冬の寒さもしっかりした服装でしのいでいた。ダーンは重いロープの束を肩の上に持ち上げ、エリカのほうを向いた。

「なんだ！　今日はごちそうを持ってきてないのか。これからもずーっと無しってわけじゃないよな？」

ブロンドの前髪が少しニット帽から飛び出していた。そしてダーンは堂々たる円柱のように大きく、屈強な姿でエリカの前にそびえ立っていた。力と喜びを発散している。その喜びにこれからひびを入れなければならないことにエリカの心は痛んだ。しかし、彼女がしなかったら、他の誰かがするだろう。最悪の場合は警察が。エリカはこれはダーンのためにしてやるのだと自分を納得させながらも、自分が感情面であいまいなグレーゾーンの中にいることを知っていた。何よりも、自分自身がとても知りたいと思っているからだ。是非とも知らなければならない。

ダーンはロープの束を持って、いったん船首までいって、その束を甲板に投げ下ろしてエリカの所に戻ってきた。エリカは船尾の縁に寄りかかっている。

エリカは、見るともなく水平線に目を向けて言った。「我が愛は銭《かね》もてあがなひ求めしもの。ただそれのみぞ、我が得べきものは」

ダーンが微笑んで続ける。「美しく歌へ、汝等ふるえる弦たちよ。なれど美しく歌へ、我が愛を」

エリカは微笑まなかった。

「フルーディングは、あいかわらずお気に入りの詩人なの？」

「ずっとそうだ。これからもずっと。学校の子供たちは、もうフルーディングにはこりごりみたいだけど、おれは、彼の詩はいくら読んでも読みすぎるってことはないと思うよ」

「そうね。わたし、あなたといっしょだったころにもらったフルーディング詩集を今も持ってるわ」

このとき彼女はダーンの背中に話しかけていた。それは、彼が反対側の船縁の下にあった漁網の山をいくつか移動しようとして向きを変えてしまっていたからだった。エリカは容赦なく続ける。

「あなたはいつも、付き合う女性たちに、あの詩集をあげてるの？」

彼は急に手を止めて、困惑した表情でエリカのほうを向いた。「どういうことだ？　おまえにはやった。それから、うん、パニッラにも一冊やった。あいつが一度でも読もうって気になったかどうかは、怪しいけどな」

エリカはダーンの顔に不安の影がよぎるのを見たが、もたれていた船縁を、ミトンをはめた手でちょっと強く摑みながら、彼の目をまっすぐ覗き込む。

「それからアレクスは？　彼女にも一部あげた？」

ダーンの顔は、その背後の氷の上に広がる雪と同じような色に変わったが、安堵の表情がさっとよぎったのをエリカは見逃さなかった。

「何のことだ。アレクス？」

ダーンはまだ降参するつもりはないらしい。

「この前話したでしょ、わたしは先週のある晩アレクスの家に行ったって。あのときは話さなかったけど、わたしがあの家にいる間あそこに誰かが入ってきたの。まっすぐ寝室に上がってきて、なんかを取っていった。わたし、取っていったものが何なのか、初めは思いつかなかった。でも、アレクスが自宅からかけた最後の電話があなたの携帯電話あてだったことを確認したとき、寝室から消えてしまったものが何なのか、思い出したの。まったくそっくりな詩集が、わたしのところにもあるし」

ダーンが自分の前に黙ったまま立っているので、エリカは続ける。「誰かがわざわざアレクスのところに忍び込んで、詩集みたいなどうでもいいものを盗んでいった理由は、難なく理解できるわ。本の中に献辞が書かれていたんでしょ、違う？　アレクスの愛人だった男性をずばり指す献辞が？」

「『我が愛すべてと共に我が情熱を捧ぐ、ダーン』」

感情を込めた低い声で、彼は朗読するように言った。今度はダーンのほうが見ろともなく水面を眺めた。甲板にあった網の山にどっかり座り込み、ニット帽を頭から引っ張って脱いだ。逆立った髪を、ミトンを脱いで両手で梳いた。それからエリカをまっすぐ見る。

「あれを明るみに出すことはできなかった。おれたちはいっしょに我を忘れた。激しい、身を滅ぼすような狂気だったんだ。おれたちの本当の人生と正面衝突させてもかまわないようなものではなかった。いずれ終わりが来ると、二人とも分かっていた」

「アレクスが死んだあの金曜日、二人は会うつもりだったんだ？」

そのことを思い出して、ダーンの顔の筋肉が引きつった。アレクスが死んだあと彼は何度も何度も、もしも自分のことが明るみに出たらどうなっていただろうと考えたに違いない。もしもアレクスが今でも生きていたら……。

「うん、おれたちは金曜日の晩に逢うことになってた。パニッラは、子供たちを連れてムンケダールの姉のところへ遊びにいくことになってたんだ。おれは、体の調子がよくないから家に残るって言い訳をした」

「でもパニッラは出かけなかった、でしょ?」

このあと長い沈黙が続いた。

「いいや、パニッラは出かけた。それでも、おれは家にいた。おれは携帯を切っておいた。アレクスが家の電話にかけてよこす度胸なんてないのは分かっていたから。おれは臆病だから、家にいて出かけなかった。彼女の目を見ながら、おれたちは終わったと言う勇気なんか、とてもなかった。遅かれ早かれそうなると、アレクスも承知しているはずだとは思っていたが、とても自分から切り出す勇気なんてなかった。徐々に身を引いていければ、彼女がうんざりして去っていくはずだと考えた。男らしい、だろ?」

いちばん厄介なことはこれからだが、エリカは続けざるを得なかった。エリカの口から聞くのが、いちばんいいはずだ。

「まさにそうだったのよ、ダーン。アレクスは、終わらなければならないなんて理解していなかった。あなたといっしょの未来を見てたの。あなたが家族と別れ、自分はヘンリックと別れて、残りの日々を二人で幸せに生きる未来よ」

一言ごとにダーンは崩れ落ちていくように見えたが、それでもまだ最悪のことは聞かされていない。

「ダーン、アレクスは妊娠してたわ。あなたの子供よ。きっとあの金曜の晩にあなたに話すつもりだったのよ。お祝いの食事を準備して、ワインを冷やしてたわ」

ダーンは、エリカをまともに見られなかった。遠くに向けたまなざしから涙がみるみるうちに溢れ出て、何もかも混じり合い霞となった。どこか体の奥から嗚咽が噴き出し、大粒の涙が頬を転がり落ちる。やがてしゃくり上げ、流れ出した鼻水を止めるためにミトンで鼻の下を拭った。そして、最後には顔を拭うのを諦めて、両手の中に埋めてしまった。

エリカは慰めようと、ダーンの脇にしゃがんでその体に両腕をまわした。しかしダーンは、体を揺すってその腕を振り払った。今のこの地獄からダーンは自力で這い上がるしかないことは、エリカにも分かっていた。ダーンの涙の勢いがゆっくりになり始め、少し息がつけるようになるまで、エリカは腕を組んで待った。

「どうして、おまえは彼女が妊娠してたって、知ってるんだ？」口ごもりながらダーンが尋ねる。

「わたし、警察がそのことを知らせたとき、ビルギットとヘンリックといっしょに警察に行ってたの」

「二人は、それがヘンリックの子供ではないと分かってるのか？」

「ヘンリックが分かっているのは確かよ。でもビルギットは知らないわ。ヘンリックの子だと思ってる」

ダーンはうなずいた。彼女の両親が知らないことは、せめてもの慰めになったようだった。

「あなたたち、どんなふうに出会ったの？」

エリカは、たとえほんの一瞬であれ、ダーンの考えを生まれてこなかった子供からそらして、息つく暇を与えてあげたいと思った。

彼は苦々しく笑った。「まったく古典的さ。おれたちくらいの年齢の人間はフィエルバッカのどこで出会う？　もちろん〈ガレー船〉だ。おれたち、店の中のあっちとこっちにいて目が合って、まるで腹にガーンと一発喰らったみたいだった。あれほど誰かに惹きつけられたことは、これまでの人生でなかったな」

エリカはその言葉に、ほんの、ほんの少し嫉妬を覚えた。ダーンは続ける。

「その日は何もなかった。二週間ぐらいあとの週末にアレクスがおれの携帯にかけてきた。それで彼女に会いに行った。あとは、あっという間だった。パニッラがどこかに出かけていたときの束の間の逢瀬。つまり、夕方や夜に繰り返してってわけじゃなくて、逢うのは日中にならざるを得なかった」

「アレクスの家に行くとき近所の人たちに見られるって、心配じゃなかった？　この町じゃいろんな噂があっという間に広まるのは、あなただって知ってるでしょ」

「うん、もちろん考えたよ。いつも裏の柵を跳び越えて、地下の入り口から中に入っていってた。正直に言えば、そんなことにもおれたちはドキドキしていた。危険と冒険に」

「でも、どれだけ多くのものを危険にさらしていたのか、あなた分かってたの？」

ダーンは帽子を両手の中でクルクルまわし、甲板を見つめながら言った。「もちろん分かってた、ある段階では。しかし別の段階では、自分が傷つくなんてあり得ないとも思ってた。傷つくのはいつも他人で、おれじゃない。そうじゃないか？」

「パニッラは知ってるの？」

「いや、はっきりとは知らない。でも、何か疑ってるようだ。この前、ここでおれたちがいっしょにいるのを見たときどんな反応をしたか見ただろう。この数カ月は、ずっとああなんだ。やきもち焼いて、警戒して。何かあると感じてるんだろうな」

「このこと、もうパニッラに話さなきゃ。分かってるでしょ？」

ダーンは激しく頭を左右に振った。目に再び涙が溢れる。

「エリカ、それは無理だ。おれにはできない。アレクスとのことがあって初めて、自分にとってパニッラがどれだけ大切なのか分かったんだ。アレクスは一時の情熱にすぎなかった。でもパニッラと子供たちは、おれの命なんだ。おれにはできない！」

エリカはかがんでダーンの手に自分の手を重ねた。心の中で感じていた憤慨はかけらも見せず、落ち着いてはっきりと言った。

「ダーン、話さなきゃ。いずれ間違いなく警察に知られる。今なら、あなたの望む話し方でパニッラに話せるんだよ。遅かれ早かれ、警察はこのことにたどりつくわ。そしたらあなたは、自分が話したいと思う方法ではパニッラに話せなくなる。そうなったら、もうあなたにチャンスはない。あなたも言ったじゃない、おそらくパニッラは知っている、あるいは、少なくとも察しているって。すべてをはっきりさせたら、もしかしたら二人とも気が楽になるかもしれない――もやもやがなくなるし」
彼女の話にダーンが聞き入り、それを受け入れるつもりなのをエリカは見た。それから彼女の手の下で彼が震えていることも感じた。

「あいつがおれを捨てたらどうしよう？　あいつが子供を連れてどこかに行ってしまったらどうしよう？　エリカ、そしたらおれはどこに行けばいいんだ？　あいつらがいなかったら、おれは生きていてもしようがないんだ」

小さな、とっても小さな声がエリカの中で意地悪く囁いた――もうちょっと早くそれを考えてもよかったのに。しかし、さらにずっと強い声がそれを圧倒した――非難すべきときは過ぎ去った、今すぐなすべきもっと大事なことがある。エリカは身をかがめ、両腕をダーンの体にまわして背中を撫でて慰めた。彼は大きくしゃくり上げていたが、やがて小さな嗚咽に変わり、エリカの腕から身をほどいて涙を拭いたとき、ダーンが避けて通れない問題を先延ばしにしないと決心したのが、エリカにも分かった。

波止場を立ち去るときバックミラーにダーンが映っていた。愛してやまない自分の船の上にじっと立って、遠く水平線を眺めている。ダーンがうまく正しい言葉を選べますようにと、エリカは心から祈った。容易《たやす》いことではないはずだ。

欠伸は、まるで足のつま先から出てきて頭のてっぺんまで通り抜けて広がるようだった。彼はこれまでの人生で、こんなに疲れたのは初めてだ。こんなに幸せだったことも。

自分の前にそびえ立つ書類の山々に集中することは、容易くなかった。殺人事件というものは、ありそうもないほど多量の文書を産み出す。彼の仕事は今や、それを細部まで調べて、捜査の前進を可能にするあのパズルのピースを見つけ出すことだった。親指と中指で両目をこすり深呼吸をして、この仕事を続けるためのエネルギーを集めようとした。

十分ごとに椅子から立って、体を伸ばし、コーヒーを取りにいき、同時に軽いジャンプや、その他何でもして、もうしばらく目を開けて集中できるようにした。エリカに電話しようとして何度か手が勝手に電話のほうへ伸びたが、そんな自分を抑えた。エリカが自分と同じくらい疲れているとしたら、まだベッドの中で眠っているはずだ。そうだったらいいが。つまりパトリックは、今晩もエリカをできるだけ眠らせないでおくつもりだったから。

最後に文書を調べてからまた資料が加わって大きくなっていた山の一つは、ローレンツ一家に関するものだった。アンニカはいつもどおり熱心に、一家の名を含む古い人小の記事など、あらゆるものを丹念に捜し、その後、きちんとした山にしてパトリックのデスクの上に置いていた。パトリックは順序立てて作業を進めるため、山のいちばん下の資料を引っ張り出して、前に読んでいた記事から自分の記憶を新たにした。作業を二時間続けても、想像力を働かせ始める資料は出てこない。それでも、何か自分が見つけていないものがあるという感じはあいかわらず強いのだが、それがずっと彼の目から逃れているように思われた。

最初にほんとうに興味を覚えた新情報は、書類の山のかなり下のほうから現れた。アンニカは、フィエルバッカから約五十キロ離れたブッラレンで発生した放火事件を扱った記事を追加していた。一九七五年の日付のもので、『ブーフスレーン県民新聞』でほぼ一ページを割かれていた。現場の家屋は、一九七五年七月六日から七日にかけて夜間に爆発に似た経過をたどって焼失した。鎮火したとき、全焼して灰しか残らず、さらに二つの人体の残部が発見され、これはスティーグとエリサベト・ノリーン、つまり、この家の所有者夫婦と判明した。夫婦の十歳の息子は奇跡的に火事から逃れ、敷地内の小屋の中にいるのを発見された。火事をめぐる状況には、県民新聞によれば不審な点があり、これを警察は放火事件と判断していた。

記事は、ファイルの上にしっかりクリップで止めてあり、その中には警察の捜査報告書があるのをパトリックは見つけた。パトリックにはまだ、この記事がローレンツ一家とどんな関係があるのか呑み込めなかったが、ファイルを開けて、ノリーン夫婦の十歳の息子の名前を見て分かった。少年はヤーンといった。ファイルの中には、社会福祉事務所からの報告書も入っており、彼がローレンツ家に引き取られ養育されることが記されていた。パトリックは、低くヒューッと口笛を吹いた。それがアレクスの死と、さらには死ということではアンデシュの死とどんな関連があるのか、なお曖昧なままだった。それでも、パトリックの意識の隅っこで、何かがうごめき始めた。焦点を絞ろうとした途端に消え失せてしまういくつかの影、これは真相に迫っている証拠だ。このことを記憶にとどめて、パトリックは目の前に積まれている資料を綿密に見る面倒な仕事を続けた。

ノートはだんだんメモで埋まっていった。パトリックの手書きの文字はひどくのたくっていたので、カーリンからはいつも、警察官の代わりに医者になればよかったのに、とからかわれていた。でも、自分ではちゃんと読める、それが何よりも肝心だ。「処理」項目はいくつか具体的な形を取り出してきたが、メモの中でいちばん重要なのは資料が産み出したありとあらゆる疑問で、これには黒い、大きな疑問符が付けられていた。アレクスがお祝いのディナーを用意して待っていたのは、誰だったのか。密会していたのは、そしてその人物の子供を心待ちにしていたその相手は、誰だったのか。アンデシュか？　本人は反対のことを言い張っていたが。それとも、自分たちがまだ特定できないでいる他の人間か？　アレクスのように美貌、社会的地位、そして金を我が物にしている女性がなぜアンデシュのような人間と男女の関係になったのか。アレクスが引出しにニルス・ローレンツ失踪の記事をしまっておいたのは、なぜか。

疑問のリストはますます長くなっていった。パトリックが新たにアンデシュの死に関して疑問符を付け始めたとき、Ａ４判メモ用紙はすでに三枚目に入っていた。アンデシュに関する書類の山は、これまでのところ非常に小さかった。しかしここも、次第に積み上げられていくはずだ。目下のところ、わずか十点ほどの書類しかなく、その中には、アンデシュの自宅を家宅捜索したときに押収されたものも含まれていた。アンデシュに関する最大の疑問符は、その死に方だった。パトリックは自分の疑問の下に、黒い、怒りをこめた直線を数本引いた。一人ないし複数の殺害者は、どのようにしたらアンデシュを天井の鉤まで上げることができたのか。解剖の結果答えはいくつか出るはずだが、パトリックが実際見たところ、死体には争った痕跡はなかったし、それはまったくメルバリが朝の捜査概況説明の中で指摘したとおりだった。意識を失った人間の体は恐ろしく重く感じられるものだし、ロープを天井の鉤に結びつけるためにはアンデシュの体を、相当上までまっすぐ持ち上げる必要があった。今度だけはメルバリが正しいのかもしれないと思い始めていた――数人の人間による共謀説だ。でも、複数犯説はアレクス殺害には当てはまらないように感じられる。パトリックは、自分たちが追跡しているのは同一犯だと確信していた。初めは自信がなかったが、次第にそれ以外はあり得ないとますます確信するようになっていった。

パトリックは自分たちがアンデシュのアパートで見つけた紙類を眺めて、それをデスクの上に扇子のように広げた。口には鉛筆をくわえていたが、ずっと噛んでいて、原形をとどめなくなっていた。口の中が、鉛筆の外側からはがれた黄色い薄片だらけになったようだ。薄片をそっと吐き出し、まだ残っていたものは、舌の上から指でこすり取ろうとしてみた。うまくいかなかった。薄片は代わりに、指にくっついてしまった。それを落とそうと、一、二度手を上下に振ってみたが、諦めて、デスクの上に扇子形に広げられた紙に改めて注意を戻す。どれも大した関心を呼び起こすこともなかったので、手始めに電話会社の請求書をつまみ上げた。アンデシュはほとんど電話をかけていなかった。それでも合計金額は、通常の各種料金をすべて入れると、かなりのものになった。明細はまだ請求書に添付されたままだったので、パトリックはこの明細書の内容を確認するためには、こつこつと靴をすり減らすしかないなと悟って、ため息をついた。今日は退屈なルーティンの仕事をした一日だったとは思わないが。

明細書に挙げられている番号に順番にかけ続け、すぐに、アンデシュがごく少数の電話番号にしかかけていないことを突き止めた。それも、一つの番号が飛び抜けていた。その番号は明細書の初めのほうにはまったく出ていなかったが、真ん中あたりに初めて現れ、その後はもっとも頻繁に出てきた。パトリックはその番号を押して、呼び出し音を鳴らしておいた。

呼び出し音が八回鳴ったところで受話器を置こうとしたその時、留守電がスタートするのが分かった。電話の向こうで言われた名前を聞いて、パトリックは思わず椅子の上で背筋をピーンと伸ばしてしまった。そのせいで、太腿の筋肉が張って痛み出す。両脚をデスクの上に放り出していたことを忘れていたのだ。脚を振るようにして床に下ろし、右内腿の筋肉の一本を揉んだ。この筋肉は今の激しい動きで少し余計なストレッチをさせられてしまったようだ。この筋肉はふだん鍛えられていなかったので、その動きに耐えられなかった。

メッセージをどうぞ、と知らせるピーという音がまだ終わらないうちにパトリックは、ゆっくりと受話器を置いた。ノートのメモの一つを丸で囲み、ちょっと考えてからもう一個にも丸を付けた。片方の仕事には自分自身で取り組むが、もうひとつはアンニカに任せられる。メモを手にしてアンニカのところに行った。彼女は鼻の頭にコンピューター用の眼鏡をのせて一心不乱にキーボードを叩いていたが、問いかけるように顔を上げる。

「わたしの仕事のいくつかを引き受けてくれるのね。私の不当に重い負担を軽くしてくれるんでしょう？」

「うーん、おれが考えていたのはちょっと違うけど」

パトリックの顔がほころぶ。

「だろうと思ったわ」

アンニカはパトリックを睨むふりをした。

「それじゃ、どんなことでわたしのなりかけの胃潰瘍を悪化させてくれようっていうの？」

「ほんのちょっとしたお仕事」

パトリックはそれがどれほどのことなのか、親指と人差し指で一ミリほどの幅を作って示した。

「そう、じゃ、話して」

パトリックは椅子を引っ張り出し、アンニカのデスクの前に腰かけた。アンニカのオフィスは、極端に小さいのに、ずば抜けて署のどの部屋よりも快適だった。鉢植えがいっぱい持ち込まれていたが、光はロビーに面した小さなガラス窓からしか入っていないのに、勢いよく順調に育っているようで、これはちょっとした奇跡だった。寒々としたコンクリート壁一面に、アンニカと夫レンナートの二つの大きな情熱の対象である犬と犬橇《いぬぞり》レースの写真が張られていた。二人は黒いラブラドールレトリーバーを二頭飼っていて、週末にスウェーデンで犬橇レース大会が開かれているところなら、どこへでも連れて行っていた。実際に競争するのはもっぱらレンナートだったが、いつもアンニカがいっしょで、応援し、弁当とコーヒーの入った魔法瓶を用意して待っていた。二人がレース参加のために出かけた各地では、大体いつも同じ人たちと出会ったので、年月を重ねるにつれてお互いに堅い絆で結ばれるようになり、今では非常に仲のよい友人となっていた。レースは少なくとも毎月週末二回あり、このときアンニカを働かせようとしても、それはできない相談だった。

彼は自分のメモに目を落とした。

「アレクサンドラ・ヴィークネルの細かい年譜を作成するのを手伝ってもらえないかな。彼女の死亡から始めて、おれたちに分かっている日時に関する情報全部を再確認してほしい。どれだけの間ヘンリックと結婚していたか、どれだけの間スウェーデンに住んでいたか。フランスとスイスの学校、等々に関する情報もみんなチェックして。おれが何を探しているか分かるね？」

アンニカは、パトリックが語っている間メモ用紙に書きとめ、それから、引き受けたと目で知らせた。パトリックは、知る価値のあるものはすべて見つけられると強く確信した。結局、自分が入手した情報のどれが、それが書きとめられている紙の値打ちもないものか分かるはずだ。辻褄の合わない何かが出てくるはずだ。このことには完全な確信があった。

「アンニカ、助かるよ。あんたはサイコーだ！」

パトリックは椅子から立ち上がりかけるが、アンニカが発した厳しい「お座り《シット》！」に立ちあがっている途中で固まってしまい、また尻を椅子のクッションに下ろした。即座に、アンニカのレトリーバーがあんなによく訓練できている理由が分かった。

いかにも満足そうな笑みを浮かべて、アンニカは体を反らした。パトリックは、簡単なメモを一枚書くだけにしないで、わざわざオフィスに足を運んだことが、そもそもの間違いだったと悟った。彼女がいつも彼のことを正確に見抜いていること、そしてさらに彼女のロマンスの類に対する嗅覚が異常なくらい発達していることを、とうに知っていてよかったのだ。白旗を掲げるしかない。パトリックも体を反らして、迫りくる質問の集中砲火を覚悟した。

アンニカはやんわり鎌をかけた。

「今日はすっごく疲れているみたいじゃない?」

「うーん……」

これだけで、アンニカが諦めるはずもなかった。

「きのう、パーティーでもあったの?」

アンニカは、権謀術数のトリックで鎧のほころびを探しながら、さらに探りを入れた。

「パーティーと言えばパーティーかな。見方次第だけど。あんたはパーティーって、どう定義する?」

両手を広げ、無邪気なジェスチャーをしながらパトリックはとび色の目を見開いた。

「さっ、くだらない無駄話はカットしなさい、パトリック。話して。彼女、誰なの?」

彼は何も言わないで、アンニカをじりじりさせた。数秒後、アンニカの目がキラリと光った。

「そうか!」

その叫びは勝ち誇ったように響いた。アンニカは勝利を確信して人差し指を高く掲げた。

「彼女ね。何ていったっけ、何ていったっけ……」記憶の中を探りながら、興奮して指をパチン、パチンと鳴らす。「エリカ！　エリカ・ファルク！」

そして、ほっとした様子でふたたび椅子にもたれた。

「そーいうわけね、パトリック……いつごろから続いてるの……？」

パトリックはアンニカが寸分違わず的を射ることに、驚きを禁じ得なかった。否定しても無駄なことだ。頭のてっぺんから足の先まで赤くなっていくのを感じていた。それは、口で何かを言うよりもずっとはっきり語っていた。そのあと破顔一笑となるのを抑えきれず、それはアンニカに関するかぎり、最後の仕上げとなった。

五分間も続いた質問の集中砲火の後、パトリックはやっとアンニカのオフィスから脱け出すことができた。まるでクリーニングの皺伸ばし機のローラーの間を通されたみたいにヘロヘロだった。それでも、エリカについて話すのは、不快ではなかった。それから自分で直ちに取り組むことに決めた仕事に戻るのは、なかなかだったが。コートを着て、アンニカに行き先を告げ、冬空の下に出た。外では、ちょうど大きな雪ひらがゆっくり地面に降り始めていた。

窓の外に、雪ひらが舞い降りてくるのをエリカは見ていた。パソコンの前に座っていたが、今はシャットダウンした後の黒い画面になっている。頭がずきんずきん痛むのに、無理やりセルマ・ラーゲルルーヴの原稿を十ページ書いた。もうすっかり熱意は冷めていたが、出版社との契約に縛られていたし、二カ月後にはだいたい形にしなければならなかった。ダーンとの話し合いは、すばらしい気分に水をさしてしまった。ダーンはこの瞬間にもパニッラにすべて話しているかもしれない。エリカは、ダーンの心配ではなく、もっと創造的な仕事のことで頭を使うことに決めて、パソコンを再起動させた。

アレクスを扱った本の概略は、パソコンのデスクトップに保存してあった。この時には百ページ余りになっているファイルを開ける。順を追って最初から最後まで読んだ。出来栄えは悪くない。とても良い。心配なのは、この本が出版されたらアレクスの周辺の人たちがどのような反応を示すかだ。確かにエリカは話の一部をカムフラージュして、人物や場所の名前を変え、さらに、想像で自由に膨らませた部分もあるが、本の大枠は疑いようもなくアレクスの一生、エリカの目から見た一生だった。ことにダーンを扱った部分は、頭痛の種だった。どのようにしたらダーンと家族を書かないですませられるだろうか？　いや、これはやはり是非とも書かなければならない。本の着想が初めて、エリカを熱中させたのだ。これまで何年もの間、他にもさまざまな着想はあったものの、それが具体化したことはなく、投げ出してきた。今度のは捨てるわけにはいかない。まずは本を書き上げることに集中しよう。関係者たちの感情をどのように扱うべきかは、その後に考えればいい。

熱心に筆を進めて一時間ほど経ったころ、玄関で呼び鈴が鳴った。やっと調子が出てきたときだったので邪魔されたことにいら立ったが、パトリックかもしれないと考えて、勢いよく椅子から飛び出した。鏡でさっと自分の姿をチェックして、玄関ドアに向かって階段を駆け降りた。唇に浮かんでいた笑みは、外に立っている人物を見るとすぐに消えてしまった。パニッラが恐ろしい形相をして立っていた。この前会ったときから十歳も老けてしまったように思われた。目は泣き腫らして赤く、髪は乱れている。慌てていたのだろう、コートも着ておらず薄いカーディガン一枚の姿で体を小刻みに震わせている。エリカは暖かい家の中に入らせ、衝動的にパニッラの体に腕をまわして抱き寄せ、背中をさすった。その撫で方は、二時間ばかり前にダーンにしたのと同じだった。そのため、パニッラに残っていた最後のわずかばかりの自制心が崩れたのだろう、彼女はエリカの肩に顔をつけて、大きくしゃくり上げながら泣いた。少しして頭を上げたとき、マスカラが目の下でもっと流れて、パニッラの顔を滑稽なピエロのような顔にしていた。

「ごめんなさい」

パニッラは涙で濡れた瞳でエリカの肩をじっと見た。エリカが着ていた白いセーターにもマスカラが付いている。

「気にしないで。さあ、入って」

エリカはパニッラの両肩に片方の腕をまわし、居間に入れた。パニッラの全身は震えていた、それが寒さだけによるものではないだろうとエリカは思った。ほんの一瞬、どうしてパニッラはよりによって自分のところに来ることにしたのだろうかと考えた。エリカはこれまでずっと、パニッラよりもダーンと親しくしてきた。パニッラがエリカの代わりに自分の女友達か、あるいは姉のところに行くほうを選ばなかったのは少し変だと思った。しかし今、とにかくここに来ているし、エリカはパニッラを助けるためにできることは何でもするつもりだった。

「コーヒーを沸かしてるんだけど。一杯、どう？　一時間ほどは保温にしてるけど、十分飲めるはず」

「いただきます」

パニッラはソファに腰かけた。そして、まるで自分の体がバラバラになってしまうのを恐れて、そうならないようにするかのように両腕をきつく体に巻きつけていた。バラバラになるというのは、ある意味で確かだっただろう。

エリカは、コーヒーを二杯もって戻ってきた。カップの一つをパニッラの前のローテーブルの上に、そしてもう一つは自分の前に置いて大きな袖椅子に腰を下ろし、パニッラと向き合った。パニッラが自分から話し出すのを待つ。

「知ってたの？」

エリカはためらった。

「うん。でも、ほんとについ最近だけど」

再びためらって言う。

「ダーンには、あなたと話すように勧めたわ」

パニッラはうなずいた。

「わたし、どうしたらいいんだろう？」

この質問は誰に向けられたものでもなかったので、エリカは返事をしなかった。パニッラは続ける。「分かってたけど。わたしはダーンにとって初めから、あの人があなたを乗り越える手段でしかなかった」

エリカがそれに反論しようとすると、パニッラは手を振って止めた。

「そうだと分かってたけど、わたしたちの仲はいつか、ずっとそれ以上になって本当に愛し合うものだと信じてた。わたしたち、うまくいってて、わたしは彼をすっかり頼りにしてた」

「パニッラ、ダーンはあなたを愛してるわ。それは確かよ」

パニッラはエリカの言うことを聞いていない様子で、自分のカップの中に目を落としながら話し続ける。カップをきつく握っているので、指の関節が白くなっているのがエリカには見えた。

「あの人が浮気をしても、早めの中年の危機とか何とかのせいにして我慢もできたと思うけど、あの女を妊娠させたこと、これだけは絶対許せない」

パニッラの声に表れた怒りはとても烈しく、エリカは後ずさりしそうになったのを何とかこらえた。パニッラが顔を上げてエリカを見たとき、その目に現れた憎悪はとても烈しく、エリカは凍ってしまうような予感がした。これほど徹底した、めらめら燃え上がるような烈しい怒りはこれまで一度も見たことはなかった。一瞬、パニッラは実際どれだけの間ダーンとアレクスとの情事について知っていたのだろうかと思った。復讐のために、どれほど準備をしていたのだろうか。それからエリカはその考えを、浮かんできたのと同じ速さで振り払った。これはパニッラだ。何年も前にダーンと結婚して、三人の子供がいる主婦であって、けっして自分の夫の愛人に復讐の刃《やいば》を向ける女神などではない。しかしそれでもなお、パニッラの目には、エリカを縮み上がらせる小さな冷たい光が宿っていた。

「あなたたち、これからどうするの?」

「分からないわ。今は何も分からない。ただ、どうしようもなくて家を飛び出してきたの。それしか考えられなかった。あの人の顔を見ることもできなかった」

エリカはダーンのことを気の毒に思った。きっと今、自分一人だけの地獄にいる。慰めを求めてエリカのもとにやって来たのがダーンだったら、それはもっと自然に感じられた。そんな場合は何を語ればいいのか、どんな言葉なら彼を落ち着かせられるか、彼女には分かっていた。パニッラのことはあまり知らないので、どうしたら助けられるのか、分からなかった。ただ耳を傾けているだけでいいのかもしれないが。

「どうして、あの人がそんなことをしたと思いますか。あの人がわたしから得られなくて、あの女から得られたものは、何だったの?」

とたんにエリカには、パニッラが自分の近しい友人の誰かではなくて、エリカのところに来ることを選んだ理由が理解できた。エリカならばダーンに関する正解を知っている、エリカならばダーンの行動理由を書いた虎の巻をパニッラに与えることができると思ったのだ。しかし、残念ながらパニッラをがっかりさせるしかなかった。ずっと、ダーンを正直な人だと思ってきた。不貞を働くなどとは思いもよらなかった。アレクスの電話が最後にかけた番号を押してダーンの携帯の留守電で彼の声を聞いたときほど大きなショックを受けたことは、一度もなかった。正直に言うと、あの瞬間とてつもなく大きな失望を覚えた。自分の身近にいる人間が思っていたような人格の持ち主ではないことが分かったときに覚える失望を。このため、パニッラが裏切られ失望させられたという思いに加えて、長年ずっといっしょに暮らしてきた男がほんとうは何者だったのか、いろいろ疑問を抱き始めたのも理解できた。

「パニッラ、分からないわ。わたしも実際とってもびっくりした。あんなことをするなんて、わたしの知っているダーンらしくないわ」

パニッラはうなずいた。自分一人が騙されていたわけではなかったことに、少し慰められたようだった。大きなカーディガンから神経質そうに、ありもしない毛玉をむしっている。パーマがほどけてしまった長い黒褐色の髪は、ぞんざいに引っつめられていて、全体におしゃれからはほど遠い印象を与えた。エリカはいつも少し上からの視線で、パニッラはおしゃれしたらずっと素敵に見えるのにと考えていた。パーマがウエスト丈の男性ジャケットとほぼ同じころに流行らなくなってしまったのに、あいかわらずパーマをかけている。服はいつも安い通販で買っている。値段も安いけれどセンスも安っぽいものを。それでも、これほどやつれたパニッラは、これまで一度も見たことがなかった。

「パニッラ、今はものすごく大変だということは分かるけど、あなたたち、あなたとダーンは家族でしょ。とっても素敵な娘が三人いて、あなたたちは十五年もうまくやってきたじゃないの。早まったことはしないで。わたしの言うこと、誤解しないでちょうだい。わたしは、ダーンがやったことは弁護しないわ。ひょっとするとあなたたち、この後もうやっていけないかもしれない。許せないかも。でもね、最後の決定をするのは、少し落ち着くまで待って。何かする前にじっくり考えてね。それから、ダーンがあなたを愛してること、わたし、知ってるのよ。今日だってそう言ってた。それから、とても後悔していることも知ってる。ダーンは彼女とは別れるつもりだったって言ってたけど、わたしは信じるわ」

「エリカ、もう何を信じたらいいのか分からないの。本当だと信じていたことのどれ一つも本当じゃなかった。これから何を信じたらいいの?」

これに対する答えは何もなく、二人の間には重い沈黙が漂った。

「あの女《ひと》、どんなだった?」

もう一度エリカは、パニッラの瞳の奥に冷たい炎が燃えるのを見た。誰のことを言っているのか、尋ねる必要もなかった。

「親しかったのはずっと昔のことよ。彼女のこと、もう分からなかったわ」

「美しかった。わたし、ここで夏に見かけたことがある。ずばり、わたしがなりたいと夢に見るような人だった。美しくて、エレガントで、洗練されていて。おかげで、わたしは自分のことを田舎娘みたいに感じた。彼女のようになれるんだったら、何だってあげるわ。ある意味、ダーンのこと理解できる。わたしとアレクスを並べてみなさいよ。そしたら、どっちが勝ちか、はっきりしてるもの」

パニッラはそれを証明するように、自分の実用的ながらも時代遅れの衣服を不満げに引っ張った。

「わたしはずっと、あなたのことも羨ましかった。ダーンを残して大都会に出ていってしまって、ただ焦がれさせるばかり、青春時代に熱愛した人。自分の力で本当に何かを成し遂げた、ストックホルムの女性作家。そして、ときどきここにやって来て、普通の死すべき運命のわたしたちの前できらきらしてみせる。ダーンは、あなたがやって来るときはいつも何週間も前から、楽しみにしてたんだから」

　パニッラの声に潜んでいる不機嫌さにエリカはぎょっとし、このとき初めて、パニッラに対して年上の保護者のような態度でいたことを本当に恥じ入った。何も分かっていなかった。改めて自分の心の中を調べてみると、自分はパニッラとの違いを見せびらかすことに、ある程度、満足感を覚えていたと認めざるを得なかった。自分がストックホルム都心のヘアサロンでやってもらう五百クローナのカットとパニッラが自宅でかけるパーマとの差。自分が都心のエレガントな通りで購入したブランド服とパニッラの量販品のブラウスやロングスカートとの差。そんなことに一体どんな意味があるのか？　気弱になっていた時々にではあっても、どうしてそんな差を喜べたのか？　ダーンを捨てたのは、ほかでもないエリカ自身だった。自分のエゴを満足させるためだったのか、それともパニッラとダーンが自分よりもずっと多くのものを持っているのを妬んでいたのか？　心の奥底で二人に家族があることを羨ましく思い、自分がこの地に留まらなかったことを悔いていたのか？　今パニッラが持っている家族が、自分のものでないことを？　パニッラのことが実際妬ましくて、意識的にやりこめようとしていたのか？　こう考えるのはおぞましいことだったが、払いのけることもできなかった。エリカは深く恥じ入った。同時に、パニッラが持っているものを守るために、自分自身はどこまでしてやるつもりだったのだろうかと思った。パニッラはどこまで行動する心の準備ができていたのだろうか？　エリカはためらいがちにパニッラの様子を見た。

「子供たちはどう言うかしら？」

パニッラの頭に初めて、影響を受ける人間が自分とダーン以外にもいるという考えが浮かんだようだった。

「隠すことは無理よね？　彼女が妊娠していたことだけど。娘たち、なんて言うかしら」

その考えはパニッラをパニくらせたようだったが、エリカは、落ち着かせようと全力を尽くした。

「警察は、アレクスの相手がダーンだということをきっと突き止めるに違いないけど、だからといって、誰もかれも知るってわけじゃないわ。あなたたち二人は、娘さんたちにどう話すか選ぶことができるのよ」

その言葉にパニッラは落ち着いたようだった。そしてコーヒーを二口ほど飲む。そのころにはもう冷めきっていたはずだが、気にもとめていないようだった。このとき初めて、エリカはダーンに対して強い怒りを覚えた。これまで怒りを覚えなかったことも不思議だったが、今はそれが自分の中で大きくなっていくのを感じていた。どうしてダーンはそんなにバカでいられたんだろう？　どうして自分が持っているものを全部投げ捨てることができたんだろう、そんなに魅力があったんだろうか？　自分がどれだけ恵まれているか、彼には分かっていなかったのか。エリカは膝の上に拳を握って、テーブル越しにパニッラに自分の同情を伝えようとした。それが届いたかどうかは、分からなかったが。

「聴いてくれてありがとう。ほんとうにありがたかったわ」

二人の視線が合う。パニッラが呼び鈴を鳴らしてからまだ一時間も経っていなかったが、エリカは、この限られた時間のあいだに沢山のこと、とりわけ自分自身のことを知ることができたと思った。

「大丈夫？　どこか行くところがあるの？」

「うちに帰るわ」パニッラの声はきっぱりとしていた。「あの女にわたしから家と家族を奪わせるものですか。その満足だけはさせてやらないわ。夫のところに帰って、二人でそのことを解決します。要求はするわ。これからは、今までとは違うふうにやっていく」

エリカは、この悲惨の真っ只中でも、かすかに微笑まずにはいられなかった。ダーンはいろんなことと格闘しなければならない、それははっきりしていた。当然の報いだ。

二人は戸口で、ぎこちなくハグした。エリカはパニッラが車に乗って道路に出て行くのを見送りながら、心の底から、パニッラとダーンのためにうまくいきますようにと願った。同時に、不安の影が忍び寄るのを感じないではいられなかった。記憶から消せないパニッラの憎しみに満ちた視線。あの視線には、寛大さのかけらもなかった。

ありったけの写真が目の前の台所テーブルの上に広げられていた。彼女が今アンデシュのもので手元に持っているものは、写真だけだった。大部分のものは古くて、黄ばんでいる。写真を撮る機会があったのは、何年も昔のことだ。赤ん坊のときの写真は白黒だった。もっと大きくなると色あせたカラー写真に代わった。アンデシュは明るい子供だった。少し乱暴だったけれども、いつも朗らかだった。思いやりがあって優しかった。彼は真剣に家庭で男の役割を果たそうとしていた。時おり少し真剣すぎるほどに。しかし、彼がするようにさせていた。正しかろうがなかろうが。見分けるのは難しかった。別なやり方をするべきだったことも沢山あっただろう。どうでもいいこともあったろう。誰にそんなこと、分かるっていうんだ。

自分のお気に入りの写真の一枚を見ると、ヴェーラは微笑んだ。アンデシュが得意そうに自転車に乗っている。晩と週末に臨時に働いて、白転車を買ってやった。自転車は濃い青色で、そのサドルはたしかバナナシートと呼ばれていた。アンデシュが言うには、この自転車が一生で欲しいと思うたった一つのものだった。ほかのなによりもその自転車を欲しがってため息をついていたアンデシュが、八歳の誕生日にプレゼントされたときに見せた表情はけっして忘れない。アンデシュはひまさえあればあの自転車を乗り回していた。そしてこの写真で、彼女はシャッターチャンスを逃さずに彼を写すのに成功したのだった。長い巻き毛が、袖にストライプが入ったぴかぴかでタイトなアディダスの上着の襟まで下がっていた。まさにこんなふうに、彼のことを記憶していたかった。なにもかもがくるい始める前のアンデシュを。

長いこと、この日を予期していた。電話を受けること、ドアを叩くノックはどれもこれも、彼女を恐怖に陥れた。まさにその電話が、あるいはそのノックが、ずっと恐れてきたものを現実のものとするだろう。今の今までその日が来るとは思っていなかった。子供が親よりも先に死ぬことは自然の理に反するし、そう信じていたから、そんな可能性を想像することは難しかったろう。希望というものは最後の最後に死んでしまうもの、何となく、すべては何とか解決するものと信じていた。しかし、奇跡は起こらなかった。そして希望もなくなった。残ったのは絶望のみ、そして黄ばんだ写真の山だけだった。

時計が静寂の中で時を刻んでいた。このとき初めて彼女は、自分の家がひどくみすぼらしい様子であることに気づいた。これまでの歳月の間ずっと、家に手をかけてこなかったので当然の結果ではあった。汚れはずっと取り除いてきたが、無頓着さは箒《ほうき》で掃き出すこともできずにきて、壁と天井に糊付けしたようにくっついていた。すべてが灰色で、生気がなかった。荒れ果てていた。そのことが彼女の心にいちばん重くのしかかった。すべてが荒れ果てて放ったらかしになっていた。

アンデシュの朗らかな顔が写真の中から彼女をからかっていた。このことが何よりもいちばんはっきりと、ヴェーラが失敗したことを告げていた。彼女の義務は、アンデシュの顔に浮かぶその笑いを失くさずにおくこと、彼に未来に対する確信、希望、そして何よりも愛情を与えることだった。そうせずに、黙ったまま、彼がことごとく奪い取られるのを見ていた。母親としての自分の仕事を疎かにしたという罪悪感は意識からけっして拭えなかった。

アンデシュが本当に生きていた証拠は少ないとあらためて思う。絵画は無くなってしまった。アパートにあった数少ない家具は、誰かが欲しがらなければ捨てられる。彼女の家には、アンデシュの所有物は何一つ残っていない。アンデシュは自分の所有物をこれまでの間に売り払うか、壊すかしていた。彼が実際に存在していたことを証明するものはただ、いま目の前のテーブルに広げられている、一つかみの写真だけだった。それから、彼女の記憶。他の人たちの記憶の中にもいるのは確かだが、いなくなって寂しがられるとか、その死を悼んで涙を流されるとかは、ないはずだ。彼について明るい思い出を持っているのはヴェーラ一人だけだった。その思い出を呼び起こすことが難しいことが時おりあったが、なくなってはおらず、今日のような日には、まさにそんな思い出だけが甦ってきた。他の思い出は封印された。

数分は数時間に変わり、ヴェーラはその写真を自分の前のテーブルに広げたまま座っていた。節ぶしは硬くなり、また目も、冬の暗さが明るさをゆっくり押さえ込んでゆくにつれて写真の細かい部分を見分けることが難しくなり始めていた。でも、そんなことはどうでもよかった。どうしようもなく孤独だった。

玄関の呼び鈴が家中に響いた。誰かがやって来る気配がするまでかなり時間があったので、向きを変えて自分の車に戻ろうとした。しかし、次の瞬間、誰かがそっとドアのほうに近づいてくる音が聞こえた。ドアはゆっくりと内側に引かれ、そしてネッリー・ローレンツの問いかけるような表情が目に入った。彼女自身がドアを開けたことに驚いている自分に気づく。制服姿の無愛想な執事が現れて慇懃《いんぎん》に中へ案内するものとばかり思っていた。しかし、今どきそんな人間を雇っている人はいないだろう。

「パトリック・ヘードストルムと申します。ターヌムスヘーデ署の者です。息子さんのヤーンさんに会いたいのですが」

初め会社に電話をしたが、今日ヤーンは自宅で仕事をしていると知らされた。

老婦人は眉ひとつ動かすことなく脇によけてパトリックを入らせた。

「ヤーンを呼びますから、ちょっとお待ちを」

ゆっくりと、しかし優雅にネッリーは奥のドアに向かっていく。そのドアは階下への階段に続いていた。パトリックは、ヤーンが贅沢な邸の地階を自由に使っているという情報を思い出した。

「ヤーン、お客さま。警察」

年寄りの弱々しい声が本当に下まで届くのかといぶかったのも束の間、階下から足音が聞こえてきた。ヤーンが玄関ホールに上がってきたとき、さまざまな思いを秘めた視線が、母と息子の間で行き交った。それからネッリーはパトリックのほうにうなずくと自分の部屋に入ってゆき、ヤーンが手を差し出し、歯を思い切り見せながらパトリックを迎えた。パトリックの頭の中には、ワニの絵が浮かんだ。笑うワニ。

「こんにちは、ターヌムスヘーデ警察署のパトリック・ヘードストルムです」

「ヤーン・ローレンツです。はじめまして」

「アレクス・ヴィークネル殺害事件の捜査に従事しておりまして、差し支えなければ、いくつか質問をさせていただきたいのですが」

「いいですとも。どんなお役に立てるか分かりませんが、もっともそれを判断なさるのもそちらのお仕事でしょう、ね？」

ふたたびワニの笑い。指がうずうずする。ああ、その笑いをはぎ取ってしまいたい。その笑いにはパトリックを激怒させるものが何かあった。

「わたしの住まいのほうに行くこともできますよ。そうすれば、母の邪魔をせずにすみますから」

「なるほど、結構ですね」

この家の住まい方はやっぱり少し妙だ、とパトリックは思った。第一に、なぜ大人の男になってもまだ母親の元に同居しているのだろう。第二に、老婦人が上の二百平方メートルはゆうにあるスペースに贅を尽くして住んでいるのに、ヤーンのほうは暗い地下室に追い払われ、なぜ耐えているのか。ニルスならば地下室に追い払われることはなかったかもしれないと、ヤーンは一度も考えなかったのだろうか？　考えないはずはない。パトリックはヤーンのあとについて階段を降りた。そこが地階の部屋としてはそんなに悪くないことは、認めざるを得なかった。その地下の部屋は、費用をまったく惜しまず、派手にすることによって自分の裕福ぶりを見せつけられると信じて疑わない人間によって飾り立てられていた。確かに最高の銘柄の金の縁取り、ビロード、そして緞子《どんす》が多用されていたが、残念ながら、日の光が入らなくてはその豪勢な装飾も、その価値を十分に発揮できなかった。そのため効果は本来の意図に相違して、少しばかり売春宿っぽかった。パトリックは、ヤーンには妻がいることを知っていたので、このインテリアに固執したのは彼女とヤーンのどちらだろうかといぶかった。そして、経験に従うとすれば、それは妻のほうだろうと推測した。

ヤーンはパトリックを小さな仕事部屋に通した。そこには机とパソコンの他にソファもあった。二人はそれぞれソファの端に腰かけ、パトリックは持参したバッグからメモ用紙を一枚取り出した。そして、ヤーンにアンデシュ・ニルソンの死亡についてぎりぎりまで話さないことにした。ヤーン・ローレンツから何か役に立つものを引き出したいと思うならば、戦略とタイミングが重要だった。

パトリックは、自分の目の前の男を吟味する。完璧すぎる身なりだ。シャツとスーツには、皺一つなかった。ネクタイは完璧に締められ、髭は剃ったばかりだった。髪の毛一本も乱れていなくて、その容姿全体は落ち着きと自信を発散していた。パトリックの経験が教えるところによれば、警察官に問い質《ただ》される人は誰でも、たとえ隠すべきことが無くても、大なり小なり神経質に振る舞うものだ。外見がまったく落ち着いている人物はかえって何か隠すべきものを持っていると考えられる。これはパトリックのまったくオリジナルのセオリーだった。それは実に何度も、正しいことが証明されてきた。

「とても快適なお住まいですね」礼儀をわきまえても害はない。

「ええ。ここの装飾をやったのは妻のリーサです。彼女はかなりよくやったと、わたし自身も思います」

パトリックは、金の房飾りが付いたクッションとピカピカの大理石で贅沢に飾られた小さな暗い仕事部屋を見まわした。極端な悪趣味とありすぎるお金とのコラボレーションの典型。

「少しは解決に近づいてますか」

「かなりの情報を得まして、何が起こり得たのか分かりかけてるところです」

全部真実ではないが、揺さぶりをかけてみるのはいつもいいものだ。

「アレクス・ヴィークネルとはお知り合いでしたか。母上が会葬御礼のコーヒーパーティーに出席されたと聞きましたが?」

「いいえ。知り合いだった、とは言えませんね。もちろん知ってはいましたよ。フィエルバッカでは、誰もがお互いを大なり小なり知っていますから。しかしあの人たちは、何年も何年も前に引っ越していきました。通りで出会ったら挨拶はしましたが、それ以上にはならなかった。母に関しては、お答えすることはできません。本人に訊いてください」

「捜査の過程で判明した事実の一つなんですが、アレクス・ヴィークネルがアンデシュ・ニルソンと、何と言ったらいいですかね……関係を持っていました。アンデシュのことは知っておられます、ね?」

ヤーンは笑った。口角の曲がった、人を見下す笑い。

「ええ。アンデシュは、この町でアレを知らずにおられる人間は一人もいません。有名というよりも悪名高かった。彼とアレクスが関係を持っていた、と言われるのでしょうか？　申し訳ないが、それは想像しにくいですね。控え目に言っても、ちょっと妙な組み合わせでは？　男のほうが女に何を見ていたのかは理解できますが、女がどんな関心を持って男と付き合っていたのか理解することは、とてもできません。勘違いではないという確信がありますか」

「確信してます。アンデシュはどうです？　お知り合いでしたか？」

ヤーンの唇にふたたび高慢な笑みが浮かんだ。今度のはいっそうはっきりしていた。彼は愉快そうに頭を振った。

「驚きましたね。彼とわたしは付き合う仲間がまったく違う、くらいは言ってもよろしいでしょうね。時おり酔いどれどもといっしょにいるのを広場で見かけたことはありますが、知り合いだったか？　いいえ、それはありえません」

彼は、警察の考えがいかに馬鹿げたものかはっきりと示した。

「わたしたちはまったく違う階級の人間と交際しておりまして、酒に呑まれる方々は友人、知人にはおりません」

ヤーンはパトリックの質問を、まるでジョークみたいに撥ねつけた。しかしパトリックは、彼の瞳に不安の影が走るのを見逃さなかった。それは現れたと同じ速さで消えてしまったが。しかしパトリックは、自分の手順には自信があった。ヤーンは、アンデシュについての質問に困惑した。悪くないぞ。間違った方向には進んでいない。そして次の質問をする前に芝居がかった一息を入れてから、無邪気そうに驚いたふりをして尋ねた。「それでは、なぜアンデシュはお宅にかなりの回数電話をかけることになったのでしょうか」

ヤーンの顔から笑いが消えたのを目にして、パトリックは大いに満足した。この質問は明らかに、相手の意表を突いた。一瞬パトリックは、ヤーンが細心の注意を払って被っていたダンディーの仮面の下を見ることができた。このときばかりはその顔に、怯えの表情が浮かんだのだ。そのあとヤーンは我を取り戻したが、馬鹿丁寧に葉巻に火をつけて時間を稼ごうとし、その間ずっとパトリックとは目を合わせなかった。

「タバコを吸ってもかまいませんか？」

彼は返事を期待しているわけではなかったし、パトリックも答えなかった。

「アンデシュがここに電話をしてきたなんて、理解できませんね。電話があったとしても、わたしは彼と話してない。妻も同じでしょう。いや、ほんとうに変です」

彼は葉巻を吸い込み、ソファにふんぞり返って、ぞんざいに腕をクッションに載せた。

パトリックは何も言わなかった。これが彼の経験によれば、言うつもりもないようなことまで相手に語らせるいちばんいいやり方だった。沈黙が長すぎると、それを埋め合わせる必要が生じる。パトリックはこのゲームを十分にマスターしていた。彼は待った。

「そうだ、分かった」ヤーンは前かがみになって、勢いよく葉巻を動かす。

「誰かがここの留守電にかけてきたのですが、無言でした。息づかいだけが残っていました。その後、何回かわたしが電話を取ったとき、切れてしまうことがありました。あれは、うちの電話番号をどうにかして知ったアンデシュだったに違いありません」

「なぜ彼はお宅に電話したんでしょうか」

「知るもんですか」ヤーンは両腕を広げた。「妬みかもしれません。うちにはお金がありますし、それは多くの人には目障りなのでしょう。アンデシュのような人間は自分の不幸を他人のせいにしたがります。そしてそうするときは、彼らとは違って、人生でなにがしかのことを成し遂げた人たちのせいにしたがるものです」

パトリックは、それは説得力に欠けると思った。ヤーンが語ったことに反証するのは難しいが、それでもほんの一瞬も、ヤーンが正しいとは思わなかった。

「さっきの通話を留守電のテープに残しておられないでしょうね？」

「残念ですが」

ヤーンは額に深い皺を寄せ、いかにも残念そうな表情をした。

「他の通話が上から被ってしまっています。残念です。お役に立てなくて。でも、彼がまたかけてきたら、必ず保存するようにしますから」

「アンデシュがこれ以上お宅に電話をしてくることは絶対ない、と思っていただいて結構です」

「それは、どうしてでしょう？」

そのいぶかる表情が本物なのかお芝居なのか、パトリックにはとても決められなかった。

「アンデシュは殺害されて見つかったからです」

灰が一つ、葉巻からヤーンの膝の上にぽろりと落ちた。

「アンデシュが殺害された？」

「そうです。今朝見つかりました」

パトリックは、ヤーンに探るような視線を向けた。今ヤーンの頭の中で何が起きているのか聞くことさえできたら、何もかもずっと簡単なはずなのに！　こいつの驚きは本物か、それとも優秀な役者なのか？

「犯人は、アレクスを殺したのと同じ人物ですか」

「まだ、そうとは言えません」パトリックは、まだヤーンを網から逃すつもりはなかった。

「つまり、あなたはほんとうに間違いなく、アレクサンドラ・ヴィークネルともアンデシュ・ニルソンともお付き合いはなかったのですね？」

「わたしは自分が誰と付き合っていて、誰とは付き合っていないか、ちゃんと把握しています。二人の顔は知ってます。でも、それ以上ではありません」

ヤーンは落ち着きを取り戻し、また笑みを浮かべた。

パトリックは、別の角度から質問を試みることにする。

「アレクス・ヴィークネルの自宅に、お兄さんの行方不明をめぐる『ブーフスレーン県民新聞』の切り抜きがありました。アレクスがどうしてあの記事を保存していたのか、ご存知ですか」

またヤーンは両腕を広げて、自分には完全に理解しかねるというように目を見開いた。

「何年も前のことですが、このフィェルバッカでは大変な話題でしたから。好奇心から記事を取っておいたのかもしれませんね」

「そうかもしれません。あなたはあの行方不明をどう考えておられますか。さまざまな説があるようですが」

「そうですね、ニルスはどこか暖かい国で道楽三昧なんじゃないでしょうか。母のほうは、偶然事故に遭ったと、信じ込んでいますが」

「あなたたちは親しかったんでしょうか」

「いいえ、そうとは言えません。ニルスは、わたしよりもはるかに年上でしたし、母の関心を自分から奪う里子は歓迎していなかったでしょう。しかし、仲が悪いというわけでもなかった。お互い無関心だったと言えるのではないでしょうか」

「あなたがネッリーさんの養子になられたのは、お兄さんの行方不明のあとですね？」

「その通りです。おおよそ一年あとでした」

「そして、それには莫大な財産もついてきた」

「ええ、そう言っていいかもしれません」

葉巻はほぼ吸い切られ、今にもヤーンの指を焦がしそうになっていた。それを彼はぞんざいに、派手な灰皿に押しつける。

「誰か他の人を犠牲にしてそうなったとしたら、愉快ではありません。それでもわたしは、長年にわたって自分がやるべきことはしてきたと考えています。わたしが経営を継いだとき、缶詰工場は下り坂を転がってました。しかしわたしは、事業を根底から構築し直して、今では魚介類の缶詰を全世界に輸出するまでになりました——アメリカ、オーストラリア、南アメリカ……」

「ニルスはどうして外国に逃げたと思いますか」

「語るべきではないかもしれませんが、ニルスが失踪する直前にかなりの金が工場から消えていました。その上、かなりの衣服類、旅行鞄そして彼のパスポートもなくなっていたのです」

「なぜなくなった金のことを、警察に届け出なかったのですか」

「母が拒みました。金が紛失したというのはきっと間違いだし、またニルスはそんなことを絶対やるはずがないと言い張りました。母親というのは、ねえ、自分の子供のことになると、良いことばかり信じたがるもんですから」

新しい葉巻に火が点けられた。パトリックは、この小さな部屋が煙たいと思い始めていたが、何も言わなかった。

「ところで、一本どうです？　これはキューバ産。手巻きですよ」

「せっかくですが、吸いませんので」

「残念ですね。みすみすもったいない」

ヤーンは、いかにも嬉しそうに自分の葉巻をよく見た。

「署の資料で、ご両親が焼け死んだ火事について読みました。大変だったでしょうね。何歳でしたか。九歳、十歳?」

「十歳でした。おっしゃる通りです。ほんとに大変でした。でも、わたしは運がよかったです。ほとんどの子供は親を失くしても、ローレンツのような一家には世話してもらえませんから」

その点に関連して運を云々することはあまりいい趣味ではないと、パトリックは思った。

「わたしが理解する限りでは、放火の疑いがあったようですが、そのあと、何か分かりましたか」

「何にも。報告書をお読みになったでしょう。警察はそれ以上解明できなかった。わたしは、父さんがいつものようにベッドで寝タバコをして、そのまま寝入ってしまったんだと思ってます」

このやり取りの間で初めて、彼はイライラする様子を見せた。

「このことが殺人事件とどんな関係があるのか教えてもらえませんか。わたしはすでに、被害者のどちらも知らないと言いましたし、わたしのつらい子供時代が殺人事件とどう関連するのか、理解できません」

「我々は今、どんな小さな手がかりも調べなければならないのです。アンデシュからお宅に電話がかけられていた事実があったので、こちらにうかがいました。結局何も明らかになりませんでしたが。必要以上にお時間を取ってしまい、申し訳ありませんでした」

パトリックは腰を上げて、手を差し出した。ヤーンも腰を上げて、葉巻を灰皿に置き、パトリックの手を握った。

「どういたしまして。ちっともかまいません。お会いできてよかったです」

実に迎合的だ、とパトリックは思った。彼はヤーンのあとから踵を接するようにして階段を上がった。趣味よく装飾されている一階に上がったとき、上下階のコントラストは際立って感じられた。ヤーンの妻はネッリーの室内装飾デザイナーの電話番号を教えてもらえばよかったのに。

パトリックは細かなことにこだわりすぎたようにも思いながら、礼を述べて邸を去った。ヤーンの何か、解明できて当然だった何かを見たような気もしていた。費用を惜しまずに装飾された部屋にはまったくそぐわないもの。それにヤーン・ローレンツには何かうさんくさいところがある。パトリックはふたたび思った――あの男は完璧すぎる。

もうすぐ七時だった。パトリックが彼女の家の玄関口に立ったとき、雪はかなり激しくなっていた。エリカは、やってきたパトリックを見て、改めてとても強い気持ちを抱いていること、パトリックの首に手を回し抱きしめることが自然に思われたことに驚いた。彼は玄関ホールの床にスーパーの袋を二つ置いて、エリカの抱擁に熱く、長く応えた。

「とっても会いたかった」

「わたしも」

二人は優しくキスを交わした。少ししてパトリックのお腹が空腹に鳴き出し、急かされるようにスーパーの袋を台所に運んだ。パトリックは相当な量を買い込んできたので、エリカは使わない食材は冷蔵庫にしまった。暗黙の了解のように、食事の準備をしている間は、お互いこの日起こったことについては話さなかった。テーブルに向かい合って座ってお腹が一杯になってからやっと、パトリックが語り始める。

「アンデシュ・ニルソンが死んだ。今朝アパートで発見された」

「あなたが見つけたの？」

「いや。でも、そんなに時間差はなかったよ」

「どんな死に方だったの？」

パトリックは一瞬迷って答えた。「絞殺だ」

「絞殺？　殺害されたってことね？」

エリカは興奮を隠せなかった。

「アレクスを殺したのと同一人物？」

この質問はこれで今日、何度目だろうかとパトリックは思った。しかし、このことが事件の鍵であるのも確かだ。

「おれたちは、そう考えてる」

「何か手がかりはあった？　目撃者はいた？　二つの殺人事件を結びつける具体的なものが見つかったの？」

「落ち着いてくれよ」パトリックはたしなめるように手を挙げた。「それ以上は話せない。

もっと楽しい話だってできるだろう。たとえば、きみの一日はどうだった?」

エリカは口元をゆがめて笑った。わたしの一日だってそれほど愉快じゃなかったって、分かってくれたらいいのに。しかし、そのことは言えない。それは、ダーン自身に語らせるしかない。

「かなり遅くまで寝てて、そのあとはだいたい原稿を書いてた。あなたの一日よりずっと平凡」

テーブル越しに手を取り合った。指が絡み合う。濃い暗闇が家を包むそんな時間、いっしょに座っているのは安心でき、心地よかった。大きな雪ひらが、暗い夜空に降る小さな星のように、今も舞い降りていた。

「アンナと、この家のこともかなり考えたわ。この間アンナの電話を途中で切ってしまって、ずっと後悔してたの。わたし、身勝手だったかも。家が売却されたら、自分にどんな影響があるのか、どんな損失があるのか、そんなことしか考えていなかった。でも、アンナにしたって楽じゃないはず。あの子だって自分の状況の中でベストをつくしているだけで、もちろん、決して正しいとは思わないけれど、意地悪でそうしてるわけじゃない。確かに考えなしで単純なところもあるけれど、いつだって思いやりがあって気前がよかった。ここ最近は、わたしのほうが悲しみや失望をアンナにぶつけていたのかもしれない。結局は、家を売るのがいちばんいいことなのかもしれないわ。再スタートするために。わたしは売ったお金で、ずっと小さいけど新しい家を買うこともできる。わたし、感傷的すぎたのかも。今は、過去を振り返って嘆くのは止めて、前に進むべきとき、自分が現に持っているものを見るタイミングになってるんだわ」

パトリックは、エリカがもはや家のことだけを語っているのではないことを理解した。

「あの事故はどんなふうに起きたんだ？　答えたくなければ、答えなくていいけど」

「かまわないわよ」そう言って、エリカは深呼吸をした。「両親はストルムスタの父の妹のところに出かけたの。暗闇の中、雨が降ったあとで寒気のために道は凍結していたの。父は慎重なドライバーだったけれど、動物が車の前に飛び出してきたと思ったのね。急ハンドルを切った、そして、スリップして道端の木に激突。おそらく即死。これが、少なくともわたしとアンナが聞かされたことよ。でもね、真実かどうかは誰にも分からない」

涙が一粒エリカの頬を伝った。パトリックは前かがみになってそれを拭き取り、エリカの顎に手をやって、顔を自分のほうに向け、瞳を覗き込んだ。

「真実でなかったら、そう言うはずはないよ。エリカ、二人はちっとも苦しまなかったとおれは信じる」

エリカは、黙ったままうなずいた。パトリックの言葉を信じたとたん、胸の中の重荷がすーっと消えた。車は焼けていた。エリカは幾夜も眠れぬままベッドの中で、車が炎上したときも両親にはまだ息があって苦しんだかもしれないと思い、震えおののいていたのだ。パトリックの言葉はそんな不安を遠ざけた。今エリカは、親を死に至らしめた事故を考えて、初めて安らぎに似た気持ちさえ覚えた。悲しみは残るが、不安はなくなった。パトリックの親指が、エリカの頰に流れ出た涙をさらに数粒拭き取った。

「かわいそうなエリカ、かわいそうなエリカ」

彼女はその手を取って、自分の頰に当てた。

「わたしはちっともかわいそうじゃないわ。これまで生きていて、今、この瞬間ほど幸せだったことは一度もなかったんだから。不思議だけど、あなたといっしょだと、信じられないほど安心するの。誰といてもこんなふうに感じたことはなかったわ。どうしてなのかしら?」

「運命の相手だからだよ」

エリカは、パトリックの大げさな言葉に顔を赤らめた。それでも、エリカ自身もそう感じていることは否定できなかった。我が家を見つけたみたいだった。

まるで合図が出たように、ふたりはテーブルから立ち上がり、洗い物もそのままにして、互いの体に腕を巻いて階段を上がって寝室へいった。外では吹雪が荒れ狂っていた。


少女時代に使っていた古い部屋でまた寝起きするのは、変な感じだった。趣味が年齢とともに変わってしまっているのに、部屋のほうはあいかわらず同じだったからだ。部屋中ピンクだらけ、レースだらけというのは、もはや好みではなかった。

ユーリアは狭い子供用ベッドに仰向けに寝ころび、両手をお腹の上に組み合わせて天井を見つめた。何もかも壊れていく。彼女の人生はことごとくまわりに崩れ落ち、破片が吹きだまりを作っていた。まるでこれまでの人生をびっくりハウスの中で生きてきたみたいだった。でこぼこの鏡の仕掛けがすべてを実際とは違うように映し出すような。大学を続けるかどうするか、自分でも分からなかった。熱意はすっかり冷めてしまい、今学期はずっと休んでいた。といっても、出ていないことに誰かが気づいてくれるとは、自分でも思っていたわけではなかった。友人を作ることは、ユーリアにとってあまり容易ではなかった。

ユーリア本人としては、この自分のピンク色の部屋に寝転んで天井を睨みながら歳をとり、白髪になってしまってもよかった。ビルギットとカルエーリックは、彼女をそっとしておく以外、何をする勇気も無いだろう。そうだったら、二人に寄生して残りの　生を送ることもできる。良心の咎めなどは、未来永劫、先送りしてやればいい。

まるで水中を動いているようだ。動こうとしても重く厄介で、どの音もフィルターを通して聞こえるようだった。初めは、そんなふうではなかった。そのころは義憤と、自分でも怯えるほど強い憎しみの塊だった。今でも憎しみは失くしていなかったが、すでにエネルギーはなく、諦めと入り交じったものになっていた。自己嫌悪が習慣になっていたので、憎しみがどのように方向転換をしたのか、はっきりと感じることができた。憎しみは、外から内へと向きを変えて、彼女自身の胸に大きな穴を開けた。古い習慣はなかなか止められなかった。自己嫌悪の程度は、もはや芸術の域に達していた。

横を向いてみる。机の上の、アレクスといっしょに撮った写真が一枚見え、それを捨てるつもりだったことを思い出す。立ち上がる力が湧いてきたら直ぐにも、細かく千切ってしまうつもりだ。写真の中で自分が慕うような表情をしていることに気づき、顔をしかめた。アレクスはいつもどおり冷ややかで美しかったが、その横にいるみにくいアヒルの子は、丸い顔を彼女に向けて、拝まんばかりだ。その目に映るアレクスは完璧だ。そして、アヒルの子は心の奥底でいつも、自分もいつかはサナギから脱皮してアレクスと同じくらい美しくなって、自信をもてる日がくるはずだと密かに信じていた。あきれるほど素朴だった。冗談もいいとこ！　この冗談は絶えず、ユーリアの犠牲でなりたっていた。そのことをみんなは隠れてひそひそ語っていたのでないだろうか。みんなはバカな、バカなユーリアのことを笑っていたのではないか。

遠慮がちにドアをノックする音がした。ユーリアは手足を縮め、お腹の中の胎児の格好になった。それが誰なのかは分かっていた。

「ユーリア、あなたのことが心配なの。ちょっと下に降りてきてくれない？」

ビルギットには返事をしなかった。代わりに、自分の髪ひと房をこれまでなかったほどに集中して見た。

「おねがい、ユーリア」

ビルギットは机のそばにあった椅子に腰かける。椅子は、ユーリアのほうに向いていた。

「あなたが怒っていることや、わたしたちを憎んでいるだろうってことも分かってるわ。でも、わたしたちはあなたを傷つけるつもりなんて、全然なかったのよ」

ビルギットがやつれて疲れきった様子をしていることに、ユーリアは満足した。まるで幾夜も寝ていないようだ。たぶん実際に寝ていないのだ。目のまわりには、カラスの足跡がいくつか新しくできていた。ユーリアは、ビルギットが来年、六十五歳の誕生日に受けようとしているフェースリフトの手術を少し早めたほうがいいのではないか、と意地悪く思った。椅子をそばに寄せてユーリアの肩にかけたビルギットの手を、ユーリアは振り払った。ビルギットは気落ちして後ずさりする。

「ねえ、わたしたちはみんなあなたを愛してるの。分かってるでしょ」

ええ、分かってますとも！　こんなお芝居、何の役に立つの？　自分たちが互いにどれだけ離れているか、気づいているはず。愛？　それがいったい何なのか、ビルギットは知らない――彼女が愛していた人間はアレクスただ一人だけ。いつもアレクスだけ。

「わたしたち、話し合わないと。今はお互いに支え合わなくては」

ビルギットの声は震えていた。死んだのがアレクスではなくてユーリアであってほしかったと、ビルギットがいったい何度思ったか、とユーリアはいぶかった。ユーリアはビルギットが諦めて、震える手で椅子を元の場所に戻す様子を見ていた。ドアを閉めて出ていく前にビルギットはユーリアに、最後の懇願をするような眼差しを向けた。ユーリアはあてつけに、顔を壁に向けた。ビルギットは去り、ドアは音もなく閉まった。

朝はふつう、パトリックの得意な時間帯ではなく、今朝はとりわけ惨めだった。第一に、しぶしぶエリカの温かいベッドから抜け出し、彼女をあとに残して出勤することになった。

第二に、半時間も雪かきをして車を出さなければならなかった。そして第三に、やっとポンコツを雪からかき出せたとき、エンジンがかからなかった。そして何度も繰り返しやってみたあげくに、結局エリカのところに戻って車を借りられないかどうか訊く羽目になった。運よく、こっちの車は一発でエンジンがかかった。

彼は半時間遅刻して、オフィスに飛び込んだ。雪かきのせいで下着まで汗だくになってしまったので、シャツを二回ほど引っ張って風を入れようとした。仕事を始める前には必ずコーヒーメーカーに立ち寄る。カップを手にして自分のデスクのいつもの場所に座る頃には、脈拍も落ち着いていた。少しの間目を閉じて、激しく分別のない愛の交わりの生々しい感覚に身をゆだねた。昨夜も最初の夜と同じほど素晴らしかったが、それでも二人は、少し賢くなって、二時間ほど睡眠を取るようにした。休息できたと言えば言いすぎだろうが、少なくとも前日のような昏睡状態にはなかった。

昨日ヤーンと会ったときに書き留めたメモを調べることが、今日の最初の仕事になった。彼の関心を惹くような新しく具体的なことは聞き出せなかったが、それでも、時間の無駄だったとは言えない。事件に関わっている、あるいはその可能性のある人物について感触を得るのは重要なことなのだ。「殺人事件の捜査は人間を調べること」――彼の警察学校時代の教官の一人がときどき語っていたこの言葉が、パトリックの記憶にこびりついていた。それに、自分は人間というものをよく知っていると自負していた。目撃者や被疑者を聴取している間も、無情な事実を少しの間わきに置いて、いつも自分の前にいる人物の印象を逃さないことに集中しようとした。ヤーンはパトリックに、あまり肯定的な感じを与えなかった。信頼できない、口先がうまい、快楽主義者――これが、ヤーンの印象をまとめようとしたときに浮かんできた単語だ。ヤーンが語った以上に知っていることは明々白々だ。改めてパトリックは、ローレンツ家に関係する書類の山を引っ張り出した。あいかわらず、一家と今度の二件の殺人事件との間に具体的な繋がりは見つけられなかった。アンデシュがヤーンにかけた電話以外は。これにしても、留守電が受けたいたずら電話だ、というヤーンの作り話が事実と符合しないことを証明できなかった。パトリックはヤーンの両親の死に関するファイルを取り出した。ヤーンが事件について語ったときの声の調子が気になった。嘘の匂いがした。あることがひらめいた。パトリックは受話器を上げて、暗記している番号を押した。

「おはよう、ヴィッキー。調子はどう？」

電話の相手は順調だよと答えた。礼儀程度の挨拶を交わしてから、パトリックは自分の用件を切り出した。

「一つ頼みたいことがあるんだけど。今ある男を調べてるんだよ。そいつは七五年ごろ、社会福祉事務所のリストに登録されているはずなんだ。当時十歳で、名前はヤーン・ノリーン。何か残ってるかな？　分かった、切らないで待つから」

落ち着かなくデスクの天板を叩きながら、社会福祉事務所のヴィッキー・リンドがデータベースを調べるのを待った。少しして、彼女の声が受話器から聞こえてきた。

「情報があった？　いいね！　事件を扱ったのが誰か分かる？　シーヴ・パーション。いいね！　シーヴなら知ってるよ。彼女の電話番号ある？」

その番号を付箋に書きとめ、ヴィッキーにランチをおごる約束をして、受話器を置いた。それから教えてもらった番号を押すと、すぐに受話器から元気な声が響いてきた。シーヴがヤーン・ノリーンの事件をとてもよく覚えていることと、今すぐシーヴを訪ねていいことが分かった。

パトリックはジャケットを勢いよく引っ張って、コートハンガーそのものをひっくり返してしまった。悪いことは重なるもので、ハンガーは床に倒れ落ちながら、壁の絵と本棚の花瓶の二つを道連れに、ものすごい音を立てた。パトリックが、とりあえずはそのままにすることにして廊下に出たとき、ドアというドアから突き出している顔が目に入った。彼はただ手を振って、好奇に満ちた視線に追いかけられながら、玄関から飛び出した。

社会福祉事務所は、警察署から二百メートルほどしか離れていなかった。パトリックは雪に足を取られながらメインストリートを下った。通りの終いまで来て、ホテル〈ターヌムスヘーデ屋〉を左に曲がり、さらに少し進んだ。事務所は市役所と同じ庁舎の中にあった。パトリックは階段を上がった。それから受付係に陽気に挨拶して、シーヴのオフィスに入れてもらった。受付係の女性は、パトリックの基礎学校高学年の同級生だった。シーヴ・パーションは、彼が入ってきてもわざわざ立ち上がっては挨拶しなかった。パトリックが警察官として送ってきた歳月の間、二人の人生行路は繰り返し何度も交わった。事案の最良の処理法をめぐっての見解が相容れないこともあったが、お互いの職業上の能力には敬意を表してきた。シーヴは彼の知っている最高に親切な人間の一人でもあった。ケースワーカーとしては、人間の中にいいところを認める能力だけではやっていけないだろうが。それに、仕事柄、長年にわたっていい人間とは正反対の人々と関わらざるを得なかったのに、シーヴが人間の本性に対する確固とした、肯定的な見方を失わないことに対して、パトリックは称賛を惜しまなかった。パトリック自身について言えば、むしろ反対の方向に向かっているような気がしている。

「おはよう、パトリック！　この大雪の混乱の中、よくここまで来れたわね」

彼女の声が不自然なまでに明るいことに、パトリックは本能的に反応した。

「そうなんだ、スノーモービルが必要なくらいだったよ」

彼女は、首にかけた紐の先で揺れる眼鏡を取り上げて、掛けた。シーヴは明るい色が大好きで、今日は赤い眼鏡が服装にマッチしていた。知り合ってからずっと同じ髪型だ。ストレート、顎までのページボーイ、前髪は眉の真上でそろえていた。髪はきらきら光る赤銅色で、この明るい色が、パトリックをいっそう元気づけた。

「あなたが見たいのは、わたしが扱った古い事案の一つですって？　ヤーン・ノリーンですか」

あいかわらずとって付けたような話し方。彼がやって来る前にすでに資料は用意されてあり、分厚いファイルが彼女のデスクの上に置かれていた。

「そうなの。この男の子については、ご覧のように、かなり資料があるわ。親は二人とも麻薬をやっていて、事件に遭わなかったら、わたしたちがいずれ介入する必要があったでしょう。両親は息子を放ったらかしにして、息子は自分一人で大きくなるしかなかった。汚れたぼろを着て学校に行って、臭いからっていじめに遭った。おそらく古い家畜小屋で寝かされて、そのままの服装で学校に行かなければならなかった」

シーヴは眼鏡越しにパトリックを見た。

「あなたはわたしの信頼を裏切らないわよね。ヤーンに関する情報を入手するのに必要な書類は提出してくれるわね、たとえ事後であっても、ね？」

パトリックは、うなずくしかなかった。規則に従うことは大切だと承知していたが、時おり捜査にはある程度の効率が必要とされる。その場合、官僚主義の複雑さのために手続きは遅れてしまう。シーヴとパトリックは以前から良好な実務関係を結んではいるが、シーヴにはそのような質問をする義務があることもパトリックは理解していた。彼が言葉を続ける。

「どうして、もっと早く介入しなかったんですか。なぜそれほどになるまで放っておいたんですか。まるでヤーンは生まれてからずっと放っておかれっぱなしだったみたいじゃないですか。両親が亡くなったとき、たった十歳だったよね」

シーヴは深いため息をついた。

「ええ、あなたの言わんとすることは分かるわ。信じてほしいけど、わたしも同じことを何回も考えた。でも、わたしがここで働き始めたころ、実際はあの火事の一カ月ほど前だったんだけど、時代の状況は今とはまったく違っていた。わが子を自分の思うように養育しようとする親の権利を制限するために国が介入するには、信じられないほど沢山のことが必要だったわ。自由育児教育というものを支持する人もいっぱいいて、そのために、不幸にもヤーンのような子供たちが被害を受けてしまったの。ヤーンの体には虐待の痕は一つもなかった。乱暴を承知で言わせてもらえるならば、ヤーンが殴打されて病院に収容されていたら、あの子にとってはいちばん良かったかもしれない。そうだったら、少なくとも家庭状況の監視は始めていたでしょうから。しかし、虐待してもその痕が残らないようにしていたか、あるいは親はわが子を世話せずに放置していた〝だけ〟だった」シーヴは両手を挙げて、宙で、「だけ」という言葉にクォーテーションマークを付けた。

パトリックは突然ヤーン少年がたまらなく可哀そうになった。そんな状況の中で育ったら人は普通の人間になれるだろうか？

「でも、まだ最悪のことがあるの。証拠は何もなかったけれど、ヤーンの両親がお金や薬物のために息子を男たちに売っていたことを示唆することがいろいろ出てきた」

パトリックは不意をつかれた。これほどおぞましいことは想像もできなかった。

「さっき言ったように、百パーセント断言はできないけど、今日ならばこんなふうにも言えるわ。性的虐待を受けていた子供たちのとる行動パターンとされるものとヤーンの行動パターンがとても似ているって。彼はとりわけ学校で深刻な風紀問題を起こしていた。さっき言ったように、子供たちは彼をいじめていたわけだけど、その子たちも彼を怖がっていたの」

シーヴはファイルを開け、書類をめくり続けて、探していたものを見つけた。

「これよ。小学二年のとき、あの子は学校にナイフを持っていってます。それで一番たちの悪いいじめっ子を脅したの。実際に相手の顔に切りつけたのに、学校当局はそれを全部もみ消し、わたしの見る限り彼は処罰は何も受けていない。ヤーンがクラス仲間に激しい攻撃的な態度をみせたとき同じようなことが数回起きていたけど、ナイフを使ったときがいちばん深刻だった。また、クラスの女の子たちに不適切な行為を行ったと、何度か学校に通報もされた。その年齢にしては、言動によるひどく本格的な性的誘いをかけたというの。その通報に対しても、一度も具体的な対応は取られなかった。当時は、このような問題を起こす子供をどう扱ったらいいのか分かる人間がいなかったのね。今日ならば、このような明らかな兆候に対しては何らかの対策が取られるはず。でも忘れないで、これは七十年代のことだったのです。当時、世の中は今とはまったく違っていましたから」

パトリックは怒りと同情から、すっかり、無力感を覚えた。どうしたら子供をそんなふうに扱うことができるんだ。

「火事のあとも……そのような出来事が他にもあったのですか?」

「いいえ。それが本当に不思議なの。火事のあと少年はすぐにローレンツ家に預けられ、そのあとは再び問題を起こしたと聞いたことは一度もなかったわ。わたし自身、二度ほど様子を見にローレンツ家に行きましたけど、すっかり別人でした。あの子はスーツを着て、髪の毛をきちんと水櫛で撫でつけていたわ。わたしのどの質問にも行儀よく答えた、まばたき一つせず、わたしの目をじっと見つめながら。ぞっとしたわ。人間って、一晩のうちにあんなに変われるなんて」

　パトリックは驚いた。シーヴが自分の事案について否定的な判断をほのめかすのを聞いたのは、これが初めてだった。きっと、何か洗い出す値打ちのあるものが隠れている。シーヴは何か言いたいことがあるようだが、それは彼が訊き出さざるを得なかった。

「火事に関しては……」

　彼はちょっと語尾を濁した。シーヴが椅子の上で背筋を伸ばしたのが分かった。それはつまり、彼が正しいところを突いているということだった。

「火事について、いくつか噂を聞いたけど」

　問いかけるようにシーヴを見る。

「噂について答えることはできないわ。あなたが聞いたのって、どんな噂ですか？」

「放火とか。さらに署の捜査では、あれは『蓋然性《がいぜんせい》の高い放火』となってますが、犯人たちの痕跡を見つけた人間は一人もいなかった。火は母屋の一階から出た。ノリーン夫婦は二階で寝ていて、逃げるチャンスはまったくなかった。誰がそんなことをするほどノリーン夫婦を憎んでいたか、何か聞かなかったですか」

「聞きました」彼女の返事は一語で、また低くて、彼は自分が聞いたのかどうか確信がなかった。

　彼女はもっと強い声で繰り返した。「聞きました。誰がノリーン夫婦を、火をつけようとするほど憎んでいたか知っています」

パトリックは黙って、彼女に自分のペースで語らせた。

「わたしは警察といっしょにあの家に行きました。消防隊が真っ先に現場に来ていて、隊員の一人が納屋に行って内部を調べていました。母屋から火の粉が飛んでいって燻《くす》ぶり、新しい火事にならないようにしようとしたのです。その隊員は納屋でヤーンを見つけ、彼がどうしてもその場を去ろうとしなかったため、社会福祉事務所のわたしたちに連絡してよこしたのです。わたしはまだ新米のケースワーカーで、今になると、わたしはかなり興奮していたと認めざるを得ません。ヤーンは納屋で壁に背中をつけて、いちばん奥に座っていました。彼を消防隊員が見張っていて、隊員はわたしたちが到着すると、ほんとにほっとしていました。わたしは警察を追い払って、ひとりでヤーンのところに行って、なだめて外に連れ出そうとしました。彼の両手は、座っている暗がりの中で休みなくずっと動いていたけど、何をしているのかは見えませんでした。しかし、わたしが近づいていったとき、彼は膝の上で何かをいじっていました。マッチ箱でした。すっかり夢中になってマッチ棒をより分けていました。箱の片側半分には燃やした、黒いマッチ棒を、別の片側にはまだ燃やしていない、赤いマッチ棒をと。顔に浮かんでいた表情は、喜びそのものでした。あの子の全身がまるで内面の炎で光っているみたいでした。あれほどぞっとするものを、わたしはこれまでの人生で見たことありませんよ、パトリック。今でもわたし、夜横になったときあの顔を目の前に見ることがたまにあるの。ヤーンが座っていたところまで行くと、わたしはそっとマッチ箱を取り上げました。そのとき彼はわたしを見上げて、『あいつら、もう死んじまった？』と言いました。ただ、それだけ。『あいつら、もう死んじまった?』それからクスクス笑って、自分から進んで古い納屋から連れ出されました。納屋から出るときわたしが最後に見たものは、毛布一枚、懐中電灯一つ、それから納屋の隅に山になっていた衣類でした。その時わたしは、自分たちも彼の両親の死に荷担したのだと知りました。わたしたちは、何年も何年も前に介入すべきだったのです」

「このこと、誰かに話しましたか」

「いいえ、何て言ったらいいの? あの子はマッチをいたずらしていたから、両親を殺したんだって? いいえ、わたしはこれまで何も言ってません。今あなたが訊きに来るまでは一度も。それでもずっと、どうかして彼の名前が警察で出るのではって、考えてきました。いったい彼は何に巻き込まれたの?」

「今は何も言えませんが、必ずできるだけ早くお知らせします。このことを話していただいて、ものすごく有難かった。すぐに書類作成と格闘して、あなたに迷惑がかからないようにします」

彼は手を振って、立ち去る。

彼が行ってしまったとき、シーヴ・パーションはデスクに残っていた。赤い眼鏡は、紐につながれて首に下がっていた。そして彼女は目を閉じたまま、親指と人差し指で鼻の付け根をはさんで、こすっていた。

パトリックが外の歩道の上に溜まっていた雪に脚を踏み入れたとき、携帯電話が鳴った。

指は厳しい寒気の中でもうかじかんでしまい、自分の携帯電話の小さなカバーをなかなか開けられなかった。エリカだったらいいのにと願ったが、ディスプレーでピカピカしているのが署の交換台の番号なのを見ると、がっかりしてしまった。

「パトリック・ヘードストルム。やあ、アンニカ。いいや、今戻るところだ。うん、それ待ってて。すぐ署に戻るから」

彼はカバーを閉じた。またアンニカがやってくれた。何かアレクスの略歴と合わないものを見つけたのだ。

彼が署の方に小走りで向かう足の下で、キュッキュッと音がした。彼がシーヴのオフィスにいる間に除雪車が通っていたため、帰りは大した面倒にはならなかった。寒いので、外を歩く勇敢な人間はあまり見かけなかった。上着の襟を立てて防寒帽の耳被いを下にひっぱって急ぎ足で通りすぎる人が一人、二人いるくらいで、商店街はほとんどひとけがない。

署の中に入ると、パトリックは足踏みをして靴のまわりの雪を払い落とした。雪の中を普通の靴で歩けば、靴下までぐっしょり濡れて気持ちが悪くなることを覚えておくことにした。しかし、そんなことはとうに分かっていていいはずなのに。

その足で、まっすぐアンニカのオフィスに向かった。明らかにアンニカはパトリックを待っていた。その満足そうな表情からすると、何か成果があったのだ。

「あなた、服は全部クリーニングに出してるの？」

パトリックはすぐには質問の意味が呑み込めなかったが、アンニカの意味ありげな笑顔を見て、からかわれているのだと気づいた。しまった、この服は、おとといエリカを訪ねたときのままだ。今朝方、汗びっしょりになって雪かきをしたことを思い出し、自分は多少は、あるいはうんと臭いのかなと思った。

アンニカへの答え代わりに、パトリックは口の中でぶつぶつつぶやいて、できるだけ意地悪そうな目でアンニカを睨みつけたが、愉快がられただけだった。

「そうか、そうか、ほんとに面白いよな。さあ、本題に入ってくれ」

パトリックは怒ったふりをして、アンニカのデスクを拳で叩いた。すると、花が入った花瓶が倒れ、デスクの上に水を撒き散らした。

「すまない。そんなつもりじゃなかった。まったく、おれは何をしてるんだか」

水を拭き取るものはないかと探したが、いつものようにアンニカが一歩速くデスクの後ろからペーパータオルを取り出して、落ち着いてデスクを拭きながら、最近はすっかりおなじみになった一言をパトリックに言った。

「お座り《シット》！」

パトリックは即座にそれに従って、自分はこんなに素直なのにご褒美のクッキーをもらえないのは少し不公平だと思った。

「じゃ、始めましょうか？」

アンニカはパトリックの返事を待ちもしないで、自分のパソコンの画面を読み上げた。

「えーっと、アレクスが死んだ時点からさかのぼってみたの。イェーテボリに住んでいた時期については、疑わしい点はなかったわ。一九八九年に女友達と画廊を始めた。それに先立つ五年間はフランスの大学で学んだ。主専攻は美術史。彼女の成績をファックスで送ってもらったけど、留年もしてないし試験の成績は優秀よ。高校はイェーテボリのヴィートフェルスカ校。こちらも成績を教えてもらったわ。秀才ではなかったけど、劣等生でもなかった。成績は三年間を通して中くらいをキープ」

そこで、アンニカは一息ついてパトリックに目をやる。彼はデスクに身を乗り出してパソコンを覗き込み、先回りして読もうとしていた。アンニカは画面を少し自分のほうに向けて、自分の新発見をパトリックに早々と見せないようにした。

「高校に入る前はスイスの寄宿学校に行っているわ。レコール・ド・シュヴァリエという国際学校。すごくお金のかかるところ」

最後の言葉を、アンニカは大いに強調した。

「その学校に電話して聞いたんだけど、そこに入学したら一学期にざっと十万クローナはかかるそうよ。そのうえに部屋代、食事代、衣服や本代だって必要だわ。一応、確認してみたところ、アレクサンドラ・ヴィークネルがいた当時、スイスの物価は現在と同じくらい高かったそうよ」

アンニカの言葉の意味を懸命に考えて、パトリックはその考えを声に出していた。「つまり問題は、カールグレーン一家がアレクスをスイスの寄宿学校に入れられるだけの金銭的余裕がどうしてあったのかということだな。おれに分かるかぎり、ビルギットはずっと専業主婦だったし、カルエーリックもそんな出費ができるほど稼ぎがあったとは思えない。そのあたりのことを……」

　すると、アンニカがパトリックの言葉を遮った。

「ええ、だから、アレクサンドラの学費を振り込んでいたのは誰か学校に訊いてみたわ。当然ながら、その手の情報は教えられないと言われただけだったけど。そういった情報を提供できるのは、スイス警察から要請があったときだけですって。正式にスイス警察に協力を求めていたら少なくとも半年はかかるでしょうね。そこで、代わりに反対側から、多年にわたるカールグレーン家の経済状況を確認することを始めたの。ひょっとすると、一家は親類の遺産を相続したかもしれないし。そういうわけで、銀行からの連絡を待っているところ。二日ほどしたら何か分かると思うわ。でもね」と、言って、アンニカは芝居がかった一息をいれる。「わたしがもっとも興味を惹かれたのはお金の問題じゃないの。カールグレーン家からの情報によると、アレクスは一九七七年の春学期に寄宿学校に入学した。でもね、学校の記録では、彼女が入学したのは七八年の春なの」

　勝ち誇ったようにアンニカは椅子の背にもたれかかり、腕組みをした。

「間違いないか?」

　パトリックは興奮を抑えきれなかった。

「ちゃんと確認したわ。一度だけでなく二度、三度とね。七七年の春から七八年の春までの一年間が、アレクスの一生からすっぽり抜け落ちてる。その時期、どこにいたのか全然わからないわ。一家が一九七七年三月に引っ越してから、翌年の春にアレクスがスイスの学校に入学するまでの情報はまったくないの。そして、アレクスが入学した時期に彼女の両親はイェーテボリに現れ、家を買って、カルエーリックは卸業界の中規模会社に社長として迎えられ、仕事を始めてるわ」

「つまり、その一年間に夫婦がどこにいたか分からないということだな？」

「そう、まだ分かってない。とにかく、あきらめずに調べてみるわ。その一年間、あの夫婦がスウェーデンにいたことを示す情報は何もないということだけは、分かっているんだから」

パトリックは指を折って計算した。

「アレクスは一九六五年生まれだから……そうか、七七年には十二歳だったんだ」

アンニカはふたたびパソコンの画面でチェックした。

「ええ。一月三日生まれの彼女は、引っ越したときは十二歳よ」

うなずきながら、パトリックは考え込んだ。アンニカが掘り出した情報は確かに価値があるが、目下のところは新たな疑問が増えただけだ。カールグレーン家は一九七七年の春から七八年の春まで、一体どこにいたのだろう？　家族全員が痕跡も残さず消えてしまうなんてあり得ない。いや、必ず痕跡は残している。その痕跡を捜すだけだ。そこからもっと何かが分かるかもしれない。アレクスが以前に子供を産んでいたという情報にはパトリックは今でも、どう考えていいのか途方に暮れていた。

「他に、アレクスの履歴に曖昧な点はなかったかい？　誰かが大学で彼女の身代わりで試験を受けたとか、画廊の共同経営者が一人で経営していた時期があるとか？　誤解しないでくれ。あんたが見つけた情報にけちをつけようというわけじゃないんだ。ただ、念のため、もう一度確認してほしい。それから、アレクサンドラ・カールグレーンとかヴィークネルとかいう人間が子供を産んでいたかどうか、病院の記録を確認して。イェーテボリにある病院から始めて、そこで何も見つからなかったら、全国の病院に当たってほしい。関係する何かがどこかに残ってるはずだ。子供が煙のように消えるわけはないからな」

「子供を国外で産んだ可能性だってあるでしょ？　たとえば寄宿学校にいた時期に。あるいはフランスで？」

「ああ、もちろんだ。そんなことも思いつかなかったなんて情けない。では、国際的なルートを通じて、何か見つけ出せないかどうか調べてみてくれ。カールグレーン夫婦が国外に出たことがあるかどうかも。パスポート、ビザ、大使館。夫婦が国外に出たことがあるとしたら、その行き先に関する情報がきっとどこかにあるはずだ」

　アンニカは猛烈な勢いでメモを取る。

「ところで、他の連中はまだ何か役に立つ情報を手に入れてないのか？」

「アーンストがベングト・ラーションのアリバイの裏を取ったわ。彼は白よ。だからツブせるわ。マーティンはヘンリック・ヴィークネルと電話で話したけど、アンデシュとアレクスの繋がりについて新しい情報は何も得られなかった。だから、アンデシュが彼女のことについて何か話してなかったかどうか、彼の呑み仲間に訊いてみるそうよ。ユスタは……今のところ自分のオフィスに閉じこもってぐずぐずしてるけど、何とかカールグレーン家の聴取にイェーテボリに出かけようと自分を奮い立たせているわ。賭けてもいいけど、彼が出かけるのは早くても月曜日になるでしょうね」

パトリックはため息をついた。このヤマを解決したければ、同僚たちを当てにしないで、自分で靴をすり減らしたほうが良さそうだ。

「あなた自身は、カールグレーン夫婦に直接、話を聞かないの？　空白の一年間にしても、もしかしたらちゃんとした理由があって、疑わしいことなんて、何もないのかもしれないわ」と、アンニカが言った。

「アレクスの情報はあの夫婦自身から与えられたものだ。何かの理由で七七年と七八年の間のことを隠そうとしている。おれも自分で話を聞いてみるつもりだが、まずもう少し調べてからだ。もう夫婦にはぐらかされるわけにはいかない」

アンニカは椅子の背にもたれかかって、にやりと笑う。

「それで、わたしたち、いつウエディングベルを聞かせてもらえるのかしら？」

アンニカがこの興味津々の話題を簡単に手放す気がないことを、パトリックは悟った。これからしばらくは自分が署内の慰みの種になるのを覚悟するしかなさそうだ。

「その……結婚するとかしないとかは、ちょっとばかり早いかも。教会の予約をする前に、最低一週間くらいはいっしょに住んでみるべきかもしれないし」

「そう、うまくいってるのね」

そのとき、パトリックはようやく鎌を掛けられたのだと悟った。

「いや、うん、そう。おれたちは……そうだな、いや、おれには分からない。これまでのところ、うまくいってる。でも、まだ始まったばかりだし、それに彼女は、すぐにもストックホルムに戻ってしまうかもしれないし……。とにかく、おれには分からないよ。とりあえず、これで満足して」

居心地悪そうに、パトリックは椅子の上で体をくねらせていた。

「いいわ、今日のところはこれで勘弁してあげる。だけど、これからも必ず彼女とのことを報告するのよ。いいわね?」警告するように、アンニカは人差し指を振った。

諦めたように、パトリックはうなずく。「分かったよ。ちゃんと報告する。それでいいんだろう?」

「ええ、さし当たりはそれでいいわ」

アンニカが立ち上がり、デスクをぐるっと回ってきたかと思うと、次の瞬間、パトリックはアンニカの豊かな胸のふくらみに顔を押しつけられ、思いっきり抱きしめられていた。

「あなたのためにとても喜んでるの。パトリック、彼女との関係を大事にするのよ。約束してね」

そう言って、アンニカがパトリックに回した腕にさらに力をこめたので、痛さのあまり肋骨が悲鳴を上げた。その瞬間息ができなかったのでアンニカの言葉に答えられなかったが、パトリックの沈黙を同意と受け取って、彼女は体を放した。しかしその前に、仕上げとばかりに思いきりパトリックの頬をつねっていた。

「さあ、家に帰って着替えてきなさい。臭いわよ!」

そう指摘されて、パトリックはオフィスを追い出された。まだ頬と肋骨がうずいていた。彼は胸にそっと触ってみた。アンニカのことは好きだが、身体能力がどんどん落ちている三十五歳の男を哀れに思って、もう少し優しく扱ってほしかった。

海水浴場バードホルメンはひとけがなく、寂しかった。夏にはにぎやかな海水浴客と大騒ぎをする子供たちでごった返しているのだが、いまは風がむなしく雪の上をうなっているだけだ。夜の間に、雪は積もって厚い掛けぶとんのようになっていた。エリカは注意しながら大きな岩を覆っている雪の上を歩いていた。このところ、新鮮な空気を吸う必要を強く感じていた。ここバードホルメンからであれば何にも邪魔されずに、海上の島々と果てしなく広がる白い氷を見渡せた。遠くに車が走る音が聞こえる他はとても静かだったので、エリカは自分の考えに耳を傾けることができた。彼女の脇には、飛び込み台がそびえ立っている。子供のころに思っていたほどには高くない。当時は天まで届くような気がしたものだが、実際、大人になった今でも十分に高く、暑い夏の日でさえ、いちばん上の板から飛び込む勇気はとてもない。

彼女は、ここに永久に立っていられそうな気がした。毛皮を着込んで十分に温かい格好をしていたが、それでも冷気が衣服に忍び込んでくる。それに耐えながら、自分の中の氷が溶けていくのを感じていた。今は孤独ではなくなっているが、それまでは、自分がどれほど孤独だったか認識していなかった。ストックホルムに戻らなければならなくなったとき、パトリックとの関係はどうなるのだろう？　遠距離恋愛をするほど、自分はもう若くない。

どうしても両親の家の売却に同意しなければならなくなったとしたら、こちらに残れる可能性はあるだろうか？　パトリックとの関係が一定期間を経て、安定したものになると確信が持てないうちは、パトリックの家でいっしょに住む気はなかった。だから、家を手放してしまったら、フィエルバッカに住み続けるためには他の家を探すしかないのだ。

問題は、そうする気になれないことだった。もし両親の家を売ってしまったら、フィエルバッカに帰ってきたとき、子供時代を過ごした愛着のある家で見知らぬ他人が跳びまわる様子を目の当たりにすることになる。それくらいなら、この町と縁を切ってしまうつもりだった。ここでアパートを借りることも、考えられなかった。そんなことをしたらひどく違和感を覚えるはずだ。そんな否定的な考えを次々と重ねていくうちに、つい先ほどまで感じていた幸福感が遠ざかっていく感じがした。もちろん、そうした問題は確かに解決できるが、たとえ老人と言われる年齢になっていなくても、自分のことだけを考えて生きてきた長い年月はそれなりに跡をとどめていて、もはやそれほど柔軟に考えられそうになかった。それでも、よく考えてみた結果、ストックホルムを引き揚げようという決心はできていることが分かった。その場合は住み慣れた両親の家で暮らすのが絶対の条件だ。あの家で暮らせないなら、エリカの世界は直ちにひどく変わってしまうことになる。恋をしていようがいまいが、そんな変化には耐えられそうになかった。

両親が亡くなったことだけで、エリカには十分大きな変化だった。これからしばらくは、もう沢山だ。今は安全で穏やか、そして先が読める人生に浸りたかった。これまで、エリカは交際相手に束縛されることを恐れていたが、今はむしろその穏やかで先が読める人生だけを、パトリックとの交際に求めていた。これからの人生を、一歩一歩、段階を踏んで過ごしたかった。恋人との同居、婚約、結婚、子供、そうして重ねられていく日常。そしていつか、お互い歳を取ったもんだ、と思う日がくる。こんなふうに考えても、望みすぎではないだろう。

このとき初めて、エリカはアレクスを思ってうずくような悲しみを覚えた。まるで、アレクスの人生はもう終わってしまったのだと、やっと理解できたみたいだった。長い間、ふたりの人生行路は交じり合うことはなかったが、それでもエリカは折にふれてアレクスのことを思い出し、彼女の人生も自分の人生と並行して続いているのを知っていた。しかし今は未来があるのは自分だけ、これからの歳月がもたらすあらゆる悲しみと喜びを経験することになるのはエリカだけだ。今、そして残りの人生でアレクスのことを考えるたびにエリカの脳裡に浮かぶアレクスの姿は、浴槽の中の蒼白い死体だ。タイルの上に付着した血痕と後光のような凍てついた髪。たぶんそれが、アレクスについて本を描き始めた理由だ。自分たちが親密だった歳月をもう一度体験し、別れてしまった後のアレクスがどんな人になったのかを知る一つの方法でもあった。

この数日、エリカはアレクスについて知るための資料が足りないことが心配だった。まるで、立体画像を一面からしか見ていないような気がする。像全体を把握するためには他の二面も重要だというのに、まだ見ることができずにいた。だから、アレクスの周辺にいた人々をもっと観察することにした。それは、アレクスの周りにいた人たち、主役だけでなく脇役も含んでいた。そう考えたとき、エリカがまず思い出したのは、子供時代、何かおかしいと感じながらもはっきり理解できなかったあの事だった。

アレクスが引っ越す前に何かがあったのは確かだ。しかし、それが何かは誰もエリカに話してくれなかった。思い返せば、エリカが近づいていくと、大人たちはひそひそ話をやめてしまった。今になってどうしても知りたい事から遠ざけられていたのだ。問題は、どこからどう始めればいいか分からないということだ。当時も、大人たちのひそひそ声を何とか盗み聞きしようとしたのだが、覚えているのは「学校」という言葉が何度か出てきたということだけだった。大した手がかりにはならないが、それでもあるのはこの言葉だけだ。アレクスと自分が通っていた中学年で教えていた教師が、今もフィエルバッカに住んでいるのをエリカは知っていた。彼から始めるのも悪くないだろう。

風が強くなり、厚着にもかかわらずますます冷気が衣服に忍び込み始めた。そろそろ動き出したほうがいい、とエリカは感じた。そして最後に、背後にそびえる山の裾野に広がるフィエルバッカの町を眺めた。夏には金色がかった黄色い光に包まれている風景は、いまは一面、灰色で殺風景だが、こちらの方が美しいとエリカは思った。夏の風景は、蟻たちが休むこともなく動きまわっている蟻塚を思わせる。いま、小さな町は静かな平穏に包まれていて、まるで眠っているように見えた。だが同時に、その平穏が偽りのものであることをエリカは知っていた。その平穏さの下では、人間が住む他の場所と同じくらい悪がおびただしい。そのような部分を、エリカはいやというほどストックホルムで見てきたが、この土地ではそれらがいっそう危険なものになるように思われた。憎しみ、妬み、貪欲《どんよく》さ、復讐心。それらは、「世間の噂」という大きな蓋に覆われている。悪、狭量さ、醜悪さ。それらは、ぴかぴかに磨かれたその蓋の下で静かに、ゆっくりと発酵するにまかせられている。バードホルメンの大きな岩の上に立って、エリカは雪に覆われた小さな町を静かに見下ろした。あそこではどんな秘密が護られているのだろう。

エリカはぶるっと身を震わせ、両手をコートのポケットの底まで突っ込み、岩を下りて町の中心部に向かった。

生きることは、年を追うごとにますます危険になっていた。彼は絶え間なく新たな危険を発見してきた。その始まりは、自分の周りを何兆、何億もの数で飛びまわっているバチルスやバクテリアを鋭く意識するようになったことだった。何かに触る必要があるということは、彼にとって一つの挑戦となった。それでも、どうしても触らざるを得ないときは、バクテリアの部隊がいくつも怒濤のように押し寄せてきて、無数の既知や未知の病気を引き連れてきたぞ、と脅された。それらによって惹き起こされる病気は、間違いなく長く苦しむ死を彼にもたらすものだった。だから、彼は自分を取り巻く環境の危険性に気づいてしまった。広いスペースは大きな、狭いスペースは小さな危険を伴っていた。人込みに入ってしまうと、彼の体にあるすべての毛穴から汗が滲み出し始め、呼吸は速く、浅くなった。解決法は簡単だった。少なくとも部分的にはコントロールできる環境、つまり自宅にこもることだ。もはやドアの外に出ずに自分の人生を生きるのが可能なことは、すでに悟っていた。

彼が最後に外に出たのは八年前だった。外の世界に出ることができたらいいのにという強い気持ちはすでに消えうせ、外の世界があるかどうかさえも分からなくなっていた。彼は今の生き方に満足していて、何かを変える理由など一つも認められなかった。

彼──アクセル・ヴェンネシュトルムにはすっかり定着した日課があり、今日まで毎日、それに従ってきた。七時に起床して朝食を摂ったあと、自分が朝食のために冷蔵庫から取り出した食材のせいで撒き散らした可能性があるバクテリアを根絶しなければならなかった。そのために、台所全体を強力な洗剤を使って掃除した。そのあと数時間かけて台所以外の場所の埃を払い、拭き掃除をしてきちんと整頓した。ようやく昼の一時ごろに休憩を取り、新聞を手にしてバルコニーの椅子に腰を下ろすことができた。郵便配達員のシングネとの特別な合意によって、毎朝、新聞はビニール袋に入れて届けられた。こうしてもらうことで、我慢できる程度には、新聞が郵便受けに入れられるまで人間の汚れた手が触れたことを想像せずにすんだ。

玄関ドアをノックする音を聞き、アクセルのアドレナリン数値が跳ね上がった。この時刻には誰も来ないはずだ。食品の配達はふつう金曜日の朝方に来ていた。彼が受け入れている来訪は、それだけだった。気が進まないまま、アクセルはのろのろとドアに向かって足を運んだ。しつこくノックが繰り返される。彼は震える手を伸ばして上の鍵を開けた。アパートのドアについているようなのぞき穴があればよかったのだが、あいにく彼の家は古かったので、玄関ドアに侵入者をチェックできる窓さえなかった。アクセルは下の鍵も開け、心臓を激しく動悸させながらドアを開けて、外で彼を待ちかまえている名も知らない恐ろしいものを見ないように目を閉じたくなる気持ちを何とか抑え込んだ。

「アクセル? アクセル・ヴェンネシュトルムさん?」

彼の緊張は解けた。女なら男ほど危険はないように思えるが、安全のためにドアチェーンは外さないでおいた。

「うん、わたしだが?」

アクセルは、迷惑だという態度を隠そうとはしなかった。彼女が誰であれ、さっさと立ち去って自分をそっとしておいてほしかった。

「先生、こんにちは。わたしのことを覚えておられるかどうか分かりませんけど、昔、わたしはあなたの生徒でした。エリカ・ファルクです」

アクセルは記憶をたどった。教師生活は多年に及び、教え子も多かった。それでも、頭の中でぼんやりと金髪の少女が形を取り始めた。そうだ、トーレの娘だ。

「少し、お話しさせてもらえませんか」

エリカはドアの隙間から、強く求めるまなざしを向けていた。アクセルは大きくため息をついてドアチェーンを外し、彼女を中に入れる。エリカがどれだけ多くの未知の有機物を自分の清潔な家の中に持ち込むかは、考えないようにした。靴を脱げと知らせるように、シュー・ラックを指差した。彼女は素直に従い、コートも脱いでハンガーにかけた。アクセルは彼女が持ってきた汚れを家の他の場所に入れたくなかったので、バルコニーの籐の応接セットを指し示した。エリカがソファに腰かけるのを見ながら、アクセルは彼女が帰ったらすぐにクッションを洗うことを頭の中に入れた。

「ずいぶん、昔になりますが」

「そうだ。きみがわたしのクラスにいたのは、二十三年前のことだ。わたしの計算が間違っていなければ」

「ええ、そのとおりです。年月が過ぎ去るのは早いですね」

アクセルはおしゃべりにはうんざりしたが、しぶしぶ付き合った。さっさと来た訳を話してほしかった。そうしたら彼女は帰り、自分はこの家を自分だけのものにできるのだ。それにしてもエリカはいったい自分に何をしてほしいのだろう。教師をしていた長い歳月の間、昔の何百人もの教え子が現れては去っていったが、そのうちの誰かがこれまでやってきて煩わされることはなかった。しかし、今、エリカ・ファルクが向かいに座っている。アクセルは籐の肘掛け椅子の上で、まるで針のむしろに座っている気がした。ただ彼女に早く帰ってほしかった。彼の目はエリカが座っているクッションから離れず、彼女が持ち込んだすべてのバクテリアがソファから這い下り床の上を這って広がっていくのを、彼は文字どおり見ることができた。クッションを洗うだけでは不十分だ。エリカが帰ったら、家中を清掃殺菌しなければならない。

「どうしてお邪魔したのかって、きっと考えておられますよね」

アクセルは答える代わりにうなずいた。

「アレクサンドラ・ヴィークネルが殺害されたことは、きっとご存知ですね?」

その話は聞いていた。それで、人生の大部分をかけて忘れようとしてきた事柄が意識の表層に上ってきたのだ。そこでいっそう、彼女が立ち上がって出ていってくれることを願った。だが、エリカが立ち上がる気配はない。アクセルは両手で耳を塞ぎ、自分の口から出かかっている言葉を一つ残らず締め出すために大きく鼻歌を歌いたいという、子供じみた衝動と闘わなければならなかった。

「ちょっとした訳があって、アレクサンドラとその死と関係することをいろいろ調べているんです。それで、よろしければ少し質問させていただきたいのですけど」

アクセルは目を閉じた。いつかこの日がやって来ることは分かっていた。

「ああ、かまわない」

アレクサンドラについてどんな理由があって調べているかなど、アクセルは訊きたくもなかった。彼女が疑問を抱きたかったら、そうしたらいい。彼には興味がなかった。もちろん、エリカが質問するのは勝手だが、それに答えなければならない義務はない。しかし自分でも驚いたことに、アクセルは目の前にいるブロンドの女に何もかも話したいという強い欲求を覚えていた。二十三年間背負ってきたものを、誰でもいいが、誰かにすべて引き渡してしまいたかった。その重荷は、アクセルの人生を蝕《むしば》んできた。それは一粒の種のように、彼の意識の奥深くで育ち、やがて毒となってゆっくりと体に、そして心に広がっていった。自分が清潔さを求めることと、周囲のことをコントロールできなくなるのを恐れる気持ちが、その毒に端を発していることを彼は、頭がはっきりしている瞬間には分かっていた。エリカ・ファルクは訊きたいことを訊けばいいが、自分は話したいという気持ちをなんとしても抑えるつもりだった。いったん抑える手を緩めたら、ダムは決壊して、自分が入念に築いていた防壁が崩れ落ちるのは避けられない。

「学校時代のアレクサンドラのことを、覚えておられますか?」

アクセルは心のうちで苦々しく笑った。担任として受け持ってきた大多数の子供については、影のようにはっきりとしない思い出しか残していなかったが、アレクサンドラについては現在も二十三年前と変わらず、はっきりと思い出すことができた。しかし、そのことは口が裂けても言えるものではなかった。

「ああ、わたしはアレクサンドラを覚えている。当時、彼女はアレクサンドラ・カールグレーンで、もちろんヴィークネルではなかったが」

「ええ、そうですね。学校での彼女の様子でどんなことを覚えておられますか？」

「おとなしくて、少し控え目で、かなりませていたな」

エリカが自分の短い言葉を不満に思ったのは分かったが、意識してそんな話し方をしていた。言葉が多くなるときっと止まらなくなり、勝手に溢れ出してしまうに違いなかった。

「彼女、勉強はできましたか？」

「うーん、良くも悪くもなかった。思い出せる限りでは、勉強熱心な生徒たちの中には入っていない。しかし、目立たなかったが、知的な子だった。成績自体は、クラスの中くらいだったと思う」

一瞬、エリカはとまどいを見せ、アクセルは、彼女がもともと答えてもらいたがっていた質問に自分たちが近づいてきていることを悟った。これまでの質問は、エリカにとってウォーミングアップにすぎなかった。

「アレクスの一家は、学期の最中に引っ越しましたね。そのとき、彼女の両親がどんな理由を言っていたか覚えていますか？」

アクセルは両手の指先を合わせて顎に当て、思い出そうとしているふりをした。エリカはソファから身を乗り出して、熱心にその答えを待っている。しかし、アクセルは彼女を失望させるしかなかった。真実だけは、エリカに教えてやるわけにはいかない。

「そうだな、父親が他の土地で仕事を見つけたということだったと思うが。正直に言えば、よく覚えていない。だいたい、そのようなことだったと漠然と記憶しているだけで」

案の定、エリカは失望をあらわにした。アクセルはまたもや自分の胸を切り開き、これまでの長い歳月そこに隠れていたものをあらわにしたい、真実をありのまま白状して楽になりたいという思いに駆られた。しかし彼は深呼吸をして、喉まで出かかった言葉を胸の奥へと押し戻した。

エリカはしつこく言葉を続ける。

「引っ越しが決まったのが少し急だったように思うんですけど。あなたは事前に引っ越しのことを知っておられましたか？　アレクサンドラはそのことで何か言っていませんでしたか？」

「わたし自身は、それほど変だとは思わなかったなあ。確かにきみが言うように、わたしの記憶違いでなければ、かなり急な引っ越しだったとは思う。それでも、もしかしたら父親の仕事が急に決まったからかもしれない。どうしてわたしに分かるかね？」

アクセルは両手を広げ、自分の推測もエリカのものに劣りはしないだろうと身振りで告げた。エリカの眉間の皺が深くなった。アクセルの返事は望んでいたものではなかったはずだが、それで我慢してもらうしかなかった。

「そう、そのあとこういうこともありました。あのころ、アレクサンドラについて何か噂されていたのを、わたしはぼんやりと覚えています。それに、大人たちが何か学校のことを噂していたのも。それがどういうことだったか、お分かりになりませんか？　わたし自身もさっき言いましたように、ぼんやりとした記憶しかないのですけど。大人たちは噂をしていても、子供がそばに来ると必ず口をつぐんでしまいました」

にわかに自分の体の関節という関節がこわばるのを、アクセルは感じた。そして、狼狽していることをエリカに悟られないように願った。そういう噂が広まっていたに違いないことは、もちろん彼も承知していた。いつもそうだ。どんなことも秘密にはしておけない。しかし、噂による弊害は最小限に抑えられたと信じていた。それには、アクセル自身も力を尽くした。そのことが、彼の心を蝕んできたことの一つでもある。エリカは返事を待っている。

「いや、それがどんな噂か、わたしには思い当たらない。しかし、当時も今も噂はいろいろある。世間がどういうものか、きみだって知っているだろう。中身があるものなどほとんどない。わたしだったら、噂の内容などいちいち気にしないね」

エリカの顔いっぱいに失望の色が浮かんだ。わざわざやってきたのに何も得られなかったのだから、当然だろう。しかし、他にどうしようもなかった。それは圧力鍋みたいなものだ。ほんの少しでも蓋を開けようものなら中のものが全部爆発してしまう。その一方で、何かが今でも口から飛び出しそうだった。まるで誰かがアクセルの体に乗り移ったみたいに、自分の口が勝手に開き、舌が言葉を形作るのを感じた——語ってはならない言葉を。ほっとしたことに、エリカは立ち上がり、危機は去った。エリカはコートを着てブーツを履くと、手を差し出す。アクセルはその手を見て、何度か唾を呑んでからやっと取り、顔をしかめそうになるのをぐっとこらえた。他の人間の肌と触れ合うことを、形容し難いほど嫌悪していた。ようやくエリカは外に出ていってくれたが、ちょうどドアを閉めようとしたとき、振り返った。

「あの、ついでにお訊きしますけど、ニルス・ローレンツがアレクサンドラや学校と何か関係があったかどうか知っておられますか？」

アクセルはためらったが、心を決めた。その件については、たとえ彼からではなくても、いずれ誰かから答えを与えられるはずだ。

「きみは覚えていないのか？　一学期だけ、中学年の非常勤講師だったよ」

そう言うと、アクセルはドアを閉め、二つの鍵とチェーンを掛けて背中をドアにもたせかけ、しゃがみこんで目を閉じた。

その後、アクセルはさっさと掃除道具を取り出して、招かれざる客の痕跡をひとつ残らず消し去る。そうしてやっと、彼の世界はふたたび安全に感じられた。

その夕方は、スタートが悪かった。帰宅したときすでに、ルーカスは機嫌が悪かった。だからアンナは先手を取って、これ以上、彼をいらだたせるようなきっかけを与えないように気をつけた。不機嫌に帰ってきたときはいつも、ルーカスが怒りの矛先を向けるきっかけを探していることは、すでに承知していた。

アンナはとりわけ食事の準備に気を遣い、夫の好物を用意し、センスのいいテーブルセッティングを心がけた。子供たちについては、エンマには自分の部屋でディズニーの『ライオン・キング』のビデオを見せ、アドリアンには早々にミルクを与えて眠らせることで、ふたりとも夫から遠ざけた。リビングのCDプレーヤーにはルーカスのお気に入りのチェット・ベイカーをセットして最後にアンナ自身もドレスアップしていつも以上にヘアスタイルとメーキャップに手間をかけた。しかし、今晩は何をしようとまったく役にも立たないのだと、アンナはすぐに悟った。この日は職場でひどいことがあったらしく、ルーカスの中で大きくなっていた怒りは発散させなければならなくなっていた。彼の目に、アンナは凶暴な光を見た。まるで炸裂寸前の爆弾だった。

最初の一撃に、不意をつかれた。右から頬を張られ、耳の中ががんがん鳴った。アンナは頬を押さえ、ルーカスを見上げた。こういう姿をしていればあざを見た彼が後悔して優しくなるかもしれない。しかし反対に、もっとアンナを痛めつけたいという衝動をルーカスの中に呼び起こしただけだった。アンナが理解し、受け入れるのにいちばん時間がかかったのは、妻を傷つけることを彼が楽しんでいるという事実だった。少し前まで、ルーカスがアンナの体を傷つけると彼自身も心が傷つくのだという夫の言質《げんち》を、信じていた。しかし、ルーカスの中には凶暴な獣が潜んでいるのを、アンナはすでに知っていたし、そのことに慣れかけていた。

アンナは本能的に体を丸め、続けて来ることが分かっている殴打から身を守ろうとした。鉄拳が雨あられと降ってきたとき、自分の内部の一点、ルーカスが達することのできない場所に焦点を合わせようとした。そういうことがますます巧みになってきていた。痛みを意識しているにせよ大部分の時間、その痛みを感じないでいられた。まるでもう一人の自分が天井を浮遊しながら、ルーカスが怒りを彼女の上に破裂させている間、自分が床に丸くなって転がっているところを見下ろしているみたいだった。

そのとき音がして、アンナの意識は天井から引き戻され、自分の体に入った。エンマが戸口に立っていた。親指をくわえ、毛布を胸に抱いている。一年以上前に、指を吸う癖は止めさせたのに、今また娘は慰めてほしくて、音を立てて強く吸っていた。ルーカスはエンマの部屋に背中を向けていたため、まだ娘が見えていなかった。しかし、アンナの視線が彼の背後にある何かに留められていることに気づくと、さっと振り向いた。

アンナが止める間もなく、ルーカスは自分の娘の前に行ってその体を乱暴に持ち上げて、激しく揺さぶった。娘の歯がカチカチ鳴る音が、アンナにも聞こえた。そして床から起き上がり始めたが、何もかもまるでスローモーションのように感じられた。この場面は自分の心の中でこれからいつだって再生することができるはずだ、とアンナは分かった――エンマを揺さぶるルーカス、何が何だか理解できずに大好きなパパを見つめるエンマ、でもパパは急に見知らぬよその人になってしまっている。

アンナはエンマを護ろうとしてルーカスに向かって身を投げ出したが、間に合わず、ルーカスが小さな体を壁に打ちつける様子を目にして恐怖にとらわれた。恐ろしい音が聞こえ、アンナは自分が取り返しのつかない過ちを犯してしまったことに気づいた。ルーカスの瞳はつやつやした膜に被われていた。呆然とした表情で自分の手の中の子供を見つめている。そして、エンマを優しくそっと床に下ろすと、今度はまるで赤ん坊のように両腕で抱き上げ、きらきらしたロボットのような目でアンナのほうを見た。

「病院に連れていかないと。この子は階段を転げ落ちて怪我したんだ。そう説明するんだ。階段を転げ落ちたんだ」

ルーカスは繰り返しながら、アンナがついて来るかどうかなど気にする様子もなく、玄関ドアに向かった。ショック状態から抜け出せないアンナは、のろのろとついて行った。まるで、悪い夢の中にいるみたいだ。夢ならばいつでも目覚めることができるはずだが。

ルーカスは何度も繰り返した。「階段を転げ落ちたんだ。おれたちが同じことを言いさえすれば、おれたちの言葉を疑うやつはいないはずだ。おれたちが同じことを言えば。階段を転げ落ちたんだ、アンナ。そうだろ、アンナ?」

語り続けるルーカスに、アンナはただうなずくしかできなかった。混乱しながら痛みを訴えてヒステリックに泣いているエンマを、本当はルーカスの腕からもぎ取りたかったが、そんな勇気はなかった。しかし、玄関を出て階段の踊り場までやって来たとき、ぼんやりと霞がかかっていたような意識がはっきりしてきて、アドリアンを一人だけで部屋に残してきてしまったことに気づいた。アンナは急いで部屋に取って返し、息子を抱いて戻ると、救急病棟に着くまで護るようにしてずっと揺すり続けた。そうしている間も、彼女の胃にわだかまっていた不快感はますますつのっていった。

「うちに来て、ランチをいっしょにどう?」

「ああ、喜んで。何時に行ったらいい？」

「そうね、一時間ほどあれば何か用意ができると思うわ」

「いいな。だったら、切りのいいところまでひと仕事できる。じゃあ、一時間後に」

そこで少し間があいて、それからためらいながらパトリックが言った。「チュッ！　バイバイ」

この小さいけれども非常に意味のある男女交際の一歩に嬉しくなり、エリカはかすかに火照った。そして、同じ別れの言葉で答えて、受話器を置いた。

昼食の用意をしながら、エリカは自分が立てた計画を恥ずかしく思った。同時に、他にやりようがないと感じた。一時間後に呼び鈴が鳴ったとき、深く息を吸って、ドアを開けに出た。パトリックは熱い歓迎を受けたが、それをエリカは、スパゲッティが茹であがったことを知らせるエッグタイマーの音で仕方なく中断した。

「昼食はなんだい？」

パトリックは空腹をアピールするように、おなかを軽く叩いた。

「スパゲッティ・ボロネーゼよ」

「うーん、うまそうだな。きみは男が夢見る理想の女だよ。分かってる？」

パトリックはエリカの背後にしのび寄って腕をエリカの体に巻きつけ、うなじに軽く歯を立てた。

「きみはセクシーで、インテリで、ベッドでも最高だ。そして何より素晴らしいのは、料理ができるってことだ。それ以上ほかに何を男は望めるだろうか……」

ふたたび、呼び鈴が鳴った。パトリックが問いかけるようにエリカを見たが、彼女は目を合わせようとはせず、キッチンタオルで手を拭いてから玄関に向かった。外にはダーンが立っていた。疲れ切って、やつれた顔をしている。うなだれて、その目は死んでいた。それを見てエリカはショックを受けたが、気を取り直し、態度に出さないようにした。

ダーンが台所に入っていくと、パトリックが何か尋ねたそうにエリカに目をやった。彼女は咳払いをして、ふたりを紹介した。

「こちらはパトリック・ヘードストルム、こちらはダーン・カールソン。パトリック、ダーンはあなたに話があって来たの。でも、まず座りましょ」

エリカはミートソースの入った鍋を持って食堂に向かった。二人もあとからついてきて、三人はテーブルに着いたが、雰囲気は重苦しかった。エリカは気が重かったが、これは必要なことだと分かっていた。じつは、午前中にダーンに電話をして、アレクスとの関係について警察に話さなくてはいけないと説得し、その重い仕事を少しでも軽くしようとして、自分の家でそうするように提案したのだ。

パトリックの問いかけるような視線を無視して、エリカは口を開いた。

「パトリック、ダーンは警察官としてのあなたに話があって来たの」

ダーンを促すように、エリカは彼に向かって手で合図した。ダーンは自分の皿に目を落としたまま、料理には手をつけていなかった。さらにしばらく戸惑った様子で沈黙を続けたあと、話し始めた。

「アレクスが逢っていた男はおれなんだ。おれが、彼女が待っていたおなかの子供の父親なんだ」

パトリックの手からフォークが落ち、皿に当たって音を立てた。その腕に、エリカが手を置いて説明した。「パトリック、ダーンはわたしのもっとも古い親友の一人なの。アレクスがこのフィエルバッカで逢っていた男性はダーンだと分かったのは、昨日のことよ。ここの方が警察署よりも話しやすいんじゃないかと思って、あなたたちをランチに呼んだわけ」

パトリックの表情から、エリカがこんなふうによけいな真似をするのはよくないと考えているのが見てとれたが、そちらはあとで問題にすれば良い。ダーンは大切な友人だ。状況が少しでも良くなるようになんでもするつもりだった。電話で話したとき、パニッラが子供たちを連れてムンケダールの姉のもとに行ってしまったと、ダーンは語っていた。パニッラは考える時間が必要だと言ったようだ。どうなるか分からない、何も約束できない、とも。ダーンは自分の全人生が自分の周りで崩壊していくのを見ていた。ある意味では、警察に事実を話すことができたら、気持ちは軽くなるだろう。この数週間、ダーンはずっと苦しんでいた。アレクスの死を密かに悼みながら、電話の呼び出し音が鳴るたびに、玄関ドアがノックされるたびに、飛び上がっていたのだ――アレクスが逢っていた相手は自分だと、とうとう警察が突き止めたと確信して。しかし、パニッラにすべてを知られた今、ダーンは警察に打ち明けることをもはや恐れていなかった。これ以上悪くなるとは思えなかったからだ。家族さえ失わずにすむなら、あとはもうどうでもいいと考えるようになっていたのだ。

「パトリック、ダーンはアレクスの殺害とはなんの関係もないわ。あなたたちが彼とアレクスについて知りたいことはすべて話すと言っているの。ダーンはどんな形であれ彼女を傷つけなかったと誓っているし、わたしもそれは信じてる。このことは、できる限り警察の外に洩れないようにしてもらえないかしら。世間の人たちがどんなふうに言うか、あなたも知ってるでしょ。ダーンの家族はもう十分苦しんでるわ。苦しむという点では、ダーンも同じだけど。彼は間違いを犯した。そして、それに対してすでに高い代償を払ってるわ」

あいかわらず、パトリックはかなり不機嫌な顔をしていたが、エリカの話に耳を傾けている証《しるし》にうなずいた。

「エリカ、ダーンと二人だけで話をさせてもらえないか」

それに異を唱えようとはせず、エリカはおとなしく立ち上がり、台所に行って料理の後片付けをした。二人の声が高くなったり低くなったりするのが聞こえる。ダーンの低く深みのある声とパトリックのどこか軽快な声。話し合いはときどき熱くなったようだったが、三十分あまり経って彼らが台所に来たときには、ダーンはほっとしたような表情になっていたが、パトリックはあいかわらず厳しい顔をしていた。ダーンは帰る前にエリカをハグし、パトリックの手を握った。

「また訊きたいことが出てきたら連絡する」と、パトリックは言った。「出頭して文書を提出してもらう必要もあるかもしれない」

ダーンは黙ってうなずき、二人に手を振ったあと帰っていった。

パトリックの目を見てエリカは、不吉な予感を覚えた。

「エリカ、こんなまねは二度とするな。おれたちは殺人事件の捜査をしているんだ。ちゃんとしたやり方でやるべきなんだ！」

怒るとパトリックの額は皺だらけになる。その皺をキスで消し去りたいという衝動を、エリカは抑えなければならなかった。

「分かってるわ。でも、警察はアレクスの子供の父親を容疑者リストのトップに置いていたんでしょ？　そんな彼が署に出頭したら、あなたたちは取調室に押し込んで、おそらく手錠をかけるでしょう。そんなこと、今のダーンには耐えられないわ。奥さんは子供を連れて家を出ていき、戻ってくるかどうかも分からないのよ。そのうえ、ダーンは人がどう見ようと、自分にとって何がしかの意味があった人を失くしてる。アレクスをね。そして、自分の悲しみを人に見せたり、誰かに話したりできないの。そのために、わたしはここで、中立的な立場で、他の警察官を交えずに、あなたとダーンが話し合うことから始めたらいいって思ったの。警察がダーンをさらに聴取しなければいけないこともあるでしょうけど、もう最悪の事態は乗り越えたと思うわ。パトリック、あなたを騙すようなことをして、本当にごめんなさい。わたしを許してもらえるかしら？」

できる限りパトリックを魅惑するように唇を突き出しながら、エリカは体をすり寄せた。

それからパトリックの両腕を取って自分の腰に回し、つま先立ちになって彼の唇に唇を押しつけた。試しに舌先を差し込んでみると、数秒もしないうちに彼はキスに応えてきた。しばらくして、パトリックはエリカを押しやり、穏やかに彼女の目を覗き込んだ。

「今度だけは許してやるが、二度目はないぞ。分かったな。もうランチの残りを電子レンジで温め直して、おれの腹の虫を黙らせないと」

エリカはうなずき、腕を取り合って二人は食堂に戻った。そこには、彼女だけでなく、パトリックやダーンの皿もほとんど手がつけられないまま残っていた。

パトリックが署に戻らざるを得なくなって玄関ドアを出かかったとき、エリカは彼に話したいと思っていたことを思い出した。

「話したわよね？　アレクスの家族が引っ越していく直前に彼女について噂があって、それが学校と関係していたのを、わたしはぼんやり覚えているって？　それを確かめようとしてみたんだけど、あまり分からなかったわ。ただ、アレクスのお父さんが缶詰工場に勤めていたということの他にも、彼女とニルスの間に繋がりがあったことを思い出したわ。ニルスは一学期だけ中学年の非常勤講師をしてたの。わたしは教えてもらったことなかったけど、ときどきアレクスのクラスで教えていたわ。それに何か意味があるのかどうかは分からないけど、とにかく、あなたに話しておこうと思ってたの」

「なるほど、ニルスはアレクスの先生だったのか」

パトリックは考え込み、玄関ポーチの階段の上で立ち止まった。

「きみが言うように、何の意味もないかもしれないが、目下のところニルス・ローレンツとアレクスとの間の繋がりにはどんなことでも関心がある。他に、手がかりになりそうな情報もないし」

　真剣な顔で、パトリックはエリカを見た。

「ダーンが話していたことで、気になることが一つあるんだ。彼が言うには、亡くなる前アレクスはさかんに、人は自分の過去に決着をつけなければならないと言っていたそうだ。前に進むためには、そういう困難に取り組む勇気を持たなければならないと。エリカ、もしかしたら、きみが言っていることと何か関係があるかもしれないな」

　そしてしばらく黙り込んでいたが、それから我に返ったように言った。「分かってもらいたいけれど、ダーンは、容疑者として除外することはできない」

「ええ、分かるわ。だけど、少し慎重にしてね、お願いよ。それで、今晩はうちに来る？」

「ああ。その前に家に戻って、着替えなんか取ってこないと。こっちに来るのは、七時ごろになると思う」

　ふたりは別れのキスをした。パトリックは自分の車に戻った。エリカはポーチの階段に立ち、車が見えなくなるまで見送っていた。

　パトリックはそのまま署に向かおうとはしなかった。はっきりした理由は分からなかったが、エリカの家に向かうために署を出る前、アンデシュのアパートの鍵を手にしていた。アンデシュのアパートに立ち寄って静かに落ち着いて見てみることにする。今はなんでもいい、事件解決の突破口となるものが必要だ。どの方向に向かっても袋小路に入り込んでしまうような気がしたし、現状のままでは、単独ないし複数の殺人犯をどうしても見つけられないように感じていた。アレクスの秘密の愛人は、エリカが言ったように容疑者リストのいちばん上に置かれていたものの、パトリックはもうその確信がなかった。ダーンを完全にツブしてしまう気にはなれなかったものの、事件解決の手がかりはもうはっきりしなくなっていることを認めざるを得なかった。

アンデシュの部屋は、幽霊でも出そうな雰囲気だった。パトリックが彼の死体を見たときにはすでに床に降ろされていたにもかかわらず、今でもロープにぶら下がって前後に揺れている姿が見えるような気がした。捜しているものが具体的にあるわけではなかったが、パトリックは手袋をはめて、どんな痕跡も消さないようにした。ロープが結ばれていた天井の鉤の真下に立つと、そこまでアンデシュがどういうふうにして吊り下げられたか、理解してみようとした。しかし、それはまったく不可能だった。天井は高かったし、ロープは鉤のすぐ下に結ばれていたのだ。その高さまでアンデシュの体を持ち上げるには、間違いなく相当の力が必要だった。たしかにアンデシュはかなり痩せていたが、身長を考えるとそれなりに体重もあったに違いない。解剖報告書が上がってきたらアンデシュの体重を確認しようと、パトリックは頭の中に入れた。彼が説明できるとすれば、力を合わせてアンデシュを持ち上げた人間が数人いたということだけだ。しかし、どうしてアンデシュの体にその痕がついていないのだろう。何らかの方法で眠らされていたにしても、体を持ち上げればその痕が残っていていい。なんとも辻褄が合わない。

　パトリックはアパートのさらに中へ入っていき、あたりを見まわした。居間部分のマットレスと台所部分のテーブルと二脚の椅子を除くと家具らしいものはなかったので、調べる物はそれほど多くなかった。保管場所として使えるのは台所にある戸棚だけだと気づき、パトリックは引出しを一つひとつ調べていった。家宅捜索のときにすべて調べられているのは分かっていたが、見落とされたものが何もないことを確認したかった。

　パトリックは四番目の引出しの中にレポート用紙を見つけ、詳しく調べようとテーブルの上に置いた。それを陽射しが射しこむ窓に向けて、そこに書いた痕がついていないかどうか透かして見る。まさしく、上の紙に書かれていたものが下の紙に痕をつけているのが見えた。パトリックは実証ずみの古い方法を使って、書かれているものの一部を読み取ろうとした。同じ引出しの中で見つけた鉛筆で、注意しながら芯を紙にこすりつけた。ほんの一部しか読み取れなかったが、それが何に関わるものか推測するには十分だった。パトリックは低く口笛を吹いた。興味深い、実に興味深い。彼の頭の中の歯車がきしみながら回り始めた。その紙を破り取ると、車から持ってきていたビニール袋のひとつにそっと入れた。

　パトリックはさらに引出しを調べ続けた。中に入っていたものは屑ばかりだったが、いちばん最後の引出しの中に、興味を惹かれるものを見つけた。彼は指の間にはさんでいる革の切れ端を見つめた。それは、エリカと行ったときにアレクスの家で見たものとそっくりだった。あれは彼女のナイトテーブルの上に置かれていて、この革片の文字と同じ銘が刻まれていた――「D.T.M.1976.」。

裏返してみると、アレクスの家にあったものとまったく同じように裏面に薄くなった血の染みが、いくつか付いていた。アレクスとアンデシュの間には警察がまだつかんでいない繋がりがある事実は、もう新しくはなかった。彼が困惑させられたのは、その革片を見たときに覚えた食い込むような感じだった。

潜在意識に潜む何かが強く注意を促していた。何かが、この小さな印は本質的なものだと語ろうとしていた。ここで彼は明らかに何かを見落としているが、それはなかなか見つけられない。それでも、アレクスとアンデシュの間にあった繋がりがはるか以前にさかのぼることを告げているのは分かった。少なくとも一九七六年まで。アレクスと家族がフィエルバッカから引っ越し、その後の一年間跡形もなく消えてしまう年の前年。ニルス・ローレンツが永久に消えてしまう一年前だ。エリカによれば、ニルスはアレクスとアンデシュの二人が通っていた中学年で非常勤講師をしていた。

アレクスの両親と話をする必要があることを、パトリックは悟った。彼の中で形を取り始めた疑いが間違いなければ、アレクスの両親が決定的な答えを、パトリックがすでにおぼろげに見ている事件の謎を解き明かすパズルのピースを持っているはずだ。

パトリックは別々のビニール袋にそのレポート用紙と革片を入れると、部屋を出る前に居間部分をちらっと見た。すると、またしてもアンデシュの蒼白い痩せた体がゆらゆら揺れているような幻覚を見た。どうしてアンデシュがその悲しい人生をロープに縛られて終わらなければならなかったのか、それを徹底的に追及することをパトリックは誓った。もしも彼がその輪郭を見はじめているものが正しいなら、これはあらゆる理解を超えた悲劇だ。パトリックは自分が間違っていることを願わずにはいられなかった。

パトリックはアドレス帳でユスタの名を探し出し、署の内線番号を押した。きっと、コンピューターゲームのペーシャンスで遊んでいるのを邪魔することになるだろう。

「もしもし、パトリックだ」

「やあ、パトリック」

ユスタの声は、いつものことだが疲れているように聞こえた。彼はまったく意欲がなく、いつも体の内外に倦怠感を漂わせている。「ユスタ、イェーテボリのカールグレーン夫婦を訪問する連絡を入れたか？」

「いや、まだその暇がなくて。他にやることがいっぱいあるし」

ユスタの声は、パトリックの反応を窺っているようだった。いまだに自分の任務に取りかかっていないのを批判されるのではないかと、不安になっているのだろう。ユスタは単純に夫婦を訪問する日を決めかねているのだ。車に乗ってイェーテボリに出かけるのはもちろん、受話器をとって訪問の連絡をすることさえ、彼にはできないのだろう。

「そいつをおれが代わりにやると言ったら、嫌だよな？」

これが単に形ばかりの質問であることを、パトリックは承知していた。それどころか、ユスタはその仕事を免除されて大喜びするだろう。思ったとおり、ユスタの声は明るくなった。

「いや、全然！　あんたが代わりにやってくれると言うんだったら、喜んで譲るよ。おれには他にやらなければならないことがいっぱいあるから。そんなわけで、どういうふうに時間を調整したらいいか困っていたところなんだよ」

お互い自分たちがクサイ芝居をしているのは自覚していたが、何年も前から続けてきたことだったし、それでうまく機能していた。パトリックは自分のやりたいことができ、ユスタのほうは自分に与えられた仕事がちゃんと遂行されることを確認して、またコンピューターゲームに戻れるのだ。

「夫婦の電話番号を教えてもらえたら、すぐに電話するんだけど」

「分かった。ここにある。えーと……」

ユスタが電話番号を読み上げると、パトリックはメモ用紙に書きつける。そのメモ用紙はいつも車のダッシュボードに載せていたものだ。パトリックは礼を言って電話を切り、すぐにカールグレーン家の番号を押して、夫婦が家にいてくれることを願った。運がいいことに、呼び出し音が三回鳴ったところでカルエーリックが出た。パトリックが自分の用件の説明をすると、カルエーリックは初め迷っている様子だったが、結局、承知した。カルエーリックは一体どんな質問がされるのか知ろうとしたが、パトリックは詳しく語ろうとはせず、いくつかはっきりしないので、その解明にご協力いただければ、とだけ答えた。

パトリックはアパートの前にある駐車場からバックで車を出すと、まず右に、そのあと交差点で左に走って、南のイェーテボリ方面に続く自動車道に向かった。初めは森の中を曲がりくねる道が続いたが、高速に乗るとはるかに速く走れた。まずディングレを、それからムンケダールを通過し、ウッデヴァッラまで来ると、もう半分走ったことが分かった。運転するときのいつもの習慣でボリュームをいっぱいにして音楽を聴いた。そのおかげで車の運転をするととてもリラックスできるようだ。イェーテボリ北東部のコルトルプに着き、大きな淡い青色の邸の前にしばらく車を停めてパトリックは、集中力を高めようとした。彼の勘が当たっていれば、これからすることは平穏な家庭生活を粉々にするに違いなかった。しかし、それも時おりパトリックの仕事なのだ。

一台の車が車回しに入ってきた。車自体が見えたわけではなかったが、エリカは砂利を踏むタイヤの音を聞いた。玄関ドアを開けて外を覗いた。そして、車から降りた人物を見て口をあんぐりと開けた。アンナが疲れた様子でこちらに手を振っている。妹は後ろのドアを開けて、子供たちをチャイルドシートから抱き上げようとした。妹を手伝おうと、エリカは木靴をつっかけて外に出た。アンナからは訪ねていくという連絡など受けていない。一体どうなっているのだろう。

黒いコートを着ているアンナの顔はひどく蒼白かった。アンナがそっとエンマを地面に降ろし、エリカはチャイルドシートからアドリアンを抱き上げた。まるでお礼を言うように歯の生えていない顔で愛らしく笑いかけられ、エリカは自然と笑顔になった。問いかけるように妹に目を向けたが、訊かないで、と言うようにアンナは頭を振った。エリカは妹のことはよく知っていた。アンナはその気になるまで、何を訊いても話さないだろう。

「今日はすばらしいお客ちゃまが来てくれたわ。伯母ちゃまに会いに来てくれたんでちゅよね？」

エリカは腕の中の赤ん坊に赤ちゃん言葉で話しかけてから、車をぐるっと見てエンマにも声をかけた。姪はエリカにとてもなついていたはずなのに、今日は微笑みかけても笑い返してくれない。それどころか母親のコートをしっかりと摑み、疑うような目つきでエリカを見つめている。

エリカがアドリアンを抱いたまま先に家の中に入り、そのすぐ後ろを片方の手でエンマの手を握り、反対の手に旅行バッグを提げたアンナがついてきた。驚いたことにワゴン車の後部いっぱいに荷物が積み上げられているのがエリカには見えたが、尋ねたい気持ちを何とか抑え込んだ。

家に入ると、エリカは慣れない手つきでアドリアンの外出着を脱がせた。アンナもエンマのコートを脱がせているが、姉とは違い手慣れたものだ。そのとき初めて、エンマの片腕が肘までギプスをはめられているのに気づいた。エリカはショックを受けてアンナを見た。ふたたび妹は、ほとんど分からないくらいに首を振った。エンマはずっと大きな不安そうな目でエリカを見つめ、母親から離れようとしない。しかも、親指をくわえている。そんな姪の様子を見て、何か深刻なことが起こったのだとエリカは確信した。一年前アンナから、エンマに親指を吸う癖を止めさせたことを聞かされていたのだ。

アドリアンの温かい幼児の体を抱いてエリカは居間に入り、ソファに腰を下ろして甥を膝に乗せた。アドリアンがうっとりとして伯母を見つめているその顔には、小さな笑みが浮かんでは消える。まるで笑おうか笑うまいか、自分では決められないようだった。そんな様子が可愛らしく、エリカは食べてしまいたいくらいになった。

「ここまでのドライブは順調だった？」

アンナが話す気になるまで肝心な話は聞けないので、エリカはとりあえず世間話をすることにした。

「けっこう大変だったわ。遠回りしてダールスランド県を抜けてきたから。エンマが森の中のくねくねした道で酔ってしまって、途中で何度か新鮮な空気を吸わせたわ」

「それは大変だったわね、ねえ、エンマ？」

エリカは姪に話しかけたが、女の子は首を振っただけで、母親に体を押しつけた格好のまま上目遣いに伯母を見つめた。

「少し眠ったほうがいいんじゃない？　ドライブしている間、ちっとも眠れなかったでしょうから。あなたたち、きっとうんと疲れているはずよ」

この提案にエンマはうなずき、まるで注文されたように、怪我していないほうの手で目をこすり始めた。

「エリカ、子供たちを二階に寝かしてもいい？」

「うん、いいわよ。両親の寝室を使って。あそこでわたしが寝てるの。だからベッドは整えてあるわ」

アンナはエリカからアドリアンを抱き取ったが、アドリアンが面白いおばさんから引き離されることに抗議して声をあげたので、エリカは喜んだ。

「ママ、わたしの毛布」とエンマが母親に思い出させたときには、母子三人はすでに二階に続く階段の中ほどまで上がっていた。アンナは、玄関ホールに置いてきていたバッグを取りに戻る。

「手伝いましょうか?」

エリカがそう言ったのは、エンマが母親のスカートを放そうとしないのに、アンナは片腕でアドリアンを抱き、もう片方の手にバッグを持っていて、バランスを取るのが少しむずかしそうだと思ったからだ。

「大丈夫。慣れてるから」

アンナは口許を歪めて苦々しく笑ったが、それをどう解釈したらいいのかエリカにはよく分からなかった。

アンナが子供たちを寝かしつけている間に、エリカは新しくコーヒーを淹れる準備をした。最近ポット何杯分飲んでいるかしら。遠からず胃が悲鳴を上げるはずだ。コーヒーの粉をフィルターに入れようとしていた最中にエリカは固まった。しまった! 寝室にはパトリックの衣服が散らばったままだった。そんな部屋の様子を見て、アンナが事情を分からないはずはない。間もなく階段を下りてきたアンナのからかうような笑みは、妹が事情を察したことを裏付けていた。

「そうなんだ、姉さん。わたしに黙ってたことがあるでしょ？　自分の着ていた服をきちんと片付けられない男の人は誰なの？」

無意識のうちに、エリカは顔を赤らめた。

「ええ、まあ、ちょっと急なことだったから……」

自分がしどろもどろになっているのを、エリカは意識していた。アンナのほうはますます面白がった。その顔に浮かんでいた疲労の色さえ消えてしまったようだ。妹の目のかすかなきらめきを見たエリカは、そこにルーカスに出会う前までの妹を認めた。

「ねえ、誰なの、その人？　もぐもぐ言うのを止めて詳しく教えて。たとえば名前からよ。わたしが知ってる人？」

「知ってると言えば知ってるわね。あなたがパトリック・ヘードストルムを覚えているかどうか分からないけど」

アンナは歓声を上げ、膝を叩いた。

「パトリック！　もちろん、パトリックなら覚えてるわ！　いつも舌を垂らした仔犬みたいにあなたの後にくっついていたじゃない。彼、とうとうそのチャンスを摑んだのね……」

「そうなの。わたしたちが小さかったころ、彼がわたしのことを好きだったのは知ってたわ。だけど、どれだけ好きだったかは分かっていなかったみたい……」

「まあ、驚いた！　きっと目が見えなかったのね。彼は姉さんに首ったけだったんだから。何だかすごくロマンチック。あれから何年も、彼はあなたに恋してたのね。そして、やっと姉さんは彼の目を覗き込んでその大きな愛を発見したんでしょ」

アンナは芝居がかった仕草で、胸に手を当てた。それを見て、エリカは笑いをこらえられなかった。これこそ、彼女がよく知っている愛する妹だった。

「ちょっと違うわね。彼は結婚していたのよ。だけど、奥さんは一年ほど前に出ていってしまったから、今は離婚してターヌムスヘーデに住んでるの」

「彼の仕事は？　何かの職人だなんて言わないでよ。そうだったら、羨ましくてたまらないから。わたし、ずっと職人技のセックスを体験してみたいと夢見てきたんだもの」

エリカはアンナに向かって子供みたいに舌を出してやり、アンナもお返しに舌を出した。

「残念、職人じゃないわ。どうしても知りたいんだったら教えてあげる。警察官よ」

「まあ、警察官！　つまり、警棒を持っている男。それだって悪くないわね……」

この妹がどれだけ人をひやかすのが好きだったか、エリカはほとんど忘れていた。うんざりして首を振りながら、できたてのコーヒーを二つのカップに注いだ。アンナは我が家同然に冷蔵庫まで行って、中からミルクを取り出して自分とエリカのカップにちょっとずつ入れた。アンナの顔からは、からかいの表情は消えていた。子供たちをこんなふうに連れて突然フィエルバッカに現れた理由を、妹はそろそろ話す準備ができたようだとエリカは感じた。

「わたしのほうは、愛の物語は終わったの。完全に。実際は何年も前に終わってたけど……

やっと今、わたしは分かった」

それから口を閉じて、アンナは悲しそうに自分のカップの中を見つめる。

「あなたがルーカスのことをずっと嫌ってたのは分かってるわ。でも、わたしは本当にあの人を愛してた。だから、あの人がわたしを殴ることには理由があるって自分を納得させられたわ。あの人はいつも謝ってくれたし、愛してるって言ってくれた。とにかく、以前はそうだったの。わたしは自分が至らないんだって、何とか自分に思い込ませてきたわ。もう少しいい妻に、もう少しいい愛人に、もう少しいい母親になれたら、あの人がわたしを殴る必要はなくなるはずだって」

そして、アンナは姉が口に出して言わない質問を察して答えた。

「ええ分かってるの、それがひどく馬鹿ばかしく聞こえることは。でも、わたしは自分を騙すことができたわ。何より、あの人はエンマとアドリアンにはとても優しい父親だった。そのことだけで、わたしはあの人が何をしても許せたの。子供たちから父親を取り上げたくなかったから」

「だけど、何か起きたのね?」

どういうふうに切り出せばいいか迷っているだろう妹に、エリカは助け船を出した。アンナにとって、その話が簡単に口にできるものではないのは明らかだった。本来、妹は非常に自尊心の強い人間だ。子供のときから、失敗してもなかなか認めようとはしなかった。

「ええ、起きたわ。きのうの晩、あの人はいつものようにわたしに襲いかかったの。最近はますます回数が増えてたけど、きのう……」

声が詰まり、アンナは泣くまいとするように二、三度唾を呑んだ。

「きのう、あの人はエンマに襲いかかったの。とても怒りくるっている最中にエンマが入ってきて、あの人は自分を止められなかった」

また、アンナは唾を呑んだ。

「わたしたち、すぐに救急病棟に行ったわ。診てもらったら、あの子の腕にひびが入っているって言われた」

「ルーカスを警察につき出したんでしょうね？」

エリカは、怒りのために胃に固い塊ができて、大きくなっていくのを感じた。

「いいえ……」アンナが口にした言葉はほとんど聞き取れず、その蒼白い頬に涙がこぼれ始めた。「いいえ。わたしたち、あの子は階段で転げ落ちたって話したの」

「何てこと……それで、ほんとうに信じてもらえたの？」

アンナは口許を歪めた。

「知ってるでしょ、ルーカスの人当たりのよさを。医者も看護師もみんなすっかり騙されて、エンマに劣らないくらいあの人に同情してたわ」

「だったら、やっぱりあなたが告発しなくちゃ。アンナ、こんなことをしたあいつを放っておくの？」

エリカは泣いている妹を見つめた。激しい怒りと同情が胸でせめぎ合う。姉の言葉に、アンナは身をすくめていた。

「同じようなまねは二度とさせないわ……させないようにするつもり。わたしはあの人の言い訳に納得したふりをして、あの人が出勤するとすぐ、車に荷物を積んで家を出てきたの。あの人のところにはもう戻らないわ。ルーカスにまた子供たちを傷つけるようなことはさせない。わたしがあの人を告発したら、きっと社会福祉事務所に連絡がいって、おそらく子供たちは取り上げられてしまう」

「でもアンナ、ルーカスはこのまま黙ってあなたに子供たちを渡す気なんかないわよ。彼を告発して警察に捜査してもらわないで、子供たちの親権を勝ち取る自信があるの？」

「分からない……分からないわ、エリカ。そんなことまで考えられなかった。あの人から逃げるだけで精一杯で。他のことはこれから解決するしかないわ。わたしを責めないで、お願いだから！」

エリカは持っていたカップをテーブルの上に置き、椅子から立ち上がって妹の体に腕を回した。そして優しく髪を撫でながら、慰めの言葉をかけた。アンナが自分の肩に顔を埋めて泣くままに、自分が着ているカーディガンが涙で濡れるがままにした。妹をなだめながら、エリカのルーカスへの憎しみは大きくなっていった。あのろくでなしの顎にパンチを食らわせたい。

ビルギットはカーテンの後ろから、外の通りを覗いていた。カルエーリックは妻が背中を丸めているのを見て、どれほど緊張しているかを察した。ビルギットは警察から電話があってからずっと、落ち着かない様子で部屋を歩きまわっている。しかし、彼自身は何十年ぶりかで穏やかな気持ちになっていた。カルエーリックは電話をしてきた警察官に、すべて答えるつもりだった——まともな質問をしてくれさえしたら。

いくつかの秘密が、長い間カルエーリックの心をさいなんでいた。見方によっては、ビルギットの方が楽だっただろう。彼女の状況への対処法は、あのことが起きたという事実を意識の下に押し込むことだった。ビルギットはあのことについて語ることを拒み、まるで何事もなかったようなふりをして生きてきたのだ。しかし、すべては現実に起きたことだ。そして、カルエーリック自身は一日としてあのことを忘れた日はなく、その秘密は重荷となってどんどん重く彼にのしかかっていた。外からはビルギットの方が強い人間に見えることを、カルエーリックは承知していた。社交の場でも星のように輝くビルギットの横で、彼はグレーの地味な夫だった。ビルギットは美しい衣装、高価なアクセサリー、そしてメーキャップを鎧として着けていたのだ。

陽気な夕べを過ごしてから帰宅して、彼女がその鎧を脱ぐときはいつもまるで崩れて無となり果てるかのようだった。あとに残っているのは、自分を支えてもらうために彼にすがりついてぶるぶる震えているひ弱な子供にすぎなかった。ビルギットと結婚してからというもの、妻に対するカルエーリックの感情は相容れない二つに分裂していた。ビルギットの美貌と華奢な体つきのために思いやりと庇護欲をかき立てられ、男としての自尊心をくすぐられる反面、困難に行き当たると決してそれと向き合おうとしない彼女の姿勢には、ひどくいらだちを覚え、ときには狂気の淵に沈みそうになった。そして、何より怒りを覚えるのは、ビルギットが実際は愚かではないという点だった。受けた躾のために彼女は何が何でも女はいかなる形にせよ知性を持っている事実を隠し、代わりに、美しくか弱くあることに全精力を注ぎ、そして他人を喜ばせなければならないと信じていたのだ。新婚時代は、カルエーリックもそれを妙なことだと思わなかった。しかし、時代の精神は変わって、男も女も違う要求をされるようになった。彼は適応できたが、彼の妻は適応できなかった。だから、今日はビルギットにとって非常に困難な一日になるだろう。心の奥底では、夫が何をするつもりでいるか分かっているはずだ。二時間近くも部屋を行ったり来たりしているのは、そのせいだ。しかし、夫が家族の秘密を明るみに出すことを、闘いもしないで彼女が許したりはしないだろうということも、彼は知っていた。

「どうしてヘンリックがここにいなくてはならないの？」

ビルギットはカルエーリックの方を振り向き、不安そうに握り合わせた手をもみしぼった。

「警察は、家族と話すことを望んでいるし、ヘンリックも家族の一員だろう？」

「それはそうですが、彼まで巻き込む必要はないと思います。警察は一般的な質問をいくつかするだけでしょう。そんなことのためにヘンリックをわざわざ呼びつけるなんて。必要はなかったと思うわ」

ビルギットの声は高くなったり低くなったりしたが、肝心な疑問は口にしない。カルエーリックはそんな妻のことをよく知っていた。

「来たわ」

ビルギットが慌てて窓から離れる。それからすぐに呼び鈴が鳴った。カルエーリックは深呼吸をしてから、ドアを開けに行った。その間に、ビルギットは急いで居間に引っ込んだが、そこではヘンリックがソファに座って、自分の考えに耽っていた。

「こんにちは、パトリック・ヘードストルムです」

「カルエーリック・カールグレーンです」

二人は礼儀正しく握手を交わした。この刑事はアレクスと同じ年頃のようだと、カルエーリックは思った。最近は他の人のことを考えるとき、アレクスに結びつけて考えるようになっていた。

「どうぞお入りください。居間で話を伺います」

パトリックは、ヘンリックを見ると少し驚いた顔をしたが、すぐに元の表情に戻ってビルギットに、それからヘンリックに丁寧に挨拶した。四人はローテーブルを囲んで座り、しばらく重苦しい沈黙に包まれた。とうとう、パトリックが口を開く。

「その、今回は少し急でしたが、直前の連絡にもかかわらずこうして会っていただけて、ありがたく思います」

「何かあったのでしょうか？　何か新しいことが分かったのですか？　しばらく連絡がなかったものですから……」

ビルギットの言葉は尻切れとんぼになってしまったが、その目は期待を込めてハトリックに向けられていた。

「捜査はゆっくりですが、確実に進んでいます。目下の状況で言えることは、それだけです。アンデシュ・ニルソンの殺害によって、事件は新しい様相も呈してきました」

「当然でしょうね。それで、アンデシュと娘を殺したのは同一犯かどうかというところまで、捜査は進んだのでしょうか？」

ビルギットのお喋りは熱を帯びていた。カルエーリックは、いつもなら妻をなだめようと身を乗り出してその手に自分の手をのせるのだが、そうしたい気持ちを抑えた。今日は心を鬼にして、すっかり彼の一部となってしまった妻の保護者としての役割を放棄するしかない。

一瞬、彼は自分の気持ちが現在から、いまは遠くに感じられる過去へさかのぼるままにした。彼は嫌悪にも似た気持ちで居間の中を見まわした。自分たちはあんなに簡単に誘惑に屈してしまった！　娘の犠牲で得た金の臭いを、嗅ぐことさえできる。コルトルプのこの家は、子供たちが小さかった頃には夢見ることもできなかったものだ。大きく広々としていて、一九三〇年代の特徴を残していながら、現代の便利さも備えている。すべては、イェーテボリの仕事で得た給料で初めて持てたものだった。

いま座っているこの部屋が、家の中でいちばん大きな部屋だった。家具が多すぎてカルエーリックの好みではなかったが、ビルギットは派手な物が好きだったし、どれも新品同様だった。だいたい三年ごとに、彼女には何もかもすり切れて見え、家の中にある何もかもに飽きてしまったと言い始め、数週間もの間、ねだる目で見つめられた末に、カルエーリックは根負けしてふたたび金を出すことになるのだ。そうしてすべての物を新しくしておくことで、ビルギットは自分自身と自分の人生を繰り返しリセットできるようだった。目下のところ、彼女はローラ・アシュレイ期にあり、この部屋にはバラ模様とひだ飾りが溢れ、息が詰まりそうなほど女性的だった。それでも、これに我慢するのはあと最大二年ほどのはずだ。次の模様替えでは、運がよければビルギットはチェスターフィールド・アームチェアと英国のハンター・モチーフをひいきするだろうし、運が悪ければ、次はタイガー・ストライプになってしまうだろう。

パトリックが咳払いをした。「いくつかお訊きしたいことがあるのですが。是非ともお答えいただきたいです」

誰も何も言わなかったので、彼は続けた。

「アレクスとアンデシュがどこで知り合ったか、ご存知ですか?」

ヘンリックの顔には困惑した色が浮かんだ。婿が何も知らないことは分かっており、心は痛んだが、どうしようもなかった。

「二人は同級生でした。昔のことです」

ソファに座っている義息の隣で、ビルギットが神経質そうに身をよじった。ヘンリックが口を開いた。

「わたしもアンデシュという名前を知っています。彼の画が何点かアレクスの画廊にありませんでしたか？」

パトリックがうなずく。ヘンリックは続けた。「わたしには分かりません。二人の間にそれ以上の繋がりがあったのでしょうか。妻と妻が扱った画家を両方殺害する理由か、誰にあるというんでしょう？」

「まさしくそこです、警察が調べようとしているのは」

少し躊躇してから、パトリックは言葉を継いだ。「残念ながら、二人が関係を持っていたことは確認できています」

このあと、沈黙が続く。ビルギットとヘンリックの顔にさまざまな思いがよぎるのを、二人の向かい側に座っているカルエーリックは認めた。彼自身は軽い驚きを覚えたが、すぐに刑事の話は真実だという確信に変わった。状況を考えれば、二人がそうなっても何の不思議もない。

ビルギットはぞっとした様子で口に手を当てていたし、ヘンリックは次第に顔色をなくしていった。パトリック・ヘードストルムが、家族に悪い知らせを伝達する役割を不本意だと思っていることは、カルエーリックには分かった。

「そんなはず、ありません」

途方に暮れたようにビルギットは周りを見るが、そばにいる二人のどちらからも賛同は得られなかった。

「どうして、うちのアレクスはあんな男と関係を持たなければいけないのです？」

ビルギットに懇願するような目で見られたが、カルエーリックは見返そうとはしないで、自分の手に視線を落とした。ヘンリックは何も言わなかったが、すっかり意気消沈しているようだった。

「引っ越しをされた後も二人が連絡を取っていたかどうか、ご存知ですか?」

「存知ません。そんなこと、考えられません。フィエルバッカから引っ越したとき、アレクスは繋がりはすべて絶ったはずです」

今度も、答えたのはビルギットで、ヘンリックとカルエーリックは黙ったままだった。

「別のことをお訊きしたいのですが。引っ越しは、アレクスが六年生のときの春学期の最中でしたね。どうしてですか? 学校への連絡も引っ越しの直前だった」

「特別、おかしいことはありませんよ。カルエーリックに素晴らしい仕事のお話があったんです。とてもお断りできませんでした。さっさと決めざるを得なかったのです。先方はすぐにでも来てほしいと望んでいましたので、やむを得ず急な引っ越しとなりました」

話している間、ビルギットは膝の上で握り合わせた手をもみしぼっていた。

「しかし、あなたたちはアレクスをイェーテボリの学校に転校させなかったですね? スイスの寄宿学校に入れました。その理由は何だったんですか?」

「カルエーリックが新しい仕事に就いたことで、うちの経済状態がすっかり善くなったのです。わたしたちにできる最高の教育をアレクスに与えてやりたかっただけです」と、ビルギットは言った。

「しかし、イェーテボリには娘さんを入れられる良い学校はなかったのですか？」

執拗に問いかけてくる彼の熱心さを、カルエーリックは称賛せずにいられなかった。かつては自分も同じように若く、仕事熱心だった。今は、ただ疲れきっていた。

ビルギットが続ける。「確かに、ありましたよ。それでも、あのような寄宿学校に入ることで、娘がどんな人脈を手に入れられるか考えてみてください。そのうえ、あの学校には王子さまがお二人入っていらっしゃいましたよ。そんな知り合いを得て人生を始められたらどんなに素晴らしいでしょう」

「あなたたちもいっしょにスイスに行きましたか？」

「もちろん、いっしょに行って娘を入学させました。あなたが知りたいのがそういうことでしたら」

「いいえ……知りたいこととはちょっと違います」

刑事は記憶を確認するために、メモ帳に目を落とした。

「アレクスは一九七七年の春学期の最中にフィエルバッカの学校を辞めた。そして、七八年の春に寄宿学校に入学したころ、カルエーリックさんはこのイェーテボリで仕事を始めた。ですから、わたしが知りたいのは、七七年の春から七八年の春までの一年間、皆さんはどちらにいらっしゃったのかということです」

ヘンリックが眉間にしわを寄せ、妻の両親の顔を交互に見た。二人とも彼の視線を避けていたが、カルエーリックは心臓のあたりに疼くような痛みを感じた。その痛みはゆっくりと強くなっていった。

「このような質問をなさるなんて、いったいどういうつもりです？　わたしたちが引っ越したのが七七年か七八年かなんて、事件とどんな関係があるんです？　わたしたちは娘を殺されたのに、あなたはいきなりやって来て、まるでわたしたちに罪があるかのように質問をなさっている。きっと、情報のどこかに何か間違いがあっただけです。誰かが学籍簿のどれかを書き間違えたとか。きっとそうだわ。わたしたちは七七年の春にこちらに引っ越してきて、アレクスはスイスの学校で勉強を始めました」

パトリックは気の毒そうにビルギットを見たが、彼女の興奮は増すばかりだった。

「奥さん、不愉快な思いをさせて申し訳ありません。みなさんが大変な思いをしていることは承知していますが、どうしてもこの質問はさせていただく必要があるので。残念ですが、わたしたちが入手した情報は正確です。あなたがたが一九七八年の春にこちらに引っ越してくる前の一年間、スウェーデンにいたことを裏付けるものは何もありません。もう一度、お尋ねします。ご一家は七七年の春から七八年の春までの一年間、どちらにいらっしゃいましたか？」

ビルギットに必死の目つきで助けを求められたが、カルエーリックは、妻が望む類の助けの手を差し伸べられないことは分かっていた。長い目でみれば、家族のためになるはずだが、これからしばらくは妻をひどく苦しませることになる。しかし、もう選択の余地はない。カルエーリックは悲しみに沈んだ顔で妻を見ると、咳払いをした。

「スイスにいました。わたしと妻とアレクスは」

「カルエーリック、黙って、それ以上言わないで！」

　妻を無視する。

「わたしたちはスイスにいました。十二歳の娘が妊娠していましたので」

　思わずボールペンを落としたパトリック・ヘードストルムを見ても、カルエーリックは驚かなかった。彼が何を考えていたにせよ、あるいは疑っていたにせよ、きっとこんなふうにはっきり言われるとは思わなかったはずだ。そして、こんな答えが返ってくるとも。だいたい、こんな残酷なことを、誰が想像できただろう。

「わたしの娘は暴行されました——強姦されたのです。娘はまだ子供だったのに」

　カルエーリックは声を詰まらせ、握りしめた拳をきつく唇に押しつけて落ち着こうとした。しばらくすると、また続けることができた。ビルギットはもう夫をちらりとも見ようとしなかったが、もはや後戻りはできなかった。

「わたしたちは娘の様子がおかしいことには気づいていましたが、その原因は分かりませんでした。それまでは、朗らかでしっかりした子供でした。娘が変わったのは、六年生の初めのころです。すっかり無口になり、内向的になりました。友だちの誰もうちに来なくなり、急に何時間も家からいなくなって、どこにいるのかわたしたちには分からないこともありました。それを、わたしたちは深刻に考えもせず、思春期の前段階だろうぐらいに思っていました」

ふたたび、咳払いを余儀なくされた。胸の痛みがますます大きくなっていた。「娘が妊娠しているとわたしたちが気づいたときには、もう四カ月目に入っていました。もっと前に、気づくべきでした。しかし、誰が信じられますか……わたしたちは想像さえできませんでした……」

「カルエーリック、お願い」

ビルギットの顔は能面のようだった。ヘンリックは茫然としていた。今の話をとても信じられないと思っているのが表情に表れている。大声で話しているカルエーリック自身の耳にもなんとも信じがたく聞こえた。二十三年間、この言葉は彼の心を蝕んできたのだ。ビルギットに対する配慮から、封印してきたが、いまや言葉は溢れ出て止めようがなかった。

「中絶なんて考えられませんでした。あのような事情では、まったく。アレクス自身にたとえ選択ができたとしても、わたしたちはその可能性は与えなかったはずです。わたしたちは、具合はどうだとか、どうしたいとか、まったく娘に訊きませんでした。すべてを黙殺したのです。そして娘に学校を辞めさせ、外国に連れていって子供を産むまで滞在しました。誰にも、誰にも何も知らせませんでした。世間の口には戸は立てられませんから」

最後のことは、カルエーリック自身の耳にもなんとも苦々しく響いた。当時は、それ以上に大事なものはなかったのだ。それをわが娘の幸福や安寧《あんねい》よりも優先したのだ。しかし、その選択の全責任をビルギットに負わせることはできなかった。ふたりのうち世間体を気にするのはいつも彼女のほうだった。それでも、長年にわたって自分自身を観察してきた結果、外面を飾っておきたいという彼自身の望みから妻に彼女の意志を通させていたことを、認めざるを得なかった。そして、酸っぱい胃液がせり上がってくるのを感じて、せわしなく唾を呑み込みながら、カルエーリックは言葉を続ける。

「子供を産んでから娘を寄宿学校に入学させ、わたしたちはイェーテボリに戻って生活を続けたわけです」

カルエーリックの言葉の一つひとつに、痛恨と自己嫌悪が滲んでいた。まるで夫に話をやめさせようと念力を送るようにビルギットが彼を凝視しているとき、その目は怒り、さらに恐らく憎悪に満ちていた。しかし、いま進行していることは、アレクスが浴槽で死体となって発見されたあの瞬間に始まっていたことを、彼は知っていた。警察がかき回し、石を一つひとつひっくり返し、その下で這い回っているものを全部白日の下に引きずり出すことを。それなら自分たちが自分の言葉で真実を語るほうが良い。結果として彼自身の言葉だったが、恐らくもっと早くそうすべきだったが、勇気を奮い起こす時間が必要だったのだ。パトリック・ヘードストルムがかけてきた電話が、カルエーリックが必要としていた最後の一押しとなった。

自分が多くを語らずにいるのは分かっていたが、毛布のような疲労感にすっぽり包まれていたので、カルエーリックはパトリックの質問に答える形で足りないところを埋めることにした。椅子の背に体をあずけ、肘掛けをきつく握る。

ヘンリックが先に口を開いた。その声ははっきりと震えていた。

「どうしてあなたたちは何も話してくれなかったのですか。どうしてアレクスは何も話してくれなかったのですか。彼女が何かわたしに隠しているのは分かっていましたが、このことだったんですね?」

あきらめきった仕草で、カルエーリックは両手を広げる。アレクスの夫に言えることは何もなかった。

パトリックは懸命にプロらしさを保とうとしていたが、動揺しているのは明らかだった。床に落としたボールペンを拾い上げて、メモ帳に集中した。

「アレクスに暴行を働いたのは誰です? 学校の関係者ですか?」

カルエーリックはうなずくだけだった。

「それは……」パトリックはためらった。「それはニルス・ローレンツですか?」

「ニルス・ローレンツ、誰ですか?」と、ヘンリックが訊いた。

義息に答えるビルギットの声には、鋼《はがね》のように冷たい響きがあった。「学校の非常勤講師で、ネッリー・ローレンツの息子です」

「彼は今どこに? アレクスにそんなことをしたのだから、きっと刑務所に入れられたんですね?」

ヘンリックはカルエーリックが語ったことを、懸命に理解しようとしているようだった。

「二十三年前に行方不明になりましたよ。それ以降、彼を見た人はいません。しかし、答えていただきたいのは、彼が刑事告発されなかった訳です。わたしは警察に保管されてる資料を調べてみたのですが、彼に対する告発は一度もなされていません」

　カルエーリックは目を閉じた。パトリックは詰問しているわけではなかったが、実際にはそう感じられた。言葉の一つひとつが針のようにカルエーリックの肌に突き刺さり、自分たちが二十三年前に犯した恐ろしい間違いを思い出させた。

「告発はしませんでした。アレクスが妊娠していると分かり、そして何があったのか娘の口から聞かされたとき、わたしはネッリーのもとに飛んでいって、彼女の息子がしでかしたことを告げました。わたしはあの男を絶対警察に告発するつもりでしたし、ネッリーにもそう言いました。ところが……」

「ところが、そのあとネッリーがうちに来て、わたしに警察抜きで解決することを提案したのです。何があったかフィエルバッカ中でひそひそ噂になれば、さらにアレクスを苦しめることになるからと。わたしたちは同意するしかありませんでした。問題を家族内で処理したほうがずっと娘のためになると判断したのです。ネッリーも、ちゃんとニルスを監督すると約束してくれました」とビルギットは言って、ソファの上で火箸のようにまっすぐに背筋を伸ばした。

「そして、ネッリーはわたしにこのイェーテボリで非常に高収入の仕事も用意してくれました。わたしたちは金に目がくらんでしまう程度の人間だったのでしょうね」

　カルエーリックは自分自身に対して容赦なく手厳しかった。

「それは、あのこととは何の関係もありません。カルエーリック、どうしてそんなふうに言えるの？　わたしたちはアレクスにとって良かれと思ったことをしただけです。町中の人が妊娠したことを知ったら、あの子に何の得があったというの？　わたしたちはあの子に穏やかに生き続けるチャンスを与えたのです」

「ビルギット、それは違う。穏やかに生き続けるチャンスを得たのはわたしたち自身だったんだよ。わたしたちがあのことを黙殺することにしたとき、アレクスはそのチャンスを失ってしまった」

夫婦はローテーブルを挟んで見つめ合った。カルエーリックはどうしても取り返しのつかないものごとがあるのだと悟った。ビルギットはまったく理解しようとしない。

「では、子供は？　どうなったんですか？　養子に出されたんですか？」

沈黙。そのあと、戸口から声がした。

「ちがう。子供は養子になんか出されなかったよ。この二人は、子供を手元に置いてその子に自分が誰かを教えないことにしたのさ」

「ユーリア！　おまえは二階の自分の部屋にいたんじゃないのか！」

カルエーリックは振り向いて、戸口にいるユーリアを見た。音を立てないようにこっそり二階から降りてきたのだろう、誰も彼女が来たのに気づかなかった。どれだけそこに立っていたのだろうか。

彼女は腕組みをして、ドアの縁枠に寄りかかっていた。不格好な体全体で、反抗心を剝き出しにしている。もう午後の四時になっているというのに、まだパジャマのままだ。最低でも一週間、シャワーを使っていないようにも見えた。カルエーリックの胸の中では憐憫の情と痛みがせめぎ合った。可哀そうな、可哀そうな、わたしのみにくいアヒルの子。

「ネッリー、それとも『父方の祖母』と言ったほうがいいかな。ネッリーが話すようにとでも命じなければ、あんたたちはたぶん絶対言わなかったよね。ちがう？　絶対話す気にならなかったさ。あたしの母親は母親じゃなくて母方の祖母、父親は父親じゃなくて母方の祖父、そして何より、あたしの姉は姉じゃなくて母親だってことを。ねえ、あんた、呑み込めた？　それとも、もう一回言おうか？　ちょっとややこしいからさ」

その皮肉な問いかけは、パトリックに向けられたものだった。その顔に浮かんだぎょっとした表情を、ユーリアは楽しんでいるように見えた。

「いかれた家族よね？」ユーリアは芝居がかった発声で声を落とすふりをし、人差し指を唇に当てた。

「しーっ、このことは他の誰にも話しちゃ駄目！　だって、世間の人が知ったら何と言う？　ご立派なカールグレーン一家のゴシップが流れたらまずいでしょ」

そう言って、また声を戻して大きくする。

「ありがたいことに、去年の夏に工場でバイトしてたとき、ネッリーがみんな話してくれた。あたしに知る権利があるはずのことをさ。あたしがほんとうは誰なのかって。これまでずっと、あたしはこの家でよそ者のように感じてた。居場所がないように。アレクスみたいな姉さんを持つって楽じゃなかったけど、大好きで憧れてた。姉さんのようになりたいっていうのが、あたしのたった一つの願いだった。まるで正反対だったけど。あんたたちがアレクスをどんなふうに見てたか、あたしをどんなふうに見てたか、あたし、知ってる。アレクスがあたしを見向きもしなかったもんだから、そんなアレクスに、ますます憧れたわ。今なら、アレクスがあたしを無視していた理由が分かる。あの人はあたしを見ることさえ我慢できなかったんだよ。暴行されて産んだ子供だから。みんなあんたたちのせいよ。アレクスはあたしを見るたびにそのことを思い出したはず。それがどんなに残酷だったか、ほんとうに分からないの?」

カルエーリックはまるで横っ面を張られたような気がした。ユーリアの言葉が正しいのは分かっていた。ユーリアを手元に置いておいて、アレクスに子供時代の身の毛もよだつ体験を繰り返し思い出させたのは、無慈悲なまでに残酷だった。もちろん、ユーリアに対しても正しいことではなかった。カルエーリックとビルギットは、ユーリアの生まれたなりゆきを忘れることができなかった。そのことを、おそらく彼女は物心がつかないうちから肌で感じていたのだ。泣き叫びながらこの世に誕生したユーリアは、その後もずっと世の中に向かって泣き叫び、逆らい続けていたのだから。そんなユーリアが素直に育つはずはなかったし、カルエーリックとビルギットはただでさえ幼い子供を育てるには歳をとりすぎていたのに、ユーリアはひどく手のかかる子供だった。

去年の夏ユーリアが体中から怒りのオーラを発散して帰省し、自分たちに向かってきたときは、ある意味ではほっとした。ネッリーが自分の一存でユーリアに真実を告げたことに、ふたりは驚かなかった。ネッリーは自分の利益だけを考える根性の腐った年寄りだし、ユーリアに告げることで何かしら自分の利益に繋がると考えたのであれば、そうしないはずはなかった。そのため、ユーリアが夏のアルバイトを勧められたとき、彼らは引き受けないようにさせようとしたのだが、ユーリアはいつものように我《が》を通したのだ。

ネッリーに真実を告げられたとき、ユーリアの前に新しい世界が開いたことは想像に難くない。このとき初めて、ユーリアは自分を本当に望んでいる、自分と関わろうとする人間が現れたように感じたのだ。養子のヤーンはいるが、血の繋がりにまさるものはなく、その日が来たら遺産はすべてユーリアに与えると、ネッリーは語ったようだ。その言葉がユーリアにどんな影響を及ぼしたか、カルエーリックは十二分に理解していた。ユーリアは実の両親だと思ってきた二人に怒りをぶつけるようになり、アレクスにしていたのと同じ熱心さでネッリーを崇めるようになった。これらすべてが、台所の柔らかい明かりを背にして戸口に立っているユーリアを見ているカルエーリックの頭の中を駆けめぐった。悲しいのは――ユーリアを見るたびに過去の忌まわしい出来事を思い出すことになったが――自分たちがユーリアをどんなに愛しているか、決して分かってもらえないことだ。ユーリアは、迷い込んできた小鳥のようだった。自分たちは彼女に対してぎこちなく、どうしてやって接していいのか分からなかった。ずっと分からないままだ。どうやら二人はユーリアを永久に失ってしまったことを受け入れるしかないようだ。こうして同じ家で寝起きしていても、彼女の心はすでにここにはない。

ヘンリックはまるで息もできないようだった。うなだれて目を閉じている。やはりヘンリックに同席してもらったのは間違いだったのではないかと、一瞬カルエーリックは自問した。そうしたのは、ヘンリックも当然真実を知るべきだと思ったからだ。彼もアレクスを愛していたのだから。

「でもね、ユーリア……」

ビルギットは懇願するように、ぎこちなく両腕をユーリアのほうに伸ばした。しかし、ユーリアは軽蔑するように背中を向けた。そして、音を立てて階段を上がっていった。

「本当に……残念です。何かぴったり合わないものがあると分かっていたのですが、まさかこのようなことだったとは考えてもいませんでした。何と言えばいいのか」

パトリックは打ちのめされたように両手を広げた。

「わたしたち自身も、どう言ったらいいのかまったく分かりません。とくに、自分たちの間では」

カルエーリックは窺うように妻に目をやった。

「アレクスに対する暴行がどれくらいの期間続いたか、ご存じですか?」

「正確には分かりません。アレクスは話したがりませんでしたし。少なくとも二カ月間ぐらい……あるいは一年近かったかもしれません」カルエーリックはためらった。「そこに、あなたのさっきの質問に対する答えもあるのです」

「どの質問ですか?」パトリックが尋ねる。

「アレクスとアンデシュがどんな知り合いだったかという質問です。アンデシュも犠牲者だったのです。引っ越しの前日に、わたしたちはアレクスがアンデシュに宛てて書いたものを見つけました。それで、アンデシュもニルスに性的虐待を受けていたことが分かったのです。どういう経緯があったのかは分かりませんが、二人は自分たちが同じ状況にあることが分かっていた、あるいは知ったのです。そして、お互いに慰め合いました。わたしはその手紙を持ってヴェーラ・ニルソンを訪ねると、アレクスに起きたこと、また恐らくアンデシュにも起きていたことを話しました。あれは、わたしが経験したいちばん辛いことの一つでした。アンデシュはヴェーラが持っている……いや、持っていたたった一つの宝物だったのです。どこかでわたしは、自分が勇気がなくてできなかったことを――ニルスを告発してあの男に相応の責任を取らせることを、ヴェーラにしてほしいと願っていたのでしょう。しかし、何も起きませんでした。つまり、ヴェーラもわたしたちと同じように弱かったということでしょう」

無意識のうちに、カルエーリックは拳で胸をマッサージし始めていた。胸の痛みはずっと強くなっていて、指までしびれ始めていた。

「ニルスの行方については心当たりはないんですね?」

「ええ、まったくありません。どこにいるにしても、苦しんでいればいいと願っていますよ。あんな極悪人は」

今や、カルエーリックはかつて経験したことのない痛みにさいなまれていた。指の感覚は失くなり、何かおかしいと分かる。ひどくおかしいと。痛みのせいで視野が狭まり始め、そこにいる全員の口が動いているのは見えるが、目に映る光景も、聞こえる音もまるでスローモーションのようだった。一瞬、ビルギットの目から怒りの色が消えていることを喜んだカルエーリックだったが、そこに不安の色が浮かんでいるのを見たとき、何か深刻なことが起きているのだと知った。そのあと、闇が押し寄せてきた。

パニック状態でカルエーリックを救急車でイェーテボリ市内のサールグレンスカ病院へ搬送してから、パトリックは自分の車の中でやっとひと息ついた。彼は自分の車で救急車の後を追い、カルエーリックの心臓発作は深刻なものの、もっとも危機的な状況は乗り越えたと知らされるまで、ビルギットとヘンリックに付き添っていた。

この日は、パトリックの人生で経験したことがないほど衝撃的な一日だった。警察官として過ごしてきた短くない歳月、悲惨な事件は山ほど見てきたと思っていたが、この午後カルエーリックから聞かされた悲劇的な話以上に、胸を切り裂くような出来事は聞いたことがなかった。

聞かされた話は真実だと分かったものの、パトリックはそれを容易に受け入れることはできなかった。アレクスが体験したような出来事が自分の身に起きたとして、そのあと、どのように生きていけるだろうか。アレクスは性的虐待を受けて子供時代を奪われたばかりか、そのことを絶えず思い出しながら残りの人生を生きていくことを強いられたのだ。パトリックはどうしても、彼女の両親の行為を理解できなかった。もしもわが子が性的虐待を受けたとしたら、犯人をみすみす野放しにするなど考えられない。ましてや、そんな卑劣なまねをしたのが誰か分かっていたのだ。黙殺することを選ぶなんて正気の沙汰ではないだろう。どうしたら、我が子の命や健康より外面《そとづら》が大切だと思えるんだ？　パトリックにはまったく理解できなかった。

彼は目を閉じて、シートに体をあずけてヘッドレストに頭を当てていた。外はすでに薄暗くなり始め、家路についてもいいころだったが、気力も感情も萎えている感じだった。エリカが待っていると思うのだが、車のエンジンをかけて帰る気にはなれない。これまで微動だにしなかった人生に対するパトリックの肯定的な姿勢はいま、根底から揺さぶられ、人間は善の心の方が悪の心よりもほんとうに大きいのか、初めて疑問を覚えた。

別の面で、パトリックは少し後ろめたさを覚えていた。たしかにその悲惨な話に心を深く動かされたのは事実だが、パズルのピースが一つ、また一つと嵌っていったことに職業上の満足感を覚えずにいられなかったからだ。この午後は、多くの疑問に答えを見つけられはしたものの、それでも、以前にもまして大きな不満を感じていた。カルエーリックによっていろいろな謎を解く新たな情報を得られたにもかかわらず、アレクスとアンデシュを殺害した一人あるいは複数の人間については、あいかわらず闇の中だったからだ。殺害の動機は過去に潜んでいるのかもしれない、あるいは過去とは無関係なのかもしれない。実際のところ、パトリックは後者はありそうもないと見ていたけれども。結局、これ一つだけが、アレクスとアンデシュの間に見つけられた明白な繋がりだった。

しかし誰がなぜ、二十三年以上も前の虐待のために二人を殺害する気になったのか？　なぜ今になってなのか？　沈黙していたにもかかわらず、何年もの間眠っていたものを動かし始めて、二週間ばかりの間を置いて殺人事件を二件ひき起こしたのはなぜなのか？　パトリックが何より歯がゆいのは、これから捜査をどういう方向に進めていくべきか、何のひらめきもないことだった。

この午後、捜査は大きく前進したが、それと同時にたどり着いたのは袋小路だった。今日自分が行い、聴取したことを、パトリックは頭の中で反芻《はんすう》した。すると、非常に具体的な手がかりをこの車の中に持っているのを思い出した。カールグレーン家を訪ねて思いもよらなかった話を聞かされたあと、カルエーリックが劇的な心臓の発作を起こして大騒ぎになったことの余波で、すっかり忘れていた。いまやパトリックの胸に、午前中と同じ熱意が甦った。その手がかりを詳しく調べられるユニークなチャンスもあった。ただし、それを利用するために必要なのはただ一つ、ちょっとした運だ。

パトリックは携帯電話の電源を入れると、音声メールが三件あるという伝言を無視して、番号案内サービスにかけてサールグレンスカ病院の電話番号を尋ね、代表番号にそのまま繋いでもらった。

「サールグレンスカ病院です」

「こんばんは。パトリック・ヘードストルムと申しますが、そちらの法医学科で働いている方の中にローバット・エークさんがいませんかね?」

「調べてみますので、少々お待ちください」

パトリックは息をつめて待った。ローバットは警察学校時代の古いクラスメートで、卒業後、彼はさらに勉強して法医学技師になった。在学中は、すごく親しく付き合っていたのだが、卒業するとだんだん疎遠になっていった。だから、彼がサールグレンスカ病院で働いているというのはあくまでも噂にすぎなかった。どうかそうであってくれと、パトリックは祈る。

「ああ、ありました。確かに法医学科でローバット・エークという者が働いております。電話を回しますか?」

パトリックは心の中で、バンザイを叫んだ。

「お願いします」

呼び出し音が二回鳴った後、電話が繋がった。

「法医学科、ローバット・エークです」

「やあ、ローバット、おれが分かるか?」

二秒の沈黙。ローバットに、自分の声が分かるとは思えなかったので、パトリックは助け船を出そうとした。だが、その瞬間、受話器から叫び声が聞こえた。

「パトリック・ヘードストルム、おまえか!　久しぶりだな!　おまえの方から連絡してくるなんて、どうなってるんだ?　普通じゃないぞ」

ローバットの言葉はからかいだったし、彼が少しふざけているだけだというのは、パトリックには分かった。自分がひどく不精をしてみんなと連絡を取り合っていないことは自覚していた。この点ではローバットの方がずっとマメだったが、しばらくして、パトリックが返事をやらなかったとき、うんざりしてしまったのだろう。そのうえ、こうして自分の方から連絡を取っているときは、助けが必要なためだと思うと、いっそう恥ずかしかった。しかし、ここで諦めることはできない。

「ああ、分かっているよ。ひどく不精で、連絡しなくてすまなかった。今、サールグレンスカの外の駐車場にいるんだ。それで、おまえが病院で働いてるって聞いたことを思い出したので、のぞいて挨拶できないかと思ったんだ」

「いいぞ、来いよ。すごく嬉しいよ」

「どうしたらおまえに会えるんだ？　どこにいる？」

「地階だ。玄関を入って、エレベーターで降りたら右に曲がって、そのまままっすぐ法医学科の部屋がある廊下まで来い。いちばん奥にドアがある。その中におれたちはいるから、ベルを鳴らしてくれ。おまえに会うのがすごく楽しみだよ」

「おれもだ。それじゃ、二、三分後に会おう」

ふたたび旧友を利用しようとしていることを恥ずかしく思ったが、一方では、これでやっと昔の貸しを返してもらえるという気持ちもあった。いっしょに勉強していたころ、ローバットはスサンヌという女と同棲して婚約もしていたのに、クラスメートのマリーに夢中になっていた。また、マリーの方も他の男と婚約していたのだ。そんなふうにローバットが二年近く二股をかけていた間、パトリックは数えきれないほどローバットの窮地を救ってやった。何度もアリバイの証人になり、ローバットの居場所を知らないかとスサンヌが電話をしてきたときには、豊かな空想力を駆使した。

今になってみると、自分もローバットもあんまり立派だったとは思えない。しかし、二人とも若かったし、未熟だった。正直言って、そんなことがかっこいいと思っていた。さらには、二人の女を手玉にとっていたローバットのことが多分少しばかり妬ましかった。もちろん、いつまでも二股がばれずにいるわけはなかった。結局、ローバットはアパートも女たちも失うことになった。しかし、ローバットは生まれつきのジゴロだったので、パトリックの部屋のソファに何週間も居候する必要もなく、新しい女のもとに転がり込んでいた。

ローバットがサールグレンスカ病院で働いているとパトリックが聞いたとき、ローバットは結婚もして子供がいるというおまけもついていた。パトリックにはとても想像できない話だったが、それが真実かどうか、もうすぐはっきりする。

終わりがありそうにもない病院の廊下をいくつか、きょろきょろ探しながら進んだ。ローバットが説明してくれたときはとても簡単そうに聞こえたのに、パトリックは二回も迷ってしまった。それでも何とか目指すドアの前にたどり着いて、ベルを鳴らして待つ。ドアが勢いよく開いた。

「やあ！」

彼らは心からのハグをし、お互いに一歩下がって、相手がどんな歳月を送ってきたか見定めようとした。ローバットは満足すべき歳月を送ってきたと、パトリックは確かめることができた。そしてローバットも自分について同じ結論を出してくれることを願った。念のため、パトリックは腹をへこまして胸を余計に突き出した。

「入って、さあ入って」

ローバットは先に立って自分のオフィスに案内したが、そこはやっと一人分のスペースが確保できるような小さな物品保管室だった。パトリックは、ローバットのデスクを挟んで真向かいにある椅子に腰を下ろし、彼をよく見た。彼の金髪は若い頃と同じように丁寧に櫛が入れられていて、実験室の上着の下の衣服にもきちんとアイロンがかけられていた。ローバットが身だしなみに気をつかうのは、混乱しがちな私生活とのバランスを取るためだろうと、パトリックはずっと思っていた。彼の視線が、ローバットの後ろにある棚の上の写真に引き寄せられた。

「おまえの家族か?」

パトリックは、声に驚きの響きが混じるのをどうすることもできなかった。

ローバットは誇らしげに微笑んで、棚から写真を取る。

「イエース、妻のカリーナと子供たち、オスカルとマイヤだ」

「子供たちはいくつだ?」

「オスカルは二歳で、マイヤは六カ月」

「可愛いな。結婚してどれくらいになる？」

「もう三年だ。おれが家族持ちのおやじになるなんて、ちっとも想像していなかったろう？」

パトリックは笑った。

「白状すると、そのとおりだ。競馬だったら大穴だな」

「悪魔も歳を取ると、神様を信じるようになるのさ。おまえは？　おまえだって、これまでいろいろあったんだろう？」

「いいや、いろいろというほどじゃないな。うん、離婚したが、子供はなし。まあ、そういう意味では子供がいなかったのはラッキーだったな」

「それは気の毒だったな」

「そうでもないさ。実は、目下、すごく見込みがあることが進行中なんだ。それで、様子を見ているところだ」

「そうか。それにしても、何年もご無沙汰だったのに、びっくり箱から飛び出した人形みたいにいきなり現れるなんて、どうしたんだ？」

パトリックは少し自分にねじを巻いた。長い間音沙汰なしにしてしまったことを面目ないと思いながら、そのくせ突然やってきて助けを求めた。

「こっちには仕事で来てたんだ。そして、ここの法医学科でおまえが働いてるのを思い出してね。実は、助けてもらいたいことがある。時間がなくて通常の、のんびりした役所のルートを通していられないんだ。そんなことをしてたら回答をもらうまで何週間もかかってしまう。そんな時間も忍耐も、おれにはない」

　ローバットは好奇心を刺激されたようだった。デスクに肘をついて左右の指先を合わせ、パトリックがさらに話を続けるのを待っている。

　パトリックは前かがみになって、バッグの中からビニール袋に入った紙を取り出した。その紙を差し出すと、ローバットはそれが何か調べるように明るい卓上ランプの下で透かして見た。

「こいつは、殺人事件の被害者の自宅にあったレポート用紙の一枚だ。よく見ると、書き痕がついてるんだ。でも、ところどころ見えないところもあって、おれには判読できない。ここなら、こういった痕を読み取る装置があると思ったんだが」

「ああ、確かにある」

　返事を少し遅らせながら、ローバットはランプの下でさらに紙を調べ続ける。

「しかし、おまえも言うように、こういった案件の処理の仕方と優先順位についてはかなり厳格な規定がある。ここには処理しなければならない案件が山積みになっているんだ」

「それは分かってる。だが、手早く調べて何か見つかるか、ちょこっと見てもらえないかな。そうしたら……」

　ローバットはパトリックの言ったことについて思いをめぐらし眉間に皺を寄せたが、やがて笑って椅子から立ち上がった。

「そうだな。役所みたいに手続きにこだわる必要もないだろう。確かに、おまえが言ったように時間のかかるものでもないし。ついて来いよ」

ローバットはパトリックの前に立ち、その窮屈な小さいオフィスから出て、真向かいにあるドアを開けて中に入った。その部屋は明るくて大きかったが、あらゆる類の変わった形をした装置が所狭しと置かれていた。ぴかぴかに清潔だった。白い壁や輝いているクロムの長椅子やロッカーなどが醸し出す雰囲気のために、クリニックに似ていた。ローバットが必要とした装置は、部屋のいちばん奥にあった。彼はきわめて慎重にビニール袋から紙を取り出して、プレートの上に置いた。側面にある「オン」のボタンを押すと、装置が起動して青っぽい光がついた。その途端、紙の上に文字がくっきりと鮮やかに浮かび上がる。

「見ろよ。これか、おまえが期待していたのは？」

その文章に、パトリックはさっと目を走らせた。

「ずばりこれだよ。おれが期待していたものは。少しこのままにしておいてくれないか。おれ書き写すから」

ローバットは笑った。

「もっといい手があるさ。この装置は文章をコピーできるから、それを持っていけばいい」

パトリックの顔に満面の笑みが浮かんだ。

「サイコーだ！　それで完璧だ。恩に着るよ」

三十分後、パトリックはアンデシュのレポート用紙のフォトコピーを手にして、病院を立ち去った。ローバットにはときどき連絡することを本気で約束して、その誓いを守れることを願った。しかし残念ながら、彼は自分のことを知りすぎるほど知っていた。

帰りの車中、パトリックは考え込んでいた。闇の中を運転するのは大好きだった。ビロードのように暗い夜に包まれた静寂を破るのは、時おり行き過ぎる対向車両のライトくらいなもので、彼は考えごとに集中できた。すでに分かっていることを一つひとつ思い起こし、あの紙から読み取ったことと結びつけていった結果、ターヌムスヘーデの自宅に続く道に入っていったときには、これまで悩まされてきた謎の、少なくともひとつは解けたと確信していた。

エリカの存在を横に感じずに寝るのは、妙な気がした。心地いいことには、人はなんとも早く順応できるというのは、実に妙なものだ。そしてパトリックは、今はもう一人だとなかなか寝つけないことが分かった。家に向かっていたとき、携帯電話に彼女から連絡があり、妹が思いがけず訪ねてきたことを知らされ、今夜は自宅で寝たほうがいいと告げられて、自分がひどくがっかりしたことに驚かされた。本当はもっと詳しく事情を聞きたかったのだが、エリカの声から今は何も言えないのだと分かった。それで、明日また連絡を取ることと、「きみに会えなくて寂しい」と言うだけで我慢した。

まぶたの裏に浮かぶエリカの姿と、明日しなければならないことを考えるうちに目がさえてしまい、パトリックにとってはひどく長い夜になった。

夜、子供たちが寝入ってから、ふたりはようやく話をする機会ができた。アンナは何かおなかに入れた方がいいようだったので、エリカはすばやく、冷蔵庫に入っていた冷凍食品を少し解凍しておいた。エリカ自身も食べるのを忘れていたため、腹の虫が鳴いていた。

アンナは料理をフォークでつつくだけで、ほとんど食べていなかった。エリカは横腹に、妹に対する昔なじみの不安を覚えた。自分たちがまだ小さかった頃と同じように、アンナを腕に抱いて揺すってあやし、何もかもきっとよくなると語り、痛いところに唇を当てて「痛いの、痛いの、飛んでけ」と言ってやりたかった。しかし、姉妹はもう大人で、アンナの傷は膝小僧のすり傷よりもはるかに深かった。エリカは無力感にさいなまれ、どうしていいか分からなかった。妹を見知らぬ他人のように感じるのは、生まれて初めてのことだった。どういうふうに話し合ったらいいのか分からなかったので、アンナが話を切り出すのを待った。長い沈黙のあと、彼女はやっと口を開く。

「エリカ、どうしたらいいのか分からないの。わたしと子供たちはどうなるの？　わたしたち、何に向かってるの？　わたし、どうやって暮らしていくの？　わたしずっと家の中にいて、何もできないわ」

エリカは、アンナがテーブルの縁を摑んだとき手の関節が白くなっているのを見た。まるで今の状況を抜け出す方法を摑もうとしているみたいだった。

「さあ、さあ。今はそんなこと考えないで。きっと、何とかなるから。あなたに必要なのは、丸一日ゆっくりすることだわ。あなたは子供たちと好きなだけここにいていいんだから。この家はあなたの家でもあるのよ、そうでしょ?」

家をめぐって自分たちの間に一悶着あったのをちゃかすように、口許を歪めて苦笑いすると、それにアンナが応えてくれたので、ほっとした。アンナは鼻水を手の甲で拭い、思いにふけりながらテーブルクロスを指でもてあそんだ。

「わたしがどうしても自分を許せないのは、どうしてあんなになってしまうまで放っておけたのかっていうこと。あの人は、エンマに大怪我をさせたの。どうしてわたしは、あの人にエンマを怪我させるままにしたんだろう?」

また鼻水が流れ出し、今度は手の代わりにハンカチで拭った。

「どうしてわたしは彼にエンマを怪我させたの? 心の奥底ではわたし、こうなることを知ってたんじゃないかしら? 知っていながら、自分自身の勝手な都合で目をつむってたんじゃないの?」

「アンナ、わたしが百パーセント知ってることがあるとすれば、それは、あなたが意識的に誰かにあの子たちを傷つけさせるようなことをするはずがないということよ」

エリカはテーブルの上に身を乗り出し、アンナの手を取った。その手は不安になるほど痩せていた。指の骨はまるで小鳥の骨のように華奢で、きつく握りしめたら折れてしまいそうだった。

「わたしが自分のことで自分でも分からないのは、彼のひどい仕打ちにもかかわらず、わたしの中に今でも彼を愛している部分があることなのよ。わたしはルーカスを本当に長いこと愛してきて、その愛情はわたしの一部に、わたしという人間の一部になってしまっている。これまで彼に何をされようと、わたしはその部分を捨て去れなかった。その部分をできることならナイフで切り取ってしまいたいわ。わたしは自分がひどく汚れている気がして嫌でたまらないの」

姉に握られていない方の手を震わせながら胸のあたりを撫でるアンナは、まるでその悪い部分を示そうとしているようだった。

「アンナ、それは普通のことよ。恥ずかしく思う必要なんかないわ。今あなたに必要なのは一生懸命がんばって、また元気になることだけよ」

一拍置いて、エリカは続ける。

「でも、ルーカスを警察に告発しないと」

「だめよ、エリカ。わたしにはできない」

涙がアンナの頰を伝わり落ち、その数粒がしばらく顎にとどまり、やがて下に落ちてテーブルクロスを濡らして染みをつけた。

「いいえ、アンナ、しなきゃならないわ。あなたは彼をこの件からまぬがれさせることは、できないわ。娘の腕を折った彼に責任を取らせないままにしておいて、あなたはそんな自分を許して生きていけるの？」

「ええ……いいえ、エリカ、わたし分からない。はっきり考えられないの。まるで頭いっぱい、ふわふわの綿でも詰まってるみたい。今は考えられない。たぶん、もう少し後になったら……」

「アンナ、駄目よ。後では駄目。後では遅すぎるの。今、しなきゃいけないわ！　明日、わたしが警察までついていってあげる。あなたはそうするの。子供たちのためだけじゃなくて、あなた自身のためにも」

「そうするだけの力がわたしにあるのかどうか、自信がないわ」

「大丈夫、あなたにはその力がある。わたしたちとは違って、エンマとアドリアンには、ふたりを心から愛して、ふたりのためなら何でもする覚悟のある母親がいるんだから」

エリカは思わず声が苦々しくなるのを抑えられなかった。

アンナがため息をつく。

「エリカ、そのことはもう言わないで。父さんだけがわたしたちがもともと持っていた親だったということは、わたしも昔からちゃんと受けいれてきたわ。そして、そうだった理由について、あれこれ考えるのはやめてしまった。分かりようがないじゃない？　母さんは子供が欲しくなかったかもしれないということ？　わたしたちは、母さんが欲しかった子供ではなかったということ？　もう知りようもないことだわ。いつまでもあれこれ考えたって、何の役にも立たないじゃない。それでもわたしは、運がよかったわ。わたしには父さんの他にあなたもいてくれたもの。あなたには話したことは多分なかったと思うけど、あなたがわたしのためにしてくれたこと、わたしたちが大きくなっていく間あなたがわたしにとって何だったのか、ちゃんと分かってるの。エリカ、あなた自身には、母さんの代わりに世話をしてくれる人は誰もいなかった。だけど、機嫌を悪くしないでね、お願いだから。本気になれそうな男性に出会ったとたんに尻込みするあなたを、わたしが見てこなかったとでも思ってるの？　ひどく傷つく危険を犯さないうちに引いてしまうあなたを？　エリカ、そろそろ過去なんか忘れることを覚えなくちゃ。でも、今はとてもいいことが進行中みたいね。だったら、今度は放しちゃだめよ。わたしだって、いつかは可愛い甥や姪が欲しいんだから」

　こうして、二人は涙に霞む目を合わせて笑った。ナプキンで涙と鼻水を拭うのは、今度はエリカの番だった。部屋にみなぎっているさまざまな感情のためになんだか息苦しかったが、いま状況は心の大掃除のように感じられた。いまだに語られていないことが沢山、埃のように積もっている思いが沢山あって、姉妹はそろそろモップを取り出して掃除をする頃合いになったと思っていた。

　一晩中、ふたりは語り合い、話が終わる頃には冬の闇を灰色の朝靄が徐々に押し戻し始めていた。子供たちはいつもよりも長く眠っていたが、とうとうアドリアンが金切り声を上げて目覚めたことを知らせたとき、エリカは午前中の子供たちの世話を引き受けるからと言って、アンナに二、三時間眠るように勧めた。

　エリカはとても気持ちが軽くなったように感じていた。もちろん、エンマに起こったことを考えると今でも気が重くなったが、自分とアンナはずっと前に語り合っていてよかった多くのことを話すことができた。一連の真実は耳に痛かったが、聞く必要はあった。驚いたことに、アンナは姉の心を正確に見抜いていた。エリカは、アンナを過小評価していたことを認めなければならなかった。そのうえ時おり見下して、妹を大きくて無責任な子供のように見ていたことも。アンナははるかに大人だった。ついに本当のアンナを見ることができて、エリカは嬉しかった。

パトリックについても、二人はたくさん話した。そして今、エリカはアドリアンを腕に抱いたままパトリックに電話をかけているところだ。自宅の電話には出なかったので、携帯電話にかけ直す。しかし、電話をかけることは普段よりずっと大変だった。それというのも、アドリアンがエリカが持っている素晴らしいおもちゃに興味を示して取ろうと必死になっていたためだ。それでも、最初の呼び出し音の後にパトリックの声が聞こえると、前夜の疲れも魔法をかけられたように消えてしまった。

「おはよう、ダーリン」

「うーん、あなたにそう呼んでもらうの、大好き」

「具合はどう？」

「ありがとう。こっちはちょっと家族に危機が起きているけど、会ったときに話すわね。いろいろあって、アンナとゆうべは徹夜で話をしたの。今、わたしが子供たちの世話をしているから、彼女は少しは眠れるわ」

欠伸を噛み殺したのが、パトリックに聞こえてしまった。

「疲れているみたいだね」

「ええ、疲れてるわ。もうくったくた。だけど、アンナの方がわたしよりもずっともっと眠る必要があるの。だから、彼女が目をさますまで起きていなくちゃいけないの。子供たちはまだ自分のことを自分でできるほど大きくないから」

アドリアンが賛成するように、回らない舌を回した。

パトリックは一瞬のうちに決めた。

「そいつを解決する別の方法があるよ」

「そうなの？　子供たちを二、三時間階段の手すりにつないでおくとか？」

エリカは笑った。

「おれがそっちに行って、子守りをするんだ」

信じられないというように、エリカがくすくす笑った。

「あなたが？　子守りを？」

パトリックはひどく傷ついたような口調になった。

「おれにはそんなことできないと思ってるんだな。たった一人で二人の押し込み強盗をねじ伏せることに比べりゃ、二人のちっちゃな幼児を扱うなんて朝飯前だ。それとも、きみはおれを信頼してないのか？」

パトリックは芝居がかった一息をつき、エリカも大げさにため息をついてみせた。

「そうね、なんとかやれるかもね。断っておくけど、相手は本物の小さな猛獣よ。ほんとうにこの子たちのテンポについていく自信ある？　もう若くないのに」

「やってみるさ。念のために強心剤を持っていくことにするよ」

「いいわ。それでは、お申し出をお受けいたします。それで、いつ来るの?」

「今すぐだ。別の用件で、もうフィエルバッカに向かってるところなんだ。ちょうどミニゴルフ場を通り過ぎたよ。だから、あと五分くらいで会える」

パトリックが車から降りたとき、エリカは玄関の戸口に立って待っていた。胸には、手をばたばたさせているまん丸な顔をした男の子を抱いている。ほとんど見えないが、後ろには、親指を口にくわえ、片腕にギプスを付けた小さな女の子が立っていた。パトリックはまだエリカの妹が急に現れた原因を知らなかった。それでも、エリカが義弟について語っていた話や、幼い少女のギプスで固定した腕を見て、身の毛もよだつような疑念が湧いてきた。あえて尋ねなかった。その時が来れば、エリカが話してくれるはずだ。

パトリックは三人に、順番に挨拶した。エリカの唇に軽くキスし、男の子の頬を軽く撫で、それからしゃがんで深刻な表情を浮かべている女の子に挨拶する。怪我していないほうの手を取って言った。

「こんにちは。おじさんはパトリックというんだ。お名前は?」

返事が返ってきたのは、ずいぶん経ってからだった。

「エンマ」

それから、女の子の口に親指がまた入っていった。

「だんだん打ち解けてくるわ」

エリカはアドリアンをパトリックに渡して、エンマの方を向く。

「ママとエリカおばちゃまは、ちょっと寝なくちゃだめなの。その間、しばらくパトリックがあなたたちの世話をしてくれるわ。いいわね？　彼はわたしのお友だちで、とっても、とってもやさしい人よ。そしてエンマがとっても、とってもやさしくしてくれたら、きっとパトリックはあなたに冷蔵庫からアイスクリームを出してくれるわ」

エンマは疑わしそうにエリカを見つめたが、アイスクリームをもらえるかもしれないという誘惑には勝てず、しぶしぶうなずいた。

「じゃあ、この子たちをお願いね。少ししたらまた会いましょ。わたしが目を覚ましたとき、ふたりがまだ生きているように頑張ってみてね。お願いよ」

エリカが階段を上がって姿を消すと、パトリックはエンマの方を向いた。少女はあいかわらず疑わしそうな目で彼を見ている。

「さあ、どうしようか。チェスでもするかい？　しない？　それじゃ、朝ごはんにアイスクリームを少し食べるのはどう？　これならいいと思うだろ？　オーケー。冷蔵庫に最後に着いた人は、アイスクリームの代わりに人参だぞ」

ゆっくりと、アンナは懸命に意識の表層へと昇っていた。まるで百年もの間、眠れる森の美女のように眠っていたような気がした。目を開けたとき最初、自分がどこにいるのか分からなかった。そのあと、子供のときに使っていた部屋の壁紙に気づき、トンもあるコンクリートのように現実が重く彼女に崩れかかってきた。子供たち！　それから彼女は起き上がる。一階から楽しそうに叫んでいるエンマの声が聞こえてきて、自分が眠っている間、エリカが子供たちの世話をしてくれていることを思い出した。そして、ふたたび横になった。数分の間暖かいベッドの中でまどろんでいることにした。ベッドから出れば、そこには厳しい現実が待っている。せめてあと数分、現実逃避をする贅沢を自分に許した。

エンマとアドリアンの笑い声に混じって聞こえてくるのはエリカの声でないことが、ゆっくりと意識の中に入ってきた。冷たい凍るような一瞬、ルーカスがやって来たと思ったが、エリカは彼を玄関の中に入れるくらいなら射殺してしまうはずだと思いついた。やってきたのは誰か分かった気がした。それをとても確かめたくなってアンナは忍び足で階段の上まで出ていき、手すりの柵から覗いてみた。居間はまるで爆弾が落ちた後のようなありさまだった。ソファのクッションが食卓用の四つの椅子と毛布といっしょになって、小さな家を作り、アドリアンのおもちゃのブロックが床一面に散らばっていた。ローテーブルの上にはアイスクリームの包み紙が山になっている。ぜひともパトリックが大のアイスクリーム好きであってほしいと、アンナは思った。そしてため息をつきながら、エンマに昼食も夕食も食べさせるのはきっととても難しくなるはずだと考えた。娘本人は、優しい顔と温かいとび色の目をした黒髪の男性の肩にまたがっていた。笑いすぎたせいで息を詰まらせているエンマと同じように、アドリアンも姉に劣らず楽しそうなのがはっきり見えた。息子はおむつだけになって、床の毛布の上に転がっている。それでも、誰よりも楽しんでいるように見えたのはパトリックで、まさにその瞬間、彼はアンナの心の中に永遠に消えることのない場所を獲得した。

アンナは立ち上がり、軽く咳払いをして三人の遊び仲間の注意を促した。

「ママ、見て。これわたしのお馬さんよ」

エンマは『お馬さん』をすっかり自分の思いどおりにできることを見せびらかそうとして、パトリックの髪を強く引っ張ったが、それに対する彼の反抗はおとなしすぎて、小さな独裁者は気にもかけなかった。

「エンマ、お馬さんには優しくしてあげなくちゃ。でないと、もう乗せてもらえないかもしれないわよ」

この注意によって、若干の思いやりが騎手の中に生まれて、念のため、エンマはパトリックの髪を引っ張る代わりに怪我をしていないほうの手で頭を叩き、自分の騎手としての特権を確かなものにしようとした。

「やあ、アンナ。久しぶり」

「そうね。本当にそう。子供たちがあなたをつぶしていなければいいんだけど」

「そんなこと、ないよ。すごく楽しくしてた」

そう言って、急に心配そうな顔になった。

「この子の腕には、ちゃんと気をつけてたよ」

「ええ、そうだわね。エンマは本当に元気になったみたい。エリカは寝てるの？」

「ああ。今朝、電話で話したとき、声がとても疲れてるようだったんで、おれが子守りを買って出たんだ」

「そして、見事にこなしてるわ、見れば分かる」

「まあね。でも、散らかしすぎたな。エリカが起きてきて、おれがすっかり彼女の居間をめちゃくちゃにしたのを見て怒らなければいいけどな」

アンナは彼の不安そうな表情は見ていて、愉快だと思った。姉はもう彼をうまく仕込んでいるようだった。

「ふたりでいっしょに片付けましょ。でも、わたしはまずコーヒーが要るみたい。あなたも飲む?」

二人は台所でコーヒーを飲みながら、古い友人のように話をした。アンナの心を開けられたのは子供たちのおかげで、エンマがパトリックの体によじ登ったとき、その目に浮かぶ強い慕う気持ちは見まがいようがなかった。おじさんを少しそっとしてあげなさいと娘に言おうとすると、彼はかまわないからと、手を振るばかりだ。一時間あまり経ってエリカが眠そうな顔で二階から下りてきたとき、アンナはパトリックの靴のサイズから離婚の理由まですべて聞き出していた。とうとうパトリックがそろそろ行かなくちゃと言ったときには、女性陣の全員が反対した。アドリアンも疲れ切って昼寝をせずにいたなら、きっと反対したに違いなかった。

パトリックの車が走り去っていく音が聞こえたとたん、アンナが目を見開いてエリカの方を向いた。

「驚いたわ、パトリックったら母親が夢見る理想のお婿さんになってるじゃない。彼に弟はいなかったかしら?」
エリカは答える代わりに、幸せそうに微笑んだ。

パトリックは、取り組まなければならないと分かっていた仕事に二時間ほど遅れてしまった。その仕事のせいで、夜通し眠らないで寝返りを打つ習《なら》いになったのだ。天職として選んだ職業の不可欠な部分だと承知しているものに対して、彼が怯えることは滅多になかった。二件の殺人事件のうち一件の解決法は分かったが、それは喜べるものではなかった。

パトリックはゆっくりとセールヴィークから町の中心部へと向かっていった。できるだけ先に延ばしたかったが、その道のりは短く、望んでいたよりも早く着いてしまった。エヴァス・フーズ脇の駐車場に車を停めたら、あとは歩かなければならない。海辺のボートハウスが並んでいる場所へと下っている急勾配の通りは数本あるが、目指す家はその一つのいちばん上にあった。そこはもともと立派な古い家らしかったが、長年手入れをされていなかったように見えた。パトリックは玄関ドアをノックする前に、深呼吸をした。しかしその木造の扉をノックしたときには、ただプロ意識だけが必要だった。彼は警察官であって、警察官として職務を行わねばならず、それに対して、私人としての感情を差し挟むことは許されなかった。

ヴェーラは、ほとんど即座に開けた。問いかけるようにパトリックを見たが、中に入らせてもらえないかと言うと、すぐ脇に寄ってくれた。彼女は先に立って台所に入り、二人はテーブルに着いた。彼女はどんな用で来たのか尋ねようとしなかったが、このことに彼は心を打たれた。一瞬、それは彼女が分かっていたからかもしれないと思った。どちらにしても、彼はできるだけ慎重に自分の言おうとすることを語らなければならなかった。

ヴェーラは穏やかな目でパトリックを見ていたが、目の下にはくっきりと黒い隈ができているのが見えた。それは息子の死を悼んだ悲しみの印だった。テーブルの上には古いアルバムが置かれていたが、それを開いたらアンデシュの子供時代からの写真が見られるに違いないと思った。わずか数日前に亡くなった息子を悼んでいる母親だと思うと、パトリックは彼女を慰めたい思いに駆られたが、彼にはアンデシュの死の真相を明らかにする任務があった。今は同情するのではなく、任務に集中するべきだった。

「ヴェーラ、先日お会いしたときは本当にお気の毒な状況でした。まずは息子さんのこと、心からお悔やみ申し上げます」

彼女は返事の代わりにうなずいただけで、パトリックが話を続けるのを待っていた。

「あなたにとって息子さんを亡くしたことがどれほど辛いかは分かりますが、わたしは仕事で、アンデシュに何が起きたか調べなければなりません。分かってもらいたいのですが」

パトリックは子供を相手にするように、はっきりと話した。なぜかよく分からなかったが、ヴェーラにちゃんと理解してもらうことは重要だと感じたのだ。

「警察はアンデシュの死を殺害事件と断定して、アレクサンドラ・ヴィークネル殺害事件との繋がりも調べてきました。アレクサンドラとアンデシュが関係を持っていたことは、すでに摑んでいます。アンデシュを殺したと考えられる人間の痕跡はまだ見つけられずにいますし、殺害そのものがどんなふうに行われたのかも全然分かっていません。率直なところ、これからどういうふうに捜査していいのかも分かりません。ですから、事件が具体的にどんなふうに展開したものか納得のいく説明ができる人間はいないんです。しかし、わたしはあれから、アンデシュの部屋でこれを見つけました」

パトリックは例の紙のフォトコピーをテーブルの上に置いた。その文章をヴェーラのほうに向けて。驚きの表情が彼女の顔に浮かび、その目は何度も何度も紙とパトリックの顔の間を行ったり来たりする。ヴェーラは紙を手に取り、裏返しにした。指で文字に触れ、そのあとテーブルの上に戻した。まだ困惑した表情をしている。

「これを、どこで見つけたんだい？」

その声は、悲しみでかすれていた。

「アンデシュの部屋です。あなたがあのたった一枚の手紙を持ってきたはずなのに、どうしてここにあるのか、びっくりしているんじゃありませんか？」

ヴェーラはうなずいた。パトリックは続ける。

「実際、そのとおりなんです。しかし、アンデシュが手紙を書くのに使ったレポート用紙をわたしは見つけました。アンデシュの筆圧は高かったようですね。下の紙にも、書いた文字の痕が残っていました。それで読みとれたんです」

ヴェーラは皮肉な笑いを浮かべた。

「そんなことはちっとも考えなかったよ、当たり前だけどね。そいつを見つけるなんて、あんたは本当に利口だね」

「何が起きたのか、わたしには分かったように思いますけど、あなたの口から、あなたの言葉で話してもらいたいんです」

ヴェーラはしばらくその紙をいじりながら、まるで点字を読むように指先で文字を触っていた。一つ深いため息をつく。それから、優しい口調ではあっても有無を言わせぬパトリックの求めに従った。

「あたしは食料品が入った袋を持って、アンデシュの所に行った。ドアは鍵がかかっていなかった。まあ、大体いつもかかってなかったけど。ちょっと声をかけて、それから中に入った。中は静かで、まったく音がしなくて、しんとしていた。すぐに、息子の姿が見えた。あの瞬間、あたしの心臓は止まってしまったみたいだったよ。動悸がしなくなって、何の音も聞こえなくなったみたいだった。息子は軽く揺れていた。前へ後ろへってさ。まるで部屋の中に風でも吹いているみたいに。もちろん、そんなことがあるはずないって分かってたけどね」

「どうして警察に連絡しなかったんですか。それか、救急車を呼ばなかったんです?」

ヴェーラは肩をすぼめる。

「分からない。最初にしようと思ったことは、息子のもとに走っていってなんとかして下ろしてやることだった。でも、居間の方に行ったらすぐに分かった、もう手遅れだって。あの子はもう死んでたんだよ」

初めて、ヴェーラの声が少し震えているように聞こえたが、それから一度、唾を呑み込んで不気味なまでに穏やかに話を続けた。

「あたしは、この手紙を台所で見つけたんだよ。あんたは読んだから、そこに何が書いてあるか分かってるね。息子はこれ以上生きる力がないこと、生きることはただただ長い苦しみだったこと、そしてもうこれ以上戦う力はないこと、が書いてある。それ以上生き続ける理由は、息子には残ってなかったんだよ。あたしは台所に一時間ぐらい座っていたと思う。二時間かもしれない。よく分からないけど。手紙をハンドバッグに入れたのはあっという間のことだったよ。それから必要だったことは、息子がロープまで上がるのに使った椅子を台所のいつもの場所に戻すことだけだった」

「でも、どうして？　ヴェーラ、どうしてです？　そんなことをして、何の役に立つんですか？」

ヴェーラの視線はたじろがなかったが、その手が震えているのを見てパトリックは、見かけほど彼女は穏やかではないのだと知った。自分の息子が天井からぶら下がり、青く変色した舌を突き出し、目をむき出した姿を見せつけられることは、母親にとってどんなに恐ろしかったか想像もつかなかった。そんなアンデシュを見ることは、彼にも辛かったのだ。それなのに、ヴェーラはこれからそんな息子の姿をまぶたの裏に焼きつけたまま残りの人生を生きなければならない。

「あたしは、あの子がこれ以上侮辱されるのを見ていられなかった。これまで何年も、この土地の人間はあの子を、指を差しては笑い物にしてきた。あの子のそばを通りかかったときは、自分の方が上等な人間だと優越感に浸っていた。そんな連中が、アンデシュが首を吊ったと聞いたら何て言うと思う？　そんな辱めからあの子を守ってやりたかった。だけど、自分が思いついた仕方でしか、あの子を守ってやれなかったんだよ」

「そうだとしても、まだ分かりません。どうして自分で命を絶つほうが、殺されることよりも息子さんにとって悪いことだと思ったんです？」

「あんたは若すぎて分からないんだよ。昔の呼び方をすれば自害人になるけど、そういう人間を軽蔑する気持ちは、この沿岸地方一帯の人間に根強く残っている。あたしの可愛い息子について、そんなふうには言わせたくなかった。生きている間ずっとひどいことをいっぱい言われていたんだから」

ヴェーラの声には、ひどくひやりとするものがあった。長年にわたり、彼女はありったけのエネルギーを使って息子を護り助けようとしてきた。たとえパトリックにはいまだに彼女の動機が理解できないとしても、彼女が息子が死んだ後も護り続けようとしたことは、まったく自然なことに思えた。

ヴェーラは手を伸ばしてテーブルの上にあるアルバムを取り、自分もパトリックも見られるように開いた。彼は人物の服装から判断して、写真は一九七〇年代のものだと考えた。アンデシュの顔には屈託がなく、少し黄ばんだ写真のどれもがカメラに向かって笑いかけている。

「いい子だったよ、あたしのアンデシュは」

うっとりとした声で言い、ヴェーラは人差し指で写真を撫でた。

「いつも本当に優しい男の子だった。あの子には問題なんか何もなかった」

パトリックは興味を覚えながら写真を見ていた。ここに写っている少年が、自分は社会の落伍者としてしか会ったことがない人間と同一人物だとは、とても信じられなかった。写真の少年が、どんな運命が自分を待ちうけているかを知らなかったことは幸いだった。写真の一枚に、パトリックは目を引かれた。痩せた金髪の少女が、バナナシートとドロップハンドルの自転車に乗っているアンデシュの脇に立っていた。少女はかすかに笑みを浮かべ、恥ずかしそうに前髪の下からカメラを見ている。

「この女の子はアレクスですね？」

「うん」ヴェーラの返事は短かった。

「子供の頃、二人はよく一緒に遊んでいたんですか？」

「しょっちゅう、ということではなかったね。だけど、まったく遊ばなかったわけでもない。ともかく、二人は同じクラスだったから」

用心しながら、パトリックはデリケートな領域に入っていった。頭の中で、いわばつま先で確認しながらそろそろと進んでいく。

「調べて分かったのですが、ふたりは短い期間、ニルス・ローレンツに習っていましたね？」

ヴェーラはパトリックをじろっと見た。

「うん、そうかもしれない。ずいぶんと昔のことだよ」

「わたしが分かっている限りニルス・ローレンツについては、いろいろ噂があったようですね。その後、行方不明になったときはさらに」

「このフィエルバッカでは、世間の人はありとあらゆることについて噂をしているからね。だからニルス・ローレンツについてだってきっと語っていたさ」

明らかに、パトリックは彼女の塞がっていない傷をほじくってしまったようだったが、さらにほじくらないわけにはいかなかった。

「わたしはアレクスの両親と話をして、ニルス・ローレンツについていくつか考えを聞きました。それは、アンデシュにも関わるものでした」

「そうかい」

ヴェーラは、パトリックのために楽にしてやるつもりは明らかにないようだった。

「あの二人が言うには、ニルス・ローレンツはアレクスを暴行した。またアンデシュも同じ被害を受けていたそうです」

ヴェーラは体をこわばらせて、細い棒のようにまっすぐ椅子のふちに尻をのせていた。そしてパトリックの言うことに、彼が質問のつもりで言ったことに、返事をしなかった。パトリックは彼女が答えるまで待ち続けることにした。しばらく自分の中で葛藤を続けた後、彼女はゆっくりとアルバムを閉じて立ち上がった。

「昔の話はしたくない。もう帰ってもらいたいね。アンデシュを見つけたときにあたしがしたことに対して、警察が手段を講じるっていうなら、あたしは逃げも隠れもしないから。でも、埋められたままにしておかれるのがいちばんいいものをかき回すというなら、警察に手を貸すつもりはないよ」

「質問をもう一つだけ。あなたたちはこのことでアレクスと話をしましたか？　わたしに分かっているところでは、アレクスは過去のある事件を明らかにすることを決心したようです。そうだとしたら、あなたと話をしていたとしても不思議はないんですが」

「ああ、たしかに話してたよ。あの家であの娘が死ぬ一週間ほど前にね。過去に決着をつけるとか、古い骸骨を全部押し入れの中から出すとか、その他、子供じみた考えをいろいろ聞かされたよ。今風の戯言さ、あたしに言わせれば。今は誰もかれもが、自分の汚れた洗濯物を人前で平気で洗うような真似をするね。まるで、自分の秘密や罪過を人目にさらすのはいかにも有益だという考えに取り憑かれているみたいだね。それでも、中には人目にさらさないで隠しておいた方がいいものもあるんだ。このことは、あの娘にも言ってやったよ。あたしの言葉を聞き入れてくれたかどうかは分からないけどさ。聞き入れてくれたらいいと思っているけど。そうでなかったら、あたしはあのくそ寒い家にわざわざ出かけていったあげくに、厄介な膀胱炎になっただけだ」

それを合図に、ヴェーラは話は終わったといわんばかりに玄関に向かった。それからパトリックのためにドアを開け、堅苦しい別れの挨拶を告げた。

パトリックは防寒帽の耳被いを耳の上まで下ろしミトンをはめて冷たい外気の中に出たとき、左右どちらの足に体重がかかっているのかさえ分からなかった。彼は体を温めようとしてその場で何回かジャンプしてから、急ぎ足で車の方に向かった。

ヴェーラは複雑な女性だ。そこまでは、彼女と話している間に理解できた。パトリックとはまったく異なる世代に属して、それでも多くの点で同じ世代の価値判断とは対立しているようだった。息子が生きていた間ずっと独力でふたりの生活を支え、彼が成年に達して自活自立していて良かった後もずっと護っていた。見方によっては、多年にわたって男に頼らずに生きてきた、解放された女性だ。しかし同時に、同じ世代の女性たち、そして、その部分では男性たちにも共通するルールに縛られていた。パトリックは心ならずも、彼女に対して称賛の念を禁じ得なかった。ヴェーラは強い女性だ。一生ずっと誰よりも忍耐を強いられてきた女性だ。

アンデシュの自殺を他殺と見せかける偽装工作をしたことが、ヴェーラにどんな結果をもたらす可能性があるのか、パトリックには分からなかった。この情報を署で必ず報告する必要はあったが、その後の展開はまったく予測できない。パトリック自身が決めることができるなら、みんなに見て見ぬふりをしてもらいたかったが、そうなるはずだと約束できなかった。法律的には、たとえば捜査妨害の罪で逮捕される可能性はあったが、そんなことには絶対なってほしくなかった。パトリックはヴェーラが好きだ。その思いは否定できない。彼女は戦士《ファイター》であり、そんな女性がどこにでもいるわけではなかった。

パトリックが車に乗り、携帯電話の電源を入れたとき、伝言が一件あるというメッセージが表示された。再生してみると、相手はエリカだった。今晩、彼と夕食を共にすることを希望している淑女が三人と、とても、とっても小さな紳士が一人いるという連絡だった。パトリックは腕時計を見た。もう五時になっている。大して葛藤することもなく、署に戻るには遅すぎると結論づけた。それに、自宅に帰ってもすることもない。エンジンをスタートさせる前に、署のアンニカに電話して簡単に捜査の状況を話したが、詳細は省いた。状況全体の説明は、じかにメルバリにしたかった。状況が誤解されることと、ただ自分の楽しみのために大げさな作戦を署長がやらかすことは、是非とも避けたかったのだ。

エリカの家へと車を走らせている間ずっと彼の考えはアレクス殺害に戻っていた。さらに新たな袋小路に突き当たってしまったことにいら立った。殺害が二件あることは、犯人が失敗を犯したチャンスが二倍になることを意味した。こうして彼はまた振り出しに戻ってしまう。このとき初めて、アレクスを殺害した犯人はひょっとしたら見つけられないかもしれないという考えが浮かんだ。そのため、妙に悲しくなった。まるで自分が他の誰よりもアレクスを知っているような気がした。アレクスの不幸な子供時代と、暴行を受けた後の人生について知り得たことに、深く心を動かされた。そして、これまでの自分の全人生で望んできたどんなことよりも、彼女を殺した犯人を見つけ出したいと強く思った。

しかし、現状を受け入れるしかない。また袋小路に入ってしまった。どこに向かったらいいのか、どこを調べたらいいのか、皆目分からない。パトリックは自分に言い聞かせた。今日はもう事件のことは忘れよう。これから、エリカと妹、それから子供たちに会うのだ。これが今晩自分が必要としていることだ。この悲惨な出来事のせいで、心の中をずたずたにされてしまった今は。

メルバリは、いらいらしてデスクを指でトントン叩いていた。あの若造はどこにいるんだ？　あいつはここを保育園とでも勘違いしているのか？　自分の好きなときに来たり帰ったりできると思ってるのか？　たしかに今日は土曜日だが、このヤマが終わらないうちに休みを取れると思ってるなら、とんでもない間違いだ。近いうちに、あいつを妄想の夢から叩き起こしてやる。自分の署では、厳しい規則と明快な秩序しか価値はない。それから、はっきりしたリーダーシップだ。これは時代の流れというものだ。そして、指導者の資質を持って生まれた人間がいるとすれば、それは自分だ。彼の母親も、息子はいずれ大物になるとつねづね語っていた。たとえ二人が見込んでいたよりも、大物になるのに時間がかかり始めているかもしれないと認めざるを得ないとしても、自分の優れた資質が報われることは一度として疑わなかった。

だからこそ、部下たちが捜査で立ち往生しているように見えることには、ひどくいらいらさせられた。出世のチャンスがすぐそばに来ていて、その匂いが嗅げそうに感じられた。しかし、できそこないの部下たちが早く少しでも成果を出し始めなければ、彼の昇進とイェーテボリへの異動はかなわずに終わるだろう。あいつらはみんな怠け者だ。両手と懐中電灯を使って自分の尻を見つけるような簡単なこともできない田舎の警官どもだ。若いヘードストルムには若干の希望を抱いていたのだが、やつにも他の連中と同様失望させられそうだ。とにかく、やつは先日のイェーテボリ出張の結果をまだ報告していない。きっと、経費がかかっただけで終わったのだろう。もう九時を十分も過ぎているというのに、やつの姿は見えない。

「アンニカ！」

メルバリは開いているドアに向かって叫んだ。そして、呼び出しにアンニカがようやく答える気になって、立ち上がってやって来る一分ほどの間に、さらに不満を募らせていた。

「はい、何ですか」

「ヘードストルムから何か言ってきたか。あいつはまだ暖かいベッドの中でぬくぬくしてるのか？」

「それはないでしょう。電話があって、今朝、車をスタートさせようとしたらうまくかからなかったけど、もうこっちに向かってるところだと言ってましたから」

アンニカは腕時計を見た。

「十五分もすれば到着するはずです」

「馬鹿なことを言うな！　あいつの家は歩いても来れる距離じゃないか」

すぐに答えは返ってこず、メルバリが驚いたことに、アンニカの口の端にかすかな笑みが浮かんでいるのが見えた。

「そうですね、彼は自宅にはいなかったと思いますよ」

「だったら、どこにいたというんだ?」

「それはパトリック本人に訊いてください」とアンニカは言い、メルバリに背中を向けて自室に戻った。

パトリックが実際に遅刻するちゃんとした理由がありそうなことが、なぜか一層メルバリをいらだたせた。車の調子がおかしい場合は、事前に予測できるようにするとか、朝、少し時間の余裕を持つとかできないのか?

十五分後、パトリックが出勤してきて、メルバリのオフィスの開いているドアをノックして入ってきた。息を切らし、頬を赤くしている。上司を三十分近く待たせているというのに、ずうずうしいほど明るくて元気そうな様子だった。

「おれたちはパートタイム仕事をしているのか、えっ? 昨日はどこにいたんだ? イェーテボリに出かけたのは、おとといじゃないのか?」

パトリックはデスクの真向かいにある来客用椅子に腰かけて、穏やかにメルバリの攻撃に答えた。

「遅刻して申し訳ありません。車がどうしても動いてくれなくて。結局、動かすのに三十分ほどかかってしまいました。そうです、自分がイェーテボリに行ったのは、おとといです。昨日の捜査結果を話す前に、まずそのことについて報告するつもりでした」

メルバリはぶつぶつ言いながら、不承々々認めた。パトリックは、アレクスの子供時代について明らかにできたことを語り、むかつくような詳細を残らず伝えた。そして、ユーリアがアレクスの娘だという知らせに、メルバリは顎が落ちそうなほど面食らった。そのような話は、これまで一度も聞いたことがなかった。パトリックは続けて、カルエーリックが病院へ救急搬送されたことと、アンデシュのアパートで見つけたレポート用紙を大急ぎで鑑定してもらった経緯について話した。さらに、それが自殺の遺書と判明したことを説明し、昨日の自分の行動について説明した。とりあえず言うべきことを言い終えると、いつになく沈黙したままのメルバリに向かって、パトリックは締めくくった。

「これで、自分たちが追っている殺人事件の一つは自殺と判明しました。そして、もう一つの殺人については、誰が、何のためにやったのか全然想像もつきません。ただ、アレクサンドラの両親が語っていたことと関係しているような気がします。しかし、まったく証拠もありませんし、事実の裏付けもありません。自分が知り得た事実はこれですべてです。これからどういうふうに捜査を進めればいいか、署長には何かいいお考えはありませんか？」

しばらく沈黙した後、メルバリはなんとか落ち着きを取り戻した。

「なるほど、とても信じられない話だな、そいつは。二十三年も昔の食べ残しのヤマよりもおれは、女と一緒にベッドにもぐっていたやつの方に賭けたいもんだ。アレクスの愛人だった男を引っ張ってきて、今度はちょっと強く締めつけてやったらどうだ。結果として、その方が署の経費のずっと適切な使用にもなるぞ」

アレクスのお腹の子供の父親が誰だったか、パトリックが告げたとたん、メルバリはダーンを容疑者リストのトップに据えた。

パトリックはうなずき、立ちあがって、部屋を出ようとした。

「ヘードストルム、あ、うーん、グッジョッブ」と、不本意そうにメルバリは言った。

「それじゃ、おまえはそっちを追うんだな?」

「もちろんです、署長。片付いたと考えてください」

その声には幾分皮肉が込められているような気もしたが。しかし、パトリックは無邪気そうな表情を浮かべている。その疑いを、メルバリは振り払った。経験に裏付けされた声に耳を傾けるだけの感覚を、この若造はどうやらちゃんと持っているようだ。


欠伸の目的は、脳に酸素を供給することだ。果たしてそれが自分にとって役に立っているのか、パトリックは大いに疑問視していた。自宅のベッドで眠れぬ夜を過ごしたあの夜の疲労が彼を捉えていた。そして、いつものように多数決によって、エリカといっしょに眠れなくなってしまった。最近すっかり馴染みになっていたデスクの上の書類の山に、彼は疲れた目を向ける。書類の束を全部ごみ箱に突っ込むことができたら、どんなにいいだろう。パトリックはもう心底この捜査にはうんざりしていた。何カ月も過ぎてしまった気がしたが、実際はせいぜい四週間ほどのことだ。あれからたくさんのことがあったのに、捜査は進んでいない。アンニカがパトリックのオフィスを通りかかり、彼が目をこすっているのを見て、欲しくてたまらなかったコーヒーを持ってきてくれた。

「厄介そうね?」

「ああ、目下のところ、少し面倒になっているのを認めざるを得ない。もう一度初めからやり直すしかない。この書類の山のどこかに、答えはあるんだ。必要なのはちょっとした手がかりなんだが、それが見つけられなくてね」

「じゃあ、他のことは?」

パトリックはお手上げだと言いたげに、書類の山の一つの上に鉛筆を投げた。

「他のことって?」

「仕事はひとまず脇に置くとして、あなたの人生はどうなってるの?　わたしの言いたいこと、分かるでしょ?」

「ああ。あんたの言いたいこと、よく分かるよ。それで、何を知りたいんだ?」

「あいかわらずビンゴのレベルなの?」

ほんとうに知りたかったわけではないが、パトリックは仕方なく尋ねた。

「ビンゴのレベルって?」

「そうよ。ぞろ目の5……」

からかうような笑みを唇に浮かべると、アンニカは出ていってドアを閉めた。

パトリックは含み笑いをした。確かに、そんなふうにも言えるだろう。

彼は無理やり頭を仕事へと切り換えて、ボールペンで頭をかきながら考えに耽っていた。

何か辻褄の合わないものがある。ヴェーラの言っていた何かが、まったく合わないのだ。パトリックは彼女の話を聞きながらメモした紙を取り出し、そこに書いた言葉を一つひとつ丁寧に見ていった。ゆっくりと一つの考えが形取られていく。ほんの細部にすぎなかったが、重要なものかもしれない。慣れた手つきで、デスクの上の書類の山から一枚の紙を抜き取った。乱雑に置かれているように見えて、どこに何があるのか、彼はちゃんと把握していた。

そこに書かれていることを注意深く読んでいったパトリックは、やがて受話器に手を伸ばした。

「こんにちは、こちらはターヌムスヘーデ署のパトリック・ヘードストルムです。これからお訪ねしたいのですが、ご在宅ですか？　いくつかお尋ねしたいことがありまして。いらっしゃる？　よかった。それでは、二十分くらいしたらそちらに着きます。どちらにお住まいで？　フィエルバッカ・インターのすぐそばですね。急な坂のすぐ後で右へ曲がって、それから左手の三番目の家。赤い家で、家の四隅が白い。オーケー、きっと見つけられます。分からなければ、また電話させてもらいます。それでは、のちほど」

二十分も経たないうちに、パトリックは玄関ドアの前に立っていた。何の問題もなく、その小さな家を見つけられた。この家に、エイラートは家族と一緒に何年も何年も住んでいたのだと、彼は想像した。拳で木造のドアをノックするとほぼ同時に、尖ってやつれた顔をした女性がドアを開けた。彼女は機嫌よくスヴェーア・バリと名乗り、エイラートの妻だと付け加えて、小さな居間に案内した。パトリックは、自分の電話が彼女を慌てさせ、よけいな仕事をさせてしまったことを知った。上等な陶器がダイニングテーブルの上に置かれ、七種類のケーキが脚の長い三段のケーキスタンドに載せられていた。この事件が解決するまでに、胴回りに立派な脂肪のスペアタイヤができてしまいそうだ。パトリックは心の中でため息をついた。

直感的にスヴェーア・バリを嫌いだと思ったが、握手をしたときに活き活きした明るい青い目を見て、夫のほうには同じくらい直感的に好感を持った。エイラートの手にたこがあるのを感じて、この人は一生ずっと懸命に働いてきた男なんだと分かった。

エイラートが立ち上がったとき、ソファカバーが皺くちゃになってしまい、眉間に深いた皺を寄せて、スヴェーアが夫をなじるようににらみつけながらカバーを伸ばしていた。家全体がぴかぴかに掃除されていた。クロス類にはよけいな皺が一つもなかった。ここに人が住んでいるなんて、とても信じられなかった。パトリックはエイラートが気の毒になった。まるで我が家で迷い子になっているようだった。

パトリックの方を向いたときの取り入ろうとする笑顔と、夫の方を向いたときのなじるようなしかめ面とをすばやく入れ代える際のスヴェーアの顔は、コミカルと言ってよかった。スヴェーアをそんなふうにいらだたせるような何を、彼女の夫はしでかしてしまったのだろうか。もしかしたら、エイラートがただそこに同席していることが彼女のいらだちのもとかもしれないと、パトリックは疑った。

「さあ、刑事さん。座って、コーヒーとケーキをどうぞ」

パトリックが素直に窓の方を向いている椅子に座って、その横の椅子にエイラートが座るそぶりを見せた。

「そこじゃなく、エイラート。分かってるでしょ。あんたはそっちに座って」

スヴェーアが命令するように指差した椅子は、テーブルの短い側にあった。エイラートはおとなしく従う。スヴェーアが落ち着きなく動きまわって、テーブルクロスやカーテンのありもしない皺を伸ばしながらコーヒーを注いでいる間、パトリックは周りを見まわしていた。この家のインテリアが、裕福に見せようとする人間の手によって整えられているのは明らかだ。何もかも本物ではなく、粗悪なコピーだった。まるで絹であるように見せかけた、前衛的なデザインの縁飾りとばら結びが付けられたカーテンから、多くのシルバープレートやイミテーションゴールドの小物まですべて。エイラートはまさしく、この偽りの豪華さの中に迷い込んでしまった小鳥のように見えた。

パトリックはいらだちを覚えたが、それは、ここにやって来た目的をなかなか果たせなかったからだ。スヴェーアが音をたててコーヒーを飲みながら、休みなくぺちゃくちゃ喋っていた。

「このセットはね、アメリカにいるあたしの妹が送ってくれたんですよ。向こうでお金持ちと結婚した妹は、いつもこんな立派なプレゼントを送ってくれるんです。とても高価なものなんですよ、このカップセットは」

そして意味ありげに、スヴェーアはエレガントな模様が描かれたコーヒーカップを持ち上げて見せた。パトリックは彼女が示したカップが高価だとは思えなかったが、賢明にもそれを口にすることはしなかった。

「実は、あたしもアメリカに行ってたはずなんですよ。体が弱いってことがなかったらね。もっと丈夫だったら、あたしもきっと今ごろはあちらでお金持ちと結婚していて、こんなあばら家に五十年も住んでなかったでしょうね」

スヴェーアに非難の視線を向けられても、エイラートは平然と妻のお喋りを聞き流している。間違いなく、彼がこれまで何度となく聞かされてきた繰り言だろうと、パトリックは察した。

「痛風なんですよ、刑事さん。関節がすっかり駄目になって、朝から晩までずっと痛くって。運のいいことに、あたしは文句を言う人間じゃありません。あたしのような恐ろしい偏頭痛があったら、つい泣き言を口にしそうなものだけど、あたしはそういう性格じゃないんですよ。不満を口にするような性格じゃ。自分の苦しみなんてものは、気持ちを静めて我慢するものです。あたしは、何度こう言われたか分かりません。『あなたはなんて強いの、スヴェーア。来る日も来る日も痛みを我慢できるなんて』とね。でも、あたしはそういう人間なんです」

彼女はこれ見よがしに、両手を握り合わせてよじりながら謙遜しているように目を伏せた。その手は、パトリックの素人目にもとても痛風に悩まされているようには見えなかった。なんて性悪のがみがみ女なんだ。塗りたくって、安物のアクセサリーで飾り立てて。その外見について肯定できることがあるとすれば、少なくとも部屋のインテリアにはぴったり合っているということだろうか。一体どうしたら、エイラートとスヴェーアのような不釣合いな夫婦が五十年も一緒にいられたのだろう。それは世代問題なのだろうな、とパトリックは考えた。この世代は、性格の不一致くらいで離婚することなどなかったに違いない。しかし、気の毒なことだ。エイラートの人生はあまり楽しくなかっただろう。

パトリックは咳払いをして、スヴェーアの怒濤のようにほとばしる言葉を遮ろうとした。すると、彼女は素直に口を閉じてパトリックの唇を見つめ、一体どんなわくわくするニュースを持って来たのか聞かせてもらおうと待ちかまえた。きっとパトリックがこの家の玄関を出るやいなや、すごい勢いで噂が広まるのだ。

「そう、エイラート、あなたがアレクサンドラ・ヴィークネルを発見するまでの数日について、いくつか質問があるんです。あなたがあの家に行って様子を見たときのことですが」

そこで言葉を切ると、パトリックはエイラートを見つめ、彼が答えるのを待った。しかし、先に口を開いたのはスヴェーアだった。

「ええ、そうなんです。だからあたしは言ってるんです。この町でもそういうことが起きるって。それから、うちのエイラートがあの女を見つけたって。この数週間、ここではその話題でもちきりですよ」

スヴェーアの頰は興奮して火照っていた。彼女が喋っている間、パトリックはきついことを言わないようにじっと我慢した。その代わり、冷笑を浮かべて言う。

「もしお許しいただけるんでしたら、少しの間、ご主人と二人だけにしていただけませんか。

当事者の方の証言を取るときは、他の方の同席なしに行うことが警察の慣例なものですから」

真っ赤な嘘だったが、スヴェーアは興奮の台風の目から追い払われることに腹を立てていたとしても、この件における警察官の職権を認めて、しぶしぶテーブルから立った。すると、エイラートが愉快そうな、感謝するような視線をパトリックに向けた。スヴェーアの面目は丸つぶれで、いちばんおいしい話を聞けないことに、意地の悪い喜びを隠し切れないようだった。彼女が足を引きずりながら台所に出ていったのを見て、パトリックは改めて口を開いた。

「どこまで話しましたっけ……そう、あなたがアレクサンドラ・ヴィークネルの家で、彼女の死体を発見する前の週のことから話していただけませんか？」

「そんなこと、一体どんな意味があるんだい？」

「今のところは、はっきりと分かりません。でも、意味があるかもしれないんです。とにかく、実際あったことをできるだけ多く詳しく思い出してみてください」

エイラートは黙ったまましばらく考え、その間に、錨が三つ描かれた袋からタバコを取り出して丁寧にパイプに詰めた。パイプに火をつけると、数回、パッパッと吸ってからやっと話し始めた。

「そうだな、わしはあの娘の死体をあの金曜日に見つけた。いつも金曜日には出かけていって、あの娘が夕方にやって来る前にいろいろ点検していたんだ。だから最後にわしがあそこに行ったのは、その前の金曜日だ。いや、実はあの金曜日は下の倅《せがれ》の四十歳の誕生祝いに行くことになっていたから、前日の木曜日の晩に行ったな」

「そのとき家の様子はどうでした？　何か変わったことに気づかなかったですか？」

パトリックは口調に熱がこもるのを隠せなかった。

「何か変わったこと？」

ゆっくりとパイプを吸いながら、エイラートはまた考えこんだ。

「うん、みんな、ちゃんとなっていた。わしは家の中と地下室を見まわったが、どこもおかしなところはなかったと思う。あの家を出るときは鍵もちゃんと掛けたし。合鍵をもらっていたんだ」

パトリックは、自分の心を悩ませていた質問をあからさまに聞かざるを得ないと覚悟した。

「ボイラーですけど、故障していませんでしたか？　家の中は暖房が効いてましたか？」

「うん、もちろん。あのときはボイラーに問題はなかった。きっと、わしがあの家から出たあとに止まったんだろう。よく分からんが、何か意味でもあるのか、いつボイラーが止まったかということに？」

エイラートは少しの間、パイプを口から離した。

「正直言って、そのことに意味があるのかどうか、分かりません。でも、ご協力に感謝します。重要なことかもしれませんので」

「これはまったくの好奇心から訊くのだが、どうしてあんたは電話で訊こうとしなかったのかね？」

パトリックは笑った。

「わたしは古くさい人間なんでしょうね。電話ですと、会って話すのと同じくらい多くのことが聞けるとは思わないんです。今ではなく百年前、いろいろ新式の発明がされる前に生まれるべきだったのかもしれません」

「それは違うぞ、お若いの！　昔はよかったなんてたわごとは信じては駄目だ。寒さ、貧乏、そして夜明けから夕暮れまでの労働は、夢見るようなものではないからな。そうだろう？　わしだって、新製品は利用できるものは全部使っているぞ。コンピューターもあるし、インターネットにもつないでいる。わしのような老いぼれが、と信じられないだろうがな」

そう言って、エイラートは心得顔でパイプをパトリックに向けた。

「いいえ、それほど驚いてませんよ。おや、そろそろ失礼しなくては」

「役に立ったならいいんだが。あんたが無駄足を踏まずにすめばな」

「もちろんです。こちらが知りたかった情報をまさに教えてもらいましたからね。それに、奥さんの美味しいケーキもご馳走になりましたし」

エイラートは我が意に反して、吹き出した。

「そうだな、ケーキを作るのはうまい。それはわしも認めなくては」

そして、エイラートは沈黙したが、その沈黙は五十年の苦難の数々を内に秘めているようだった。間違いなくドアに耳を押し付けていたスヴェーアがそれ以上我慢できなくなって、部屋に入ってきた。

「それで？　あなたは必要なことが分かりましたか」

「はい。ありがとうございます。ご主人がとてもご親切で。コーヒーと美味しいケーキもごちそうさまでした」

「たいしたおもてなしもできませんで。気に入っていただけたなら嬉しいですよ。さあ、エイラート、さっさとテーブルの片付けを始めて。あたしは刑事さんを玄関まで送るから」

エイラートは素直にコーヒーカップと皿を寄せ始めたが、その間、スヴェーアは怒濤のように言葉を発しながら、パトリックを玄関ドアまで送る。

「外に出たら、ドアをしっかり閉めてくださいね。あたしは隙間風に我慢できないんですよ」

背後でドアが閉まったときには、パトリックはほっとひと息ついた。なんてひどい女だろう。それでも、求めていた確認は得られた。これで、アレクス・ヴィークネル殺しの犯人ははっきり分かった。

アンデシュの埋葬は、アレクスのときと同じようには天気に恵まれなかった。寒風が、衣服から出ている部分の肌を刺し、人々の頬には寒さのために赤い斑点ができた。パトリックはできる限り温かい服装をしてきたのだが、それでも容赦ない冷気には十分でなかった。棺が墓穴の中にゆっくりと降ろされるときも、彼は穴の縁に立ってぶるぶる震えていた。葬式自体は短時間で、さびしいものだった。教会に来たのはわずか数人で、パトリックはいちばん後ろの席に目立たないように座っていた。最前列に座っていたのは、ヴェーラ一人だけだった。

パトリックは埋葬の場までついて行くかどうか迷ったのだが、アンデシュのためにできるのはそれくらいだと思って、最後の瞬間に立ち会うことに決めた。ヴェーラは、彼が観察していた間、ずっと表情ひとつ変えなかった。だからといって、悲しみが小さいわけではないと思った。ただ、人前で自分の感情を表に出すのを好まない人間なのだ。そのことをパトリックは理解できたし、また共感もできた。ある意味で、彼女に驚嘆していた。彼女はとても強い女性だ。

埋葬も終わり、数人の参列者はばらばらに散っていった。ヴェーラはうなだれたまま、砂利の小道をゆっくりと教会の方に向かっていた。寒風が強く吹きつけ、彼女はネッカチーフをマフラー代わりにして頭に被っていた。一瞬、パトリックは迷った。心の中の葛藤が足を止めさせ、ヴェーラとの距離を数メートル広げたが、彼は意を決して足早に彼女を追った。

「いい葬儀でしたね」

追いついて声をかけると、ヴェーラは苦々しく笑った。

「アンデシュの葬儀が本人の人生の大部分と同じように哀れなものだったことは、あたしに劣らずあんたもよく分かってるだろ。それでも、ありがとう。親切な言葉をかけてくれて」

ヴェーラの声には、長年の疲れが滲んでいた。

「あたしは有難いと思わなければいけないかもしれないね。ほんの数年前だったら、息子は普通の墓地に葬ってもらえなかったはずだ。隔離された場所、教会の聖別された土地の外、自害人向けに区別してあてがわれていた場所に葬ることしか許されなかったはずだ。今でも多くの年寄りが、自害人は天国に行っていないと思ってるよ」

そうして、しばらく黙り込む。パトリックは彼女が話を続けるのを待った。

「アンデシュが自殺したときにあたしがしたことで、なにか法律上の問題が生じるかい?」

「いいえ、そうならないと保証できます。あなたが実際やってしまったことはとても残念なことですし、それに関連する法律もたしかにありますが、法律問題にはならないと思いますよ」

二人は信徒会館の前を通り過ぎ、ゆっくりとヴェーラの家のほうに向かっていた。彼女の家は教会から二百メートルほどしか離れていない場所にあった。昨夜、パトリックはどういうふうに話を持っていったらよいのか思案し続け、残酷な方法だが、うまくいくのではないかと思える解決法を見つけていた。彼は無造作に言った。

「アンデシュとアレクスが死んだ今度の事件でわたしがいちばん悲劇的だと思うことはですね、二人以外に子供も一人死ななきゃならなかったことです」

ヴェーラはさっと彼のほうを向いた。そして足を止めて彼のコートの袖を強く引っ張った。

「どの子供が死んだって? あんたは何の話をしてるんだい?」

その情報が万難を排して隠し続けられたことを、パトリックは有難いと思った。

「アレクサンドラの子供です。殺害されたとき、彼女は妊娠してました。三カ月目でした」

「ご亭主……」

　ヴェーラは口ごもったが、パトリックはなんとか冷静さを保って続ける。

「ご亭主はまったく関係ありません。二人は数年前からずっと夫婦関係がなかったことがはっきりしてます。そう、父親は彼女がこのフィエルバッカで逢っていた男みたいです」

　彼のコートの袖を掴んでいたヴェーラの手に力がこもり、その関節が白くなった。

「神様、ああ、ああ神様！」

「確かに残酷な話です。生まれてもいない子供を殺すなんて。解剖報告書によると、男の子でしたよ」

　その哀れな子供に対し、パトリックは心の中で半べそをかかずにはいられなかったが、それ以上は言わないように自分を抑え、自分が見込んでいた反応を待った。今、二人は彼女の家から五十メートルほど離れた大きな栗の木の下に立っていた。彼女が突然動き出したとき、パトリックはただびっくりした。その年齢にしては、ヴェーラの足は驚くほど速かった。数秒してやっと我に返ったパトリックは後を追った。彼女の家に着くと、玄関ドアは開け放たれていた。そっと中に入る。そばの浴室からしゃくり上げる声が聞こえ、そのあと、激しく嘔吐する音が続いた。

　彼女が吐くのを聞きながら手に防寒帽を持って玄関で待っているのは、よくないことに思えた。濡れた靴を脱ぎ、コートを掛けくぎに掛けて台所に入っていった。数分してヴェーラが出てきたときには、コーヒーメーカーが音を立て、カップが二つテーブルに出ていた。彼女の顔はひどく蒼ざめている。このときパトリックは、初めて彼女の涙を見た。涙の跡を、目尻に光るものを。しかし、それで十分だった。ヴェーラは体をこわばらせたまま、椅子に腰かけた。

たった数分で何歳も老けてしまった。実年齢よりはるかに老けた女のように、ゆっくりと体を動かす。パトリックはさらに数分の猶予を与えて、コーヒーをふたり分注いだ。しかし腰を下ろした瞬間に、話しかけるようなまなざしで彼女に、真実を明かす瞬間が来たことを教えた。ヴェーラは、彼が知っていることが分かった。そして、もはや後戻りはできなかった。

「つまり、あたしは自分の孫を殺してしまったのか」

その言葉は彼女の自問自答と取って、パトリックは答えなかった。答えたならば、しばらくは嘘をつき続けなければならない。ここまで来てしまったら、もう引き返せない。やがてヴェーラは真実を知ることになるだろうが、真実を聞くのは彼のほうが先だ。

「あなたがアレクスの家に行ったのは彼女が死ぬ前の週だと嘘をついたとき、アレクスを殺したのはあなただと気づいたのです。彼女の家は寒くてあなたは震えていたと言いましたよね？　しかしボイラーが壊れたのはあの次の週、つまり彼女が死んだ週だったんです」

ヴェーラは遠くを見るようにまっすぐ上を凝視していて、パトリックの言葉はまったく聞いていない様子だった。

「おかしいね。今になって初めて、あたしは自分が他の人間の命を奪ってしまったことがほんとうに分かったみたいだ。あたしにとって、アレクスの死はちっとも現実味がなかった。でも、アンデシュの子供……その子ならちゃんと目の前に見られる……」

「どうしてアレクスは死ななければならなかったんです?」

彼の言葉を遮るように、ヴェーラは手を上げた。彼女はすべてを話す、しかし自分のペースでだ。

「きっとスキャンダルになってたはずだ。みんなが息子を指差して、いろいろ言ったはずだよ。あたしは、自分が正しいと思ったことをやったまでだ。でも、知らなかったよ、息子がみんなのあざけりの的になるなんて。あたしが黙ったままでいたことが息子を苦しめ、価値のあるものをみんな取り上げてしまうなんて。ことはひどく単純だったんだ。カルエーリックがここにやって来て、なにがあったのか話した。その前に彼はネッリーとすでに話していて、ふたりは同意していた。町中が知ってしまったら、何もいいことはなかったはずだ。あたしたちだけの秘密にしておくべきだった。あたしはアンデシュにとって何がいちばんいいかを考えて黙っているべきだった。それで、黙っていた。あれからずっと黙っていた。そして、毎年アンデシュは前の年よりも失うものが増えていった。自分だけの地獄の中でやつれていった。あたしはといえば、それに自分がかかわった部分を忘れることにした。そして、アンデシュが汚した跡を掃除し、あの子の生活を精一杯支えた。あたしができなかった事はたったひとつ、あった事をなかった事にすることだ。黙っていた事は絶対に取り戻せないんだ」

ヴェーラはごくんごくんと、わずか数口でコーヒーを飲み干すと、催促するようにそのカップをパトリックに向けて上げた。彼はポットを取ってきて、コーヒーを注いでやる。このコーヒーを飲む習慣のおかげで、ヴェーラは現実からかろうじて離れずにいられるようだった。

「黙っていることは暴力をふるうよりも質《たち》が悪いと思うことが、たまにあるよ。あたしたちもあのことは一度も話さなかった。この狭い家の中でさえね。そしてやっと今になって、そのせいで息子が一体どうなってしまったか分かった。あたしが何も言わなかったことを、息子は自分は非難されていると取っていたのかもしれない。それだけは、あたしには耐えられないことだ。起きてしまったことであたしが息子を責めていると、アンデシュが考えていたとしたら。あたしがそんなふうに考えたことは一度だって、ほんの一瞬だってなかったけど、それを息子が知っていたかどうか、今となっては知りようがないよ」

ほんの一瞬、ヴェーラの表情は崩れそうに見えたが、彼女はそのあと直ぐに背筋を伸ばして、なんとか話を続けた。ヴェーラが動揺を隠すのにどれほど努力しているのか、パトリックは想像するしかなかった。

「年が経つにつれ、あたしたちは一種のバランスを見つけていた。生きることがあたしたち二人にとって惨めであっても、自分たちが持っているもの、お互いがいる場所を知っていた。

確かにあたしは、アンデシュがあれからもときたまアレクスに逢っていたことや、ふたりが何かお互いに変に惹かれ合うものを持っていたのは知っていた。それでも、自分たちは、ずっとしてきたようにやっていけると思っていた。その後に、アンデシュが言った。アレクスが自分たちに起きたことを話そうとしているとね。古い骸骨を全部押し入れの中から出してきれいさっぱり片付けようとしている——こんなふうに息子は言っていたと思う。それを口にしたとき、息子自身はほとんど関心がないように見えたけど、あたしのほうはまるで電気ショックを受けたみたいだった。そんなことをされたら、きっと何もかも変わってしまう。アレクスがこんなに何年も経って昔の秘密を明るみに出してしまったら、何もかも変わってしまって、これまでどおりにはやっていけなくなる。そんなことをして何の役に立つんだい？　それから、世間は何て言う？　たとえアンデシュが自分には関係ないふりをしようとしたって、あの子のことはよく知っているよ、そんなこと無理だ。息子もあたしと同じくらい、アレクスには何も語ってほしくないと思っていたはずだ。あたしは自分の息子をよく知っている——知っていた」

「それで、あなたは彼女に会いに行ったんですね？」

「行ったよ。あの金曜日の晩にあそこに行って、アレクスに言い聞かせられればいいなと思って。あたしらみんなに影響することを、独りで決めるわけにはいかないことを分からせようとしてね」

「ところが、彼女は分からなかった……」

ヴェーラは苦々しく笑う。

「そうだ、分からなかった」

パトリックがまだカップ半分もコーヒーを飲んでいないというのに、ヴェーラはすでに二杯目も飲み干していた。それでも、今はカップを置いて、テーブルの上に両手を組み合わせていた。

「あたしはあの娘に頼んだんだよ。あのことを話されたらアンデシュにとってどんなに厄介な状況になるか、語って聞かせた。ところが、あの娘はあたしの目をまっすぐ見て、あたしが考えているのは自分自身のことだけで、アンデシュのことじゃないと言い張った。アンデシュだって、すべてがやっと明るみに出るのを喜ぶはずだとね。大人たちに黙っているように頼んだ覚えはなかったとも、あの娘は言ったんだ。あたしやネッリー、カルエーリックとビルギットがあのことを黙っていようと決めたとき、子供たちのためを考えたわけじゃなくて、自分たち大人の体面を汚さないことだけに関心があったんだとも言った。こんな生意気なことを言われて、あんたは黙っていられるかい？」

ヴェーラの目に燃え上がった怒りの炎は現れたのと同じ速さで消え失せ、すぐに感情を失くした生気のない目に戻っていった。それから単調に話し続ける。

「あの娘から、とんでもないことを言われたとき、あたしの中で何かが粉々に砕けてしまった。アンデシュにいちばん良かれと思ってしたことをすべきじゃなかったなんて言われてさ。頭の中でカチッって鳴るのが聞こえたぐらいだったよ、あたしは考えもせず、ただ行動していた。あたしはハンドバッグに自分の睡眠薬を入れていた。そして、あの娘が台所に行ったとき、あの娘のシードルのグラスに二錠砕いて入れた。訪ねていったとき、あの娘はワインをグラスに注いで出してくれた。そして、あの娘が台所から戻ってきたときに、あたしは言われたことを受け入れるふりをして、帰る前に友だちとして乾杯できないか、と言った。それを有難く思ったみたいで、あたしに付き合ってくれた。しばらくして、あの娘はソファで眠り込んだ。それからどうするか、あたしはちゃんと考えていたわけじゃなかった。睡眠薬のことはその場のひらめきだったけど、自殺のように見せられないかと考えついた。だけど、致死量を呑み込ませるだけの量は持っていなかった。たった一つ思いついたのが、手首を切ることだった。多くの人が浴槽で手首を切るのを知っていたので、うまくいきそうないい考えだと思ったんだ」

ヴェーラの声に抑揚はなく、まるで日常の出来事を語っているようで、殺害の経緯を説明しているようにはとても聞こえなかった。

「まず、あの娘の服を全部脱がせた。あたしは運んでいけると思ったよ。長年、掃除の仕事をしていて腕力はあったから。だけど、無理だと分かった。代わりに浴室まで引きずっていって、何とか持ち上げて浴槽に入れられた。そのあと、カミソリの刃で両手首の動脈を切った。カミソリの刃はキャビネットの中で見つけた。何年間か週に一度、あの家を掃除していたから、家の中のことはよく知っていた。あたしは自分が飲んだグラスを洗って、明かりを消して戸締まりをすると、合鍵をいつもの場所に戻して帰った」

パトリックは内心うろたえていたが、何とか落ち着いた声を出そうと努力した。

「お分かりでしょうが、いっしょに来てもらいます。応援を呼ぶ必要はないですね？」

「ああ、ないよ。少し物をまとめて持っていっていいかい？」

パトリックはうなずく。

「ええ、いいでしょう」

彼女は立ち上がり、戸口で振り向いた。

「あの娘が妊娠していたなんて、どうしてあたしに分かるかね？　確かに、ワインは飲んでいなかった。それは、おかしいと思ったよ。だけど妊娠しているからだなんて、思いつきもしなかった。酒を控えていただけかもしれないし、車で出かける予定だったかもしれないじゃないか。どうしてあたしに分かるかね？　無理っていうもんだろう？」

その声はいつしか懇願の響きを帯びていて、パトリックは自分が黙ったままうなずいているのに気づいた。いずれ子供はアンデシュの子ではないと告げなければならないが、しばらくは、彼女が自分に寄せてくれた信頼を失いたくなかった。アレクサンドラ・ヴィークネル殺人事件の捜査を永遠に終結する前に、ヴェーラが話を聞かせてやらなければいけない人間が数人いた。しかし、パトリックにはまだしっくりこないものがあった。ヴェーラはまだすべてを語ってはいないと、彼の直感が告げているのだ。

仕事が終わって車に戻ったとき、パトリックはアンデシュがこの世に宛てた最後のメッセージとして認《したた》めた手紙のコピーを取り出した。アンデシュが書いたことをゆっくりと読み進め、改めて、そこの言葉が発する痛みと苦しみがいかに強く自分の胸を打つか、パトリックは感じた。

VI

「おれの人生の皮肉は、おれをしばしば痛めつけてきた。自分の指と目で美を創り出す才能を持つ一方で、すべてにおいて醜悪と破壊しかなし得なかったという皮肉。だから、おれが最後にすることは、自分の絵画を破壊することだ。おれの人生における帰結を形にするために。実物以上に複雑な人間と思われるよりも、首尾を一貫させてクソだけをあとに残すほうがいい。

実際おれは単純だ。やりたかったことはたった一つ、おれの人生からほんの数カ月と数個の出来事を消し去ること。要求しすぎだとは思わない。それでも、おれは自分の人生で得たものに値していたのかもしれない。前世で恐ろしいことをしたのかもしれない。そしてその償いを現世で余儀なくされたということか。そうだとしても、実際何も変わりはしないが。しかし、そうならば、自分が何を償ったのか分かれば、悪くなかったろう。

なぜ、ずっと意味がなかった人生をあとにするのに、他でもないこの時点を選ぶのか、とみんなは不思議がるかもしれない。知るもんか。なぜ人は、何かをある特定の時点に行うのか。生きることがその最後の意義を失くしてしまうほど、おれはアレクスを愛していたのか。それも、いずれされる説明の一つになるだろう。しかし、おれが正直でなければいけないのかどうか、おれには分からない。死ぬという考えは、おれが長い間いっしょに生きてきた仲間だが、いま初めて、おれは覚悟ができたように感じられる。おれ自身が自由になれたのは、アレクスが死んだからだろう。アレクスには、いつも手が届かなかった、そのうえ包んでいた殻にごくごく小さな引っかき傷をつけることさえできない存在だった。しかし、アレクスでも死んでしまうということが分かって、おれ自身が同じ道を進む可能性が急に目の前に大きく開けた。長いこと旅支度をして、準備はできている。あとは、旅の一歩を踏み出すだけだ。

母さん、おれを許してくれ。

アンデシュ」

朝早く、あるいは真夜中とも言う人もいるかもしれないが、そんな時間帯に起きる習慣から彼は抜け出せずに生きてきた。これはそれでも、今度の場合には役に立った。四時に起きたとき、スヴェーアはなんの反応も見せなかったが、念のため衣服を手に持って、そっと階段を降りた。エイラートは居間で静かに服を着て、そのあと、食料貯蔵室のいちばん奥にしっかり隠しておいたスーツケースを取り出す。何カ月もかけて計画して、何一つ偶然に任せなかった。今日は、彼の余生の初日なのだ。

寒気にもかかわらず一発でエンジンが掛かり、四時二十分、エイラートはこの五十年住んだ家を車で後にした。まだ眠っているフィエルバッカを走り抜けて、古い風車小屋を過ぎてからやっとアクセルを踏み込み、それからディングレ方面に向かった。イェーテボリ市とランドヴェッテル国際空港まで二百キロ余り、のんびりドライブだ。スペイン行きの飛行機は八時まで出ない。

とうとう、自分の人生を思い通りに生きられるのだ。

このことをエイラートは長い間、何年にもわたって計画してきた。体の衰えは年を追うごとにひどくなっていたし、同じようにスヴェーアと暮らすことへの不満も大きくなっていった。自分はもっと報いられていいはずだと思っていた。インターネットで、スペイン南部コスタデルソルの小さな町の民宿を見つけた。海岸と観光地域から少し離れているので、料金は手ごろだ。希望するなら一年中滞在できることもメールでチェックずみだ。その場合には、女性オーナーによると、さらに割り引きもしてくれるらしい。スヴェーアに自分のする事なす事、ことごとく厳しく監視されながら金を蓄えるのには長い時間がかかってしまったが、とうとう成功したのだ。エイラートの見込みでは、つましく暮らせば今の蓄えで約二年はやっていけるはずで、その後はそれから考えればいい。今のところ、エイラートの情熱に水をさすものは何もなかった。

この五十年の間で初めて自由の身になったと実感して、エイラートはすっかり舞い上がっており、ポンコツのボルボのアクセルを少し余分に踏み込む自分に気づいた。車は長期駐車場に残しておくことにする。そのうちスヴェーアが見つけるだろう。見つけたからといって知ったこっちゃない。スヴェーアは免許を取ったことは一度もなく、どこかに行く必要があるときはいつも、エイラートは無料の運転手としてこき使われてきた。ただ一つ、少し良心がとがめるものがあるとすれば子供たちのことだ。他方、子供たちはエイラートよりもスヴェーアに近しく、ケチで心の狭いところも母親によく似てしまい、それをエイラートは悲しく思っていた。それは間違いなく、エイラートにも責任があった。一日中仕事に出て、さらに、できる限り家を留守にするために、あらゆる口実を考えたのだ。それでも、ランドヴェッテルから絵葉書を出して、自分の意思でいなくなることと、心配する必要がないことを伝えることにした。子供たちがエイラートを見つけるために大勢の警官を巻き込むことも、本意ではなかった。

闇を抜けて、無人の道路を走る。ラジオもつけず、静けさを楽しみながら。さあ、本当の人生が今、始まったぞ。

「あたしはとても理解できないわ。二十三年以上も前にアレクスとアンデシュが受けた暴行について口封じするために、ヴェーラがアレクスを殺したなんて」

エリカはワイングラスを手の中で回しながら考え込んでいた。

「小さな町の中で目立たないように生きなきゃいけないことを、軽く見たらだめだよ。もしあの暴行事件をめぐる古い話が表沙汰になったとしたら、世間の人間は後ろ指を指す新しい理由を見つけたことになる。だが、ヴェーラがアンデシュのためにやったんだと言い張っても、おれは信じない。確かにふたりに降りかかったことがみんなに知られることは、アンデシュも望まなかったことだというのは、ヴェーラの言うとおりかもしれない。しかし、アンデシュが子供の頃に暴行のターゲットにされていたということだけでなく、それに対して母親が何もしなかったばかりか、あろうことか隠蔽するのを助けてもいたこと、この二つのことが知られてしまったら、世間が何をひそひそ噂するか。そう考えていちばん我慢ならなかったのは、誰よりもヴェーラ自身だったとおれは思う。その恥が彼女には耐えられなかったのだろう。アレクスを殺したのは、説得するのが無理だと分かった後の一瞬の思いつきだったんだ。衝動だよ。衝動に従ってきちんと、かつ冷静にやったんだ」

「ヴェーラは今はどう受け止めてるの？　犯人だと突き止められてってことだけど」

「びっくりするほど落ち着いてた。おれたちが子供の父親がアンデシュではないこと、だから自分のまだ生まれてなかった孫を殺したのではないことを話したときは、ものすごくほっとしたと思う。その後は、もうどうなってもかまわないみたいだった。実際、かまわなければならない理由があるかい？　息子は死んでしまった、友だちはいない、生きる必要もない。何もかも白日の下にさらされた。これ以上失くせるものなんてない。あるとすれば、自分の自由だけ。これだって今のヴェーラにとって、どれだけのものやらって感じだ」

　二人はパトリックの家で、夕食をともにしてから、一本のワインを分け合って飲んでいた。エリカは、静かで落ち着いた雰囲気を楽しんでいた。アンナと子供たちが我が家にいるのは大好きだったが、我慢できなくなることも時おりあった。そして今日は、そんな一日だった。パトリックの方も、一日中取り調べにかかりきりだったが、それが終わると、エリカを迎えに行き、お泊まり用の小さなスーツケースと一緒に自宅に連れて帰った。今はここで、働き者の中年夫婦みたいにソファで丸くなっていた。

　エリカは目を閉じた。この瞬間は、素晴らしくもあり、同時に恐ろしくもあった。何もかも、こんなに完璧だが、同時に、これからはただ坂道を転げ落ちていくことになるのだろうと、どうしても考えてしまう。自分がまたストックホルムに戻ったらどうなるかなんて、少しも考えたくなかった。エリカとアンナはこの数日間、あの家の問題をめぐって話し合うのを避けてきた。アンナが今はなにか大きな決断をできる状態だとも思わなかったので、そのままにしてある。

しかし今夜は、未来のことなど考えたくなかった。明日のことなど全然考えないで、代わりにこの短いひとときを目いっぱい楽しむほうがいい。エリカは自分の暗い考えを払いのけた。

「今日ね、出版社と話をしたわ。アレクスの本のことで」

「そうか、なんて言ってた？」

パトリックの目に浮かんだ強い関心にエリカは喜んだ。

「アイデアは素晴らしいと言ってたわ。持っている材料をすぐに送ってほしいって。ラーゲルルーヴの本は今でも書き上げなきゃならないけれど。締め切りを一カ月延ばしてもらって九月に完成する約束をしたわ。二冊を並行して書くこと、なんとかやれると思う。そういうやり方で、これまでもうまくいってたし」

「法律的なことを、出版社はどう思ってるんだろう？　きみがアレクスの家族に告訴されるかもしれないということについて、だけど」

「出版の自由に関する法律はとても明快。家族の許可がなくても、わたしにはそれを書く権利があるの。でも、アレクスの家族には本の企画内容と、どのような本にしようと考えているかを説明させてもらって、できれば本作りにも加わってもらいたいと思ってるの。センセーショナルだけど中身は空っぽのものなんか絶対に書きたくない。わたしは実際に起こったことと、本当のアレクスはどんな人間だったのかを書きたいの」

「でも、マーケットはどうなの？　この手の本に対する関心があると出版社は考えていたか？」

パトリックの瞳が光った。自分のために熱心に語るパトリックを見て、エリカはうれしくなった。エリカにとってこの本がどれだけ意味のあるものなのか、パトリックはよく分かっていて話題にしているのだ。

「そのことでも出版社とは意見が一致したわ。アメリカではね、〝トゥルー・クライム〟作品への需要がすごくあるの。このジャンル第一人者のアン・ルールは何百万冊も売る大ベストセラー作家よ。それに、スウェーデンではまだまだこれからの分野なの。同じような傾向の本は、今のところ、ほんの数作しか出てない。たとえば数年前に書かれた死体解剖医をめぐる作品があるけど。本物の〝トゥルー・クライム〟ではないわ。アン・ルールと同じように、わたしも調査にうんと力を入れるつもり。事実項目をチェックする、関係者全員と話をする。それから、起こったことについてできる限り真実に近い本を書きたい」

「アレクスの家族が取材に応じてくれると思うか？」

「分からないわ」

エリカは巻き毛を指にからませながら、言った。

「本当に分からない。それでも、とにかく訊いてみる。あの人たちが加わってくれなければ、なんとか回り道をしてみるしかないわ。わたし、あの人たちについてすでに多くのことを知っているから、すごく有利だと思う。訊くのはちょっとビビるけど、頑張るしかないでしょ。この本が売れたら、当然、興味を持たせるような刑事事件について書き続けることもイヤじゃない。だったら、親族に対して厚かましく振る舞うことにも慣れなくちゃ。仕事の一部だもの。わたしね、人間っていうのは話したい、自分のことを語って聞かせたいという強い欲求を持っていると思う。被害者も加害者も、それぞれの視点から」

「つまり、きみはヴェーラとも話をしてみようと思っているんだな」

「うん、そのとおり。同意してくれるかどうか分からないけど、とにかく訊いてみるつもり。語ってくれるかもしれない、くれないかもしれない。強制はできないわね」

エリカはさほど気にかけないというように肩をすぼめたが、ヴェーラが関わってくれたら、それだけいい本になるのは明らかだった。エリカがこれまで書いてきたのは本の骨格であって、これからその骨に肉をつけるために懸命に仕事をしなければならなかった。

「あなたのほうは？」

エリカはソファの上で少し体をひねって、パトリックの膝の上に両脚を載せた。パトリックはその意味を解して素直にエリカの足をもみ始めた。

「あなたは、どんな一日だったの？　今、あなたは署のヒーローなんでしょ？」

実際はそうでなかったことが、パトリックが深いため息をついたことから察しがついた。

「メルバリのおやじが、しかるべき者に名誉を与え褒め称える、なんてあり得ないのは分かっているだろう？　あいつ、今日はまるでダーツの矢みたいに、取調室といろんな報道機関との記者会見との間を往復してた。記者連中との会見では、〝自分〟という一人称をずっと口にしてたよ。あいつがおれの名前を少しでも口にしたら、きっとおれはたまげたさ。でもな、ああ、クソいまいましい！　誰が自分の名前が新聞に出ているのを見たがる？　おれは昨日、殺人犯をひとり逮捕した。それで十分だ」

「なんて潔いんでしょ！」エリカはふざけてパトリックの肩をげんこつで突いた。「認めなさいよ。あなたは、大勢集まった記者会見の席でマイクの真ん前に座って、胸を張りながらどんな天才的なやり方で犯人を割り出したか、語りたかったでしょ」

「うーん、地元の新聞でちょっと名前を挙げてもらったら、少しは気分よかっただろうな。しかし、そんなこと起こりっこない。手柄をみんな横取りするのがメルバリの十八番だし、それを阻止するためにおれは鼻クソほどの手も打てないんだ」

「メルバリは熱望どおり、異動になると思う？」

「そうなってくれたらどれだけいいか。いいや、イェーテボリのトップたちは、あいつを今いる場所に置いておきたがるんじゃないか。それで、おれたちはあいつが定年になるまで、ずっと悩まされるって寸法さ。やつの退職の日が今は、ひどく遠く感じられてならないんだ」

「可哀そうなパトリック」

エリカはパトリックの前髪を撫でた。パトリックはそれを合図にエリカに被いかぶさり、ソファの上に押さえ込んだ。

ワインのせいでエリカの手足は重い。パトリックの体の熱がゆっくりエリカの体へ広がる。パトリックの息づかいが激しさを増していく。しかし、エリカにはまだパトリックにいくつか訊きたいことがあった。踏ん張って座った姿勢に戻り、やんわりパトリックを元の場所に押し返した。

「でも、あなたはこれで満足なの？　たとえばニルスの行方不明とか。ヴェーラからもっと聞き出せなかったの？」

「うん。何も知らないってヴェーラは言い張っていた。でも、あいにくとおれはヴェーラの言うことを信じてない。ヴェーラには、ニルスがアンデシュに乱暴していた事実を世間に知られること以上に、息子を護るずっと重大な理由があったはずだ。ヴェーラはニルスに何が起きたか、ちゃんと知っているんだが、それはどんな犠牲を払ってでも守らなければならない秘密なんだろう。白状しなきゃならないけど、弱ったことに、これは全部おれの推測にすぎない。人が煙みたいに消えるはずはない。やつはどこかにいて、さらに、それがどこか知っている人間が一人あるいは複数いる。それでも、おれにはとにかく仮説がある」

彼は自分が考えた事件の経過を一歩一歩たどり、その考えを裏付ける状況を一つひとつ説明した。部屋は暖かいのに、エリカは自分の体が震えているのを感じた。信じられないような仮説だったが、真実味はあった。そしてパトリックの語っていることを、どれ一つも彼が証明できないことも分かった。できたとしても、何の役にも立たない。あまりにも長い歳月が流れた。あまりにも多くの命がすでに失われていて、さらにもう一つ命を損ねても、誰にとってもいいことはないように感じられた。

「これで結論が出ることはまったくないと分かってる。ただ、自分自身のために知りたいんだ。おれは何週間もずっとこの事件を抱えて暮らしてきた。もうケリをつけなくては」

「でも、どうするつもり？　そのために何をするの？」

パトリックはため息をついた。

「おれはただいくつか答えてもらうつもりだ。訊いてみなければ、何も知ることはできない、だろ？」

エリカはパトリックに探るような視線を向けた。

「それがそんなにいい考えかどうか分からないけど、いちばんよく分かってるのは、あなた自身だわ」

「そう願ってるよ。もう今晩はこれで死とか悲しみはおしまいにして、あとは、おれたち自身のことだけにしないか？」

「それって、とてもいい考えみたい」

パトリックはまた体重をエリカの上に載せたが、今度は誰も押し返さなかった。

パトリックが家を出たとき、エリカはまだ寝ていた。とてもエリカを起こす気にはなれなくて、音を立てずにそっと起き上がり、身支度をして車で出た。

これから会う約束をしたときに、パトリックはある種の驚きと用心深い予感を覚えた。だから、相手の条件はふたりが密かに会うことで、パトリックの方はそれで異存はなかった。

月曜日の朝七時に起きた。暗闇の中、フィエルバッカに向かっているときにも車一、二台としかすれ違わなかった。「ヴェッドゥー」と書かれている道路標識で曲がって、少し先にある駐車場に、この朝最初の車として駐車した。それから待った。十分後、もう一台の車が駐車場に入ってきてパトリックの脇に止まる。ドライバーが降りて、パトリックの車の助手席ドアを開けて乗り込んだ。パトリックはアイドリングにしたまま、ヒーターをつけておいた。そうしないと、すぐにも冷え切ってしまうから。

「これって、ちょっと興奮しますね。暗闇に守られて密かに会うって。訊きたいのはその理由ですけど」

ヤーンはすっかりリラックスしていたが、少し戸惑うような表情で尋ねた。「捜査はもう終了したと思ってましたが。警察はアレクス殺害の犯人を捕まえたんでしょう?」

「ええ、そのとおりです。でも、まだ辻褄が合わないことがいくつかありましてね。それで焦ってるんです」

「そうですか、どういうことでしょう?」

ヤーンは無表情のまま言った。パトリックは、無駄にとんでもない早起きをしてしまったのかと思った。しかし、もうこの場にいるのだから、始めたことを終わりまでやり通すしかない。

「聞いておられるでしょうが、アレクサンドラとアンデシュは、あなたの義理の兄ニルスから性的虐待を受けてました」

「はい、聞いてます。ひどい話です。ことに母のことを考えますと」

「しかし、あの方には初耳というわけでもないのです。すでにご存知でした」

「確かにそうです。母は自分が知っていたたった一つの方法で、あの状況を処理したのです。できる限り極秘のうちに。家名は絶対に守らなければならなかった。その他はなんであれ、後まわしです」

「あなたはどう思いますか？　兄が小児愛者であったこと、母親がそれを知っていて息子をかばったこと、ということですが」

ヤーンは取り乱さなかった。ありもしないほこりをジャケットの下襟《ラペル》から払い落としながら、片方の眉を上げたまま数秒考えてから答えた。

「もちろん、わたしは母のことを理解してますよ。自分にできたたった一つの方法で解決したのです。それに被害はすでに起きてしまったあとだった、ですね？」

「ええ、もちろんそんな見方もできます。訊きたいのは、ニルスがあの後どこに行ってしまったのか、ということです。家族の誰にも連絡はないのですか」

「もしあったら、善良な市民として、警察にお知らせしましたよ」

ヤーンの皮肉はほとんど気づかれないほど巧妙にその口調に込められていた。

「しかしわたしは、兄は姿をくらますことを選んだのだと理解しております。ここには何が残っていたでしょうか。母には本性がばれ、学校での仕事も続けられない。続けさせようと、少なくとも母は考えていましたが。そうなって、兄はいなくなりました。たぶんどこか暖かい国で、簡単に少女や少年に近づいているでしょう」

「わたしは、そうは思いませんが」

「そうですか、でも、どうして？　どこかの押し入れで本物の骸骨でも見つけたのですか」

パトリックは、そのからかうような口調を無視した。

「いいえ、見つけてはいません。しかし、わたしには一つ仮説があるんです……」

「なんともスリルがありますね」

「ニルスが性的虐待を加えていた相手は、アレクスとアンデシュだけではなかったと思っています。最初の被害者は手の届く範囲内にいた人、いちばん容易に近づけた人でしょう。あなたも、虐待されていたと思っています」

このとき初めてパトリックは、ヤーンのツルツルした、ピカピカに磨いた上べにひびが入ったように思ったが、一秒後には、少なくとも見かけの上では、冷静さを取り戻していた。

「実に面白い仮説ですね。根拠は何でしょうか」

「あまりない、と認めざるを得ません。しかし、あなたたち三人の共通の繋がりを見つけました。子供の頃のそれです。お宅を訪ねたとき、あなたの仕事部屋に小さい革の切れ端があるのを見ました。あなたにはかなり大事なものなんですね？　何かの印でしょう。同盟、連帯、血盟とかの。あなたはあれを二十三年以上も取っておいた。同じような革片を、アンデシュとアレクスもそれぞれ持っていました。どの革の裏側にも、薄くなった血の指紋がついています。これを見つけてわたしは、あなたたちが子供らしいドラマチックなやり方で血による同盟を結んだのだと考えたわけです。それから、革の表側には文字が三つ刻み付けられました。『D.T.M.』です。これが何なのか、未だ解けません。これは、あなたに助けていただけるんじゃないですか？」

パトリックは、ヤーンの内部でふたつの相異なる意志が争っている様子を、ほとんど文字どおり目にした。一方では理性が一言も言ってはいけないと告げ、他方では話したい、だれかに打ち明けたいという気持ちが意外なほどきている。パトリックはヤーンの自我を信用することにして、関心を持って耳を傾けてくれる人に心の中を打ち明けたくなるほうに賭けた。そして、ヤーンが容易に決断できるようにしてやろうと決めた。

「今日ここで話されたことは全部、あなたと二人だけのことにします。わたしには、二十三年前の出来事を追跡するエネルギーも資金もありません。たとえやってみても、証拠を見つけることができるとは思いません。これは、わたしの個人的な問題なんです。知らなければならないんです」

これは、ヤーンにとって強すぎる誘惑だった。

「『De Tre Masketörerna』（三銃士）、これを略したのが『D.T.M.』なのです。他愛なくてばからしいほどロマンチックですが、わたしたちは自分たちのことを、そのように考えていました。それは、世の中と対決する我々だったのです。三人いっしょにいると、自分たちに降りかかった災難を忘れられました。そのことについて互いに話すということは一度もなかったのですが。そんな必要もありませんでした。言葉はなくても理解し合っていました。わたしたちは、我々は常に互いのために存在すべしという契約を結びました。ガラスのかけらでそれぞれ指を切り、血を混ぜて、エンブレムに押し当てました。

わたしは三人の中でいちばん強かった。そうならざるを得ませんでした。あの二人は自分の家に帰ればほっとできたでしょうが、わたしはいつもあたりの様子をうかがい、晩には掛け布団を顎まで引っ張り上げて、必ず聞こえてくる足音に、まず玄関ホールでして、そしてだんだん近づいてくる足音に聞き耳を立てていました」

まるでダムが決壊したようだった。ヤーンはすさまじい勢いで喋り続けた。とうとう流れる言葉を中断させないために、パトリックは口を挟まなかった。ヤーンはタバコに火を点けて、ウィンドーを少し開けて煙を外に出し、さらに語る。

「わたしたち三人は、自分たちだけの世界で生きていました。他の誰も見ていないときに会っては、お互いに慰めと心の安らぎを求め合っていたのです。わたしたちは実際に、お互いにとっておぞましいことを思い出させる存在となったはずなのですが、しばし現実逃避できたのが三人いっしょにいる時だけだったのは、妙なことでした。わたしたちがどのようにしてそのことを知ったのか、どのようにしてお互いに接近したのか、まったく覚えていません。しかし、とにかくわたしたちは知っていました。わたしたちがお互いに接近することは避けられなかったのです。問題をわたしたち流の解決法で片付けるという思いつきは、わたしが出しました。アレクスとアンデシュは最初ゲームだと思っていたようですが、わたしは、本気になると分かっていました。他の解決手段などありませんでしたから。ある寒い晴れた冬の日、兄とわたしは氷の上に行きました。あいつを騙すのは簡単でした。わたしの方から言い出したことに有頂天になって、小さなピクニックを楽しみに待っていました。わたしはあの冬、氷の上で何時間も過ごしたので、あいつをどこに連れ出せばいいのか、完全に知っていました。そこで、アンデシュとアレクスが待っていました。ふたりを見るとニルスはびっくりしましたが、ひどく傲慢でしたので、まったく脅威とは考えませんでした。わたしたちは、つまるところ子供にすぎませんでしたから。あとは簡単でした。氷に開いた穴、強いひと押し、すると彼はいなくなりました。初めわたしたちは、とてもほっとしました。最初の数日は素晴らしかった。ネッリーは、ニルスがどこに行ってしまったのかという不安のあまり、呆然自失の態でしたが、わたしの方は晩にベッドの中で笑っていました。聞き耳を立てましたが、足音はもう聞こえませんでした。その後です、突然地獄が口を開けたのは。アレクスの両親が何かを知ったのです。どうして知ったのかは、分かりませんが。そしてネッリーのところにやって来ました。アレクスはきっとありとあらゆる質問や強要に堪えられずに、わたしとアンデシュのことも、全部話したのでしょう。わたしたちがニルスにしたことではなくて、その前に起きてたことすべてです。もしもわたしが自分の養母から同情されるはずだと思っていたとしたら、あの頃にはもう目が覚めてました。ネッリーは二度とわたしの目を見なくなりました。ニルスの居場所も尋ねませんでした。なにか察していたのじゃないかと思うことが、ときおりあります」

「ヴェーラも、その暴行を知ったわけですね」

「そうです。でも母は巧妙でした。ヴェーラのアンデシュを護りたい、また自身のためには体面を保ちたいという思いにつけこんで、ビタ一文払ったり、好条件の仕事で買収したりする必要もなく、黙らせることができました」

「その後にニルスに起きたことも、ヴェーラはやがて知ることになったはずですが」

「それは信じて疑いませんね。アンデシュはこれまで何年も、ヴェーラに対して秘密など保てなかったでしょうから」

パトリックは、自分の考えを口にした。

「そうか、ヴェーラがアレクスを殺したのは、暴行事件を封じ込めるためばかりでなくて、アンデシュが殺人で告訴されるのを恐れたためでもあったのか」

ヤーンは冷笑を浮かべた。

「まったくお笑い草です。まず、ニルス殺しはすでに時効が成立している。大昔のことですし、事件をめぐる状況やわたしたちが当時子供だったことを考えると、こんなに後になって、わざわざわたしたちを告訴しようとする人間なんていないでしょうから」

不承々々パトリックは、ヤーンの言うことを認めるしかなかった。アレクスが警察に行って出来事を残らず語ったとしても何も変わらなかったはずだが、それをヴェーラは理解できずに、アンデシュが殺人罪で刑務所に入れられる危険が現実にあると思ったのだ。

「あなたたちはその後も連絡を取っていましたか。あなたとアレクスとアンデシュは？」

「いいえ。アレクスは直ぐに引っ越し、アンデシュは自分の小さな世界に閉じこもってしまいましたし。確かにアンデシュとはたまに出会うこともありましたが、この二十三年間で初めて話をしたのは、アレクスが死んだあと電話をかけてきたときです。わめいたり叫んだりしながら、アレクスを殺したのはわたしだと言い張っていました。もちろんわたしは否定しました。わたしはアレクスの死となんの関係もありません。それでもあいつは諦めませんでした」

「アレクスが警察に行ってニルスの死について話すつもりだったのを、知りませんでしたか」

「はい、アレクスが死ぬ前は。死んだあと、アンデシュが話してました」

ヤーンは車の中で、平然とタバコの煙を吹いて輪にしていた。

「その前にあなたが知っていたら、何が起きていましたかね？」

「そんなこと、知りようはない、でしょう？」

ヤーンはパトリックの方を向いて、冷たい青い目でじっと見た。パトリックは身震いした。そうだ、確かに知りようもない。

「しかし、さっきも言ったように、あのことでわたしたちをぶち込もうなんてする酔狂な人間は、これまで誰もいなかった。もちろん認めますよ、間違いなくあのことは、わたしと母親の関係を少し複雑にしました」

それから、ヤーンは急に話題を変える。

「聞いた限りでは、あの二人が付き合っていたのは確かですよ、アンデシュとアレクスが。美女と野獣ですね。わたしももっと頑張ればよかったかも、古い友情のために……」

パトリックは、自分の脇にいる男にいかなる同情も覚えなかった。確かにヤーンは子供のころ地獄を見ただろうが、それ以上の何かがこの男にはあるように思えた。邪悪でいかれた何かが、毛穴から滲み出しているようだ。まったく衝動的に、パトリックは尋ねた。

「ご両親は悲惨な状況で亡くなってますね。捜査で解明されたこと以上に、もっと何かご存知ありませんか」

ヤーンの口の端が歪む。ウィンドーをさらに一センチほど下げて、上手に吸い殻を捨てた。

「事故なんて簡単に起きるものですよね? ランプが倒れ、カーテンがはためく。取るに足りない小さな要素がいくつか重なって、一つの大きな偶然になる。事故に遭って当然の人間たちが事故に遭うのは、神さまの仕業のように思えますね」

「どうして、わたしに会うことに同意されたのですか。どうして話をしてくれてるのですか」

「実際、自分でも驚いています。もっとも来るつもりはなかったのですが、好奇心を抑えられなかったのでしょうね。あなたがどれだけ知っているのか、どれだけ推測しているのか、知りたかった。それに、わたしたちみんなの心の中には、自分がした善し悪しを誰かに話したいという欲求が潜んでいます。この聞かされている誰かさんが、その善し悪しについてなにも行動できない場合は特に。ニルスの死は大昔のことだし、証拠といえばわたしが語る言葉だけ、誰一人あなたを信じない、でしょうね」

　ヤーンは車を降りたが、振り向いて、上半身をかがめて車の中を覗いた。

「犯罪は一部の人間にはペイするように思いますね。いつの日か、わたしはかなりの財産を相続します。ニルスが生きていたら、わたしがそんな立場になったかどうか疑わしいですが」

　それから指を二本、額に当ててふざけた敬礼をし、ドアを閉めて自分の車の方に歩いていった。パトリックは、意地の悪い笑いが自分の顔に広がるのを感じた。ヤーンは明らかに知らないようだ。ユーリアとネッリーの関係も、ネッリーの死後遺言書が読み上げられる日にユーリアがどのような立場になるかも。神意は真《まこと》に測りがたい。


　自分専用の小さなバルコニーに座っていると、温かいそよ風が皺だらけの頬を撫でていく。太陽はずきずき痛む関節を温め、癒してくれている。過ぎていく一日ごとに体はますます楽に動くようになってきた。毎日、魚市場に出かけ、そこで毎朝早く漁船から揚がる魚を売る手伝いをする。

　ここには、役に立ちたいという老人の権利を取り上げようとする人間はいなかった。反対に、これまでの人生では一度もなかったくらい尊敬され、大切にされた。そして、ゆっくりだが、確実にこの小さな町で友人ができ始めた。確かに言葉はまだちょぼちょぼだが、手振り身振りと誠意によってなんとかなることが分かった。さらに語彙も、ゆっくりだが確実に増えていた。充実した日雇い仕事をした後にちょっと引っかける一、二杯も強い羞恥心をほどいてくれ、そして我ながら驚いたことに、おしゃべりな人間に変わり始めていた。

自分のバルコニーに座って、これまで見た中でいちばん青い水の中へと続いていく豊穣な緑を見渡しながら、エイラートは、これほど天国に近づいたのは初めてではないかと感じた。

さらに生活の楽しみは、日々繰り返される民宿の豊満なオーナー、ローサとの恋愛遊戯だった。エイラートはときどき、これはおふざけやいちゃつき以上のものに発展してゆくかもしれないという考えに耽ったりもした。確かにそれもいい、魅力的な考えだ。人間は独りで生きるようには造られていないのだから。

ふと、故国にいるスヴェーアのことを思った。それからその不快な思いを払いのけ、目を閉じ、じっくりとシエスタを楽しむ。

訳者あとがき

本書はカミラ・レックバリ作『氷姫――エリカ&パトリック事件簿』(*Isprinsessan*, Forum, Stockholm, 2003)をスウェーデン語原作から訳したものである。日本の読書界にはまったく無名の新人なので、簡潔に紹介しておきたい(情報源は主として作家自身のホームページ―http://www.camillalackberg.com/)。

カミラ・レックバリ=エーリックソン(一九七四年八月三十日、スウェーデン西南部ブーフスレーン県フィエルバッカ生まれ)は、デビュー作『氷姫』が発売開始直後ベストセラーとなって、スウェーデン内外の注目を集めた。そのあと『説教師』(二〇〇四)、『石工』(二〇〇五)、『不幸鳥』(二〇〇六)、『ドイツの息子』(二〇〇七)、『人魚姫』(二〇〇八)、『灯台守』(二〇〇九)と、エリカ&パトリック事件簿は順調に冊数を重ねている。

『氷姫』に登場する人物たちは、理想的な先進福祉社会のモデルとされる現代スウェーデンに生きる市民なのだが、人口わずか一千人の海辺のリゾート地フィエルバッカの住民は大方の想像を裏切って、現実には日本人と同じく、原始的ともいえる古くさい感情と近代的な生活法の二つをもって、世界のどこにでも観られる生き方をしている。シリーズに続けて登場する常連のキャラクターはそれぞれの過去の背景が次第に明かされていくが、彼らは、こちらはいかにもスウェーデン人らしく、シリーズの中で絶えず変化、むしろ成長を続けて、本筋とはまた別種の興味を抱かせてくれる。その視点からは、断片的ながら、今に生きるスウェーデン人を観察する好個の資料ともなる。

すでにデビュー作『氷姫』の中には、シリーズ第二作以降で中心となるテーマやプロットがちりばめられている。例えば、エリカの母親が実の娘の成長過程でまったく愛情を示さなかったことの真の理由は、ようやく第五作になって主題とされ、その悲劇が明かされる。このようにシリーズ諸作にまたがる複数構造的なスケールの大きさには、作家レックバリのただならぬ才能が見てとれる。彼女は手本とした作家として英米のアガサ・クリスティ、エリザベス・ジョージ、ヴァル・マクダーミド、パトリシア・コーンウェル、そしてスウェーデンの先輩作家オーサ・ラーションとマリー・ユングステットを挙げている（夕刊紙『エクスプレッセン』二〇〇七年十二月十五日のインタビューで）。レックバリはそれでも、自身の文学論を『氷姫』の随所で自己の分身エリカに語らせ、決してドキドキ、わくわくだけの推理小説にとどまるつもりのないことをほのめかしている。彼女が深く関心を寄せるものは、犯罪を犯す人間の心理であり（本書一六八ページ参照）、またジャンルを越えた文学性を追求しているようにみえる。彼女の書くスウェーデン語文は簡明な語彙とシンプルな単文（シングル・センテンス）の連続で、テンポが速く、リズミカルで、読者を摑まえて放さない。『氷姫』は現在まで日しばしば、ドラマの脚本でも読まされているような錯覚さえ覚える。

本語も含めて二十二の言語に訳されているが、ことにフランスでの人気が際立っており、目下フランスの港町に舞台を移して映画化が進行中である。すでにスウェーデン本国でも映像化され、昨年十一月に二時間ドラマとして二夜連続で放映された。

人口約九百万のスウェーデンでミリオンセラー（エージェント発表による）となったデビュー作『氷姫』によって、レックバリは二〇〇五年にスウェーデン地方公務員労働組合（SKTF）「今年の作家」賞や、二〇〇六年「年間最多売上作品」賞、二〇〇六年「国民文学賞」（RIX FM & Bokia）、そして二〇〇八年にフランスの「国際警察文学大賞」を受賞した。現在、デビュー作が捧げられた息子ヴィッレと娘メイヤと共に首都ストックホルム市郊外に住んでいる。

二〇〇九年七月

原　邦史朗

〔解説〕スウェーデン・ミステリの新しい風

穂井田直美

スウェーデンの人口は約九百万人と東京都よりもはるかに少ないが、ヨーロッパでは五本の指に入るミステリ大国である。以前、スウェーデンのミステリ雑誌について、翻訳家のヘレンハルメ美穂さんが、書かれた記事を読んだことがある（ハヤカワミステリマガジン二〇〇九年一月号）。その記事の冒頭に、スウェーデンの書店では、小説コーナーが、『デッカレ』（ミステリやサスペンス小説を意味する言葉）と『その他』の二つに分類されていることも珍しくなく、しかも『デッカレ』コーナーのほうが大きいことさえあるという記述があった。これは、スウェーデンではミステリが大いに読まれている一つの表れだといえる。

人気が高いだけではない。スウェーデンは、目の肥えた読者の期待に応え、世界で通用する質の高い作品を輩出し続けている国でもある。

その代表例として、一九六五年から十年にわたりペール・ヴァールーとマイ・シューヴァルの夫婦作家が書き続けた警察小説、〈マルティン・ベック・シリーズ〉をあげると、あまりにも言い古されすぎて、年季の入ったミステリ読みの方から「またか」といわれるかもしれない。確かに、このシリーズは世界のミステリという括《くく》りでもクラシックな作品として高く評価されている傑作だが、スウェーデン・ミステリはこれだけではない。特に今日、精力的にミステリを書き続けている作家の作品は、今や国境を越え、多くの国で読まれている。当然、イギリスやアメリカでもどんどん翻訳出版され、評判になっている。私が実感した例をあげれば、今年の三月にハワイで開催されたミステリ大会レフト・コースト・クライムで会ったジャネット・ルドルフは、ミステリ愛好家の国際的な団体、ミステリ・リーダーズ・インターナショナル（マカヴィティ賞を選んでいることでも有名）を結成した著名なミステリ・ファンだが、彼女は、いま最も旬な作家の一人にヘニング・マンケルを挙げてくれた。

遅ればせとはいえ、日本も例外ではない。〈クルト・ヴァランダー・シリーズ〉に代表されるマンケルの作品は、二〇〇一年以降、順調に翻訳出版されており、スティーグ・ラーソンの〈ミレニアム・シリーズ〉が刊行されたこともあって、スウェーデン・ミステリへの関心が高まっている。その流れは、いま、若手の女性作家へと向けられてきており、その一人が、『氷姫』でデビューしたカミラ・レックバリである。

『氷姫』を読み終わったとき、同じスウェーデン人作家ということもあって、私は、初めてマンケルの『殺人者の顔』を読んだときの印象を思い起こしていた。あのときけ、馴染みのない北国の作品ということで、独特の風土、異なる文化や社会制度、日本人とは違う考え方に出会えることを期待しながら読み始めたのだった。しかし、最も強く心に残ったのは、くたびれた中年刑事の心情や悩みが、極東で暮らす私達のそれと何ら変わりないことだった。

そんな主人公への人としての共感が、このシリーズを読み続けている魅力の一つになっている。

同様に、いま私は、『氷姫』の主人公エリカ・ファルクに強い共感を抱いており、働く女性として自立している彼女の自然体な生き方に、憧れを感じている。伝記作家として最高傑作を書き上げようとする彼女の強い意志と、仕事に取り組む真摯な姿勢と、そのための努力は、同じ職業人として到底およびはしないにしても、いいかげんに生きている私ながら、自らを励ます元気になっている。また、両親を亡くした喪失感、主体性のない妹への苛立《いらだ》ちと愛情、そして恋人になるパトリック・ヘードストルムへ熱い思いなど、エリカの心の動きは、特に女性にとっては、私もそうだったように、多少なりとも自分自身を重ねて読んでいただける部分である。

本書では、エリカのたおやかな心情が生き生きと描かれ、作品を貫く流れになっているが、レックバリならではの素晴らしさは、作品に登場する様々な女性の生き方をスナップショットのように鮮明に描いているところにある。例えば、ドメスティック・バイオレンスを受け、夫にスポイルされていたエリカの妹アンナ・マックスウェルが、娘に暴力をふるった夫を見て、それまで抑えてきた自尊心を目覚めさせる瞬間を描いた鮮やかさは、本書の中でも忘れられないシーンの一つである。また、夫がエリカと不倫していると誤解した妻がほんの一瞬垣間見せる醜い嫉妬心を描いた部分は、読み手の心を震わせるほど端的かつ鮮明で、是非、読んでいただきたいところである。他にも、実は本書の中で私が最も気に入っている登場人物なのだが、訪れた人にケーキを食べさせることを生きがいにしているチャーミングな独り暮らしの老女など、小さな港町に住みついているありふれた人々が、ちょっと顔を見せるだけにもかかわらず、読者の心に触れ、強い印象を与えてくれることもこの作品を忘れがたいものにしている。

マンケルは、人として共感できる心情に培われた基盤の上に、スウェーデンが抱えている様々な社会問題を作品に取り込み、グローバルな作家へと成長している。一方、イギリスのミステリ専門の電子雑誌（ezine）"Shots"に掲載されているレックバリへのインタビューによれば、彼女は、犯罪小説が伝統として培ってきたスタイルに根ざした作品を書いてゆきたいと語っている。彼女が、どの国の人も共感させることができる才能を持った作家であることは、すでに述べてきたように明白だが、その上で彼女は、犯人探しという、ミステリの本質的な魅力に真正面から取り組もうとしていることが伝わってくる。具体的に書いてしまうと本書のネタに触れてしまうことになるので歯痒《はがゆ》いのだが、ミステリをポピュラーなものにしている要素を、彼女らしいスタイルで描くことで作家として成長してゆくことは、彼女の作品が世界中に受け入れられる原動力になるに違いない。その萌芽を本書にみることが出来るし、ミステリの故郷であるイギリスで、昨年から彼女の作品が急速に注目されているのも、その魅力に因るところが大きいのではないだろうか。日本でも作品が続けて出版されれば、多くの読者に受け入れられる注目作家になると、私は確信している。

最後に、切なる願いを――。

三月十二日付けのイギリスの Guardian 紙の“Camilla Läckberg's top 10 Swedish crime novels”という記事で、レックバリは、彼女が勧めるスウェーデン・ミステリを一〇作品挙げ、それぞれに簡単な説明をつけている。そのほとんどは現代作家で、彼女のように二一世紀に入って作品を書き始めた人が大半で、一作品を除いて英語で読むことができるものばかりだった。日本では、やっと注目されてきたスウェーデン・ミステリだが、『氷姫』はこの流れの弾みになるにちがいない。そして、彼女の作品が今後も刊行され、それによってスウェーデン以外の北欧の国々のミステリへと、関心の間口が更に広がることを私は夢みている。

静かなる天使の叫び　上・下

R・J・エロリー

佐々田雅子・訳

アメリカ南部の田舎町で起きた少女連続殺人事件。少女たちを守ることのできなかった無念を文章にすることで折り合いをつけていたジョゼフにも次々と残酷な運命が立ちはだかる。英国で絶賛された魂を揺さぶる犯罪小説。

集英社文庫・海外シリーズ

蛹《さなぎ》令嬢の肖像

ヘザー・テレル

宮内もと子・訳

フェルメールと同時代の名画〈蛹〉の所有権を争う裁判で、被告側の弁護を担当するマーラ・コイン。やがてこの絵が秘める悲劇を知るが、真実の露見を阻む者の謀略に嵌り……。三つの時代が交錯する傑作ミステリ！

ISPRINSESSAN by Camilla Läckberg.
Copyright © 2003 by Camilla Läckberg.
All Rights Reserved.
Japanese translation rights arranged with
Bengt Nordin Agency AB in Sweden
through The Asano Agency, Inc. in Tokyo.

集英社文庫

氷《こおり》姫《ひめ》 エリカ&《と》パトリック事件簿《じけんぼ》

2009年8月25日 第1刷
2014年6月17日 第7刷

定価はカバーに表示してあります。

著者 カミラ・レックバリ
訳者 原《はら》邦史朗《くにしろう》
発行者 加藤 潤
発行所 株式会社 集英社
東京都千代田区一ツ橋2-5-10 〒101-8050
電話 03-3230-6094（編集）
03-3230-6393（販売）
03-3230-6080（読者係）
印刷 中央精版印刷株式会社 株式会社美松堂
製本 中央精版印刷株式会社

フォーマットデザイン アリヤマデザインストア　マークデザイン 居山浩二

本書の一部あるいは全部を無断で複写複製することは、法律で認められた場合を除き、著作権の侵害となります。また、業者など、読者本人以外による本書のデジタル化は、いかなる場合でも一切認められませんのでご注意下さい。

造本には十分注意しておりますが、乱丁・落丁（本のページ順序の間違いや抜け落ち）の場合はお取り替え致します。購入された書店名を明記して小社読者係宛にお送り下さい。送料は小社負担でお取り替え致します。但し、古書店で購入したものについてはお取り替え出来ません。

© Kunishirou HARA 2009 Printed in Japan
ISBN978-4-08-760584-6 C0197